29/08/2012

Τζιωρτζίνα μου

Ένα ωραίο ενθύμιο γιά να μέ θυμάσαι.

Με αγάπη

Κατερίνα

# Βαλς

## με δώδεκα θεούς

ΤΙΤΛΟΣ ΒΙΒΛΙΟΥ: **Βαλς με δώδεκα θεούς**
ΣΥΓΓΡΑΦΕΑΣ: Λένα Μαντά
ΕΠΙΜΕΛΕΙΑ – ΔΙΟΡΘΩΣΗ ΚΕΙΜΕΝΟΥ: Άννα Μαράντη
ΣΥΝΘΕΣΗ ΕΞΩΦΥΛΛΟΥ: Χρυσούλα Μπουκουβάλα
ΗΛΕΚΤΡΟΝΙΚΗ ΣΕΛΙΔΟΠΟΙΗΣΗ: Βασιλική Παχουμίου
ΕΚΤΥΠΩΣΗ: Άγγελος Ελεύθερος & ΣΙΑ Ο.Ε.
ΒΙΒΛΙΟΔΕΣΙΑ: Κωνσταντίνα Παναγιώτου & ΣΙΑ Ο.Ε.



Πρώτη έκδοση: Ιούνιος 2005, 3.000 αντίτυπα
Εικοστή ένατη ανατύπωση: Μάιος 2012

ISBN 978-960-274-884-8

***Τυπώθηκε σε χαρτί ελεύθερο χημικών ουσιών, προερχόμενο αποκλειστικά και μόνο από δάση που καλλιεργούνται για την παραγωγή χαρτιού.***



ΕΚΔΟΣΕΙΣ ΨΥΧΟΓΙΟΣ Α.Ε.
Έδρα: Τατοΐου 121
144 52 Μεταμόρφωση
Βιβλιοπωλείο: Μαυρομιχάλη 1
106 79 Αθήνα
Τηλ.: 2102804800
Telefax: 2102819550
www.psichogios.gr
e-mail: info@psichogios.gr

PSICHOGIOS PUBLICATIONS S.A.
Head office: 121, Tatoiou Str.
144 52 Metamorfossi, Greece
Bookstore: 1, Mavromichali Str.
106 79 Athens, Greece
Tel.: 2102804800
Telefax: 2102819550
www.psichogios.gr
e-mail: info@psichogios.gr

ΛΕΝΑ ΜΑΝΤΑ

# Βαλς με δώδεκα θεούς

ΕΙΚΟΣΤΗ ΕΝΑΤΗ ΑΝΑΤΥΠΩΣΗ

*Λίγα λόγια από μένα...*

*Η ιδέα για το βιβλίο αυτό γεννήθηκε ένα καλοκαίρι στο Ναύπλιο, ανάμεσα στην πιο πολύβουη, στην πιο παιχνιδιάρα παρέα που θα μπορούσε να έχει κανείς δίπλα του. Ο Κωστής είναι υπαρκτό πρόσωπο, αλλά ευτυχώς για εκείνον η ζωή του δεν έχει τίποτα κοινό με του ήρωά μου. Το μόνο κοινό που έχουν είναι αυτή η παιχνιδιάρικη διάθεση. Δε νομίζω ότι θ' αναγνωρίσει τον εαυτό του εδώ μέσα, αλλά εγώ τον ευχαριστώ που χωρίς να το ξέρει μου έδωσε την ιδέα για το* Βαλς με δώδεκα θεούς. *Το βιβλίο αυτό το αγάπησα πολύ, χωρίς να ξέρω το λόγο... Από την άλλη, πώς μπορείς ν' αγαπάς κάτι τόσο πολύ και παράλληλα να σε πνίγει, να σε καταπιέζει, να σε τρομάζει; Ίσως γιατί όταν το έγραφα, δεν κράτησα αποστάσεις ασφαλείας από τους ήρωες, ως όφειλα. Έγινα ένα με αυτούς τους τέσσερις και άρχισα να συμπάσχω. Οι μοναχικές ώρες της συγγραφής του έγιναν ένας γλυκός βραχνάς και όταν έβαλα τη λέξη ΤΕΛΟΣ, ένιωσα ανακούφιση αλλά και μοναξιά...*
*Το αφιερώνω σε καθέναν από εσάς, είτε ένιωσε τη μεγάλη, αληθινή και απόλυτη φιλία είτε όχι...*

*Λένα Μαντά*

*Ω άγιε αιθέρα, κι ω γοργές φτερωτές αύρες,*
*πηγές των ποταμών, των θαλασσίων κυμάτων*
*χαμογέλασμα αρίθμητο, κι ολωνών μάνα,*
*ω Γη! και συ που όλα τα πάντα βλέπεις, Ήλιε,*
*δείτε μ' εγώ θεός απ' τους θεούς τι πάσχω!*

Αισχύλος, *Προμηθεύς Δεσμώτης*
*(Μτφρ.: Ι. Γρυπάρης)*

# *ΕΙΣΑΓΩΓΗ*

Κάθισε αργά στη μεγάλη άσπρη πολυθρόνα που βρισκόταν στο μπαλκόνι του ξενοδοχείου. Κάθισε αργά, σαν άνθρωπος που τα χρόνια είχαν στραγγίξει από μέσα του κάθε δύναμη, κάθε διάθεση. Άφησε το βλέμμα του ν' ακουμπήσει στη θάλασσα σαν να μην μπορούσε ούτε κι αυτό ακόμη να σηκώσει· τόσο τον βάραινε. Απέναντί του το ηφαίστειο της Σαντορίνης, μόνο μες στη μεγαλοπρέπειά του. Μοναξιά... Η μοίρα κάθε δυνατού που σπέρνει φόβο γύρω του. Πώς ν' αγαπήσεις κάτι που φοβάσαι; Πώς να πλησιάσεις κάτι που μπορεί να σε αφανίσει; Κάτω απ' τα πόδια του απλωνόταν η θάλασσα. Είχε κατακερματίσει τη στεριά που βρέθηκε αλαζονικά στο δρόμο της, αφήνοντας πίσω απότομα βράχια· βράχια κοφτερά· επικίνδυνα... Και σαν να μην ήθελε ούτε κι η ίδια τέτοια καταστροφή, κάθε που έδυε ο ήλιος, κάθε που βουτούσε στον υγρό του τάφο για να βγει από κει πάλι νικητής το ξημέρωμα, η θάλασσα για λίγο, για πολύτιμες στιγμές ομορφιάς, κοκκίνιζε ματωμένη.

Ευχαρίστησε νοερά τον ταξιδιωτικό του πράκτορα που του 'χε κλείσει δωμάτιο στο συγκεκριμένο ξενοδοχείο. Ήταν ό,τι έπρεπε. Εκεί και μόνο εκεί θα μπορούσε να τελειώσει οριστικά με το παρελθόν. Είχε περάσει κοντά ένας χρόνος από τότε. Απόψε ήταν η στιγμή... Τώρα.

Οι αναμνήσεις σαν θάλασσα που ξυπνά όρμησαν στα ακρογιάλια του μυαλού του. Πήραν τις μνήμες που κρύβονταν καθηλωμένες πίσω απ' τα βράχια της λογικής· τις παρέσυραν και με τα κύματα τις σήκωσαν ψηλά. Το φως του ήλιου που έδυε τις φώτισε. Πολύ αργά για να κάνει πίσω τώρα. Ούτε και το 'θελε όμως. Εδώ κι ένα χρόνο προσπαθούσε να ξεφύγει. Κάθε φορά που έκανε ν' αγγίξει τις αναμνήσεις του, αυτές αγκύλωναν· ένας μικρός αχινός η κάθε λέξη, η κάθε στιγμή, το κάθε πρόσωπο... Όχι... Μόνο εκείνης το πρόσωπο... Γιατί άραγε ένιωσε την ανάγκη να γυρίσει πίσω τώρα; Τώρα, που ήταν έτοιμος να προχωρήσει με τη ζωή του. Μήπως ήταν λάθος να προσπαθήσει να φτάσει και ν' αγγίξει μόνος του τον πόνο; Οι αναμνήσεις όμως ήρθαν όπως πάντα απρόσκλητες· αλλά αυτή τη φορά δεν τις έδιωξε, αντίθετα βούτηξε μέσα στη λίμνη τους. Τα νερά ήταν θολά, στάσιμα, παγιδευμένα τόσο καιρό από εκείνον. Κολύμπησε δίπλα τους, τις κυνήγησε. Κι όταν κάποιες από αυτές πήγαν να κρυφτούν πίσω από πέπλα λησμονιάς, εκείνος τα παραμέρισε. Μερικά χρειάστηκε να τα κουρελιάσει. Φτάνει να κατάφερνε να ξαναζήσει βήμα-βήμα, μέρα με τη μέρα εκείνο τον υπέροχο χρόνο.

Δώδεκα μήνες. Γεμάτοι ανατροπές, δάκρυα, γέλια, απόγνωση... ελπίδα... Ελπίδα...

«Ελπίδα...»

Η φωνή του δεν ήταν αυτή; Να· είχε επιτέλους προφέρει τ' όνομά της χωρίς να σταλάξει ζεστή λάβα από τα μάτια του, χωρίς το γνωστό, ανεπιθύμητο, ατσάλινο χέρι να γραπώσει το λαιμό του. Ήδη έβλεπε το πρόσωπό της να θαμπώνει τη δύση, που γεμάτη ομορφιά και μεγαλείο ξεδιπλωνόταν μπροστά στα μάτια του. Το διάσημο ηλιοβασίλεμα της Σαντορίνης· η θάλασσα φαινόταν ακίνητη· η φύση σιωπούσε περιμένοντας να συντελεστεί το θαύμα· ο ήλιος βουτούσε στα γαλανά νερά και τα γέμιζε αίμα· τα ταλαιπωρημένα βράχια έπαιρναν τώρα την εκδίκησή τους, για απειροελάχιστες στιγμές κάθε μέρα, μπροστά στο διαβρωτικό μαρτύριο που ζούσαν εδώ και αιώνες από κείνη... Όταν ήταν παιδί, καθόταν με τις ώρες και φυλάκιζε το νερό στις μικρές του χούφτες προσπαθώντας να καταλάβει γιατί δεν ήταν γαλάζιο, αφού τα μάτια του έτσι το 'βλεπαν. Ολόγυρά του γαλάζιο, μα μόλις το 'πιανε γινόταν διάφανο... Θύμωνε και το τίναζε μακριά, κι έπειτα έπιανε κι άλλο, κι άλλο. Καθόταν έτσι για ώρες, μέχρι που η μητέρα του τον έβγαζε μελανιασμένο και μουλιασμένο από τη θάλασσα.

Τώρα ο ήλιος είχε πια αποσυρθεί. Σύμφωνα με τη μυθολογία που μάθαινε στο σχολείο —το αγαπημένο του μάθημα—, είχε φύγει με το ολόχρυσο άρμα του, για να ξεκουράσει στα απέραντο του ωκεανού τα κάτασπρα άλογά του. Η αδελφή του η Σελήνη με τα ολόχρυσα μαλλιά σε λίγο θα διαφέντευε εκεί όπου τη μέρα βασίλευε αυτός. Το σκοτάδι άρχισε να πέφτει, αλλά εκείνος ούτε που κινήθηκε να ανάψει κάποιο φως. Έτσι κι αλλιώς, τα γύρω μαγαζιά φώτιζαν αρκετά την απομονωμένη βεράντα του. Έτσι κι αλλιώς, οι αναμνήσεις βρίσκουν πάντα το δρόμο να έρθουν ακόμη και στο σκοτάδι...

Το πρόσωπο της Ελπίδας ξανάρθε μπροστά του. Σοβαρό όπως πάντα. Σπάνια χαμογελούσε εκείνη. Πιο πολύ τη θυμόταν συνοφρυωμένη. Ακόμη κι όταν όλοι ξεκαρδίζονταν με τον απότομο τρόπο που ήξερε να μιλάει, ακόμη και τότε τους κοίταζε αυστηρά κι έλεγε: «Πότε θα σοβαρευτείτε επιτέλους;» Έπιασε τον εαυτό του να χαμογελάει στην ανάμνηση. Ο πόνος είχε υποχωρήσει. Ακόμη και οι χωρίς λόγο τύψεις του πρώτου καιρού.

Αν...

Αν δεν της είχαν όλοι φορτωθεί με τα προσωπικά τους. Αν της είχαν αφήσει χρόνο για τον εαυτό της, τότε ίσως έβλεπε. Ίσως αναγνώριζε. Ίσως διάλεγε άλλο δρόμο... Αν εκείνη τη νύχτα την είχε πείσει. Αν... Μια τοσηδά λεξούλα με δυο γράμματα και είχε τη δύναμη να τσακίσει τον πιο δυνατό, να τρελάνει τον πιο ισορροπημένο, να καταστρέψει τον πιο οργανωμένο... Φτάνει να επέτρεπε κάποιος να εισβάλει στο σύστημά του. Το ένα *αν* γεννούσε δεκάδες άλλα. Και καθένα από αυτά φύτευε κι ένα αγκάθι στο μυαλό, κι αυτό το αγκάθι γεννούσε μια καινούργια ενοχή. Και τότε πια, βρισκόταν κι αυτός παραδομένος στην καταδίκη του πιο αδέκαστου κριτή· του εαυτού του... Δεν είχε καταφέρει ούτε εκείνος να ξεφύγει. Έναν ολόκληρο χρόνο παραπατούσε ανάμεσα στην τρέλα και τη λογική. Κι αν πριν από αυτόν το χρόνο δεν είχαν προηγηθεί εκείνοι οι δώδεκα μήνες που άλλαξαν τη ζωή του, η άβυσσος της παράνοιας θα τον κατάπινε στα σκοτεινά νερά της. Αυτοί όμως οι δώδεκα μήνες... Σαν τους δώδεκα θεούς του Ολύμπου που κάποτε καθόριζαν τις ζωές των απλών θνητών, έτσι κι εκείνοι χάραξαν το δρόμο στο πεπρωμένο του.

Δώδεκα μήνες. Δώδεκα θεοί. Όρισαν. Διέταξαν. Εκτέλεσαν. Καθένας από αυτούς έβαλε τη δική του σφραγίδα στη ζωή τους και στο χαρακτήρα τους. Καθένας από αυτούς, λες και αντιπροσώπευε κάθε μήνα από αυτόν το χρόνο...

Ο Άρης, ο θεός του πολέμου... Αυτός τους γνώρισε... μέσα από καβγά... Έβαλε τη σφραγίδα του στο Μάρτιο...

Η Εστία, η θεά του σπιτιού... Αυτή βοήθησε τον ίδιο

να σταθεί και πάλι στα πόδια του... Έβαλε τη σφραγίδα της στο Μάιο...

Ο Ήφαιστος, ο θεός της φωτιάς... Αυτός μάλλον τα έκανε άνω-κάτω με τη φωτιά του... Έβαλε τη σφραγίδα του στον Ιούνιο...

Η Αθηνά, ο Ποσειδώνας, ο Δίας, ο Ερμής, η Αφροδίτη, η Δήμητρα, ο Απόλλωνας, η Ήρα και τέλος ο Άδης, ο θεός του Κάτω Κόσμου.

Σηκώθηκε από το αναπαυτικό κάθισμά του και στηρίχθηκε στο πέτρινο στηθαίο. Από κει έβλεπε τα γύρω μαγαζιά. Ήταν γεμάτα κόσμο που γελούσε, μιλούσε, διασκέδαζε. Απέναντι ο σκοτεινός όγκος του ηφαιστείου παρακολουθούσε αμέτοχος, αδιάφορος για όσα τριβέλιζαν τους ανθρώπους, για ό,τι είχαν στην καρδιά τους. Εκείνο στην καρδιά του είχε καυτή λάβα. Μπροστά σ' αυτήν, όλα ήταν χλιαρά. Δεν το ένοιαζε που είχε τόσο κόσμο απέναντί του. Εκείνο μέσα του είχε τον ίδιο τον Ήφαιστο να δουλεύει μέρα-νύχτα στο τεράστιο αμόνι του...

Πάλι ξέφευγε... Όχι... Έπρεπε να παραμείνει στα γεγονότα... Τέσσερις άνθρωποι: τρεις γυναίκες κι εκείνος. Πώς γνωρίστηκαν; Καμιά τρυφερή ηλικία δεν τους σύστησε. Καμιά εφηβεία δεν τους συντάραξε για να τους ενώσει. Στην ωριμότητά τους όλοι, με ζωές τακτοποιημένες ή... λίγο άνω-κάτω. Πώς δέθηκαν έτσι; Πώς πόνεσαν τόσο πολύ; Κάθισε πάλι και ένιωσε τις μνήμες να τον κατακλύζουν σαν ζεστό κύμα· σαν παλίρροια. Αφέθηκε... Απόψε θα συνέβαινε, επιτέλους. Θα τέλειωνε με το παρελθόν. Για να γίνει όμως αυτό, έπρεπε πρώτα να το ανασύρει. Να το στήσει εμπρός του, να το κοιτάξει κατάματα κι έπειτα να το αφήσει στην ησυχία του.

Απόψε, λοιπόν, ήταν η ώρα. Να θυμηθεί. Να τα πάρει όλα από την αρχή...

# ΜΑΡΤΙΟΣ
## *Ο μήνας του Άρη*

### ΑΡΗΣ

*Γιος του Δία και της Ήρας. Θεός του πολέμου. Πάντοτε ανακατεμένος σε κάποιο πόλεμο και δε λείπει ποτέ από κανένα πεδίο μάχης...*

*...Καμιάν ευχή μην κάνεις και δεν είναι*
*στο χέρι των ανθρώπων ν' αποφύγουν*
*τη συφορά που η μοίρα τους τους γράφει...*

Σοφοκλής, *Αντιγόνη*
*(Μτφρ.: Ι. Γρυπάρης)*

Χοντρές ψιχάλες βροχής άρχισαν να πέφτουν. Οι δρόμοι έχασαν το μονότονο, μουντό χρώμα τους. Γέμισαν σκουρόχρωμες βούλες. Σε λίγο θα έχαναν και τον προορισμό τους. Από οδικές αρτηρίες θα μετατρέπονταν σε κανάλια. Μια αστραπή διέκοψε τη γαλάζια ενότητα τ' ουρανού που εδώ και λίγη ώρα είχε χάσει την ηρεμία του. Ελάχιστα δευτερόλεπτα πέρασαν προτού ο κόσμος σειστεί συθέμελα από ένα δυνατό κεραυνό. Άγριες οι διαθέσεις του καιρού λοιπόν... Οι διαβάτες τάχυναν το βήμα τους. Ήταν μόλις πέντε και έμοιαζε σαν να 'ναι νύχτα. Κάποιοι θα προλάβαιναν να φτάσουν στον προορισμό τους προτού γίνουν μούσκεμα. Δεν ήξεραν και φυσικά ούτε και τους ενδιέφερε που στον ενδέκατο όροφο εκείνου του γυάλινου θηρίου, στις πέντε και μισή ακριβώς, σε μια μικρή τελετή, ο πρόεδρος και το διοικητικό συμβούλιο της *Auto Corporation* θα τον βράβευαν για τις επιδόσεις του στην εταιρεία.

Εκτός από τη γενναία αύξηση, τον περίμενε και ο τιμητικός τίτλος του Γενικού Διευθυντή, θέση που καθ' υπέρβαση δινόταν πρώτη φορά σε τόσο νεαρό στέλεχος.

Ο Κωστής επιμελήθηκε τη γραβάτα του για πέμπτη ίσως φορά τα τελευταία δέκα λεπτά. Αν και φαινόταν ανόητο, είχε αγωνία. Ήξερε τι θα γινόταν εδώ και τρεις μέρες που τον είχε καλέσει ο πρόεδρος στο γραφείο του για να του το ανακοινώσει. Είχε παλέψει γι' αυτό τα τελευταία οκτώ χρόνια. Τριάντα χρόνων ήταν όταν προσελήφθη στην εταιρεία σαν απλός πωλητής αυτοκινήτων, άγνωστος μεταξύ αγνώστων και με την αγωνία ενός παιδιού που θα ερχόταν στον κόσμο σε λίγους μήνες. Ήταν και νιόπαντρος. Είχαν παντρευτεί με την Αντιγόνη, ύστερα από δεσμό μόλις λίγων μηνών, ακριβώς εξαιτίας της εγκυμοσύνης της. Ούτε και το 'χε σκεφτεί καθόλου. Μόλις του το είπε, εκείνος της πρότεινε να παντρευτούν. Δυο μήνες μετά το γάμο τους, όμως, η εταιρεία όπου εργαζόταν ανάμεσα στις άλλες περικοπές... περιέκοψε και τον ίδιο, αφήνοντάς τον μεν χωρίς δουλειά, αλλά γεμάτο πανικό για το μέλλον.

Ήταν περήφανος· δεν ήθελε βοήθεια από κανέναν. Η οικογένειά του ήταν δική του υπόθεση, και ποτέ του δεν είχε αποφύγει καμιά ευθύνη ούτε την είχε μετατοπίσει σε άλλους ώμους. Η Αντιγόνη γκρίνιαζε καθημερινά να ζητήσουν βοήθεια από τους γονείς της, αλλά εκείνος αρνιόταν πεισματικά. Μάλιστα της είχε ζητήσει πολύ ευγενικά, αλλά αυστηρά, να μην τους πει καν ότι είχε μείνει άνεργος.

«Μου ζητάς να πω ψέματα στους γονείς μου;» είχε τσιρίξει, και ο Κωστής δεν μπόρεσε ν' αποφύγει μια γκριμάτσα ενόχλησης, καθώς η φωνή της είχε διαπεράσει με επίπονο τρόπο το τύμπανο και είχε τεντώσει επικίνδυνα το νευρικό του σύστημα.

«Σου ζητάω να μην τους πεις την αλήθεια...» αποκρίθηκε ήρεμα. Δεν έπρεπε να χάσει την ψυχραιμία του. Αν γινόταν αυτό, θ' ακολουθούσαν οι γνωστές υστερίες της και δεν έπρεπε να ταράζεται. Ήταν πια πέντε μηνών έγκυος.

«Μα είναι το ίδιο! Θα με ρωτήσουν πώς πας με τη δουλειά σου! Τι θα τους πω;»

«Θα τους πεις "μια χαρά" και θ' αλλάξεις συζήτηση! Αντιγόνη, σε παρακαλώ, προσπάθησε να ηρεμήσεις και να με καταλάβεις! Μόλις μάθουν ότι δεν έχω δουλειά, θα θελήσουν να μας βοηθήσουν και αυτό ακριβώς θέλω ν' αποφύγω! Οι άνθρωποι, μόλις έμαθαν ότι θα παντρευτούμε, μας αγόρασαν όλο αυτό το τεράστιο σπίτι, το επίπλωσαν και γενικά μας έκαναν έναν ονειρεμένο γάμο, γνωρίζοντας ότι οι γονείς μου δεν ήταν σε θέση να βοηθήσουν...»

«Δεν ήταν σε θέση ή δεν ήθελαν; Γιατί σου αρέσει να ερμηνεύεις τα πράγματα όπως σε βολεύουν;»

Την κοίταξε πληγωμένος. Δεν ήταν η πρώτη φορά που οι γονείς του αποτελούσαν το κόκκινο πανί στη συζήτηση. Ποτέ δεν προσποιήθηκαν ότι θέλησαν αυτόν το γάμο και ειδικά με τις συνθήκες κάτω από τις οποίες έγινε, αλλά κρατούσαν τις σκέψεις τους για τον εαυτό τους και φυσικά και για τον ίδιο. Ποτέ δεν έκαναν κάτι που θα έθιγε τη γυναίκα του ή τους γονείς της, αλλά...

«Δε θα υποκριθώ ότι οι γονείς μου ενέκριναν το γάμο μας, ωστόσο συμφώνησαν. Κι αν μπορούσαν, θα είχαν βοηθήσει. Ξέρεις καλά ότι οι σπουδές μου στο εξωτερικό τόσα χρόνια ήταν οικονομική αφαίμαξη για τα ήδη επιβαρυμένα οικονομικά τους!»

«Κι εγώ σου λέω...»

«Είσαι εκτός θέματος, Αντιγόνη! Για μία ακόμη φορά! Και επειδή δε θέλω να ταράζεσαι στην κατάστασή σου, η συζήτηση θα σταματήσει εδώ! Αλλά επιμένω σε αυτό που είπα: Δε θα πεις στους γονείς σου τίποτα!»

«Και πώς θα τα βγάλουμε πέρα;»

Τα «έβγαλαν πέρα» όμως. Λίγες βδομάδες αργότερα, βρέθηκε η δουλειά στην *Auto Corporation*. Χαμηλός ο μισθός στην αρχή. Πολύ λίγος για τις τρεις ξένες γλώσσες που ήξερε, καθώς και για τα πτυχία εξ Αμερικής πάνω στη διοίκηση επιχειρήσεων, στους υπολογιστές και στη διαφήμιση. Δεν τον πείραξε. Ήξερε ότι θα πετύχαινε. Η δουλειά αυτή ήταν τ' όνειρό του, από τότε που σπούδαζε. Φτάνει να κατάφερνε να τον προσέξουν τα κατάλληλα άτομα. Φτάνει να ξεχώριζε τόσο ώστε να τον περάσουν στα γραφεία. Χρειάστηκαν τρία χρόνια... τρία χρόνια σκληρής δουλειάς με τις κεραίες τεντωμένες για την πολυπόθητη ευκαιρία. Σχεδόν δεν το πίστεψε όταν ήρθε. Πού να φανταστεί ότι το νέο μοντέλο που έβγαλε η εταιρεία στην αγορά θα ήταν το εισιτήριό του; Ένα μικρό αυτοκίνητο, ευέλικτο και οικονομικό, κατάλληλο για μετακινήσεις μέσα στην πόλη, που όμως οι πωλήσεις του ήταν τέτοιες και η αδιαφορία του αγοραστικού κοινού τόσο μεγάλη, ώστε η εταιρεία είχε σχεδόν αποφασίσει την απόσυρσή του.

Ξενύχτησε ατέλειωτα βράδια πάνω σε προϋπολογισμούς και σε προσχέδια. Η μικρή Ισμήνη, που ήταν ήδη τριών χρόνων, ξυπνούσε πολλές φορές μέσα στη νύχτα και τον πλησίαζε επιζητώντας την προσοχή του, αλλά εκείνος την έστελνε στο κρεβάτι της, χωρίς να της ρίξει ούτε μια ματιά. Δεν μπορούσε να τη δει, μια και τα μάτια του ήταν γεμάτα σχεδιαγράμματα. Δεν μπορούσε να την ακούσει· τ' αυτιά του βούιζαν από την προσπάθεια και την κούραση.

Τα μάτια της κόρης του, που ήταν ίδια με τα δικά του, τον κοιτούσαν με παράπονο προτού γεμίσουν θυμό για την άδικη απόρριψη που το παιδικό μυαλό της δεν μπορούσε να χωρέσει. Τρία χρόνια τώρα, ο πατέρας της ζούσε μόνο για την καταραμένη αυτή εταιρεία με τα αυτοκίνητα. Τα ίδια αυτοκίνητα που της στερούσαν την αλάνα, το πάρκο, την ελευθερία κινήσεων. Τι την ένοιαζαν λοιπόν; Ίσα ίσα, τ' αντιπαθούσε και τώρα είχε ένα λόγο παραπάνω. Εκείνη ήθελε να παίξει με τον πατέρα της. Ήθελε να την πάει στις κούνιες, όπως πήγαιναν οι άλλοι μπαμπάδες τις φίλες της. Ήθελε να την πάρει αγκαλιά ή να την καθίσει στο γραφείο του και να ζωγραφίσουν μαζί. Τι κι αν εκείνος, προτού συρθεί αποκαμωμένος στο κρεβάτι του, περνούσε πρώτα από το δικό της για να τη φιλήσει και να τη σκεπάσει; Εκείνη κοιμόταν και δεν τον καταλάβαινε. Τι κι αν στο πορτοφόλι του κουβαλούσε φωτογραφίες της; Μήπως και η ίδια δεν είχε φτάσει στο σημείο να τον βλέπει πια μόνο από φωτογραφίες; Τι κι αν όλα γίνονταν γι' αυτήν; Εκείνη θα προτιμούσε ένα λιγότερο επιτυχημένο στέλεχος εταιρείας, αλλά πιο επιτυχημένο μπαμπά κοντά της.

Ο μπαμπάς της, όμως, δεν ήξερε ούτε φανταζόταν τίποτε απ' όλα αυτά. Όλες του οι δυνάμεις ήταν στραμμένες στον ηλεκτρονικό υπολογιστή, καθώς ετοίμαζε την τελειότερη και πιο επαναστατική πρόταση που μπορούσε να γίνει για την προώθηση του νέου μοντέλου. Είχε βάλει σ' εφαρμογή όλα όσα είχε διδαχθεί στην Αμερική τόσα χρόνια. Είχε δώσει τον καλύτερό του εαυτό.

Όταν παρουσιάστηκε με τον τεράστιο φάκελο στα χέρια και ζήτησε να δει τον ίδιο τον πρόεδρο, η έκφραση της γραμματέως του ήταν τουλάχιστον κωμική, αλλά εκείνος δεν μπόρεσε να γελάσει. Παιζόταν η ίδια του η ζωή. Και παιζόταν για μέρες... Τον έστελναν από προσωπάρχη σε προσωπάρχη, από το ένα τμήμα στο άλλο και κανένας δεν τον έπαιρνε σοβαρά. Η βαριά μεταλλική πόρτα με το σήμα της εταιρείας παρέμενε κλειστή και, το χειρότερο, άρχισε να απομακρύνεται. Τώρα δεν τον άφηναν ούτε μέχρι τον ενδέκατο όροφο να φτάσει, όπου ήταν ο πρόεδρος. Κατάφερε να γίνει ανέκδοτο στα χείλη όλων: ο πωλητής που νομίζει ότι θα σώσει την εταιρεία και το νέο της αυτοκίνητο! Καμιά φορά όμως τ' ανέκδοτα, ακριβώς επειδή κυκλοφορούν από στόμα σε στόμα, φτάνουν και στα κατάλληλα αυτιά... Έτσι έμειναν πολλά στόματα ανοιχτά, όταν μια μέρα ζήτησε ο ίδιος ο πρόεδρος να τον δει. Αυτό κι αν ήταν επανάσταση! Πρόσωπο μυθικό για τους περισσότερους υπαλλήλους εκεί μέσα, πρόσωπο που οι πιο πολλοί είχαν δει μόνο σε φωτογραφίες κοσμικών περιοδικών, δεν μπορούσαν να καταλάβουν πώς τα είχε καταφέρει ένας απλός πωλητής να πετύχει αυτή τη συνάντηση!

Όταν ο Κωστής πέρασε την πόρτα και βρέθηκε σε εκείνο τον τεράστιο χώρο με τις τζαμαρίες ολόγυρα, που επέτρεπαν στον κάτοχό του να αισθάνεται λίγο-πολύ σαν τον Δία καθισμένο στον Όλυμπο, με όλο τον κόσμο, τους κοινούς θνητούς, στα πόδια του, ένιωσε τέτοιο δέος που για δευτερόλεπτα έχασε κάθε επαφή με την πραγματικότητα. Η απόσταση που χρειάστηκε να διανύσει από την πόρτα μέχρι το γραφείο, για ν' απλώσει το χέρι του στον άνθρωπο-μύθο που τον κοιτούσε, του φάνηκε η μεγαλύτερη της ζωής του. Τα πόδια βούλιαζαν στην παχιά μοκέτα και η ψυχή του βούλιαζε σε ωκεανούς πανικού. Ξαφνικά, συνειδητοποίησε πως είχε καταφέρει το αδιανόητο και είχε όλη την καλή θέληση να κάνει μεταβολή και να φύγει τρέχοντας, όσο ήταν καιρός. Ο ασπρομάλλης κύριος με το καλοσυνάτο πρόσωπο, που δεν ήταν άλλος από τον πρόεδρο, ξαφνικά φάνταζε στα μάτια του πολύ επικίνδυνος. Ο χώρος με τα ήρεμα και γλυκά χρώματα, πολύ επιθετικός. Όλες αυτές οι πόρτες τριγύρω έδειχναν έτοιμες ν' ανοίξουν και από εκεί να βγουν δεκάδες μπράβοι και να τον βγάλουν έξω σηκωτό. Άρχισε να ιδρώνει.

Τώρα που το θυμόταν και τότε έβρεχε. Ο ουρανός είχε κυριολεκτικά ανοίξει με τον ίδιο τρόπο που κι αυτός επιθυμούσε ν' ανοίξει η γη να τον καταπιεί.

«Νεαρέ μου, κάνατε πολύ κόπο να φτάσετε ως εδώ, ώστε να υποθέσω ότι θέλατε να θαυμάσετε τη διακόσμηση του γραφείου μου! Αν είστε έτοιμος λοιπόν, θα ήθελα να μάθω γιατί τόσο καιρό επιμένετε να δείτε εμένα και μόνο εμένα!»

Συνήλθε απότομα. Ένας παγωμένος αέρας τον φύσηξε και συνήλθε. Είχε την ευκαιρία του και επειδή θα ήταν και η μοναδική, δεν έπρεπε να την αφήσει να πάει χαμένη. Άρχισε να μιλάει. Στην αρχή, η φωνή του έτρεμε και σε κάθε κεραυνό έσπαγε. Μόλις όμως μπήκε για τα καλά στο θέμα του, τίποτα δεν τον σταματούσε. Με απόλυτη σαφήνεια και αυτοπεποίθηση, παρουσίασε στον πρόεδρο όλο το σχέδιό του για τη διαφημιστική καμπάνια που είχε σκεφτεί· προϋπολογισμοί, διαγράμματα, όλα πέρασαν από τα μάτια του προέδρου, που κάθε λεπτό γέμιζαν όλο και περισσότερο ενδιαφέρον. Όταν έφτασαν μάλιστα και στο κόστος της διαφημιστικής εκστρατείας, σε σχέση με τις απώλειες που θα έφερνε η απόσυρση στην εταιρεία, το πλήγμα στο γόητρό της αλλά και τα στοιχεία που έδειχναν ότι μια τέτοια διαφημιστική προσέγγιση, τόσο καινούργια στην Ελλάδα, δεν μπορούσε παρά να πετύχει, ο πρόεδρος σχεδόν χαμογελούσε.

Μόλις ο Κωστής ολοκλήρωσε την παρουσίαση, ένιωσε σαν να 'χε στραγγίξει από μέσα του και η τελευταία σταγόνα δύναμης. Τώρα ήταν χειρότερα απ' ό,τι στην αρχή. Έκαιγε ολόκληρος σαν να είχε πυρετό. Το βλέμμα του συνάντησε το πέπλο της βροχής έξω απ' το παράθυρο και ευχήθηκε να βρισκόταν στο δρόμο, κάτω από την ευεργετική δροσιά που μόνο το νερό μπορούσε να του προσφέρει εκείνη τη στιγμή. Ο πρόεδρος έπιασε το βλέμμα του και χαμογέλασε.

«Μοιάζετε με άνθρωπο που πνίγεται!» του είπε.

«Το αντίθετο, κύριε πρόεδρε! Αυτή τη στιγμή, ευχόμουν να ήμουν στο δρόμο, κάτω από αυτή τη βροχή!»

«Νομίζω ότι, προς το παρόν, ένα ποτήρι νερό θα κάλυπτε τις ανάγκες του οργανισμού σας και θα σας γλίτωνε από ένα άσχημο κρυολόγημα! Πάντως, φαίνεστε κουρασμένος...»

«Ήταν πολύ μακρύς και επίπονος ο δρόμος για έναν πωλητή, από την έκθεση του ισογείου στον ενδέκατο όροφο του γραφείο σας!»

Του έδωσε το νερό προτού του δώσει και την απάντηση: «Είναι ασυνήθιστο να ζητάει ένας πωλητής να με δει! Παρ' όλα αυτά, οφείλω να ομολογήσω ότι μ' εντυπωσίασε τόσο η επιμονή σας όσο και η πρότασή σας. Βέβαια, η πρόταση θα πρέπει να περάσει και από το διοικητικό συμβούλιο της εταιρείας, στο οποίο θα κληθείτε να την παρουσιάσετε».

Όλα ήταν περίεργα. Θύμιζαν λίγο αμερικανική ταινία. Η τεράστια αίθουσα με το μεγάλο τραπέζι στο κέντρο, όλοι αυτοί που τον κοιτούσαν με δυσπιστία, ο πρόεδρος στην κορυφή να του χαμογελάει ενθαρρυντικά... Το σχέδιο, πάντως, πέρασε. Έτυχε της ομόφωνης έγκρισης του συμβουλίου. Αυτό που κανένας δεν περίμενε ήταν η απήχηση της καμπάνιας στους καταναλωτές. Οι πωλήσεις έσπασαν όλα τα ρεκόρ της τελευταίας δεκαετίας και η καριέρα του τις ακολούθησε. Ο πωλητής έγινε διευθυντής του διαφημιστικού τμήματος σε μια νύχτα. Το όνομά του έγινε γνωστό και το ότι ήταν ο μόνος που μπορούσε να δει τον πρόεδρο χωρίς ραντεβού τον κατέταξε οριστικά στα μυθικά πρόσωπα της εταιρείας.

Ένας κεραυνός διέκοψε την εισβολή του παρελθόντος στο σήμερα. Έφτιαξε πάλι τη γραβάτα του. Είχε φτάσει ψηλά, μπορούσε να κόψει λίγο ταχύτητα. Ήταν τριάντα οκτώ χρόνων και είχε ξεχάσει να είναι οτιδήποτε άλλο εκτός από υπάλληλος της *Auto Corporation*. Οκτώ χρόνια δεν είχε πάει διακοπές, δεν είχε λείψει ούτε μια μέρα από τη δουλειά, κι ακόμη και τα σαββατοκύριακα περνούσε ώρες ατελείωτες κλεισμένος στο γραφείο του στο σπίτι, παρέα με υποθέσεις της εταιρείας που δεν προλάβαινε να κοιτάξει όλη τη βδομάδα. Ήταν όμως περήφανος. Τώρα πια μπορούσε να προσφέρει στη γυναίκα του και στην κόρη του ό,τι λαχταρούσε η ψυχή τους. Είχαν λεφτά, είχαν κοινωνική θέση... Έπρεπε όμως να παραδεχτεί πως του έλειπαν πολύ, πως το τίμημα της επιτυχίας ήταν ιδιαίτερα βαρύ για την οικογενειακή του ζωή. Είχε σκοπό να ζητήσει μια μεγάλη άδεια για να κάνει ένα ταξίδι με την Αντιγόνη. Της το χρωστούσε. Ίσως το καλοκαίρι να πήγαιναν και διακοπές όλοι μαζί. Τόσα χρόνια έστελνε τη γυναίκα του με το παιδί να παραθερίσουν, να κάνουν τα μπάνια τους, κι εκείνος έλιωνε στο καμίνι της καλοκαιρινής Αθήνας αδιαμαρτύρητα. Τώρα όμως όλ' αυτά έπρεπε να σταματήσουν. Στο κάτω κάτω, ένα κάστρο είχε μείνει απόρθητο, αυτό του αντιπροέδρου. Αλλά ήταν ακόμη νέος, μπορούσε να περιμένει...

Κοίταξε τη βροχή που δε φαινόταν να θέλει να σταματήσει το τραγούδι της. Οι δρόμοι γέμισαν νερό και ομπρέλες. Κάτω από κάθε ομπρέλα, ένας άνθρωπος. Ένας άνθρωπος που τσαλαβουτούσε σε λασπόνερα, αλλά που η αγωνία της καθημερινότητας τον έκανε να μην καταλαβαίνει ότι είχε γίνει ήδη μούσκεμα. Αδιάφοροι οδηγοί σήκωναν πίδακες στο πέρασμά τους. Αθήνα. Μια πόλη ασφυκτικά πυκνοκατοικημένη, που είχε γεμίσει καυσαέριο και αυτοκίνητα. Είχε και η εταιρεία του μερίδιο, όπως και όλες οι εταιρείες εισαγωγής αυτοκινήτων. Κάθε χρόνο έβρισκαν και κάτι νέο, μια πρόταση πιο δελεαστική από την προηγούμενη, για να παρακινήσουν τους ανθρώπους να ρίξουν άλλο ένα αυτοκίνητο στους ήδη γεμάτους δρόμους. Προσπαθούσαν να τους πείσουν, κι έτσι να γίνει η ζωή τους ακόμη πιο δύσκολη. Τι σημασία είχε όμως; Εκείνος χάρη στη σταθερά ανοδική πορεία των πωλήσεών τους είχε φτάσει στην κορυφή.

Η πόρτα χτύπησε και ως συνήθως, χωρίς να περιμένει απάντηση, εισέβαλε στο χώρο η Ευγενία. Ήταν ιδιαιτέρα του τα τελευταία πέντε χρόνια. Την προσέλαβε ταυτόχρονα με την προαγωγή του, τότε που είχε προβιβαστεί σε διευθυντή του διαφημιστικού τμήματος. Η πρόσληψή της αποτέλεσε ένα ηχηρό χαστούκι στα πρότυπα της εταιρείας, όπου, εκτός από τα υπόλοιπα απαραίτητα προσόντα που αφορούσαν στις γνώσεις και τις ικανότητες, η εξωτερική εμφάνιση είχε κι αυτή το μερίδιο που της αναλογούσε στη λήψη της απόφασης για την πρόσληψη κάθε ενδιαφερομένου. Πώς αλλιώς να εξηγηθεί ότι ειδικά όλες όσες ασκούσαν χρέη γραμματέως σ' αυτή την εταιρεία μπορούσαν παράλληλα να δουλέψουν μπροστά από το φακό μια φωτογραφικής μηχανής, χωρίς να έχουν τίποτα να ζηλέψουν από ένα κατ' επάγγελμα μοντέλο;

Όταν η Ευγενία ήρθε για τη συνέντευξη, ο Κωστής κυριολεκτικά τα έχασε. Ήταν μια γυναίκα γύρω στα σαράντα, ψηλή, τουλάχιστον ένα κι ογδόντα πέντε, με φυσιογνωμικά χαρακτηριστικά τόσο ασύμμετρα, που έλεγες πως το πρόσωπό της ήταν βγαλμένο από πίνακα μοντέρνας ζωγραφικής ιδιόρρυθμου ζωγράφου, σε περίοδο μεγάλης έμπνευσης ή μεγάλης... παράνοιας. Σε όλα τα παραπάνω, υπήρχαν και τουλάχιστον είκοσι επιπλέον κιλά, σπαρμένα σε πιθανά και απίθανα σημεία του σώματός της. Μια γυναίκα Κουασιμόδος, αλλά παράλληλα το πιο απίθανο, το πιο καταπληκτικό, το πιο χαρισματικό πλάσμα που είχε γνωρίσει.

Η Ευγενία είχε αποδεχτεί την ασχήμια της από πολύ μικρή και ίσως γι' αυτό είχε πλάσει ένα χαρακτήρα σύμφωνα μ' αυτήν και εξαιτίας αυτής. Έβλεπε τη ζωή από άλλη οπτική γωνία, αν και γι' αυτό το τελευταίο, ο Κωστής υπέθετε ότι έφταιγαν τα ασύμμετρα τοποθετημένα μάτια της. Με άριστη μόρφωση, γνώριζε έξι ξένες γλώσσες και αν υπήρχε βραβείο ταχύτητας και καλής οργάνωσης, ήταν δικό της πέρα από κάθε αμφιβολία. Η ευστροφία της συναγωνιζόταν το χιούμορ της. Ένα χιούμορ μάλλον καυστικό, που πάντα περιλάμβανε και τον εαυτό της φτάνοντας στον αυτοσαρκασμό. Το πλάσμα αυτό, στερημένο από κάθε εξωτερική ομορφιά, είχε συγκεντρώσει μέσα του ικανότητες θαυμαστές και χαρίσματα τόσο αξιολάτρευτα, ώστε όποιος τη γνώριζε καλύτερα έφτανε να αγνοεί την ασχήμια της.

Εκείνη την πρώτη μέρα, όταν τον είδε να στέκεται άναυδος, του χαμογέλασε. Αντίθετα με όλα τ' άλλα πάνω της, τα δόντια της ήταν ολόισια και το χαμόγελό της λαμπερό και καθαρό όσο κι ενός παιδιού.

«Αν αισθάνεστε άσχημα», του είπε, «ίσως είναι καλύτερα να καθίσετε! Στην προηγούμενη εταιρεία που ζήτησα δουλειά, ο υποψήφιος προϊστάμενος λιποθύμησε όταν με είδε!»

«Με συγχωρείτε...» ψέλλισε εκείνος αμήχανος για την αναίδειά του.

«Δεν πειράζει! Σαράντα χρόνια που κοιτάζομαι στον καθρέφτη, έχω συνηθίσει τον εαυτό μου! Δεν μπορώ να έχω την ίδια απαίτηση απ' όλους όμως! Πάντως, ευχαριστώ που με δεχτήκατε!»

Έκανε να φύγει, αλλά ο Κωστής τη σταμάτησε. Δε θα συγχωρούσε ποτέ τον εαυτό του, αν δεν έδινε μια ευκαιρία σ' αυτή τη γυναίκα. Ποιος; Αυτός, που χάρη στην ευκαιρία που ζήτησε και του δόθηκε, έφτασε εκεί που έφτασε και ζητούσε σήμερα και γραμματέα!

Δέκα λεπτά αργότερα, την είχε κιόλας προσλάβει. Τόσα χρειάστηκαν για να βεβαιωθεί πέρα από κάθε αμφιβολία ότι του ήταν απολύτως απαραίτητη! Οι υπόλοιπες που περίμεναν για τη συνέντευξη, όταν τους ανακοίνωσε ότι η θέση είχε καταληφθεί από την Ευγενία, έφυγαν μακαρίζοντας την τύχη τους που γλίτωσαν από προϊστάμενο παράφρονα και με περίεργα γούστα, που άγγιζαν τη διαστροφή. Η είδηση για την πρόσληψη ενός τέρατος έκανε τον κύκλο της εταιρείας, πασπαλισμένη με τόση υπερβολή ώστε ο ίδιος ο πρόεδρος έφτασε μέχρι το γραφείο του, για να δει με τα ίδια του τα μάτια τη νέα τρέλα του προστατευομένου του. Η Ευγενία, που δεν ήταν ούτε κουφή στα κουτσομπολιά και στην κριτική που ασκούσαν σε βάρος της οι συνάδελφοι, ούτε ανόητη να μην καταλάβει το λόγο της επίσκεψης του προέδρου, τον υποδέχτηκε γελαστή, τον πέρασε στο γραφείο του Κωστή και εξαφανίστηκε.

Ο πρόεδρος γύρισε στον Κωστή με ύφος χαμένο. «Αρχίζω ν' αμφιβάλλω για σένα!»

«Γιατί, κύριε πρόεδρε; Τι έκανα;»

«Μα πώς σου ήρθε να προσλάβεις μια τέτοια... ασχήμια για γραμματέα σου;»

«Γιατί;»

«Γιατί έχεις γίνει ανέκδοτο στα χείλη όλων για τα γούστα σου!»

«Αυτό, εσείς κι εγώ, ξέρουμε ότι δεν είναι η πρώτη φορά που γίνεται μ' εμένα! Ανέκδοτο είχα γίνει και τότε που ζητούσα να σας δω, εγώ, ένας απλός πωλητής με μεγάλα όνειρα! Δικαιώθηκα όμως!»

«Ναι, αλλά με αυτήν εδώ...»

«Δικαιώνομαι κάθε μέρα! Η Ευγενία είναι σπάνιο πλάσμα!»

«Αυτό το πιστεύω! Μα δε σου χαλάει το στομάχι;»

«Αντίθετα, μου φτιάχνει τη διάθεση με το χιούμορ της, είναι ικανότατη πέρα από κάθε προσδοκία και γενικά είμαι ευτυχής που την προσέλαβα, ξεπερνώντας τον ύφαλο της εμφάνισης που, αν θέλουμε να είμαστε ειλικρινείς, δεν είναι και το ζητούμενο για τη θέση που προορίζεται! Γραμματέα ήθελα, κύριε πρόεδρε, δεν ήθελα μοντέλο!»

«Και το αποκαλείς απλώς ύφαλο; Μα δεν μπορούσες να βρεις κάποια με τα προσόντα της αλλά πιο εμφανίσιμη;»

«Φαίνεται πως όχι! Εξάλλου, δείτε το κι αλλιώς! Έχοντας την Ευγενία δίπλα μου, δεν έχω κανένα πρόβλημα με τη γυναίκα μου όταν δουλεύω ως αργά μαζί της στο γραφείο!»

«Αυτό θα το δεχτώ! Εμένα η δικιά μου με σταυρώνει κάθε μέρα εξαιτίας της Νίνας!»

Ο Κωστής δεν του απάντησε βέβαια ότι η Νίνα μπορεί να είχε εμφάνιση μοντέλου, αλλά ακριβώς εξαιτίας αυτού έπρεπε να είχε ακολουθήσει και το συγκεκριμένο επάγγελμα, αντί να βασανίζει τον υπολογιστή της. Η Νίνα ήταν μια ακόμη εξαίρεση στον κανόνα της εταιρείας, που ήθελε τους υπαλλήλους όμορφους αλλά και ικανούς. Έχανε φακέλους, μπέρδευε ραντεβού, αλλά ποτέ δεν έχανε το κραγιόν της, ποτέ δεν ερχόταν ατημέλητη. Τίποτε από αυτά δεν του είπε. Μόλις ο πρόεδρος έφυγε; η Ευγενία μπήκε στο γραφείο του και κάτι στο ύφος της δεν του άρεσε. Τον κοίταξε περίεργα.

«Τι έχεις εσύ;»

«Σε κοιτάζω και αναρωτιέμαι...»

«Για ποιο πράγμα;»

«Αν ψάχνεις να βρεις τα λόγια για να μου πεις ότι δε με χρειάζεσαι άλλο!»

«Και γιατί να μη σε χρειάζομαι άλλο;»

«Δεν είμαι ανόητη. Καταλαβαίνω για ποιο λόγο ήρθε σήμερα ο πρόεδρος εδώ! Μάλλον σου είπε ότι πρέπει ν' αλλάξεις γραμματέα!»

«Άκουσε, Ευγενία, ο μόνος λόγος για να φύγεις από αυτό το γραφείο είναι να έχουν απολύσει πρώτα εμένα!»

«Μα, νόμισα...»

«Καταλαβαίνω, αλλά σου εξηγώ ότι έχω πλήρη ελευθερία στην επιλογή των συνεργατών μου! Και η επιλογή μου είσαι εσύ και αυτό δεν αλλάζει!»

«Μήνυμα ελήφθη!»

«Ωραία, για να κάνουμε και καμιά δουλειά!»

Η Ευγενία είχε φύγει, αλλά ήταν αδύνατον να κρύψει το γεμάτο ευγνωμοσύνη χαμόγελό της.

Με τον ίδιο τρόπο τού χαμογελούσε και τώρα.

«Αφεντικό...»

Πάντα έτσι τον αποκαλούσε, από την πρώτη μέρα. Και τον λάτρευε. Σαν πιστό σκυλί παρακολουθούσε κάθε του κίνηση, κάθε του γκριμάτσα. Τον διάβαζε σαν ανοιχτό βιβλίο, επικοινωνούσε μαζί του σχεδόν με τηλεπάθεια. Πολλές φορές δε χρειαζόταν καν να της μιλήσει και η Ευγενία έκανε αυτό που έπρεπε να γίνει. Η σκέψη του ταυτιζόταν απόλυτα με τη δική της. Όπως και τώρα...

«Αφεντικό, άσε τις αναμνήσεις γιατί σε περιμένουν επάνω!»

«Πού το ξέρεις ότι είχα μπλέξει με το παρελθόν;»

«Έτσι που κοιτάς τη βροχή, σαν να προσπαθείς να μετρήσεις τις σταγόνες, τι άλλο θα μπορούσες να κάνεις;»

«Θα μπορούσα να σκέφτομαι το νέο υποκατάστημα που ανοίγουμε!»

«Αποκλείεται! Όταν σκέφτεσαι τη δουλειά, κάθεσαι πάντα στο γραφείο, παίζεις πάντα με την πένα σου και το ύφος σου είναι διαφορετικό!»

«Τι έχει δηλαδή;»

«Τα μάτια σου μικραίνουν και τα ρουθούνια σου ανοίγουν σαν του κυνηγόσκυλου που οσμίζεται θήραμα!»

«Πρέπει ν' ανησυχώ που με ξέρεις τόσο καλά;»

«Εγώ πάντως στη θέση σου θ' ανησυχούσα! Ένας συνεργάτης που σε ξέρει τόσο μπορεί πάντα να γίνει επικίνδυνος!»

«Θα το έχω υπόψη μου για το μέλλον!»

Το μέλλον... Πόσο όμορφο του φαινόταν πια!

Όταν μπήκε στη μεγάλη αίθουσα του ενδέκατου ορόφου, όπου τον περίμεναν όλοι, αισθάνθηκε ότι είχε επιτέλους φτάσει στο τέρμα ενός δύσκολου δρόμου, αλλά εκεί πια είχε εξασφαλίσει τον προσωπικό του παράδεισο. Έσφιξε πολλά χέρια, ανταπέδωσε δεκάδες χαμόγελα και ένιωσε στην πλάτη του τόσα φιλικά χτυπήματα όσα και τα συντροφικά μαχαιρώματα που είχε αποκρούσει στα πέντε χρόνια της συνεχούς ανόδου του.

Μπήκε στο σπίτι του σφυρίζοντας, με μια σαμπάνια στο ένα χέρι και ένα κουτί γλυκά στο άλλο. Δεν είχε πει τίποτα στην Αντιγόνη για την προαγωγή του, γιατί ήθελε να της κάνει έκπληξη. Κοίταξε ικανοποιημένος γύρω του. Όλα βρίσκονταν στη θέση τους όπως πάντα. Ακόμη και η φωτιά στο τζάκι ήταν όπως έπρεπε· χαμηλή αλλά λαμπερή. Η γνώριμη μυρωδιά του σπιτιού του τον τύλιξε και τον χαλάρωσε. Η γυναίκα του είχε αδυναμία στ' αρωματικά κεριά και γι' αυτό υπήρχαν παντού, σκορπίζοντας το διακριτικό τους άρωμα μαζί με τη γλυκιά θαλπωρή της μικροσκοπικής φλόγας τους.

Έκανε ένα βήμα και τότε πρόσεξε τις τρεις μεγάλες βαλίτσες που βρίσκονταν μπροστά του και χαλούσαν την αρμονία του χώρου. Τι ήθελαν εκεί; Μα πού ήταν όλοι; Ξαφνικά, η απόλυτη ησυχία που επικρατούσε τον ενόχλησε περισσότερο και από τον πιο εκκωφαντικό θόρυβο.

«Αντιγόνη! Ισμήνη! Μα πού είστε;»

Η γυναίκα του εμφανίστηκε αθόρυβα από το χολ που οδηγούσε στις κρεβατοκάμαρες. Δεν τον πλησίασε. Στάθηκε μακριά και σταύρωσε τα χέρια στο στήθος.

«Μα τι ησυχία είναι αυτή; Πού είναι το παιδί;» τη ρώτησε.

«Στους γονείς μου...»

«Απόψε βρήκες να τη στείλεις; Απόψε που θέλω να γιορτάσουμε όλοι μαζί; Έγινα γενικός διευθυντής, Αντιγόνη! Καταλαβαίνεις τι σημαίνει αυτό;»

«Φαντάζομαι ό,τι και οι προηγούμενες προαγωγές σου! Περισσότερα λεφτά, ατέλειωτες ώρες δουλειάς και... έπαρση!»

«Δε σε καταλαβαίνω! Τι έπαθες απόψε; Δε χαίρεσαι για μένα; Για μας;»

Έκανε ένα βήμα προς το μέρος της· ένα χαμόγελο που πάγωσε. Η Αντιγόνη του έκανε νόημα να σταματήσει, να μην την πλησιάσει. Πήγε και στάθηκε μπροστά στο τζάκι. Σχεδόν εκνευρίστηκε μαζί της.

«Μπορείς να μου πεις τι συμβαίνει;» ρώτησε. Ξαφνικά θυμήθηκε και τις βαλίτσες. «Και τι δουλειά έχουν αυτές οι βαλίτσες στο σαλόνι;»

Γύρισε και τον κοίταξε. Οι ανταύγειες της φωτιάς στο πρόσωπό της του έκαναν κακό. Τον απωθούσε ξαφνικά κάτι πάνω της.

«Επιτέλους, ήρθαμε στο θέμα μας! Λοιπόν, οι βαλίτσες είναι δικές σου! Περιέχουν όλα σου τα πράγματα!»

«Δεν καταλαβαίνω!»

«Το περίμενα! Ούτε και στη συνέχεια θα καταλάβεις, αλλά δυστυχώς για σένα δεν μπορείς να κάνεις αλλιώς! Απόψε θα πάρεις τις βαλίτσες σου και θα φύγεις από δω μέσα και δε θέλω να σε ξαναδώ στα μάτια μου! Ποτέ όσο ζω! Κατάλαβες;»

«Όχι! Τι μου λες τώρα;»

«Χωρίζουμε! Αυτό σου λέω! Όσο για τα βιβλία σου, τα χαρτιά σου και τον υπολογιστή σου φυσικά, πες μου πού θα είσαι και θα σ' τα στείλω! Τίποτε άλλο δε σου ανήκει από αυτό το σπίτι, σε τίποτε άλλο δεν έχεις δικαιώματα!»

«Αντιγόνη, τρελάθηκες;»

«Αν έτσι σε βολεύει, μπορείς να το πιστεύεις!»

«Μα γιατί; Τι έγινε; Έτσι στα καλά καθούμενα, γυρίζω σπίτι μου, στη γυναίκα μου και στο παιδί μου...»

«Αυτά τα κτητικά πρέπει να κοπούν! Δεν έχεις σπίτι, δεν έχεις γυναίκα, πολύ περισσότερο δεν έχεις παιδί! Πολύ σύντομα δε, θα καταλάβεις ότι, αν δε μας αφήσεις ήσυχες, δε θα έχεις ούτε ζωή! Θα σε καταστρέψω με όποιο τρόπο μπορώ!»

«Μα τι έκανα;»

«Έλαμψες διά της απουσίας σου όλ' αυτά τα χρόνια κι εγώ βαρέθηκα να περιμένω χωρίς ελπίδα να θυμηθείς ότι υπάρχουμε! Αδιαφόρησες για μένα, για το παιδί, για όλα!»

«Μα δούλευα! Δε διασκέδαζα! Προσπαθούσα να σας προσφέρω μια ζωή...»

«...όπου να λείπεις εσύ! Και ποιος σου είπε ότι εμείς θέλαμε τα λεφτά και τις προαγωγές σου περισσότερο από όσο χρειαζόμασταν εσένα τον ίδιο; Μας ρώτησες ποτέ;»

«Μα είναι άδικο! Τι έπρεπε να κάνω δηλαδή; Να μείνω ασήμαντος υπαλληλάκος για να μη σας λείπω;»

«Υπήρχε και μέση οδός, Κωστή, αλλά δε σ' ενδιέφερε! Μόνος αποφάσισες τώρα, όπως αποφάσισες και τότε! Έμεινα έγκυος και μόλις σου το είπα, πήρες αποφάσεις και πρωτοβουλίες ερήμην μου!»

«Θα με κατηγορήσεις και γι' αυτό τώρα; Τι έπρεπε να κάνω κατά την άποψή σου; Να σε αφήσω να τα βγάλεις πέρα μόνη σου; Να μην αναλάβω τις ευθύνες μου;»

«Ήταν και δική μου ευθύνη! Αλλά το παράβλεψες! Αντί να καθίσουμε να το συζητήσουμε, έτρεξες στους γονείς μου να ζητήσεις το χέρι μου και μου χρέωσες απέναντι στους γονείς σου το ότι σε... "τύλιξα" ενώ ποτέ δεν το επιδίωξα, πολύ δε περισσότερο, δεν το θέλησα!»

«Γίνεσαι παράλογη τώρα!»

«Εξάντλησα τα περιθώρια της λογικής που είχα! Μην εξαντλήσεις και τα όρια της υπομονής μου! Πάρε τα πράγματά σου και φύγε!»

«Και το παιδί;»

«Αυτά θα τα βρουν οι δικηγόροι μας! Αν ήταν στο χέρι μου, δε θα την ξανάβλεπες ούτε σε φωτογραφία, αλλά δυστυχώς ο νόμος προστατεύει ακόμη και κάτι πατεράδες-φαντάσματα σαν κι εσένα! Θα υπάρχουν κάποιες ώρες που θα μπορείς να τη βλέπεις, αλλά μη νομίσεις ότι θα είναι εύκολο!»

«Τι εννοείς;»

«Θα καταλάβεις... εν καιρώ! Φύγε τώρα! Τελειώσαμε».

Έξω... με τρεις βαλίτσες δίπλα του στο πεζοδρόμιο... με τη βροχή να πέφτει ασταμάτητα, να τον μουσκεύει ως το κόκαλο... μουδιασμένος, κοιτούσε τον έρημο δρόμο. Κάποιο αυτοκίνητο πέρασε δίπλα του και ο οδηγός είχε την καλοσύνη να μειώσει ταχύτητα για να μην τον περιλούσει με λασπόνερα. Πρόλαβε να δει στα φανάρια του τις σταγόνες της βροχής να διαθλώνται σε χιλιάδες λαμπερά αστεράκια. Έπειτα έκλεισε τα μάτια. Από τη διαφορά θερμοκρασίας κατάλαβε ότι η παγωμένη βροχή έσμιγε στο πρόσωπό του με καυτά δάκρυα. Γονάτισε στα νερά κι έμεινε εκεί να κλαίει, ανήμπορος να κινηθεί, ανίκανος ν' αντιδράσει.

Πώς βρέθηκε χρεωμένος με τόσο πολλά λάθη; Πώς μπόρεσε να του το κάνει αυτό η Αντιγόνη; Πώς άντεξε να τον πετάξει από την ίδια του τη ζωή σαν ενοχλητικό επαίτη; Προσπάθησε να βρει επιχειρήματα για να δικαιολογήσει τον ίδιο του τον εαυτό. Ν' αναιρέσει όσα του καταμαρτυρούσε η γυναίκα του και... τώρα που το σκεφτόταν, και η ίδια του η συνείδηση. Η Αντιγόνη είχε σε πολλά δίκιο και ταυτόχρονα ήταν άδικη. Πώς γινόταν αυτό; Ναι, ήταν ο μεγάλος απών στο γάμο τους όλα αυτά τα χρόνια, αλλά για ποιον γίνονταν αυτά; Για εκείνη, για το παιδί... Τι έζησε και τι χάρηκε ο ίδιος; Πέντε χρόνια από τη ζωή του, σκυμμένος πάνω από χαρτιά, εγκλωβισμένος μπροστά στην οθόνη του υπολογιστή, θαμμένος σ' ένα γραφείο.

Η βροχή όλο και δυνάμωνε κι εκείνος όλο και χαμήλωνε. Βρέθηκε κουλουριασμένος στο πεζοδρόμιο με το μάγουλό του ν' ακουμπάει στις βρόμικες πλάκες. Ούτε θυμόταν πώς έφυγε από κει. Ούτε θυμόταν πώς βρέθηκε σ' εκείνο το ξενοδοχείο. Ξαπλωμένος στο κρεβάτι, μουσκεμένος, με τέσσερις τοίχους να φωνάζουν τη μοναξιά του· με τα μάτια καρφωμένα στο ταβάνι να μετρούν λεπτά, ώρες... λάθη...

Τα δαχτυλίδια του καπνού μέσα στο μισοσκόταδο έπαιρναν μοβ ανταύγειες. Το φως μιας αστραπής τα έκανε να ξαναβρούν για λίγο το συνηθισμένο τους χρώμα. Εκείνο το γκρίζο που πότε γίνεται άσπρο πότε διάφανο. Το γραφείο, για ελάχιστα δευτερόλεπτα στη διάρκεια της αστραπής, έμοιαζε απόκοσμο σκηνικό. Βγαλμένο από κάποιο φιλμ νουάρ, απ' αυτά που κάποτε γέμιζαν τις αίθουσες των μεταπολεμικών κινηματογράφων. Ο ήχος του κεραυνού δεν άργησε, και όσο κι αν είναι πάντα αναμενόμενος, δε σταματά ποτέ να ταράζει, να τρομάζει, να κάνει την καρδιά να χάνει χτύπους.

Η Ελπίδα κοίταξε το ρολόι της. Ίσα που μπορούσε να διακρίνει την ώρα. Κόντευε δύο μετά τα μεσάνυχτα. Σηκώθηκε από την πολυθρόνα της και πλησίασε το παράθυρο. Η αυλή του νοσοκομείου είχε ήδη γεμίσει νερά από τη δυνατή βροχή. Ξαφνικά η ακατανίκητη επιθυμία να βρεθεί κάτω από αυτή τη βροχή την πλημμύρισε, αλλά η λογική την αναχαίτισε. Τι θα έλεγαν οι νοσοκόμες της νυχτερινής βάρδιας αν έβλεπαν την προϊσταμένη να χορεύει μέσα στη βροχή σαν τον Τζιν Κέλι στη γνωστή χολιγουντιανή ταινία; Μόνο που εκείνη δεν είχε καμία διάθεση να χορέψει. Αυτό που ήθελε στην πραγματικότητα ήταν ν' αφήσει τα δάκρυά της ελεύθερα και χρειαζόταν τη βροχή για να τα καλύψει. Να μπερδευτούν δάκρυα και βροχή και να μην καταλάβει κανείς τη θλίψη της.

Απόψε είχε χαθεί άλλη μια μάχη για την ιατρική. Αυτό το τέρας με τα πολλά κεφάλια που λεγόταν καρκίνος είχε αρπάξει άλλο ένα θύμα του κι εκείνη στεκόταν κι αντίκριζε ένα τριαντάχρονο παλικάρι να φεύγει, ανίκανη να σταματήσει το χαμό του. Μήνες τώρα παρακολουθούσε την άνιση μάχη του με ακτινοβολίες, χημειοθεραπείες, χειρουργεία. Πριν από μια ώρα είχε δει και την ήττα του. Από τα μάτια της πέρασε η εικόνα του. Δίπλα του η μάνα να κλαίει και στο διάδρομο οι συγγενείς να στέκονται ασάλευτοι, λες κι οι κεραυνοί που έπεφταν έξω είχαν στοχεύσει και πετύχει και τους ίδιους. Όταν χάνεις ένα παιδί, όταν ανατρέπεται η φυσική νομοτέλεια που θέλει τους γονείς να φεύγουν πριν από τα παιδιά τους, πόσα δάκρυα μπορούν να παράγουν δυο απλοί δακρυγόνοι αδένες; Πολύ λίγα... Και τότε έρχεται η καρδιά να καλύψει τη διαφορά. Φορτωμένη τέτοιες ώρες με εκατοντάδες αιμοφόρα αγγεία, έτοιμα να παράγουν το άλικο υγρό τους, αιμορραγεί... σπαράζει...

Τσάκισε το μισοκαπνισμένο τσιγάρο της στο τασάκι και άνοιξε το παράθυρο. Όρμησε μέσα ο παγωμένος αέρας ανακατεμένος με στάλες βροχής. Γέμισε τους πνεύμονες με οξυγόνο εξοστρακίζοντας τη νικοτίνη που φορτώθηκαν πριν από λίγο. Ήταν αδύνατο να συνηθίσει τούτη τη δουλειά. Ήταν αδιανόητο να συνθηκολογήσει με το θάνατο. Τρία χρόνια προϊσταμένη στο διάσημο *Αντικαρκινικό Κέντρο*, το τελειότερο της Ευρώπης, με τον καλύτερο ιατρικό εξοπλισμό, με το πλέον επίλεκτο έμψυχο δυναμικό, με δική του μονάδα έρευνας για την καταπολέμηση του καρκίνου. Και λοιπόν; Έσωζαν δεκάδες, αλλά αυτό που πονούσε ήταν σαν χανόταν έστω κι ένας. Όπως απόψε... Και τι ειρωνεία! Είχε προτίμηση, ο άτιμος, στα νιάτα! Αφάνιζε τον οργανισμό ύπουλα και όταν το θύμα του το καταλάβαινε, συνήθως ήταν πια αργά...

Σκληρό φως απλώθηκε βίαια στο χώρο και της πόνεσε τα μάτια. Τα έκλεισε για λίγο και όταν τα άνοιξε ξανά, αντίκρισε τον εισβολέα. Ήταν γιατρός. Ο καθηγητής Ανέστης Καλιβωκάς, από τους κορυφαίους του *Κέντρου* και μέτοχος από τους πιο σημαντικούς. Ξαφνιάστηκε που τον είδε.

«Γιατρέ! Τι κάνετε εδώ τέτοια ώρα;»

«Παρουσιάστηκε κάποια επιπλοκή σ' έναν ασθενή, αλλά ευτυχώς πήγαν όλα καλά... Εσύ, Ελπίδα, τι κάνεις εδώ;»

«Είμαι νυχτερινή βάρδια».

«Εννοώ τι κάνεις μόνη σου στα μαύρα σκοτάδια, μπροστά σ' ένα ανοιχτό παράθυρο, ενώ έξω χαλάει ο Θεός τον κόσμο!»

«Και μέσα το ίδιο κάνει...»

Έκλεισε το παράθυρο και κάθισε στο γραφείο της. Ο Καλιβωκάς τη μιμήθηκε: έκλεισε πίσω του την πόρτα και κάθισε απέναντί της. Έριξε μια εύγλωττη ματιά στο τασάκι με το μισοκαπνισμένο τσιγάρο.

«Πάλι καπνίζεις εδώ μέσα;» τη ρώτησε μαλακά.

«Γιατρέ, αν μου κάνετε και απόψε παρατήρηση, μπορείτε να δεχτείτε την παραίτησή μου! Είμαι στα όριά μου!»

Την κοίταξε. «Ηρέμησε, Ελπίδα. Καταλαβαίνω. Έμαθα τι έγινε στο 408. Τον χάσαμε...»

«Ήταν μόλις τριάντα χρόνων, γιατρέ».

«Ήταν όμως και στο τελευταίο στάδιο, το ήξερες. Και οι γονείς του το ήξεραν. Προσπαθήσαμε... Κάναμε ό,τι ήταν ανθρωπίνως δυνατόν».

«Και δεν τα καταφέραμε. Δεν είναι η πρώτη φορά και δυστυχώς δε θα είναι και η τελευταία».

«Ελπίδα, μην υποτιμάς τη δουλειά που γίνεται εδώ μέσα. Έχουμε σώσει πολλούς και όσο η επιστήμη προχωράει, θα σώζουμε όλο και περισσότερους!»

«Αυτοί που χάνουμε, όμως... Είναι τραγικό, γιατρέ. Δε νομίζω ότι θα συνηθίσω ποτέ. Ίσως έκανα λάθος που ήρθα εδώ, ίσως έκανα λάθος επιλογή δουλειάς. Όταν έγινα νοσοκόμα, νόμιζα πως θα βοηθούσα τους ανθρώπους...»

«Και τους βοηθάς».

«Δεν έχω κανέναν όμως να βοηθήσει εμένα».

«Λοιπόν, με ξάφνιασες απόψε...»

«Γιατί; Επειδή δεν αντέχω ν' αντικρίζω κατάματα το θάνατο;»

«Όχι, όχι γι' αυτό. Άλλωστε, τον ήλιο και το θάνατο ποτέ δεν μπορούμε να τους αντικρίσουμε κατάματα εμείς, οι άνθρωποι. Άλλο με ξαφνιάζει σ' εσένα... Δείχνεις τόσο δυνατή πάντα, τόσο έτοιμη για όλα. Ποτέ πριν δεν έτυχε να σε δω να χάνεις την ψυχραιμία σου».

«Και νομίσατε πως μπόρεσα να συμφιλιωθώ με αυτή την καταραμένη αρρώστια; Απόψε, σ' εκείνο το δωμάτιο χάθηκε ένας νέος άνθρωπος. Δεν πρόλαβε να ζήσει, δεν πρόλαβε ν' αγαπήσει, δεν είχε καν μια ευκαιρία! Τον είδα να λιώνει μέρα με τη μέρα, όταν εμείς παλεύαμε με όλα αυτά τα σύγχρονα μέσα, που υποτίθεται ότι έχουμε, και χάναμε γιατρέ! Έφευγε μέσα από τα χέρια μας! Γλιστρούσε σαν άμμος μέσα από μισάνοιχτα δάχτυλα! Τι κι αν τον κόψαμε, αν τον τρυπήσαμε δεκάδες φορές, αν βομβαρδίσαμε κάθε κύτταρό του; Ο καρκίνος ήταν πιο δυνατός! Μας κοιτούσε και είμαι σίγουρη πως γελούσε με το θράσος του σίγουρου νικητή! Εκείνος θα νικούσε στο τέλος και το ήξερε! Έφτασε να μας κοροϊδέψει! Κάποιες φορές νομίσαμε ότι είχαμε νικήσει, αλλά εκείνος απλώς συγκέντρωνε δυνάμεις για τη νέα επίθεση! Τόσες μεταστάσεις! Πώς χώρεσε τόση αρρώστια σ' ένα κορμί που είχε μείνει σαράντα κιλά; Όχι! Δε θα συνηθίσω ποτέ! Πάντα θα θυμώνω γι' αυτή τη μεγάλη αδικία της απώλειας!»

Σώπασε λαχανιασμένη. Ζήτησε συγγνώμη από το γιατρό για το ξέσπασμά της. Έξω η βροχή δυνάμωνε. Τώρα χτυπούσε μανιασμένη τα τζάμια, θυμωμένη που δεν μπορούσε ν' αγγίξει εκείνους τους δύο που, αμέτοχοι στην οργή της, συζητούσαν κι έδειχναν ν' αδιαφορούν για το μεγαλείο της.

Ο γιατρός σηκώθηκε. Πλησίασε την Ελπίδα και την άγγιξε στον ώμο. «Δεν είναι κακό να ξεσπάς, προϊσταμένη. Είσαι άνθρωπος και ποτέ κανένας άνθρωπος δε συμφιλιώθηκε με την αρρώστια και το θάνατο. Σου θυμίζω, όμως, αυτό που είπε κάποτε ο Πλούταρχος: *Δεν πρέπει να κλαίμε για το δυστύχημα του θανάτου που μας συμβαίνει. Οι Θεοί έχουν το δικαίωμα να πάρουν πίσω ό,τι μας εχάρισαν*».

Έφυγε από το νοσοκομείο την ώρα που χάραζε. Η βάρδια της είχε τελειώσει χωρίς άλλα απρόοπτα. Η βροχή είχε σταματήσει. Μπήκε στο αυτοκίνητο, άναψε τσιγάρο και έβαλε μπροστά αμέσως μετά την τελευταία ρουφηξιά. Δε βιαζόταν να γυρίσει σπίτι της. Κανένας δεν την περίμενε. Το μικρό δυάρι στους Αμπελόκηπους ήταν άδειο από δική της επιλογή. Δεκαοκτώ χρόνων παντρεύτηκε και στα είκοσι ένα της ήταν κιόλας χωρισμένη. Δεκατέσσερα χρόνια τώρα, δεν είχε μετανιώσει που έστειλε τον άντρα της στους γονείς του ως... εντελώς ακατάλληλο.

Ο Διονύσης ήταν είκοσι εννιά χρόνων όταν παντρεύτηκαν. Τότε τη γοήτευσε το ότι την είχε προσέξει ένας άντρας ώριμος και οικονομικά ανεξάρτητος, που την πήγαινε σε ακριβά ρέστοραν αντί στην καφετέρια της γειτονιάς για μια κόκα κόλα κι ένα τσιγάρο κλεμμένο από τη μαμά ή τον μπαμπά. Είχε κατάστημα ηλεκτρικών ειδών στη Θεσσαλονίκη. Εκεί έμενε κι εκείνη τότε με τους γονείς της. Μόλις είχε τελειώσει το σχολείο και ήθελε ν' αγοράσει ένα ραδιοκασετόφωνο. Έτσι τον γνώρισε. Σύντομη η γνωριμία, άμεση η επισημοποίηση. Η Θεσσαλονίκη ήταν μικρή και τα νέα μαθεύτηκαν γρήγορα. Όχι ότι ποτέ κρύφτηκαν και ιδιαιτέρως! Ήρθε λοιπόν στους γονείς της. Πέταξαν εκείνοι από τη χαρά τους για το κελεπούρι που είχε «τυλίξει» η κόρη τους.

Ο γάμος έγινε με μεγάλη λαμπρότητα. Όταν τους ανακοίνωσε ότι παράλληλα με τις συζυγικές της υποχρεώσεις σκόπευε να φοιτήσει στη σχολή στην οποία είχε περάσει για να γίνει νοσοκόμα, τους κακοφάνηκε· σε όλους. Με το ζόρι και με απειλές κατάφερε να φοιτήσει και να πάρει το δίπλωμά της. Ευτυχώς! Κανένας δεν καταλάβαινε, βέβαια, τι τις ήθελε τις σπουδές, παντρεμένη γυναίκα. Λες και η ζωή σταματάει για έναν άνθρωπο μόλις παντρευτεί, επειδή είχε την ατυχία να γεννηθεί γυναίκα. Λες και τα όποια όνειρά της, αφού ήταν γένους θηλυκού, είχε υποχρέωση να τα διαγράψει οριστικά.

Ο Διονύσης αποδείχτηκε τόσο λίγος. Το κατάλαβε σχεδόν αμέσως μετά το γάμο τους. Ένα ανθρωπάκι χωρίς πρωτοβουλίες, χωρίς νεύρο· τόσο μαλθακός. Βαρέθηκε να τον ανέχεται ακόμη και ο καναπές τους. Σιχάθηκε να τον έχει ξαπλωμένο επάνω του, με την εφημερίδα στο ένα του χέρι και το τηλεκοντρόλ της τηλεόρασης στο άλλο. Η αδιαφορία του έφτανε να είναι εγκληματική. Αδιαφορία για όλα, εκτός από εκείνα που τον αφορούσαν. Μόλις την παντρεύτηκε, την άφησε στην ησυχία της αλλά και σε μια μοναξιά που έμοιαζε καταδίκη. Κάθε Παρασκευή όμως ζωντάνευε. Εξαφανιζόταν με την παρέα του για το αγαπημένο του κυνήγι. Γύριζε την Κυριακή, παραδίδοντάς της πτώματα πουλιών που η όψη τους και μόνο της ανακάτευε το στομάχι. Τη Δευτέρα το πρωί, κι εκείνη με τη σειρά της τα παρέδιδε στη μητέρα της, με την εντολή να τα ξαναδεί πια μαγειρεμένα όπως άρεσαν στον Διονύση, πράγμα που η μητέρα της έκανε με μεγάλη χαρά. Τέτοια αδυναμία από πεθερά σε γαμπρό καταντούσε σκάνδαλο! Εκείνη, βέβαια, ούτε που άγγιζε το μαγειρεμένο θήραμα. Απέφευγε ακόμη και να κοιτάζει τον άντρα της που μασουλούσε ευχαριστημένος το αποτέλεσμα των κόπων του. Εκείνη έτρωγε αυγά τηγανητά.

Τρία χρόνια έζησε έτσι· μονότονα, πληκτικά και αδιάφορα. Δε μετάνιωσε που δεν έκανε παιδί μαζί του. Είχε πάντα να φοβάται την κληρονομικότητα. Θα είχε τύψεις αν έδινε στην κοινωνία ένα αντίγραφο του Διονύση. Εξάλλου είχε πάντα την υποψία ότι δεν ήταν ο τύπος της γυναίκας-μαμάς. Δε λιγωνόταν όταν έβλεπε μωρά, ούτε χαμογελούσε σε όλα τα παιδάκια. Μάλλον την εκνεύριζαν και τ' απέφευγε.

Όταν ανακοίνωσε στους γονείς της πως θα χωρίσει, είχε τη βεβαιότητα ότι τους είχε πυροβολήσει κατάστηθα. Έμειναν άλαλοι, ώστε χρειάστηκε ύστερ' από ώρα να τους ρωτήσει αν άκουσαν τι είχε πει. Το μυαλό τους αρνιόταν να δεχτεί ό,τι είχαν ακούσει. Οι λόγοι τούς φάνηκαν γελοίοι. Ίσως και να ήταν. Δε χωρίζεις έναν άντρα καλοφτιαγμένο και οικονομικά τακτοποιημένο, έναν άντρα που δε σε απατά, που σε φροντίζει, που σου δίνει όσα λεφτά θέλεις, γιατί «δε σου λέει τίποτα πια». Την κοίταξαν σαν να είχαν να κάνουν με τρελή. Όταν ολοκλήρωσε το «κακό» λέγοντάς τους ότι θα έφευγε από τη Θεσσαλονίκη με προορισμό την Αθήνα, για να δουλέψει και να ζήσει μόνη της, απειλήθηκε εγκεφαλικό, αλλά η ανυποχώρητη στάση της τους βεβαίωσε ότι άδικα θα προχωρούσαν σε κάτι τόσο δραστικό. Η μοναχοκόρη τους είχε πάρει τις αποφάσεις της και δεν έβλεπαν τρόπο να της αλλάξουν τα μυαλά.

Αυτός που πραγματικά κινδύνεψε, σε σημείο που να μην ξέρει αν έπρεπε να τον λυπηθεί ή να γελάσει, ήταν ο ίδιος ο Διονύσης.

«Φεύγεις; Γιατί φεύγεις; Και πού πας; Πότε θα γυρίσεις;»

Οι ερωτήσεις έδειχναν να μην έχουν τέλος. Είχε αναψοκοκκινίσει ενώ η μύτη του παρέμενε περίεργα και γελοία κάτασπρη.

Η Ελπίδα τον είχε σταματήσει μ' ένα νεύμα. «Διονύση, σταμάτα και ηρέμησε! Θα σου τα ξαναπώ. Φεύγω για την Αθήνα, όπου σκοπεύω να εγκατασταθώ μόνιμα. Θα εκμεταλλευτώ το πτυχίο μου και θα δουλέψω σαν νοσοκόμα! Με κατάλαβες μέχρι εδώ;»

«Κι εγώ;»

«Εσύ φαντάζομαι ότι μετά το διαζύγιο...»

«Ποιο διαζύγιο; Ποιος μίλησε για διαζύγιο;»

«Εγώ, Διονύση! Αυτό εννοώ όταν λέω ότι θα φύγω! Χωρίζουμε! Θέλω διαζύγιο λοιπόν!»

«Γιατί; Θα ξαναπαντρευτείς;»

«Αυτό δεν το ξέρω ακόμη! Πάντως, όπως και να έχει, θέλω να τελειώσουμε και τυπικά και ουσιαστικά εμείς οι δύο!»

«Κι αν αρνηθώ;»

«Δεν έχει και τόση σημασία. Ύστερα από κάποια χρόνια, θα βγει από μόνο του. Είμαι αποφασισμένη, Διονύση...»

«Και τι θα πει ο κόσμος;»

«Είναι το τελευταίο που με απασχολεί αυτή τη στιγμή!»

«Και οι γονείς σου; Οι γονείς μου;»

«Οι δικοί μου το έμαθαν και προσπαθούν να συνέλθουν, πράγμα που τους εύχομαι για το καλό τους! Όσο για τους δικούς σου, φαντάζομαι ότι θα τα καταφέρουν πιο εύκολα, μια και θα έχουν πάλι το γιο τους στο σπίτι, πράγμα που το ήθελαν αν θυμάσαι από την αρχή!»

«Μα γιατί το κάνεις αυτό; Τι θέλεις να πετύχεις;»

«Τη σωτηρία ψυχής και σώματος!»

«Δε σε καταλαβαίνω...»

«Δεν περίμενα να με καταλάβεις. Άλλωστε δεν είναι και η πρώτη φορά».

«Μα, μέχρι στιγμής, δε μου έχεις πει ούτε ένα σοβαρό λόγο για τον οποίο θέλεις να χωρίσουμε! Τι σου έκανα;»

«Τίποτε απολύτως και αυτό είναι το πρόβλημα. Άκουσε, Διονύση, δεν ταιριάζουμε. Θα πρέπει να το έχεις δει κι εσύ».

«Εγώ δεν έχω δει τίποτα!»

«Τότε είσαι τυφλός! Ποτέ δεν υπήρξε τίποτα κοινό ανάμεσά μας».

Μπήκε στο σκοτεινό της διαμέρισμα. Είχε μόλις ξημερώσει, αλλά το ανύπαρκτο ηλιόφως προμηνούσε άλλη μια μουντή μέρα.

«Άι στο δαίμονα! Λονδίνο καταντήσαμε πια!» μουρμούρισε και άναψε το φως.

Το άρωμα του ελληνικού καφέ γέμισε τη μικρή κουζίνα της. Κάθισε στο τραπέζι, ρούφηξε λαίμαργα την πρώτη γουλιά και άναψε τσιγάρο. Δε νύσταζε καθόλου. Η ένταση της προηγούμενης νύχτας δεν είχε ακόμη υποχωρήσει. Ευτυχώς, σήμερα είχε ρεπό. Είχε ανάγκη από απόλυτη ηρεμία. Το σπίτι της, όμως, δεν ήταν ό,τι ακριβώς χρειαζόταν. Την έπνιγε. Έπρεπε να κάνει και κάποια ψώνια. Τα ντουλάπια και το ψυγείο της μαράζωναν στην ερημιά τους. Θα ερχόταν η ώρα που θα έπρεπε και να φάει και τότε θα δήλωναν την... κενότητά τους. Το κινητό της τηλέφωνο ήταν το τελευταίο που ήθελε να ακούσει. Η αναγνώριση κλήσεων ήταν σαφέστατη: η μητέρα της από τη Θεσσαλονίκη.

«Έλα, μαμά...»

«Καλημέρα! Πού είσαι εσύ;»

«Σπίτι μου! Μόλις τέλειωσα τη βάρδιά μου. Ήμουν νυχτερινή».

«Τι κάνεις; Το ξέρεις ότι όλο εγώ σε παίρνω; Γιατί δε μου τηλεφωνείς ποτέ;»

«Γιατί όποτε σου τηλεφωνώ, αντί να μου πεις τα νέα σας, μου λες τα νέα όλης της Θεσσαλονίκης!»

«Μα δε σε νοιάζει τι κάνουν οι φίλοι μας, οι συγγενείς μας;»

«Καθόλου! Τι κάνει ο μπαμπάς;»

«Καλά είναι. Αλλά ξέρεις...»

«Τι έγινε πάλι;»

«Να... συγχύστηκε λίγο. Μ' αυτά που μάθαμε, δηλαδή».

«Τι μάθατε; Άσε, μη μου πεις! Κατάλαβα! Ο Διονύσης!»

«Ακριβώς! Η γυναίκα του έκανε και τέταρτο παιδί!»

«Μπράβο! Να τα εκατοστίσουν! Και με πήρες ακόμη δεν ξημέρωσε, ακόμη δεν πρόλαβα να πιω τον καφέ μου να συνέλθω, για να με βεβαιώσεις γι' άλλη μια φορά ότι ο πρώην σύζυγός μου παντρεύτηκε μια κουνέλα, που κάθε δύο χρόνια αμολάει κι ένα παιδί; Σοβαρέψου λίγο, μαμά!»

«Πρώτα απ' όλα δεν ήξερα ότι δούλευες όλη νύχτα! Κι έπειτα, σκέψου λίγο και τη θέση μας!»

«Ποια θέση σας, ρε μάνα; Τι δουλειά έχετε εσείς με τον πρώην άντρα μου;»

«Μα δεν μπορούμε να μη σκεφτόμαστε ότι, αν δεν τα τίναζες όλα στον αέρα, χωρίς λόγο, τώρα μπορεί αυτά τα παιδιά να ήταν εγγόνια μας!»

«Μόνο αν δεν ήσασταν δικοί μου γονείς, αλλά δικοί της!»

«Σου έδωσα ποτέ εγώ την εντύπωση ότι μοναδικό μου όνειρο και ελπίδα είναι να κάνω τέσσερα παιδιά; Επιτέλους, πάνε δεκατέσσερα χρόνια που χώρισα! Πόσα πρέπει να περάσουν για να το πάρετε απόφαση; Ο Διονύσης δε σας είναι τίποτα και όσο για μένα, πολύ κακώς ήταν ό,τι μου ήταν, και υπήρξα πολύ έξυπνη που το κατάλαβα εγκαίρως και τον έστειλα στη μανούλα του! Μ' έσκασες πια!»

«Μα, βρε κοριτσάκι μου, κι εμείς σκασμένοι είμαστε! Γιατί δεν ξαναπαντρεύεσαι να κάνεις και κανένα παιδάκι; Νέα είσαι ακόμη!»

«Γι' αυτό δεν παντρεύομαι! Για να παραμείνω νέα! Άσε με, ρε μάνα, πρωί πρωί! Δεν είχες άλλη δουλειά να κάνεις και βρήκες εμένα να ζαλίζεις; Έλεος πια!»

Έκλεισε έξαλλη το τηλέφωνο, όπως κάθε φορά που μιλούσε με τη μητέρα της. Πώς μπορεί ένα παιδί να μην έχει τίποτα κοινό με τους ίδιους του τους γονείς; Κανένα κύτταρό τους δεν πέρασε σ' εκείνη, κόντρα σε όλους τους νόμους της κληρονομικότητας; Τέλειωσε τον καφέ της και μπήκε να κάνει ένα μπάνιο. Κοιτάχτηκε στον καθρέφτη της. Δεν ήταν κι άσχημη, ούτε έδειχνε τα τριάντα πέντε της χρόνια. Λεπτή, ίσως λίγο κοντή, με πυκνά κοντοκομμένα μαλλιά που τον τελευταίο χρόνο είχε μετατρέψει με τη βοήθεια του χρωμοσαμπουάν σε κοκκινοκάστανα. Παράτησε το είδωλό της και μπήκε κάτω απ' το ζεστό νερό. Το άφησε να τρέξει με δύναμη επάνω της. Ευχόταν να παρασύρει όλο το βάρος που είχε αφήσει στους ώμους της η χθεσινοβραδινή συνάντηση με το θεό του Κάτω Κόσμου... Άδης ή Πλούτωνας... Έτσι τους τον έμαθαν στο σχολείο όταν ήταν μικρή.

Ούτε το νερό κατάφερε τίποτα. Βγήκε απογοητευμένη από το μπάνιο, τυλιγμένη στο αγαπημένο της μπλε μπουρνούζι. Έφτιαξε κι άλλο καφέ. Τώρα χτυπούσε η πόρτα. Δε θα την άφηναν ν' απολαύσει σήμερα καφεΐνη! Άνοιξε και όταν είδε μπροστά της τον Λευτέρη, έκανε μεταβολή και ξαναγύρισε στην κουζίνα. Αυτόν τον είχε ξεχάσει εντελώς, όχι ότι ήταν δύσκολο κάτι τέτοιο. Είχε μια απελπιστική ομοιότητα με τον Διονύση. Άχρωμος και άοσμος, ένα απλό διάλειμμα σε μια μοναχική περίοδο μιας πάντα μοναχικής διαδρομής. Μόνο που το διάλειμμα έπρεπε να τελειώσει, γιατί είχε γίνει πιο κουραστικό από την ίδια τη μονοτονία της μοναξιάς της. Εξάλλου, ήταν άδικο να τον κρατάει σε μια σχέση που το μέλλον της ήταν το τέλος, όπως και να έρχονταν τα πράγματα. Κάθισε μπροστά στον καφέ της και άναψε τσιγάρο. Ο Λευτέρης μπήκε στην κουζίνα και την κοίταξε παραπονεμένος. Αυτό το ύφος του κουταβιού, που κάποιος απρόσεκτος του πάτησε την ουρά, την εκνεύριζε αφόρητα.

«Τι είδους υποδοχή ήταν αυτή; Έχεις να με δεις δύο μέρες, έρχομαι να σε δω προτού πάω στη δουλειά κι εσύ...»

«Εγώ δεν έχω κέφι!»

«Γιατί; Τι έγινε πάλι;» έκανε και την κοίταξε. «Άσε, κατάλαβα! Πάλι κάποιος σας έμεινε στα χέρια!»

Τον κοίταξε ανέκφραστη. Για άνθρωπο που γκρίνιαζε με το παραμικρό, ήταν εξαιρετικά αναίσθητος. Δεν ήταν η πρώτη φορά που την ξάφνιαζε δυσάρεστα με τις απόψεις του για τη δουλειά της. Μια φορά, μάλιστα, είχαν καβγαδίσει άσχημα.

«Εγώ απορώ τι κάνετε εκεί μέσα!» της είχε πει. «Αφού το ξέρετε ότι όλοι αυτοί θα πεθάνουν! Για ποιο λόγο αγωνίζεστε;»

«Τι λες, ρε Λευτέρη; Και τι να κάνουμε, δηλαδή; Να τους εκτελέσουμε; Να τους στήσουμε στα πέντε μέτρα γιατί έχουν καρκίνο; Ή μήπως προτιμάς να τους κάνουμε μια ένεση, να κοιμηθούν και να μην ξυπνήσουν ποτέ ξανά;»

«Δε λέω αυτό, αλλά όπως και να το κάνεις, ξοφλημένοι είναι!»

«Ξοφλημένοι!...»

Είχε αισθανθεί φρίκη. Ίσως τότε να είχε καταλάβει ότι δεν υπήρχε περίπτωση να ζήσει μ' έναν τέτοιο άνθρωπο και άδικα άφηνε να συνεχίζεται μια ιστορία καταδικασμένη. Δεν είχε προσπαθήσει να συνεχίσει τη συζήτηση ούτε να του αλλάξει απόψεις. Απλά, αυτός ήταν ο Λευτέρης. Έτρεμε τις αρρώστιες, με το πιο αθώο βηχαλάκι ένιωθε πανικό, ο πυρετός μπορούσε να τον φτάσει στην υστερία, αλλά η δουλειά της του προκαλούσε αποτροπιασμό. Αδιαφορούσε πλήρως για τους ασθενείς στο *Κέντρο*. Ακόμη και όταν του έλεγε λάμποντας από χαρά ότι κάποιος είχε βγει θεραπευμένος, πως είχαν νικήσει το θηρίο, εκείνος κουνούσε με συγκατάβαση το κεφάλι λες και είχε απέναντί του ένα παιδί που ματαιοπονούσε, ελπίζοντας πως το καινούργιο του παιχνίδι θα ήταν καλύτερο από το προηγούμενο που είχε σπάσει.

Έτσι και τώρα. Κάθισε απέναντί της με άνεση και την κοίταξε με... ανοχή.

«Λοιπόν; Έχω δίκιο; Αυτό έγινε; Χάσατε κανέναν πάλι;» τη ρώτησε.

«Ναι».

«Ωραία, και γιατί χαλάς το κέφι σου; Αυτή είναι η δουλειά σου!»

«Λευτέρη, σου θυμίζω ότι είμαι νοσοκόμα και όχι νεκροθάφτης! Ο θάνατος δεν είναι η δουλειά μου! Δεν τον αντέχω!»

«Τότε, διάλεξες λάθος επάγγελμα!»

«Το έχω πει κι εγώ αυτό».

Τώρα της χαμογελούσε, σαν να μην είχε προηγηθεί η δυσάρεστη συζήτηση. Έτσι ήταν ο Λευτέρης. Προτιμούσε να κάνει σαν να μην υπάρχει ό,τι τον δυσαρεστούσε, ό,τι του χαλούσε το κέφι. «Τι σχέδια έχεις γι' απόψε;» ρώτησε.

«Γι' απόψε;»

«Ναι! Πού θα πάμε, εννοώ! Κινηματογράφο, μπαράκι ή μήπως προτιμάς να μείνουμε σπίτι;»

«Εγώ λέω να μείνω σπίτι».

«Ωραία! Πίτσα τότε ή μήπως κινέζικο;»

«Το σιχαίνομαι το κινέζικο!»

«Σωστά! Τότε πίτσα!»

«Ούτε η πίτσα μ' αρέσει!»

«Καλά, καλά! Όταν έρθει η ώρα να φάμε, αποφασίζουμε! Πάω τώρα στη δουλειά γιατί άργησα!»

Τη φίλησε στα μαλλιά κι έκανε να φύγει.

«Μια στιγμή!» τον σταμάτησε. Τον κάρφωσε στα μάτια. «Όταν είπα ότι θα μείνω σπίτι, εννοούσα ότι θα είμαι εγώ... και ο εαυτός μου».

«Δεν καταλαβαίνω! Κι εγώ;»

«Εσύ, από δω και πέρα, είσαι ελεύθερος να κάνεις ό,τι θέλεις, φτάνει τα σχέδιά σου να μην περιλαμβάνουν εμένα!»

«Μα τι λες τώρα;»

«Λέω ότι τελειώσαμε...»

«Μα γιατί;»

«Γιατί ό,τι κι αν ήταν αυτό που μας έφερε κοντά, εμένα, προσωπικά, μου τελείωσε».

«Έτσι ξαφνικά;»

«Ξαφνικά».

«Μα τι έκανα; Κάτι θα έκανα!»

«Λευτέρη, μην το ψάχνεις παραπάνω, δε θα βγει πουθενά. Εξάλλου, δε φαντάζομαι να πίστεψες ότι θα ήταν για πάντα!»

«Νόμιζα ότι τα πηγαίναμε καλά. Νόμιζα ότι... δηλαδή φανταζόμουν ότι είχαμε μέλλον εμείς οι δύο».

«Τότε έχεις μεγάλη φαντασία!»

«Ελπίδα, αν έκανα κάτι, οφείλεις να μου το πεις! Να το συζητήσουμε, να βρούμε μια λύση! Δεν μπορεί έτσι, στα καλά καθούμενα, να μου ζητάς να χωρίσουμε!»

«Και πώς έπρεπε να το κάνω, δηλαδή; Όταν αυτό

που σ' έφερε κοντά σε κάποιον δεν υπάρχει πια, τι πρέπει να κάνεις;»

«Μα... πώς; Δηλαδή...;»

«Λευτέρη, μην το πιέζεις! Ίσως να μη φταις εσύ! Ίσως να φταίω εγώ! Σημασία έχει πως δεν μπορώ άλλο μαζί σου!»

«Δεν ξέρω τι να πω!»

«Ένας απλός αποχαιρετισμός είναι αρκετός. Γεια σου, Λευτέρη, και καλή τύχη!»

Έφυγε... Καμιά αίσθηση απώλειας, κανένα κενό, καμιά λύπη. Σαν να μην πέρασε από τη ζωή της. Έτσι ήταν πάντα με όλους. Όσο κι αν έψαχνε μέσα της, κανένας δεν την άγγιξε ποτέ στην ψυχή. Με κανένα ανθρώπινο πλάσμα δεν αισθάνθηκε ποτέ άρρηκτα δεμένη. Ποια συναισθηματική... δυσλειτουργία την εμπόδιζε να νιώσει κάτι πιο βαθύ; Να αισθανθεί ότι μπορούσε να ζήσει χωρίς την παρουσία οποιουδήποτε στη ζωή της; Ως πότε θα ήταν έτσι; Είχε κλείσει τα τριάντα πέντε. Η τρυφερή ηλικία, αυτή που η ρομαντική καρδιά έχει τον πρώτο λόγο και είναι έτοιμη να παραδοθεί σ' έναν άγνωστο έρωτα, είχε περάσει προ πολλού για κείνη, χωρίς κανένα σημάδι, χωρίς κανένα συνταρακτικό έρωτα. Τι μπορούσε να ελπίσει για τα χρόνια που θα έρχονταν; Ήταν χρόνια ωριμότητας, χρόνια που μιλούσε πρώτα η λογική, αφήνοντας την καρδιά πίσω να την ακολουθεί. Αν δεν είχε καταφέρει κανείς ως τώρα να τη συνεπάρει, ήταν μάταιο να ελπίζει για το μέλλον.

Ανάμεσα στους γκριζοδιάφανους καπνούς του τσιγάρου που καιγόταν ακάπνιστο στο τασάκι, γύρισε πίσω. Έψαξε τη ζωή της. Ούτε φίλος, ούτε φίλη δίπλα της, ποτέ. Μια μοναχική πορεία, μια διαδρομή χωρίς τη συναισθηματική κάλυψη της φιλίας για τις δύσκολες ώρες. Μόνη της. Ούτε στην εφηβεία κρυφογέλασε με κανένα κορίτσι, δεν αντάλλαξε μυστικά, δεν ξεχάστηκε στο τηλέφωνο μιλώντας με τις ώρες, φέρνοντας σε απόγνωση τους γονείς της για την κατάληψη της συσκευής. Πάντα μόνη, πάντα διαφορετική, κοινωνική πολύ, αλλά όχι στενές σχέσεις. Το περίεργο ήταν ότι δεν της έλειψαν ποτέ όλα αυτά. Τ' άκουγε και χαμογελούσε με συγκατάβαση. Αν τα ήθελε θα τα είχε. Δεν ήθελε.

Τ' αγόρια της ηλικίας της την άφηναν επίσης αδιάφορη. Οι ερωτικοί πειραματισμοί της εφηβείας τής προκαλούσαν απέχθεια. Άκουγε τ' άλλα κορίτσια να μιλούν για... στριμώγματα σε τουαλέτες, σε δασάκια και άλση, για φιλιά υγρά και φιλήδονα, για χαϊδέματα σε κρυφά και απόκρυφα μέρη και ένιωθε ότι δεν ήταν για κείνη όλα αυτά. Έτσι ενέδωσε στον Διονύση. Έτσι βρέθηκε παντρεμένη, να «απολαμβάνει» νόμιμα έναν αδιάφορο έρωτα. Έναν έρωτα που έμοιαζε με βάλτο από τη ρουτίνα, την ώρα που οι συνομήλικές της βουτούσαν σε δυνατά ρεύματα ορμητικών ποταμών. Όταν πολύ αργότερα, χωρισμένη πια, βούτηξε κι εκείνη σε παρόμοια νερά, κατάλαβε πόσο βαθιά κοιμόταν τόσα χρόνια, κατάλαβε πως αυτό που λένε «συζυγικό καθήκον» ήταν ακριβώς αυτό: καθήκον. Ο έρωτας ήταν άλλη ιστορία· διαφορετική και πολύ πιο ενδιαφέρουσα. Μαζί με τη γνώση, όμως, ήρθε και η συνειδητοποίηση μιας άλλης αλήθειας, δικής της. Έπαιρνε ό,τι καλύτερο είχε να της δώσει ο εκάστοτε εραστής. Το κορμί χόρταινε, η ψυχή όμως; Άδεια... Έψαχνε μανιωδώς κάθε φορά να βρει κάποιο συναίσθημα για τον άνθρωπο που είχε δίπλα της τη συγκεκριμένη χρονική στιγμή, και έβλεπε μόνο ένα κορμί, που στην ικανοποίηση της σάρκας σταματούσε και η αποστολή του.

Έξω η βροχή άρχισε πάλι να πέφτει. Η επιθυμία να περπατήσει στους δρόμους ξαναγύρισε. Τώρα δεν υπήρχαν νοσοκόμες να την περάσουν για τρελή. Ντύθηκε γρήγορα, πήρε τα κλειδιά της, έριξε μια ειρωνική ματιά στην ομπρέλα δίπλα στην πόρτα και βγήκε.

Ο κεραυνός έπεσε κάπου κοντά. Τα τζάμια έτριξαν. Το πενσάκι χώθηκε στη ροδαλή σάρκα γύρω από τον αντίχειρα. Η κοπέλα που το χειριζόταν αναπήδησε δύο φορές, μία για τον κεραυνό και μία για τη ζημιά που είχε προκαλέσει στην πελάτισσα. Κοίταξε το ζωηρόχρωμο υγρό που τινάχτηκε από το πληγωμένο δάχτυλο κι έπειτα τη γυναίκα που μόρφαζε πονεμένη.

«Συγγνώμη, κυρία Μαρίνα! Τρόμαξα τόσο πολύ από τον κρότο! Δεν ξέρω τι να πω... Συγγνώμη... χίλια συγγνώμη!»

«Εντάξει, εντάξει! Δεν έγινε τίποτα σοβαρό! Εξάλλου κι εγώ τρόμαξα!»

Η κοπέλα σκούπισε το αίμα και έβαλε αντισηπτικό. Νέος μορφασμός. Το αντισηπτικό έτσουζε. Η Μαρίνα κοίταξε την άλλη κοπέλα που της περιποιόταν τα πόδια. Πρέπει να ήταν γύρω στα είκοσι πέντε, όπως κι αυτή που της λίμαρε τώρα απαλά τα μακριά νύχια της. Πρόσεξε πως οι μαύρες ρίζες πρόβαλλαν ήδη, προδίδοντας πως το όμορφο ξανθό κεφάλι της δεν ήταν... εκ γενετής. Για εκείνη κάτι τέτοιο ήταν τουλάχιστον απαράδεκτο. Μακάρισε την τύχη της που είχε γεννηθεί ξανθιά. Το μόνο που έπρεπε να φροντίζει ήταν ν' ανανεώνει τις σκουροκάστανες ανταύγειες της, πράγμα στο οποίο ήταν απόλυτα τυπική. Ήταν ήδη μια ώρα καθισμένη στην άνετη πολυθρόνα του ινστιτούτου, που παράλληλα της έκανε κι ένα ελαφρύ μασάζ στην πλάτη με παλμικές κινήσεις χάρη σε ειδικό μηχανισμό, και θα παρέμενε εκεί για τουλάχιστον άλλη μία ώρα. Σε λίγο περίμενε και την αισθητικό για μια περιποίηση προσώπου. Ύστερα θα πήγαινε και στην πτέρυγα της περιποίησης μαλλιών για ένα χτένισμα.

Περνούσε ώρες στο ινστιτούτο *Femme Fatale* κάθε βδομάδα. Ήταν από τις καλύτερες πελάτισσες. Μανικιούρ, πεντικιούρ, μασάζ, γυμναστική, σάουνα και φυσικά δύο φορές τη βδομάδα κομμωτήριο. Το δεύτερο σπίτι της. Όπως εκείνη, δεκάδες γυναίκες τριγύριζαν στους καλαίσθητους χώρους του, προσπαθώντας να γεμίσουν ατέλειωτες, μοναχικές και χωρίς προορισμό ώρες.

Η Μαρίνα αφέθηκε στα χέρια της αισθητικού, την ώρα που ξεσπούσε η μπόρα. Θα ήθελε να μορφάσει δυσαρεστημένη, αλλά θυμήθηκε αυτό που χρόνια τής έλεγε η μητέρα της: «Όχι μορφασμούς, χρυσούλι μου, γιατί θα γεμίσεις ρυτίδες!» Μα ήταν ανάγκη να βρέχει σήμερα που ήταν η δεξίωση του Καραθάνου; Πώς θα πήγαινε; Θα χαλούσαν τα μαλλιά της και δεν ήθελε να σκέφτεται τι θα πάθαιναν τα πανάκριβα γοβάκια της. Της ήταν αδιάφορο που ούτε μια σταγόνα δε θ' άγγιζε την πανάκριβη εμφάνισή της, όπως κάθε φορά άλλωστε. Το αυτοκίνητό της ήταν παρκαρισμένο στο υπόγειο γκαράζ του ινστιτούτου· θα έμπαινε σ' αυτό και όταν θα έβγαινε θα ήταν στο γκαράζ του σπιτιού της και θα έφτανε στο σαλόνι της με το γυάλινο ασανσέρ. Κάτι ανάλογο θα γινόταν για να φτάσει και στη δεξίωση του Καραθάνου.

Δεν ήθελε να σκέφτεται τίποτε από αυτά. Δεν της άρεσε ν' ανατρέπονται τα σχέδιά της, δεν της άρεσε η βροχή και γενικά δεν της άρεσε να της πηγαίνει κανείς κόντρα. Ούτε ο ίδιος ο καιρός. Στην τριαντάχρονη ζωή της, ήταν συνηθισμένη να θεωρεί δεδομένα όλα εκείνα για τα οποία ο περισσότερος κόσμος δίνει καθημερινό αγώνα. Η Μαρίνα όμως ανήκε στους λίγους, σ' αυτούς που η ζωή τούς χάρισε έτοιμους τους γλυκούς καρπούς της και που ποτέ δεν είδε το σκληρό της πρόσωπο. Μοναχοπαίδι πλούσιων γονιών, η μόνη τους ασχολία ήταν να κάνουν την όμορφη κόρη τους ευτυχισμένη, ξεπερνώντας τα όρια. Δεν υπήρχε τίποτε ακατόρθωτο. Δεν ακούστηκε ποτέ ένα «όχι» για εκείνη. Τα πάντα τής οφείλονταν και δεν έπρεπε να κουραστεί η μονάκριβή τους.

Το μόνο για το οποίο κόπιασε ποτέ η Μαρίνα ήταν να πάρει το δίπλωμα της αγγλικής φιλολογίας. Άγνωστο γιατί και πώς. Ίσως η αιτία να ήταν εκείνος ο όμορφος συμφοιτητής της, αυτός με τις δυο βαθυπράσινες λίμνες στα μάτια. Χάρη σ' αυτόν συνέχισε, χάρη σ' αυτόν πήρε και το δίπλωμα. Της έμεινε κορνιζαρισμένο, όταν ο έρωτας τέλειωσε. Δεν της πέρασε ποτέ από το μυαλό να δουλέψει. Θα ήταν τουλάχιστον γελοίο αλλά και... άβολο. Η νεαρή κοσμική κυρία δε θα μπορούσε να παρακολουθεί τις δεξιώσεις και το πρωί να τρέχει σε κάποιο σχολείο να διδάξει. Ούτε το φροντιστήριο ήταν λύση. Τ' απογεύματα ήταν γεμάτα το ίδιο και περισσότερο. Κομμωτήρια, κάποια βόλτα στα καταστήματα ή τένις στη λέσχη... Ήταν αδύνατον!

Η αισθητικός τώρα άπλωνε τη μάσκα αργίλου στο πρόσωπό της και η Μαρίνα ήξερε πως ήταν η στιγμή που έπρεπε να παραμείνει απόλυτα ήρεμη για να μη σπάσει η μάσκα. Η βροχή έξω έπεφτε ορμητική αλλά χωρίς δυνατούς κεραυνούς. Ευτυχώς, γιατί το επικίνδυνο πενσάκι βρισκόταν ακόμη στα χέρια της κοπέλας που της έφτιαχνε τα νύχια. Στα πόδια της αισθάνθηκε την ευχάριστη δροσιά της μέντας. Γνώριζε πολύ καλά τη διαδικασία. Ήταν η ειδική μάσκα ποδιών. Αυτή η στιγμή τής άρεσε ιδιαίτερα. Της έφερνε ευχάριστες αναμνήσεις: εκείνο το καλοκαίρι στην Αλόννησο με τον Φίλιππο, τον όμορφο συμφοιτητή. Τους άρεσε να περπατούν στην παραλία την ώρα που έδυε ο ήλιος. Τα πέλματά τους βούλιαζαν στη δροσερή άμμο της ακρογιαλιάς. Το νερό τούς χάιδευε τόσο τρυφερά τα πόδια όσο τρυφερά ήταν τα φιλιά του Φίλιππου στα χείλη της. Η γλύκα τους έσμιγε με την αλμύρα που είχε απομείνει εκεί, από τις απογευματινές βουτιές τους σε μια θάλασσα σαν ψεύτικη, βγαλμένη από καρτ ποστάλ.

Ό,τι κι αν είχε συμβεί στη ζωή της μέχρι τότε, τίποτα δεν την είχε κάνει να αισθάνεται τόσο γυναίκα όσο αυτός ο έρωτας... Και είχαν συμβεί τόσα. Από τη μέρα που θυμόταν τον εαυτό της, η μητέρα της δεν είχε πάψει να της γεμίζει το κεφάλι με όλα όσα έπρεπε να ξέρει μια κοπέλα για να έχει επιτυχίες στον κύκλο τους, ώστε να αποκατασταθεί σωστά... με τον κατάλληλο. Η αλήθεια ήταν ότι η Μαρίνα υπήρξε καταπληκτική μαθήτρια. Ήξερε από πολύ μικρή πώς έπρεπε να μιλάει και τι να λέει σε κάθε περίπτωση. Κατάφερνε να κοκκινίζει όταν την παίνευαν οι φίλες της μητέρας της, να κολακεύει τους κυρίους και να είναι όσο πονηρή έπρεπε με τ' αγόρια. Αν η μαύρη γρια-παραμάνα της Σκάρλετ Ο'Χάρα μπορούσε να τη δει, θα ήταν χαρούμενη που μια κοπέλα, στην άλλη άκρη του Ατλαντικού, εκατόν σαράντα χρόνια μετά, έκανε με άνεση όσα εκείνη αγωνιζόταν να μάθει στην αγαπημένη της Σκάρλετ.

Όταν όμως από καθαρή σύμπτωση μπήκε στο πανεπιστήμιο και γνώρισε τον Φίλιππο, όλα άλλαξαν. Όλα τα μαθήματα της μητέρας ξεχάστηκαν. Εκείνο, δε, το καλοκαίρι στην Αλόννησο, αναδύθηκε από τη θάλασσα μια άλλη Μαρίνα. Γύριζε μαζί του ξυπόλυτη, αδιαφορώντας για τη ζημιά που προκαλούσε στις ευαίσθητες πατούσες της, που της περιποιόταν κάθε βδομάδα από τότε που ήταν δεκαπέντε χρόνων και την έσερνε η μητέρα της στα ινστιτούτα όπου σύχναζε και η ίδια. Παρέμενε άβαφη, γιατί ο Φίλιππος τη φιλούσε παντού στο πρόσωπο κι εκείνη το κρατούσε καθαρό, ξεχνώντας την κοκεταρία της. Τα μαλλιά της τ' άφηνε ελεύθερα στο καλοκαιρινό αεράκι γιατί έτσι άρεσαν στον Φίλιππο. Όλα για εκείνον. Η πρώτη φορά που ανθρώπινο πλάσμα την είχε αγγίξει τόσο πολύ ώστε να βάλει στην άκρη την αιώνια προτεραιότητα του εαυτού της.

Τέσσερα χρόνια... τέσσερα χρόνια γεμάτα με τέτοια αγάπη ώστε κατάφεραν να ξυπνήσουν την κοιμισμένη βασιλοπούλα, που μέχρι εκείνη τη στιγμή ζούσε στον γυάλινο πύργο της· τέλεια και πανέμορφη αλλά συναισθηματικά ανάπηρη. Οι γονείς της αντιμετώπισαν στην αρχή με κατανόηση κι ύστερα με στωικότητα αυτόν το δεσμό, προτού καταλήξουν να χάσουν την ψυχραιμία τους. Η Μαρίνα δεν είχε πια διάθεση να τους ακολουθεί στις κοσμικές τους εμφανίσεις. Έτρεχε σαν σκυλάκι πίσω από αυτό τον τύπο, που υποπτεύονταν ότι θα ήταν απαράδεκτος για ν' αρνείται πεισματικά να τους τον γνωρίσει, και γενικά είχε αλλάξει. Ακόμη και τα γούστα της, αυτά που με τόσο κόπο είχαν διαμορφώσει, τώρα διαφοροποιήθηκαν δραματικά. Όταν κάποια μέρα άκουσαν από το δωμάτιό της τους περίεργους ήχους ενός βαρύτατου λαϊκού τραγουδιού, η Φωτεινή, η μητέρα της, έβαλε τα κλάματα. Έχανε το παιδί της...

Η Μαρίνα, όμως, ήταν ευτυχισμένη. Το γέλιο της ακουγόταν συχνά πια, ιδιαίτερα όταν μιλούσε ατέλειωτες ώρες μαζί του στο τηλέφωνο. Ακόμη κι εξωτερικά είχε αλλάξει, έδειχνε πιο ανθρώπινη. Τα χαρακτηριστικά της όμορφης κερένιας κούκλας είχαν εξαφανιστεί.

Κι ύστερα... Ύστερα ήρθε το πτυχίο. Ο Φίλιππος θα γύριζε στην Ξάνθη, στον τόπο του. Θ' άνοιγε εκεί φροντιστήριο αγγλικών. Της ζήτησε να τον ακολουθήσει, είχε έτοιμο το σχέδιο: εκείνος θα πήγαινε φαντάρος, εκείνη θα κρατούσε το φροντιστήριο ώσπου να γυρίσει. Ήθελε να παντρευτούν, ήθελε να κάνουν πολλά παιδιά.

Εκείνη δεν μπορούσε, δεν άντεχε, δεν ήξερε. Ορθώθηκε πάλι ο γυάλινος πύργος. Η βασιλοπούλα ξάπλωσε στο χρυσό της ανάκλιντρο και αποκοιμήθηκε αδιαφορώντας για τη ραγισμένη καρδιά που κρατούσε στα χέρια της. Η κοιμισμένη βασιλοπούλα έκλεισε τα μάτια στην αληθινή ζωή που είχε την ευκαιρία να ζήσει, κι έμεινε στο κάστρο της με τους δυο γονείς να παραληρούν από χαρά για την επιστροφή της άσωτης. Δεν ξύπνησε ποτέ πια. Ο Φίλιππος στην Ξάνθη παράδερνε ανάμεσα στις αναμνήσεις του, κι εκείνη στροβιλιζόταν σε μια δίνη άδειας ζωής για να γεμίσει το κενό της καρδιάς της.

Ο Νικήτας ήρθε, όταν άρχισε πάλι την ξέφρενη κοινωνική της ζωή. Ήταν ο πιο όμορφος νεαρός άντρας του κύκλου της. Ήξερε τι έπρεπε να πει και πότε. Μιλούσε δυο ξένες γλώσσες, είχε ευγένεια και αβρότητα στους τρόπους και... τίποτε άλλο. Δήλωνε ασφαλιστής για να μην πει τεμπέλης. Η καταγωγή του ήταν από τη Ζάκυνθο, απ' όπου έρχονταν και κάποια πενιχρά εισοδήματα, απομεινάρι μιας άλλης, παλιάς, καλής εποχής των προγόνων του. Ο ίδιος αντλούσε δόξα απ' αυτούς τους προγόνους, εκμεταλλευόμενος τους δεσμούς τους με ευγενείς της Ιταλίας. Έπαιζε τένις, έπαιζε γκολφ και, το κυριότερο, έπαιζε στα δάχτυλα όλες τις ώριμες κυρίες του κύκλου του, προκειμένου να εξασφαλίσει το μέλλον του με μια καλή προίκα.

Η Μαρίνα ήταν καταδικασμένη. Δεν είχε καμιά ελπίδα να ξεφύγει όταν ο Νικήτας, μαθαίνοντας την οικονομική της κατάσταση, την έβαλε στόχο. Έδωσε τον καλύτερο εαυτό του για να τη γοητεύσει. Η πληγή από τον Φίλιππο πασπαλίστηκε από τη χρυσόσκονη που σκορπούσε γύρω του ο Νικήτας· σκεπάστηκε· ξεχάστηκε. Η κοιμισμένη βασιλοπούλα άλλαξε πλευρό και συνέχισε τον ύπνο της. Οι γονείς της της έφτιαξαν ένα νέο πύργο. Κι αν δεν ήταν γυάλινος, είχε γυάλινο ασανσέρ· μια μεζονέτα στην Πολιτεία, γεμάτη πανάκριβα έργα τέχνης, αντίκες, κρύσταλλα και ασημικά. Εγκαταστάθηκε εκεί με τον Νικήτα. Ως σύζυγος πια· επίσημος, και πλούσιος χάρη στη γυναίκα του.

Η αίσθηση της δροσιάς χάθηκε. Η μάσκα μέντας ξεπλύθηκε, μαζί σκόρπισαν και οι αναμνήσεις. Η μάσκα αργίλου βγήκε κι αυτή. Άνοιξε τα μάτια της στο σήμερα. Κοίταξε το βαθυκόκκινο βερνίκι που άπλωνε στα νύχια της η κοπέλα. Έξω η βροχή έκλαιγε για εκείνη, μια και η ίδια είχε ξεχάσει να κλαίει, όπως είχε ξεχάσει και να γελάει. Ένα αδιόρατο χαμόγελο ίσα ίσα που άγγιζε τα χείλη της. Δεν είχε άδικο. Κανένας πια δεν την έκανε να θέλει να γελάει.

«Σας αρέσουν;» τη ρώτησε για τα νύχια η κοπέλα.

«Ναι, είμαι ικανοποιημένη, μόνο που... να, θα ήθελα κάτι εξαιρετικό γι' απόψε».

«Αφήστε το σ' εμένα», είπε η κοπέλα και άρχισε να στολίζει τα κατακόκκινα νύχια με μικροσκοπικά στρας.

Η Μαρίνα φάνηκε ικανοποιημένη και αφέθηκε στην αισθητικό που άπλωνε μια ενυδατική κρέμα στο πρόσωπό της.

Δυο ώρες αργότερα, χωρίς να την αγγίξει σταγόνα βροχής, όπως ήταν αναμενόμενο, έμπαινε στο αυτοκίνητό της. Ένα καταπληκτικό χτένισμα, ένα εκθαμβωτικό μακιγιάζ και δέκα στολισμένα νύχια χεριών ήταν το αποτέλεσμα τριών ωρών. Βγήκε από το γκαράζ οδηγώντας προσεκτικά. Έπρεπε να 'χει το νου της. Οι πεζοί, προκειμένου ν' αποφύγουν τις λάσπες, γίνονταν επικίνδυνοι. Τους έβλεπε να τσαλαβουτούν στα λασπόνερα και αισθανόταν φρίκη. Μα, επιτέλους, γιατί κυκλοφορούσαν μια τέτοια μέρα; Δεν είχαν σπίτια; Τι δουλειά είχαν στους δρόμους; Στο κόκκινο φανάρι, παρατήρησε μια νεαρή γυναίκα. Προσπαθούσε να κρατήσει την ομπρέλα, ενώ το ένα της χέρι ήταν δεσμευμένο από ένα πιτσιρίκι και αρκετές σακούλες από κάποιο σουπερμάρκετ. Κάτω από αυτές τις συνθήκες, η ομπρέλα χρησίμευε στο ελάχιστο. Μητέρα και παιδί ήταν ήδη μούσκεμα. Η Μαρίνα κούνησε απογοητευμένη το κεφάλι. Της φαινόταν αδιανόητη μια τέτοια κατάσταση. Ποτέ δε θυμόταν τον εαυτό της να έχει πάει σε σουπερμάρκετ. Τα τρόφιμα έρχονταν στο σπίτι κατόπιν παραγγελίας και έφταναν στο τραπέζι της κατόπιν μυστηριωδών διεργασιών της Αγγέλας, της μαγείρισσάς της.

Η μάσκα μέντας είχε φύγει από τα πόδια της πια κι έτσι δεν υπήρχε τίποτα να της θυμίσει τότε που με τον Φίλιππο πήγαιναν να ψωνίσουν για το σπίτι του. Τότε που το σουπερμάρκετ και η λαϊκή ήταν τόσο διασκεδαστικά όσο και το λούνα παρκ. Ούτε βέβαια θυμήθηκε πως, όταν έβρεχε, εκείνοι κρατούσαν πεισματικά κλειστή την ομπρέλα τους και άφηναν τη βροχή ν' ανταμώνει με τα φιλιά τους. Δεν επέτρεπε ίσως στον εαυτό της να γυρίσει πίσω, στη μικρή γκαρσονιέρα του Φίλιππου, όπου πετούσαν τα βρεγμένα ρούχα τους και πυρπολούσαν τα λίγα τετραγωνικά με τον έρωτά τους. Τώρα ήταν η κυρία Νικήτα Λεβαντή με το ακριβό αυτοκίνητο και την ακόμη πιο ακριβή εμφάνιση.

Το φανάρι έγινε πράσινο κι εκείνη συνέχισε την πορεία της στο πουθενά, εκεί όπου ήταν η ζωή της.

Μπήκε στο σπίτι τους λίγα λεπτά μετά τις οκτώ. Το γυάλινο ασανσέρ άνοιξε τις πόρτες του στο γεμάτο ακριβά χαλιά σαλόνι της. Το τζάκι έκαιγε ευτυχώς ικανοποιητικά. Σ' αυτά ήταν πολύ αυστηρή με το προσωπικό. Καθετί έπρεπε να λειτουργεί την κατάλληλη ώρα και να βρίσκεται στη σωστή θέση. Κατά τ' άλλα ήταν αδιάφορη με το σπίτι και τη γενικότερη λειτουργία του. Με ένα αποτσίγαρο σε κάποιο τασάκι όμως ή μ' ένα βάζο χωρίς λουλούδια η Μαρίνα συνοφρυωνόταν και το προσωπικό έπεφτε σε δυσμένεια, μετά τις δριμύτατες παρατηρήσεις που έκανε.

Ο Νικήτας δε φαινόταν πουθενά. Ήθελε να ελπίζει πως θυμόταν την αποψινή δεξίωση. Ανακουφίστηκε όταν τον είδε έτοιμο να κατεβαίνει από τον επάνω όροφο που ήταν το δωμάτιό τους.

«Ήρθες;» τη ρώτησε αφηρημένα καθώς έβαζε ένα ποτό.

Εκείνη τον πλησίασε για να δεχτεί το τυπικό φιλί στο μάγουλο προτού απαντήσει. «Ήρθα. Πολύ νωρίς δεν ετοιμάστηκες εσύ;»

«Για ποιο πράγμα;»

«Μη μου πεις ότι το ξέχασες! Έχουμε τη δεξίωση του Καραθάνου απόψε, αγάπη μου!»

«Ομολογώ ότι το είχα ξεχάσει, αλλά και να το θυμόμουν, πάλι δε θα μπορούσα να κάνω τίποτα, μωρό μου!»

«Μα γιατί;»

«Γιατί έχω ραντεβού μ' έναν πελάτη που θέλει να κάνει συμβόλαιο για τους εργαζομένους στην επιχείρησή του. Καταλαβαίνεις, λοιπόν...»

«Όχι, δεν καταλαβαίνω! Είχαμε πει ότι θα πάμε μαζί!»

«Μη μουτρώνεις, γλυκιά μου! Είναι μεγάλη δουλειά και πολλά τα λεφτά!»

«Το θέμα δεν είναι τα λεφτά, και δε μ' αρέσει να σε ακούω να μιλάς για λεφτά και το ξέρεις! Ξέρεις επίσης ότι δε μου αρέσει να πηγαίνω μόνη μου σε τέτοιες εκδηλώσεις! Αν μου έλεγες νωρίτερα ότι έχεις δουλειά απόψε, θα το ακύρωνα και δε θα πήγαινα ούτε εγώ!»

«Έλα τώρα, μωρό μου! Αφού ξέρω ότι τρελαίνεσαι για δεξιώσεις!»

«Όχι όταν πηγαίνω μόνη μου! Όλες θα είναι με τους άντρες τους!»

«Και λοιπόν;»

«Πρώτα πρώτα, θα είναι μαζί μας και οι γονείς μου. Είχαμε πει, αν θυμάσαι, ότι θα έρθουν από δω για να πάμε μαζί! Κι έπειτα, μου είναι εξαιρετικά δυσάρεστο ν' απολογούμαι για το πού είναι ο άντρας μου! Όλοι θα με ρωτήσουν!»

«Κι εσύ θα τους απαντήσεις ότι ο άντρας σου δουλεύει, γιατί θέλει να μπορεί να προσφέρει το καλύτερο στην όμορφη γυναίκα του!»

Ένα τρυφερό χαμόγελο, ένα απαλό φιλί για την προστασία του μακιγιάζ και του χτενίσματος, τόσα ώστε να περάσει απαρατήρητο το γεγονός ότι ποτέ δεν πρόσφερε τίποτα στη γυναίκα του. Όλα έρχονταν από τον Λουκά και τη Φωτεινή, τους γονείς της. Είχαν αγοράσει μιαν ακριβή ζωή για την κόρη τους και μια επίπλαστη ευτυχία. Ωστόσο, ό,τι δε γνωρίζεις δεν μπορεί να σε βλάψει. Είχαν εξαγοράσει και την άγνοια, λοιπόν!

Η τρυφερή στιγμή είχε περάσει και ο Νικήτας ξαναγύρισε στο ποτό του. Η Μαρίνα κάθισε σ' έναν από τους άνετους καναπέδες και τον κοίταξε. Ήταν ήδη τέσσερα χρόνια παντρεμένη μαζί του και ώρες ώρες είχε τη βεβαιότητα ότι περισσότερα γνώριζε για την αισθητικό της παρά για τον άντρα της. Στα τριάντα επτά του ο Νικήτας ήταν από τους πολύ ωραίους άντρες. Δεν υπήρχε ούτε μία φίλη της που να μην τη ζηλεύει. Η Μαρίνα όμως δεν ήξερε αν αισθανόταν τόσο τυχερή, δεν ήξερε αν αισθανόταν οτιδήποτε πια. Απλά ήταν ο άντρας της.

Κι αυτή ήταν η ζωή της. Τι άλλο μπορούσε να ζητήσει; Είχε λεφτά, νιάτα, ομορφιά και έναν άντρα που τον ζήλευαν όλες. Εκτός από εκείνη. Για κείνη δεν υπήρχε αυτό το συναίσθημα. Ποτέ δεν αμφισβήτησε τις δικαιολογίες του Νικήτα όταν αργούσε ή, όπως απόψε, δεν τη συνόδευε σε κάποια κοινωνική υποχρέωση.

Μαζί της ήταν όσο τρυφερός ταίριαζε σ' ένα σύζυγο, χωρίς εξάρσεις, χωρίς υπερβολές. Στις προσωπικές τους στιγμές ήταν αρκούντως ικανοποιητικός, αν και η φαντασία ήταν μόνιμα εξόριστη από τη συζυγική τους κλίνη, όπου εκεί ήταν και το μοναδικό πεδίο δράσης για τον Νικήτα. Ποτέ και πουθενά αλλού δεν είχε αφήσει ελεύθερο τον εαυτό του. Τους πρώτους μήνες του γάμου τους, η Μαρίνα, πολύ πιο αυθόρμητη τότε και με νωπές τις μνήμες από την παθιασμένη σχέση της με τον Φίλιππο, είχε θελήσει να τον παρασύρει, αλλά στάθηκε αδύνατο. Δεν ήταν λίγες οι φορές μάλιστα που ο Νικήτας την είχε βάλει στη θέση της, με ευγενικό τρόπο μεν, αλλά στη φωνή του υπήρχε ξεκάθαρη η μομφή για τις «περίεργες για μια κυρία» διαθέσεις της. Η Μαρίνα είχε διαγράψει από τη μνήμη της τα πικρά δάκρυα που είχαν ποτίσει το μαξιλάρι της κάποιες νύχτες. Όλα είχαν συνωμοτήσει εναντίον της. Η βασιλοπούλα έπεφτε όλο και πιο βαθιά στην άβυσσο του ύπνου της. Κάθε μέρα, όλο και πιο παγωμένος αέρας φυσούσε πάνω της, μέχρι που πάγωσαν όλα· ψυχή, μυαλό, καρδιά...

Η Μαρίνα ποτέ δε ρώτησε τον άντρα της για τα οικονομικά του, τα οποία κάλυπτε πυκνή ομίχλη. Οι λογαριασμοί του σπιτιού πήγαιναν κατευθείαν στον πατέρα της. Ο Νικήτας έφερνε σπίτι μόνο λουλούδια, και φυσικά δώρα στις γιορτές και στις επετείους που δεν υπήρχε περίπτωση να ξεχάσει. Κανένας δε φαινόταν δυσαρεστημένος απ' αυτόν το διακανονισμό, κυρίως δε οι γονείς της. Η κόρη τους ακολουθούσε το στιλ ζωής που ήθελαν και ο γαμπρός τους ήταν αληθινός τζέντλεμαν, πολύ περισσότερο από το αν είχε γεννηθεί στην ίδια την Αγγλία! Τι άλλο μπορούσαν να ζητήσουν; Εξάλλου, θα ευγνωμονούσαν πάντα τον Θεό που η κόρη τους είχε γλιτώσει από εκείνον, τον άλλον, το φοιτητάκο της συμφοράς. Είχαν φοβηθεί τότε τόσο πολύ που ο Νικήτας ήρθε σαν θείο δώρο. Κι αν δεν ήταν στη μέση η επιμονή της Μαρίνας, θα έμεναν όλοι μαζί στην έπαυλή τους. Ο γαμπρός τους δεν είχε κανένα πρόβλημα, αλλά η Μαρίνα στάθηκε ανένδοτη. Ήθελε δικό τους σπίτι, ήθελε να μείνει μόνη με τον άντρα της. Υποχώρησαν.

Ο Νικήτας τέλειωσε το ποτό του, έφτιαξε τη γραβάτα του που ούτως ή άλλως ήταν δεμένη άψογα, φίλησε αφηρημένα τη γυναίκα του και εξαφανίστηκε με το γυάλινο ασανσέρ. Η Μαρίνα έμεινε μόνη. Έπρεπε να ετοιμαστεί. Σε λίγο θα έρχονταν οι γονείς της και δεν ήταν σωστό να τους αφήσει να περιμένουν.

Βούλιαξε στο αρωματισμένο αφρόλουτρο με μεγάλη προσοχή για να μη χαλάσει τα μαλλιά και το μακιγιάζ της. Έμεινε να παίζει με τις ιριδίζουσες μικροσκοπικές φούσκες του αφρόλουτρου, αφηρημένη. Δεν ήταν σε καθόλου καλή διάθεση και αυτό ήταν πρωτόγνωρο για εκείνη. Συνήθως τα συναισθήματά της βρίσκονταν σε πλήρη ισορροπία. Ένα φανταστικό διάγραμμα συναισθημάτων θα αποκάλυπτε μια πληκτική ευθεία γραμμή. Τώρα αυτή η γραμμή βρισκόταν σε κάθοδο, εντελώς ανεξήγητα.

Ούτε το καινούργιο μεταξωτό μαύρο φόρεμα που γλίστρησε πάνω της της έφτιαξε τη διάθεση, ούτε το αγαπημένο της περιδέραιο, που της είχε κάνει δώρο ο Νικήτας τα Χριστούγεννα και είχε αποσπάσει το θαυμασμό όλων εκείνο το βράδυ. Ο καθρέφτης τής έστελνε πίσω την εικόνα μιας εκθαμβωτικά όμορφης γυναίκας. Μόνο αν την κοιτούσε κάποιος στα μάτια θα διέκρινε εκεί τη μοναξιά να διεκδικεί το μεγαλύτερο μέρος της ύπαρξής της και έναν αδιόρατο πόνο που είχε πάρει τη μορφή της πλήξης. Τα μάτια της, στεφανωμένα με απαστράπτουσες σκιές, και οι βλεφαρίδες, βαριές από τη μάσκαρα, είχαν μέσα τους το κενό· το απόλυτο κενό της... ευτυχίας της.

«Χρυσό μου, απόψε είσαι πανέμορφη!» αναφώνησε η μητέρα της λίγο αργότερα, εισβάλλοντας στο σαλόνι, ενώ η ατμόσφαιρα γέμισε με το πανάκριβο άρωμά της.

Ο πατέρας της χαμογελούσε ικανοποιημένος. Απόψε, όπως πάντα, μπορούσε να καμαρώνει για τις δυο πανέμορφες γυναίκες του. Η Μαρίνα ήταν ίδια η μητέρα της. Έτσι τη θυμόταν και τη Φωτεινή. Έτσι τη γνώρισε, και την παντρεύτηκε σχεδόν αμέσως. Η Φωτεινή λάτρεψε τον όμορφο άντρα με τους ευγενικούς τρόπους και αγνόησε τις κακές γλώσσες που έλεγαν ότι ο Λουκάς το μόνο που ερωτεύτηκε ήταν η προίκα της. Τριάντα δύο χρόνια ευτυχίας δίπλα του ήταν η απόδειξη για το πόσο κακός μπορούσε να είναι ο κόσμος.

Ο Λουκάς κοίταξε γύρω του. «Ο Νικήτας; Δεν ετοιμάστηκε ακόμη;» ρώτησε.

«Ο Νικήτας δε θα έρθει!» Η φωνή της Μαρίνας μαρτυρούσε όλη της τη δυσαρέσκεια.

Ο Λουκάς και η Φωτεινή κοιτάχτηκαν ανήσυχοι προτού στραφούν στη μοναχοκόρη τους.

«Γιατί δε θα έρθει; Μήπως καβγαδίσατε; Χρυσό μου, σου έχω πει τόσες φορές ότι οι άντρες...»

«Μη χάνεις τα λόγια σου, μαμά, σε διαλέξεις άνευ αντικειμένου! Δεν καβγαδίσαμε, όπως δεν καβγαδίζουμε ποτέ και για τίποτα, γιατί οι καβγάδες δεν αρμόζουν στον... κύκλο μας! Απλώς, ο Νικήτας είχε ραντεβού με ένα σημαντικό πελάτη!»

«Τότε, γιατί αυτή η κακή διάθεση, νεαρή μου; Δουλειά είχε ο άνθρωπος! Δε θ' αφήσει τη δουλειά του για να τρέχει σε δεξιώσεις!» Ο πατέρας της είχε ήδη αποφασίσει υπέρ του γαμπρού του.

Η Μαρίνα τον κοίταξε εκνευρισμένη. «Σήμερα βρήκε να έχει ραντεβού; Ήξερε για τη δεξίωση εδώ και δεκαπέντε μέρες! Μπορούσε να κανονίσει να δει άλλη μέρα αυτό τον πελάτη!»

Η μητέρα της την πλησίασε και την αγκάλιασε από τους ώμους. Της μίλησε όπως θα μιλούσε σ' ένα πεντάχρονο παιδάκι: «Μαρίνα μου, δεν είναι σωστό να φέρεσαι έτσι! Δεν είσαι καμιά γυναικούλα και ελπίζω να μην έκανες σκηνή στον άντρα σου!»

«Γιατί, μαμά; Οι... γυναικούλες είναι λιγότερο γυναίκες από εμάς, του καλού κόσμου; Και επιτέλους, είναι τόσο τρομερό να θέλω να με συνοδεύσει ο άντρας μου;»

«Μα τι έπαθες, απόψε; Είχα να σε δω έτσι από τότε που... ήσουν μικρή!»

Παραλίγο! Το όνομα εκείνου κρατήθηκε με το ζόρι. Η μητέρα της δαγκώθηκε και πρόλαβε ν' αλλάξει τροπή στα λόγια της. Το τελευταίο που ήθελε ήταν να θυμίσει στην κόρη της παλιά λάθη. Ευτυχώς η Μαρίνα δεν έδειχνε να έχει καταλάβει τίποτε από την παραλίγο αναφορά σε εκείνον. Σώπασαν για λίγο και οι τρεις, χαμένοι ο καθένας στις δικές του σκέψεις. Η Φωτεινή, όμως, ήξερε τι έλεγε πριν. Είχε να δει τη Μαρίνα τόσο διαφορετική, τόσο γεμάτη ένταση, τόσο ανθρώπινη, από τότε που είχε δέσει τη ζωή της μ' εκείνον τον... αταίριαστο. Τη φόβιζε τότε η κόρη της. Ήταν διαφορετική. Δεν μπορούσε να την καταλάβει. Δεν είχαν κανένα σημείο επαφής. Από τον καιρό όμως που χώρισαν, η Μαρίνα είχε ξαναγίνει όπως την είχε φτιάξει· ήρεμη, χωρίς εξάρσεις, με ενδιαφέροντα ίδια με τα δικά της. Η επαφή είχε αποκατασταθεί μέσα από κομμωτήρια, ινστιτούτα, οίκους μόδας και αδιάφορες συζητήσεις για εξίσου αδιάφορα και ανώδυνα θέματα. Τι είχε πάθει τώρα; Μήπως συνέβαινε κάτι άλλο; Μήπως αυτός είχε ξαναγυρίσει; Κοίταξε την κόρη της που με αφηρημένες κινήσεις έβαζε σε όλους ένα ποτό. Όχι, αποκλείεται. Η Μαρίνα δε θα έκανε ποτέ κάτι τέτοιο. Αγαπούσε τον άντρα της. Κι έπειτα, η απιστία μπορεί να ήταν κάτι συνηθισμένο, αλλά καμία και κανένας από τον κύκλο τους δεν επέτρεπε ένα μικρό στραβοπάτημα να γίνει αιτία για σκάνδαλο. Αλλά αν...

Πήρε το ποτό που της πρόσφερε η κόρη της και έδιωξε μακριά τις δυσάρεστες σκέψεις. Γι' αυτό δεν της άρεσε να σκέφτεται! Εννιά φορές στις δέκα, όταν αναγκαζόταν να σκεφτεί όπως τώρα, έφτανε να μελαγχολήσει.

Το ρολόι έδειχνε περασμένες δύο όταν μπήκε πάλι στο σπίτι της. Στο γκαράζ, το αυτοκίνητο του Νικήτα έδειχνε ξεκάθαρα ότι είχε επιστρέψει και κατά πάσα πιθανότητα τώρα θα κοιμόταν. Πέταξε τη γούνα σε μια πολυθρόνα και λίγο πιο πέρα τις ψηλοτάκουνες γόβες της. Η φωτιά σιγόκαιγε ακόμη. Δε νύσταζε. Χωρίς ν' ανάψει φως, πλησίασε την τεράστια τζαμαρία και κοίταξε έξω. Η βροχή έπεφτε και πάλι δυνατή. Τα δέντρα στο δασάκι απέναντί της έπιναν διψασμένα. Υπακούοντας στην παρόρμηση, άνοιξε την τζαμαρία και βγήκε στη βεράντα. Σε ελάχιστα δευτερόλεπτα, το μαύρο φόρεμα, μουσκεμένο, κόλλησε πάνω της. Έλυσε το περίτεχνο χτένισμα και τα μαλλιά της έπεσαν απαλά στους ώμους της. Αντάμωσαν τη βροχή και ζωντάνεψαν από τη δροσιά της. Σήκωσε το πρόσωπο κι έμεινε εκεί, με κλειστά μάτια, να δέχεται το ράπισμα του νερού που έπεφτε με ορμή πάνω της.

Είχε περάσει απίστευτα πληκτικά. Αν δεν ήταν οι γονείς της, θα είχε φύγει εδώ και ώρες, αλλά δεν ήθελε να χαλάσει κι εκείνων τη βραδιά. Περιφερόταν μ' ένα ποτήρι στο χέρι, ανάμεσα σε αδιάφορους ανθρώπους και άκουγε τα ίδια κρύα αστεία που είχε ακούσει την προηγούμενη βδομάδα στη δεξίωση του Χέλιου. Μα, ανακύκλωση σε αποτυχημένα ανέκδοτα έκαναν; Μέσα σε μια βδομάδα τίποτα καινούργιο δεν είχε συμβεί για να το συζητήσουν; Απορούσε και η ίδια με τον εαυτό της. Τι είχε πάθει απόψε; Γιατί την ενοχλούσαν αυτά που χθες και προχθές την έκαναν να διασκεδάζει;

Η φωνή του Νικήτα την έκανε να αναπηδήσει. «Μαρίνα, εσύ είσαι;»

Γύρισε και τον κοίταξε. Τα μάτια της έλαμπαν στο σκοτάδι. «Εγώ...»

«Και τι κάνεις στη βροχή;»

«Βρέχομαι».

«Αγάπη μου, τρελάθηκες; Τι ανοησίες είναι αυτές; Είσαι μούσκεμα! Έλα μέσα!»

«Έλα εσύ έξω!»

Έκανε μια κίνηση προς το μέρος του αλλά εκείνος πισωπάτησε.

«Να έρθω εγώ έξω; Να κάνω τι;»

Η Μαρίνα με μια κίνηση άνοιξε το φερμουάρ και κατέβασε το μουσκεμένο φόρεμα. Το άφησε να πέσει στα πόδια της. Ο Νικήτας είχε μείνει να την κοιτάζει.

«Μαρίνα... δεν καταλαβαίνω. Τι έπαθες απόψε;»

Χωρίς να του απαντήσει, άφησε και τα εσώρουχα να πέσουν πάνω στο μεταξωτό σωρό του φορέματος. «Έλα έξω, Νικήτα», ψιθύρισε.

Εκείνος έκανε ένα βήμα πιο πίσω. Λάθος κατεύθυνση. «Αν θέλεις οπωσδήποτε να κάνουμε έρωτα απόψε, έλα μέσα, να πάμε στο κρεβάτι μας!»

«Δε θέλω να έρθω μέσα και δε θέλω να πάω στο κρεβάτι μας. Θέλω να έρθεις εσύ έξω και να κάνουμε έρωτα εδώ, κάτω από τη βροχή».

«Δεν είμαστε καλά! Μεθυσμένη είσαι; Πώς φαντάστηκες ότι θα ήθελα να κάνω έρωτα στη βεράντα και μάλιστα μ' αυτό τον κατακλυσμό; Δε σε αναγνωρίζω πια! Πάω να κοιμηθώ στον ξενώνα! Θα σε συμβούλευα να συνέλθεις, να κάνεις ένα καυτό μπάνιο και να ξαπλώσεις! Αύριο, ελπίζω να είσαι και πάλι η Μαρίνα που ξέρω!»

Μεταβολή και εξαφάνιση· ο ήχος της πόρτας του ξενώνα ξεκάθαρος. Απέμεινε μόνη και γυμνή στη βεράντα, περικυκλωμένη από βροχή και μοναξιά. Η πρώτη δρόσιζε το φλεγόμενο κορμί, η άλλη πονούσε. Έστρεψε πάλι το πρόσωπο προς τον ουρανό. Η ψυχή της φουρτούνιαζε απ' το παράπονο. Τα δάκρυα, καυτά, κύλησαν στα μάγουλα· ο πόνος στο στήθος σαν φυλακή. Δεν είχε νόημα. Είχε κάνει εδώ και χρόνια την επιλογή της. Διάλεξε το δρόμο της, επέλεξε τη ζωή και τους κανόνες με τους οποίους θα τη ζούσε. Δεν είχε δικαίωμα να θέλει να τους αλλάξει τώρα. Κι αυτό που ζούσε, το άξιζε. Την αληθινή ζωή δεν την άξιζε, γιατί εκείνη πρώτη την είχε απορρίψει όταν της δόθηκε η ευκαιρία να τη ζήσει. Εκείνη είχε διαλέξει να φύγει προς το *τίποτα*, γιατί φοβήθηκε το *όλα*! Μάζεψε τα ρούχα και μπήκε στάζοντας στο ζεστό σαλόνι. Την ώρα που χώθηκε κάτω απ' το καυτό νερό, ακολουθώντας τη συμβουλή του άντρα της, υποσχέθηκε νοερά: *Μη φοβάσαι, Νικήτα! Αύριο θα είμαι και πάλι η Μαρίνα που ξέρεις! Αυτήν αξίζεις, αυτή θα 'χεις! Όπως κι εγώ, άλλωστε· έχω αυτό ακριβώς που αξίζω!*

Το πουπουλένιο πάπλωμα τυλίχτηκε γύρω από το κορμί της λίγα λεπτά αργότερα. Ένα δυνατό ηρεμιστικό χάπι τη βοήθησε να επανέλθει στη μόνιμη και συνηθισμένη κατάσταση ύπνωσης των τελευταίων χρόνων. Πού ακούστηκε να ξυπνάει η βασιλοπούλα και να χαλάει με τη διαγωγή της το παραμύθι;

Συνειδητοποίησε ότι τα τελευταία λεπτά ανακάτευε με θόρυβο το τσάι της και σταμάτησε. Κοίταξε γύρω της αμήχανη. Ευτυχώς, κανένας δεν είχε ενοχληθεί. Ήταν όλοι απορροφημένοι από τις παρέες τους. Κανένας δεν έδινε σημασία στην κοπέλα με τ' απίστευτα σγουρά μαλλιά που έφταναν μέχρι τη μέση της, με τις μελιές μπούκλες να στροβιλίζονται και να στέκονται όπου εκείνες ήθελαν, ατίθασες όπως πάντα. Δεν της έκανε εντύπωση που κανένας δεν την είχε προσέξει. Περνούσε απαρατήρητη από τότε που θυμόταν τον εαυτό της. Ακόμη και οι γονείς της έκαναν προσπάθεια να θυμούνται τη μικρότερη κόρη τους. Ο Κοσμάς, ο Μανόλης, η Κατερίνα και η Αγγελική διεκδικούσαν όλο το χρόνο και τις σκέψεις τους.

Όταν γεννήθηκε η ίδια, εννιά χρόνια μετά τη γέννηση του τέταρτου παιδιού τους και δεκαπέντε μετά το πρώτο, ήταν φαίνεται πολύ κουρασμένοι, είχαν ξοδέψει όλα τ' αποθέματα προσοχής και γονικής στοργής στα υπόλοιπα τέσσερα παιδιά τους, που δεν περίσσεψε τίποτα για εκείνη. Έπειτα, ήταν και ο χαρακτήρας της Ναταλίας τόσο περίεργος! Έδειχνε να μη χρειάζεται τίποτα και κανέναν αυτό το παιδί. Ποτέ δεν έκλαιγε, ποτέ δεν παραπονιόταν για τίποτε. Αν της έδιναν να φάει, έτρωγε. Αν το ξεχνούσαν, εκείνη κοιμόταν.

Αργότερα, σαν παιδάκι, καθόταν ήσυχα σε μια γωνιά και έπαιζε, χωρίς ν' απασχολεί κανέναν, χωρίς να ζητάει από κανέναν να παίξει μαζί της ή ν' ασχοληθεί μ' εκείνη και τα παιχνίδια της. Όταν μίλησε για πρώτη φορά, σχεδόν τρόμαξαν. Ποτέ δεν είχαν ακούσει τον ήχο της φωνής της. Τα μωρουδίστικα μουρμουρητά της ήταν κι αυτά τόσο χαμηλόφωνα που κανένας δεν τα είχε προσέξει. Και ξαφνικά, ένα πρωί, η Ναταλία είχε πει πολύ καθαρά: «Μαμά, γάλα»! Και από τότε έτσι μιλούσε. Ποτέ δε χρησιμοποίησε όλες εκείνες τις μικρές παραμορφωμένες λεξούλες που όλα τα παιδιά λένε, στην προσπάθειά τους να μάθουν να μιλούν. Όχι... Η Ναταλία από την αρχή μιλούσε καθαρά. Σπάνια μεν, αλλά καθαρά.

Τ' αδέλφια της, πολύ μεγαλύτερα από εκείνη, την αγνοούσαν συστηματικά. Η Ναταλία δεν ήταν ούτε παιχνιδιάρα, ούτε ναζιάρα, ούτε γκρινιάρα, ούτε τίποτα. Κάρφωνε τα μεγάλα μάτια της πάνω σε όποιον της μιλούσε ή την ενοχλούσε και δεν τα κατέβαζε μέχρι που ο εισβολέας του κόσμου της έφευγε απογοητευμένος. Δεν είχε γούστο να πειράζεις τη μικρή σου αδελφή, όταν εκείνη δεν αντιδρά. Επιπλέον, ήταν και δυσάρεστο το συναίσθημα που τους δημιουργούσε η εκφραστικότητα των ματιών της. Λες και τους διαπερνούσε.

Αργότερα, στο σχολείο, οι επιδόσεις της δεν έκαναν εντύπωση σε κανέναν. Κανένας δεν καμάρωσε ποτέ που η Ναταλία έπαιρνε επαίνους για τους βαθμούς της. Όταν στην πρώτη Λυκείου πέρασε την τάξη μ' ένα ατόφιο είκοσι, κανένας δεν της έδωσε σημασία. Την ίδια εποχή παντρευόταν η Αγγελική, και η Κατερίνα έφερνε στον κόσμο το δεύτερο παιδί της. Τ' αγόρια, βιαστικά και γρήγορα, είχαν από καιρό κάνει τις δικές τους οικογένειες. Ποιος να δώσει σημασία που στο σχολείο έγινε ειδική τελετή και της έδωσαν βραβείο;

Η Ναταλία δεν παραπονέθηκε ποτέ. Είχε από χρόνια δεχτεί το γεγονός ότι τυχαία και όχι κατόπιν επιθυμίας των γονιών της ήρθε στον κόσμο, και ακόμη πιο τυχαία είχε γεννηθεί σε μια οικογένεια που δεν ήθελε ένα ακόμη παιδί, αλλά που οι θρησκευτικές πεποιθήσεις δεν επέτρεψαν να το ξεφορτωθούν όσο ήταν ακόμη καιρός. Ο πατέρας της ήταν ιερέας.

Όταν η Ναταλία έφτασε στα δεκαπέντε της χρόνια, άρχισε ν' αναρωτιέται γιατί, ενώ τυπικά ανήκε σε μια οικογένεια, ουσιαστικά ήταν μόνη. Αναρωτήθηκε πώς μπορούσαν οι γονείς της ν' αδιαφορούν τόσο για ένα από τα παιδιά τους.

*Τα παιδιά σας δεν είναι παιδιά σας. Είναι οι γιοι και οι κόρες της λαχτάρας της ζωής για τη ζωή. Έρχονται στη ζωή με τη βοήθειά σας, αλλά όχι από εσάς. Και μόλο που είναι μαζί σας, δεν ανήκουν σ' εσάς...* Χαλίλ Γκιμπράν. *Ο Προφήτης* έπεσε στα χέρια της και η Ναταλία μαγεύτηκε. Διάβασε το βιβλίο ξανά και ξανά, το έμαθε σχεδόν απέξω, αλλά ειδικά αυτό το απόσπασμα της έδωσε όσες απαντήσεις της έλειπαν για να δικαιολογήσει, να καταλάβει. Κατά κάποιο τρόπο τής δικαιολόγησε τη συμπεριφορά των δικών της. Δεν ήταν παιδί τους, δεν τους ανήκε. Της άρεσε να πιστεύει ότι ο ερχομός στη ζωή ήταν μια κοσμική συγκυρία. Ένα γεγονός που δεν είχε σχέση με τα καθιερωμένα. Ήταν το αποτέλεσμα μιας ένωσης, όχι με κίνητρο ένα ταπεινό γενετήσιο ένστικτο αλλά τη λαχτάρα της ζωής για τη ζωή. Αυτό μπορούσε να το δεχτεί, να το αντέξει!

Ο πατέρα της πέθανε όταν η Ναταλία τέλειωσε την τρίτη Λυκείου. Πάλι η επιτυχία της στη Φιλοσοφική Σχολή Αθηνών επισκιάστηκε από κάτι άλλο πιο σοβαρό. Η οικογένεια αναστατώθηκε, το πένθος ήταν βαρύ. Η μητέρα της έμοιαζε σαν χαμένη χωρίς την παρουσία του άντρα, που κοιτούσε στην κυριολεξία στα μάτια επί τριάντα πέντε χρόνια. Αποφασίστηκε αμέσως μετά το μνημόσυνο των σαράντα ημερών να μετακομίσει η μητέρα της στο σπίτι της μικρότερης, της Αγγελικής, και σχεδόν ξαφνιάστηκαν όταν και η Ναταλία άρχισε να μαζεύει τα πράγματά της για τη μετακόμιση. Αυτή την είχαν ξεχάσει...

Δε χρειάστηκε να της πουν ότι ήταν ανεπιθύμητη. Το κατάλαβε. Άλλωστε με την Αγγελική δεν τα πήγαινε ποτέ καλά. Αν με τους άλλους η σχέση ήταν αδιάφορη, με τη μικρότερη αδελφή της ήταν εχθρική. Προτού απελπιστεί για το πού θα έμενε, ανέλαβε ο Κοσμάς. Η γυναίκα του συμπαθούσε τη μικρή της κουνιάδα και την ήθελε στο σπίτι της. Μετακόμισε, λοιπόν, στο σπίτι του Κοσμά. Άλλωστε, αν δέχονταν να τη στείλουν στην Αθήνα να σπουδάσει, δε θα έμενε και για πολύ κοντά τους. Πρώτα, όμως, έπρεπε να το μάθουν.

Το ανακοίνωσε σε κάποιο από τα οικογενειακά τραπέζια που κατά καιρούς γίνονταν στο σπίτι του Κοσμά. Κυριακή μεσημέρι κι όλη η οικογένεια ήταν συγκεντρωμένη. Μιλούσαν όπως πάντα μεταξύ τους, κάποιες φορές και όλοι μαζί, ενώ η Ναταλία νοερά διάλεγε μία μία τις λέξεις που θα χρησιμοποιούσε για να τους πει το μεγάλο νέο. Κανένας δεν ήξερε, γιατί κανένας δεν ενδιαφέρθηκε να μάθει. Δεν μπορούσε να το αναβάλει άλλο όμως. Έπρεπε να φύγει. Ήταν να γίνουν τόσα πολλά, να γραφτεί στο πανεπιστήμιο, να βρει σπίτι, να το επιπλώσει, να... να... Έπειτα ήταν και το οικονομικό. Ποιος θ' αναλάμβανε τα έξοδα των σπουδών της; Αν έλεγαν όχι, τι θα έκανε;

Επωφελήθηκε από την ησυχία που επικράτησε όταν σερβιρίστηκε το φαγητό. Με γεμάτο στόμα ήταν δύσκολο να μιλήσουν. Εκείνη, πάλι, ήταν αδύνατο να καταπιεί έστω και μια μπουκιά.

«Θα ήθελα να σας πω κάτι πολύ σοβαρό», άρχισε, και η γενική αντίδραση την αποθάρρυνε περισσότερο απ' το αν την αγνοούσαν.

Ξαφνιάστηκαν όλοι τόσο πολύ που άφησαν τα πιρούνια τους να αιωρούνται μεταξύ πιάτου και στόματος και την κοίταξαν με απορία.

Η Ναταλία πήρε βαθιά αναπνοή, ξετρύπωσε κάποια απομεινάρια θάρρους που νόμιζε ότι δεν υπήρχαν και συνέχισε: «Ήθελα να σας πω ότι βγήκαν τ' αποτελέσματα. Πέρασα στη Φιλοσοφική Αθηνών... Πρώτη». Αυτό το τελευταίο δίστασε να το πει. Σαν να ντρεπόταν να καμαρώσει για την επιτυχία της.

Έπεσε σιγή. Τα πιρούνια δεν έφτασαν στον προορισμό τους. Κατέβηκαν. Ο Κοσμάς, που είχε αυτοανακηρυχθεί αρχηγός της οικογένειας μετά το θάνατο του πατέρα τους, την κοίταξε. Η Ναταλία δεν κατάλαβε πού βρήκε τη δύναμη ν' ανταποδώσει το βλέμμα του. Αυτό που δεν έμαθε ποτέ ήταν πόση ικεσία έκρυβαν τα μάτια της. Τόση όση χρειαζόταν για ν' αγγίξει κάποια άγνωστη χορδή στην ψυχή του αδελφού της. Επιτέλους, την πρόσεξε. Ξερόβηξε. Όλοι στράφηκαν σ' εκείνον.

«Ώστε έτσι... Πέρασες στο πανεπιστήμιο...»

«Ναι...»

«Κατ' αρχάς, συγχαρητήρια! Κανένας άλλος δεν τα κατάφερε από μας. Υποθέτω λοιπόν ότι, αφού πέρασες, θέλεις και να πας».

«Πάρα πολύ!»

«Και φυσικά πρέπει και να εγκατασταθείς εκεί, στην Αθήνα».

«Ναι».

«Θα είσαι μόνη σου, όμως...»

Τον κοίταξε έντονα. Ο Κοσμάς χαμήλωσε τα μάτια και ξερόβηξε πάλι. Ίσως μέσα του κατάφερε να παραδεχτεί ότι ήταν τουλάχιστον άστοχη η τελευταία παρατήρηση. Ίσως ξαφνικά να συνειδητοποίησε ότι η μικρή του αδελφή ήταν μόνη της από τη μέρα που γεννήθηκε και όχι από δική της επιλογή. Την είχαν αφήσει μόνη της. Η Αθήνα δε θα μπορούσε να την απομονώσει περισσότερο από τους ίδιους τους δικούς της.

«Κοσμά, θέλω να φύγω».

Έτσι απλά...

Και έφυγε. Δεκατέσσερα χρόνια είχαν περάσει από τότε. Δεν ήταν εύκολα. Ο αδελφός της τη στήριζε οικονομικά όσο σπούδαζε. Του ήταν βαθιά υποχρεωμένη για αυτό. Στο χωριό της πήγαινε όταν ήταν απαραίτητο. Στην αρχή, τις γιορτές και το καλοκαίρι. Έπειτα, μόνο το καλοκαίρι και, στο τέλος, σπάνια. Κάθε φορά ένιωθε και πιο ξένη· οι κουβέντες αμήχανες, τα χαμόγελα βεβιασμένα. Η απόσταση μεταξύ τους έγινε χάσμα αγεφύρωτο.

Κανένας δεν ενδιαφέρθηκε να μάθει τι έκανε στην Αθήνα. Σε κανέναν δεν είπε ότι, πολύ πριν τελειώσει το πανεπιστήμιο, είχε πιάσει δουλειά σ' έναν εκδοτικό οίκο με πολύ καλό μισθό σαν επιμελήτρια βιβλίων. Ούτε ότι τ' απογεύματα του σαββατοκύριακου δούλευε σαν σερβιτόρα σ' ένα μικρό καφέ δίπλα στο σπίτι της. Το σπίτι της... Ποτέ κανένας τους δεν το είδε. Κανένας δε θέλησε να την επισκεφθεί από τους δικούς της, αλλά κι εκείνη δεν τους κάλεσε ποτέ. Ποτέ δεν αποζήτησε την παρουσία τους, όπως κι όταν ήταν παιδί. Η Ναταλία το έφτιαξε όπως το ονειρευόταν. Ήταν μια μεγάλη γκαρσονιέρα στον τρίτο όροφο μιας πολυκατοικίας στους Αμπελόκηπους, κοντά στην εκκλησία του Αγίου Δημητρίου. Ώρες ατελείωτες έφαγε στο Μοναστηράκι για να ξετρυπώσει τα έπιπλα που ήθελε. Πολλά απ' αυτά τα έτριψε και τα έβαψε μόνη της· παλιές λάμπες και αντικείμενα από μιαν άλλη εποχή συμπλήρωσαν τη διακόσμηση και ζέσταναν την ήδη ζεστή ατμόσφαιρα. Βιβλία σκόρπισαν παντού, ενώ η μικροσκοπική βεράντα της γέμισε γλάστρες.

Άρχισε να μαζεύει χρήματα. Ήξερε πως η οικονομική ενίσχυση από τον Κοσμά θα σταματούσε μόλις έπαιρνε το πτυχίο της και έπρεπε να είναι έτοιμη ώστε ν' αντιμετωπίσει μόνη της κάθε αναποδιά.

Κανένας δεν της ζήτησε να γυρίσει πίσω όταν τέλειωσε τις σπουδές της. Ή το ξέχασαν ή θεώρησαν δεδομένο ότι ήταν καλύτερα μακριά τους. Και ήταν... Ακόμη και όταν χώρισε με τον Άρη...

Ήταν ο πρώτος της δεσμός. Κράτησε ένα χρόνο ακριβώς, αν και η Ναταλία ήξερε από τον πρώτο μήνα ότι κάτι έλειπε. Τον είχε γνωρίσει όταν δούλευε σ' εκείνο το καφέ. Ήταν τότε είκοσι χρόνων και ο Άρης είκοσι πέντε. Όμορφος, καλλιεργημένος, αλλά... Ώρες ώρες η σχέση τους της θύμιζε σκουριασμένη μηχανή που προσπαθεί χωρίς επιτυχία να κινήσει τα γρανάζια της κι εκεί που πήγαιναν να γυρίσουν, εκεί και κολλούσαν. Ο Άρης έφυγε, αφού της πέταξε κατάμουτρα ότι ήταν «πολύ λίγη για εκείνον». Το δέχτηκε. Το υποψιαζόταν, άλλωστε, και η ίδια...

Πέρασαν δυο χρόνια προτού βρεθεί στο δρόμο της ο Μηνάς. Υπάλληλος στην τράπεζα όπου πλήρωνε τα γραμμάτια για ένα μικρό στερεοφωνικό που είχε αγοράσει, για ν' ακούει στην ησυχία της μοναξιάς της την αγαπημένη της μουσική. Ακριβά τής στοίχισε η αγάπη της για τη μουσική. Έξι μήνες προσπαθούσε να πείσει τον εαυτό της πως έτσι ήταν μια φυσιολογική σχέση. Με τόσο πολλούς καβγάδες, τέτοια διάσταση απόψεων, τόση καταπίεση, τόση εκμετάλλευση και τόση κριτική από μέρους του.

Ύστερα ο Χαλίλ Γκιμπράν έπεσε πάλι στα χέρια της και της είπε: *Η αγάπη δε δίνει τίποτα παρά μόνο τον εαυτό της και δεν παίρνει τίποτα παρά από τον εαυτό της. Η αγάπη δεν κατέχει κι ούτε μπορεί να κατέχεται·*

*γιατί η αγάπη αρκείται στην αγάπη...* Κατάλαβε. Είχε κάνει πάλι λάθος κι έπρεπε να φύγει. Όταν του το είπε, ο Μηνάς φρόντισε να τη «χτυπήσει» με όσο πιο βαριά λόγια περιείχε το συνήθως περιορισμένο λεξιλόγιό του.

«Σε λυπάμαι, κούκλα μου», της είχε πει. «Ένα χωριατάκι είσαι, που νομίζεις ότι θα γίνεις άνθρωπος επειδή έχεις ένα πτυχίο, διάβασες κάποια κουλτουριάρικα βιβλία και ακούς κλασική μουσική. Είσαι τόσο "στεγνή" που το μόνο που μπορείς να ελπίζεις είναι να σε προσέξει κανένας κομπλεξικός σαν εσένα! Και βέβαια δεν μπορούμε να συνεχίσουμε εμείς οι δύο! Είσαι πολύ λίγη για μένα κι αν δε σε λυπόμουν τόσο καιρό, θα σου το είχα πει πρώτος εγώ!»

Εντάξει. Εκείνος είχε σώσει το γόητρό του. Είχε κρατήσει τον εγωισμό του σε ανεκτά επίπεδα. Εκείνη; Ήταν η δεύτερη φορά που κάποιος είχε διαπιστώσει ότι ήταν... «λίγη».

Έκανε τέσσερα χρόνια να ελπίσει ότι υπήρχε κάποιος και για κείνη. Κάποιες επιπόλαιες σχέσεις μέσα στα επόμενα χρόνια τη γέμισαν απελπισία. Έφτασε στα τριάντα, με τη βεβαιότητα της μοναξιάς για την υπόλοιπη ζωή της. Μα τι είχε τέλος πάντων; Ποια μοίρα τής είχε ρίξει βαριά καταδίκη από τη μέρα που γεννήθηκε να είναι πάντα μόνη; Χρόνια δούλευε στον ίδιο εκδοτικό οίκο και δεν είχε ούτε μία φίλη. Ποτέ καμία από τις συναδέλφους της δεν της πρότεινε να πάνε για έναν καφέ, καμία δεν έδειξε να θέλει να τη γνωρίσει καλύτερα. Οι προϊστάμενοί της την εκτιμούσαν απεριόριστα. Τα πιο απαιτητικά βιβλία τα έδιναν να τα δουλέψει εκείνη, γιατί μπορούσαν να την εμπιστεύονται για το τέλειο αποτέλεσμα της δουλειάς της. Αλλά φίλες; Ποτέ. Φίλους; Όχι, βέβαια! Μόνη... Πάντα.

Μέχρι την ώρα που γνώρισε τον Πέτρο. Στην ίδια ηλικία μ' εκείνη και συνάδελφος. Δούλευε στο λογιστήριο. Απόρησε και η ίδια που την πρόσεξε. Ήταν ωραίος και το ήξερε. Είχε επιτυχία στις γυναίκες και το απολάμβανε. Η Ναταλία, όμως, δεν ήξερε. Δεν ήξερε πόσο πονάει η απόρριψη όταν δεν την έχεις συνηθίσει. Ο Πέτρος χώρισε από τον προηγούμενο δεσμό του, όχι από δική του πρωτοβουλία, και δεν το άντεξε. Ύστερα από μια ανεπιτυχή κρούση σε μια συνάδελφο, έφτασε στη Ναταλία, που έπειτα από χρόνια μοναξιάς δέχτηκε σαν αναζωογονητική πνοή το ενδιαφέρον του.

Το γεγονός του δεσμού τους κατέπληξε τους πάντες όταν μαθεύτηκε. Το ότι ο δεσμός αυτός κρατούσε δύο χρόνια τώρα, κατέπληξε την ίδια τη Ναταλία. Δεν ήξερε τι αισθανόταν γι' αυτόν. Στην αρχή, όταν άρχισε να τη φλερτάρει, αισθάνθηκε κολακευμένη από το ενδιαφέρον ενός τόσο ωραίου άντρα. Έπειτα, όμως, διαπίστωσε ότι αυτός ο ωραίος άντρας ήταν μόνο αυτό: ένα ωραίο αρσενικό, που νόμιζε ότι το χρέος του το είχε κάνει μόνο και μόνο γιατί ήταν καλοφτιαγμένος.

Όταν έβγαιναν μαζί, ένιωθε τα βλέμματα των άλλων γυναικών πάνω τους γεμάτα ζήλια. Και θα ήθελε πολύ να τους πει, αλλά δεν μπορούσε, ότι ο κύριος που τη συνόδευε ήταν σαν άδειο όστρακο Ο Πέτρος μπορούσε να μιλάει ώρες για τον εαυτό του, αλλά δεν μπορούσε ούτε πέντε λεπτά να μιλήσει για κάτι άλλο. Πολλές φορές, γύριζαν σπίτι ύστερα από κάποια έξοδο, έχοντας ανταλλάξει τ' απολύτως απαραίτητα. Ίσως γι' αυτό τρελαινόταν να πηγαίνει σε μπαράκια με δυνατή μουσική. Εκεί μετρούσε μόνο η εμφάνιση, εκεί, όσο κι αν ήθελες, ήταν πολύ δύσκολο έως και ακατόρθωτο ν' ανταλλάξεις απόψεις. Η Ναταλία σιχαινόταν αυτές τις βραδιές που όλο και γίνονταν συχνότερες. Ο Πέτρος μισούσε το θέατρο, αντιπαθούσε τον κινηματογράφο, και τα μικρά γραφικά ταβερνάκια τον έκαναν να πλήττει θανάσιμα. Ο έρωτας μαζί του είχε κάτι από την ιεροτελεστία του ζευγαρώματος ενός πανέμορφου παγονιού· κι εκεί, επίδειξη και εγωισμός. Χίλιες φορές είχε ρωτήσει τον εαυτό της γιατί έμενε σ' αυτή τη σχέση, και άλλες τόσες ερχόταν η ίδια απάντηση στο μυαλό της. Φοβόταν τη μοναξιά. Δεν ήθελε κι άλλη αποτυχία στο ενεργητικό της, αν και δεν έβλεπε πώς θα την απέφευγε.

Βολεύτηκε καλύτερα στην πολυθρόνα της και κοίταξε έξω. Δυνατή βροχή ταλαιπωρούσε πεζούς και οδηγούς. Το ρολόι της έδειχνε οκτώ. Περίμενε τον Πέτρο εδώ και μισή ώρα. Τον τελευταίο καιρό είχαν γίνει μόνιμη κατάσταση οι καθυστερήσεις του. Δικαιολογίες υπήρχαν πάντα βέβαια κι αν δεν υπήρχε το εξασκημένο της ένστικτο, ίσως και να τις πίστευε.

Το ένστικτο!... Μόλις τον είδε, κατάλαβε. Κάθισε απέναντί της και η έκφρασή του, τα μάτια του «φώναζαν» τόσο δυνατά το τέλος που η Ναταλία νόμισε ότι το άκουσαν όλοι τριγύρω τους.

«Θα μου πεις κι εσύ ότι ήμουν... "λίγη";» τον ρώτησε, και ο Πέτρος χαμήλωσε το βλέμμα αλλά όχι προτού εκείνη διαβάσει σ' αυτό την έκπληξη. «Τελειώσαμε, έτσι δεν είναι; Αυτό δεν ήρθες να μου πεις;»

«Πού το κατάλαβες;»

«Έχω πείρα, το ξέχασες; Ξέρω. Αυτό που δεν ξέρω είναι αν κι εσύ θα μου πεις τα ίδια που έχω ακούσει και παλιότερα».

«Όχι, Ναταλία. Είσαι πολύ καλό κορίτσι, αλλά... δεν κολλάει. Δύο χρόνια είμαστε μαζί... πρέπει κι εσύ να κατάλαβες... θέλω να πω...»

«Μην κουράζεσαι, Πέτρο. Κατάλαβα· καιρό τώρα. Αργείς, ξεχνάς τα ραντεβού μας, έχεις δουλειά... Όλες τις δικαιολογίες που υπήρχαν τις έχεις προβάλει. Μπορώ μάλιστα να πω ότι υπήρξες εξαιρετικά ευρηματικός. Μόνο την αλήθεια δεν τόλμησες να πεις. Πόσο καιρό είσαι και με την άλλη;»

«Κι αυτό το ξέρεις;»

«Δεν ήθελε και πολλή σκέψη, αλλά γιατί τόση κοροϊδία;»

«Για στάσου, ρε Ναταλία! Στο κάτω κάτω, ποτέ δε σου υποσχέθηκα τίποτα!»

«Ούτε εγώ σου ζήτησα τίποτα, αλλά δεν είναι παράλογο, νομίζω, για μια γυναίκα να ζητάει τουλάχιστον την αποκλειστικότητα σε μια σχέση δύο χρόνων!»

«Αυτή η σχέση ήταν ένα λάθος!»

«Και σου πήρε δυο χρόνια για να το διορθώσεις;»

«Δηλαδή, εσύ τι περίμενες; Να σ' αγαπήσω;»

«Γιατί όχι; Μου λείπει κάτι και δεν το ξέρω;»

«Όχι! Δεν είπα κάτι τέτοιο! Δεν ήθελα να σε προσβάλω!... Ρε κορίτσι μου, γιατί το κάνεις τόσο δύσκολο; Σημασία έχει ότι αυτή η ιστορία δεν πάει παρακάτω!»

«Σωστά! Ήταν λάθος μου. Με συγχωρείς που σ' έφερα σε δύσκολη θέση. Απλά αναρωτιόμουν...»

«Για ποιο πράγμα;»

«Άσε καλύτερα. Στο κάτω κάτω η ψυχολογία δεν είναι το καλύτερό σου και δεν είναι σωστό να σε καθυστερώ. Σίγουρα θα σε περιμένει... Καλή τύχη, Πέτρο!»

Έμεινε μόνη. Ο Πέτρος είχε μουρμουρίσει κάτι ακατάληπτο, που δεν μπήκε στον κόπο να καταλάβει, και είχε εξαφανιστεί πίσω απ' τη βαριά κουρτίνα της βροχής. Η Ναταλία έσκυψε στο παγωμένο πια τσάι της. Έκανε νόημα στο σερβιτόρο να της φέρει ακόμη ένα. Εκείνος νόμισε πως ήταν για τον Πέτρο.

«Μη μου πείτε ότι του τέλειωσαν τα τσιγάρα του κυρίου και τρέχει να πάρει μ' αυτή τη βροχή!» σχολίασε παραξενεμένος την ώρα που άφηνε την καυτή κούπα απέναντί της.

Η Ναταλία άφησε στο δίσκο του το κρύο ρόφημα και τράβηξε το ζεστό μπροστά της. Κοίταξε τον άνθρωπο που της χαμογελούσε ευγενικά. «Ο κύριος αποφάσισε ότι το τσάι του θα το παίρνει πια σε άλλη γειτονιά», μουρμούρισε, και ο σερβιτόρος εξαφανίστηκε. Εκείνη όμως πρόλαβε να δει τον οίκτο στα μάτια του.

Ξαφνικά πνιγόταν εκεί μέσα. Τι δουλειά είχε σ' ένα χώρο που προοριζόταν για να συναντιούνται άνθρωποι που είχαν φίλους; Εκείνη ήταν μόνη. Έτσουζαν τα μάτια της και ήξερε πως δεν έφταιγε η ατμόσφαιρα. Η ψυχή της έφταιγε. Ήταν τόσο βαριά όσο και ο ουρανός όλη μέρα. Μόνο που ο ουρανός είχε ξεσπάσει μ' εκείνη τη δυνατή βροχή, είχε αφεθεί στην εκτόνωση των κεραυνών του...

Πλήρωσε χωρίς ν' αγγίξει ούτε το δεύτερο τσάι της και βγήκε βιαστική στο δρόμο. Εκεί θα μπορούσε κι εκείνη, μέσα στο σκοτάδι και στη βροχή, ν' αφήσει ελεύθερα τα δάκρυα ν' ανακουφίσουν τα πονεμένα μάτια της. Εκεί οι λυγμοί της δε θα είχαν ακροατή και θα ελάφρυναν το ασήκωτο βάρος στο στήθος της. Πονούσε. Η αίσθηση του πόνου ήταν αυτή που της έφερε στο μυαλό και πάλι τον σοφό σύντροφο της εφηβείας της: *Πολλούς από τους πόνους σας τους διαλέγετε μονάχοι. Είναι το πικρό φάρμακο που μ' αυτό ο γιατρός που είναι μέσα σας θεραπεύει τον άρρωστο εαυτό σας...* Ούτε καν ο Γκιμπράν μπορούσε να γιατρέψει τις πληγές της. Ο εαυτός της δεν έπασχε από ανίατη ασθένεια. Η μοναξιά δεν έχει φάρμακα. Δεν είναι καν αρρώστια. Είναι καταδίκη...

Ένας απρόσεκτος οδηγός καθώς περνούσε την έλουσε με λασπόνερα. Δεν την είχε προσέξει. Ούτε ο πρώτος ήταν ούτε ο τελευταίος. Είχε τη βεβαιότητα ότι, και γυμνή να περπατούσε, κανένας δε θα την πρόσεχε. Για κανέναν δεν υπήρχε... ποτέ. Σαν να ήταν διάφανη!

Μπήκε σπίτι της μούσκεμα. Άφησε το καυτό νερό να τρέξει πάνω στο παγωμένο της σώμα και έπειτα τυλίχτηκε με την αγαπημένη της ρόμπα και κουλουριάστηκε στο κρεβάτι της. Σχεδόν από ένστικτο, άπλωσε το χέρι της και άνοιξε το στερεοφωνικό. «*Στον άλλο κόσμο που θα πας/κοίτα μη γίνεις σύννεφο...*» τραγουδούσε η Μαίρη Λίντα και η γλυκιά μελωδία του Θεοδωράκη έφερε νέα δάκρυα στα μάτια της. Ο απολογισμός της ζωής της τα έκανε πιο καυτά. Έπρεπε να το παραδεχτεί. Είχε αποτύχει. Δεν ήταν άξια όχι έναν άντρα να κρατήσει, αλλά ούτε μία φίλη ν' αποκτήσει. Θα ήταν πάντα μόνη!

Έδινε οδηγίες στον εαυτό του δυνατά, για να κάνει αυτό που έπρεπε. Δεν είχε και πολλή εμπιστοσύνη στην κρίση του αυτή τη στιγμή. «Κωστή, εδώ έχει ΣΤΟΠ. Πρέπει να σταματήσεις. Έτσι μπράβο! Δεν έρχεται κανείς. Βάλε πρώτη τώρα... Κωστή, το φανάρι είναι πορτοκαλί. Είναι καλύτερα να σταματήσεις... Κωστή, άναψε πράσινο. Βάλε πρώτη και ξεκίνα· μαλακά. Βρέχει κι έχει κίνηση...»

Είχε πιει πολύ, το καταλάβαινε και ο ίδιος. Τρεις μέρες τώρα δεν έκανε και τίποτε άλλο. Χωμένος στο δωμάτιο του ξενοδοχείου, όπου είχε κρύψει την αποτυχία και τον πόνο, έπινε ασταμάτητα. Είχε πει στην Ευγενία ότι ήταν πολύ άρρωστος και θα απουσίαζε από το γραφείο λίγες μέρες. Μέσα στη σιωπή του δωματίου του, ζούσε και ξαναζούσε τη στιγμή που έχασε τα πάντα. Ακόμη δεν μπορούσε να πιστέψει ότι η γυναίκα του τον είχε αποκλείσει από την οικογενειακή ευτυχία, που νόμιζε ότι του ανήκε ύστερα από αγώνα τόσων χρόνων να πετύχει επαγγελματικά.

Είχε πάει πολλές φορές, μέσα σ' αυτές τις τρεις μέρες, να τη δει για να μιλήσουν και τον είχε διώξει. Λίγο πριν, ήταν η τελευταία και η χειρότερη. Αντί για τη γυναίκα του, είχε ανοίξει κάποιος άλλος, κάποιος ξένος. Του είπε ότι η Αντιγόνη δεν ήθελε να τον ξαναδεί και ότι δεν έπρεπε να την ενοχλήσει ξανά. Ήταν, λέει, φίλος της. Ακόμη και μέσα στο μεθύσι του κατάλαβε την αλήθεια: ο αντικαταστάτης του ήταν... Η κυρία, όσο εκείνος αγωνιζόταν για το μέλλον τους, διασκέδαζε το παρόν της. Ζήτησε να δει το παιδί του και του το αρνήθηκαν κι αυτό. Όταν επέμεινε, αυτός τον αποκάλεσε «μεθύστακα», τον χτύπησε και σπρώχνοντάς τον τον πέταξε στο δρόμο.

Τελευταία στιγμή ο Κωστής πρόσεξε τον πεζό που περνούσε το δρόμο μέσα στη βροχή. Πάτησε με δύναμη το φρένο.

Η Μαρίνα σιγοτραγουδούσε αφηρημένη ένα νέο τραγουδάκι που ακουγόταν από το στερεοφωνικό του αυτοκινήτου, ενώ κοιτούσε γύρω της δυσαρεστημένη. Πάλι βροχή... Μα τι είχε πάθει ο καιρός στην Ελλάδα; Ήθελε να καλύψει την ανομβρία των τελευταίων χρόνων σε μια βδομάδα; Ήταν σίγουρη ότι θ' αργούσε στο ραντεβού της και δεν της άρεσε ν' αργεί. Θα την περίμεναν και οι άλλες. Η Μαίρη θα γκρίνιαζε, αν και αυτή η γυναίκα ήταν ευτυχισμένη όταν υπήρχαν αιτίες για να γκρινιάζει. Κοίταξε το ρολόι του αυτοκινήτου. Πέντε και τέταρτο. Δεν υπήρχε περίπτωση να είναι στο Κολωνάκι στις πέντε και μισή. Η Πανόρμου ήταν γεμάτη. Πεζοί και αυτοκίνητα έμοιαζαν με τα λιοντάρια και τους χριστιανούς στο Κολοσσαίο. Μια αρένα όλοι οι δρόμοι. Φρίκη! Τι το ήθελε και η Μαίρη το σπίτι στο Κολωνάκι; Χάθηκαν τόσα προάστια;

Όλα της έφταιγαν. Σιχαινόταν τη βροχή κι έπειτα από προχτές, είχε έναν ακόμη λόγο. Ο Νικήτας, την επόμενη μέρα από το περιστατικό της βεράντας, την κοίταξε και φαινόταν να μην μπορεί ν' αποφασίσει αν η γυναίκα του χρειαζόταν ψυχίατρο ή όχι. Μόνον όταν λίγο αργότερα την άκουσε να κανονίζει με τη Μαίρη το σημερινό ραντεβού για καφέ, χαρτάκι και κουτσομπολιό, βεβαιώθηκε ότι η γυναίκα του είχε συνέλθει και χαμογέλασε. Δε μίλησαν για το περιστατικό.

Τελευταία στιγμή η Μαρίνα πρόσεξε το μπροστινό αυτοκίνητο που σταμάτησε απότομα. Πάτησε με δύναμη το φρένο.

Η Ελπίδα βλαστήμησε μέσα από τα δόντια της για δέκατη φορά. Πάλι κίνηση, πάλι βροχή... πάλι θα έφτανε αργά στο σπίτι της. Άναψε τσιγάρο και φύσηξε τον καπνό θυμωμένη. Όλα είχαν πάει στραβά σήμερα. Είχε τσακωθεί με μια νέα νοσοκόμα τόσο άσχημα, και η μικρή τής είχε αντιμιλήσει με τόσο θράσος αν και το λάθος που είχε κάνει ήταν τερατώδες, που ο Καλιβωκάς την πέταξε έξω κακήν κακώς. Ήξερε πως έτσι έπρεπε να γίνει, η συγκεκριμένη δεν έκανε για νοσοκόμα και ειδικά σ' ένα τέτοιο νοσοκομείο, αλλά και πάλι... Δεν της άρεσε που κάποιος έχασε τη δουλειά του και μάλιστα κατά κάποιο τρόπο εξαιτίας της.

Κόρναρε στον μπροστινό που δεν έλεγε να ξεκινήσει. Τι ηλίθιος! Ευτυχώς έστριβε. Θα τον ξεφορτωνόταν. Το τσιγάρο της τέλειωσε και το πέταξε, αλλά δεν είχε χορτάσει νικοτίνη. Άναψε κι άλλο.

Τρεις μέρες τώρα, αφότου χώρισε με τον Λευτέρη, κάπνιζε πολύ. Χαμογέλασε μόνη της. Φαντάσου και να ήταν ερωτευμένη! Όχι, δεν της έλειπε ο συγκεκριμένος άνθρωπος, αλλά η παρουσία κάποιου... οποιουδήποτε. Ίσως έπρεπε ν' αποκτήσει μια γάτα ή ένα σκύλο όπως κάθε καλή γεροντοκόρη που σέβεται τον εαυτό της. Να υπάρχει κάτι ζωντανό να την περιμένει. Και τι έφταιγε το καημένο το ζωάκι να το κλείσει σ' ένα διαμέρισμα; Αλλά τι έφταιγαν και όλοι όσοι νόμιζαν ότι μαζί της είχαν μέλλον ή τουλάχιστον θα ζούσαν ένα ευχάριστο παρόν; Δεν ήταν εκείνη για συντροφιές και παρέες. Έπρεπε να το παραδεχτεί, να καθίσει στη μοναξιά της και να πάψει να ταλαιπωρεί ανυποψίαστους αρσενικούς.

Τελευταία στιγμή η Ελπίδα πρόσεξε το πανάκριβο αυτοκίνητο μπροστά της που σταμάτησε απότομα. Πάτησε με δύναμη το φρένο.

Η Ναταλία κοίταξε απελπισμένη το ρολόι της. Πέντε και τέταρτο... Πεινούσε υπερβολικά. Το στομάχι της διαμαρτυρόταν για να το επιβεβαιώσει. Ένα στενό ακόμη, κι έπειτα θα έστριβε. Επιτέλους θα βρισκόταν σπίτι της. Με τέτοια βροχή, παραιτήθηκε από το πρόγραμμά της που έλεγε κάτι για κινηματογράφο.

Τρεις μέρες τώρα, μετά το χωρισμό της με τον Πέτρο και τη νύχτα της αυτολύπησης και του μηδενισμού που πέρασε, είχε πάρει κάποιες αποφάσεις. Θα ήταν μόνη της από δω και πέρα και έπρεπε να μάθει να γεμίζει τη μοναξιά της. Πήγε μόνη της στο θέατρο, επισκέφτηκε την Εθνική Πινακοθήκη και σήμερα θα πήγαινε κινηματογράφο, αλλά με τέτοιο κατακλυσμό δεν έβλεπε την ώρα να μπει σπίτι της και να κλείσει απ' έξω την κακοκαιρία. Σκεφτόταν να παραγγείλει πίτσα, αλλά λυπόταν αυτόν που θα ήταν αναγκασμένος να τη φέρει, γι' αυτό αποφάσισε να φτιάξει μόνη της κάτι. Έτσι θα περνούσε και η ώρα της.

Τελευταία στιγμή η Ναταλία πρόσεξε το μπροστινό αυτοκίνητο που σταμάτησε απότομα. Πάτησε με δύναμη το φρένο.

Τέσσερα διαδοχικά αυτοκίνητα βρέθηκαν κολλημένα το ένα πίσω απ' το άλλο. Τέσσερα διαδοχικά... μπαμ! σκόρπισαν σπασμένα φανάρια στην άσφαλτο. Τέσσερις οδηγοί βρέθηκαν κάτω από τη δυνατή βροχή να κοιτάζουν τ' αποτελέσματα της καραμπόλας, προτού στραφούν στους υπαίτιους.

Ο Κωστής, η Μαρίνα, η Ελπίδα, η Ναταλία και από πάνω τους, μέσα στην καταιγίδα, ο θεός του πολέμου και της φιλονικίας, ο Άρης, έτοιμος να πυροδοτήσει το φιτίλι για να ξεσπάσει ο καβγάς.

Πρώτη η Ελπίδα στράφηκε στη Ναταλία. «Καλά, κοπέλα μου, στραβή είσαι; Αφού βλέπεις ότι φρενάρω! Πού πας;»

«Όπου κι εσείς υποθέτω! Αν δεν το καταλάβατε, έχετε πέσει στην μπροστινή σας!» Η Ναταλία προσπαθούσε να κρατήσει την ψυχραιμία της μπροστά στην επίθεση της κοντής κοκκινομάλλας που ήταν έτοιμη για καβγά.

Η Ελπίδα στράφηκε στη Μαρίνα. «Αλήθεια, εσύ γιατί φρέναρες;»

«Αφού φρέναρε ο μπροστινός μου, τι να έκανα; Να έπεφτα πάνω του;»

«Και δηλαδή τώρα το απέφυγες!»

«Πάντως, προσπάθησα!... Κοίτα χάλια το αυτοκίνητο! Μα ήταν ανάγκη να πέσεις πάνω μου με τόση δύναμη; Αλλά βέβαια, τέτοιο κουβά που οδηγείς, τι φρένα να έχει;»

«Είδαμε κι εσένα που οδηγείς ολόκληρη... μπανιέρα! Τι τη θέλεις τη λιμουζίνα στην Πανόρμου;»

«Ώρα είναι τώρα να μου κάνεις εσύ παρατήρηση για το αυτοκίνητό μου! Τελευταίο μοντέλο είναι αν θέλεις να μάθεις!»

«Πάντως, καλά φρένα δεν έχει ούτε αυτό!»

«Κορίτσια, κορίτσια, μην τσακώνεστε! Έχουμε να κάνουμε με μια κλασική περίπτωση... καραμπόλας!»

Στράφηκαν και οι τρεις στον Κωστή που είχε μιλήσει, αλλά που με κόπο κρατιόταν όρθιος. Η Ελπίδα τον πλησίασε. Κοίταξε το χαμόγελο στα χείλη, τα μάτια και...

«Είσαι μεθυσμένος!» διαπίστωσε έξαλλη.

Ο Κωστής, όμως, συνέχιζε να χαμογελάει. «Αν δεν είμαι, τσάμπα πήγε ένα ολόκληρο μπουκάλι ουίσκι!»

«Μα τρελός είσαι, άνθρωπέ μου; Ήπιες ένα μπουκάλι και μετά πήρες το αυτοκίνητο για να δεις πόσους θα στείλεις σήμερα στον Άλλο Κόσμο;»

«Το αντίθετο, κυρία μου! Παρά το ουίσκι, φρέναρα για να μη... Πώς το είπατε;... "Για να μη στείλω στον Άλλο Κόσμο" έναν πεζό! Στο κάτω-κάτω, ο δικός μου σκοπός στέφθηκε με επιτυχία! Δε χτύπησα κανέναν! Αντιθέτως εσείς οι τρεις, που σε πρώτη εκτίμηση φαίνεστε νηφάλιες, πέσατε η μία πάνω στην άλλη και όλες μαζί επάνω μου! Θα μπορούσα λοιπόν να πω...»

«Τίποτα να μην πεις!» Η Μαρίνα είχε χάσει την ψυχραιμία της. «Κάθομαι μέσα σ' έναν κατακλυσμό, έχω γίνει μούσκεμα, τα ρούχα και τα παπούτσια μου είναι για πέταμα, τα μαλλιά μου έχουν γίνει... βρύα, για να μην αναρωτηθώ για το μακιγιάζ και με πιάσει υστερία...»

«Έλεος, κορίτσι μου! Έχει και κεντρική ιδέα η ιστοριούλα;»

«Βεβαίως και έχει! Ο κύριος μας βγάζει λόγο! Πού είναι το κινητό μου; Θα καλέσω την αστυνομία...!»

Τα τελευταία της λόγια πνίγηκαν σ' ένα δυνατό κεραυνό. Αυθόρμητα οι τρεις γυναίκες στράφηκαν και κοίταξαν τον ουρανό. Η βροχή δυνάμωνε, η κυκλοφορία εξαιτίας τους είχε γίνει ακόμη πιο δύσκολη και αγανακτισμένοι οδηγοί είχαν κολλήσει το χέρι τους στην κόρνα, κάνοντας εκκωφαντικό θόρυβο. Κάποιοι μάλιστα είχαν εκφράσει τη δυσαρέσκειά τους φραστικά, ενώ ελάχιστοι, ευτυχώς, είχαν προχωρήσει σε άπρεπους χαρακτηρισμούς. Ξαφνικά, ακούστηκε η τρομαγμένη φωνή της Ναταλίας, που τόση ώρα παρακολουθούσε αμίλητη το πανδαιμόνιο. Οι δυο γυναίκες γύρισαν προς το μέρος της και η Ναταλία τους έδειξε προς την κατεύθυνση του Κωστή. Γύρισαν και πάλι, αλλά δεν τον είδαν. Ο Κωστής βρισκόταν φαρδύς πλατύς στην άσφαλτο.

«Αυτό μας έλειπε!» φώναξε η Ελπίδα και πήγε κοντά του. Γονάτισε και του εξέτασε το σφυγμό. «Μάλλον δεν είναι τίποτα. Λιποθύμησε».

«Τι θα κάνουμε τώρα;» ρώτησε η Μαρίνα που είχε αρχίσει να τρέμει.

«Μπορώ να προτείνω κάτι;» Η Ναταλία κοιτούσε την Ελπίδα που έδινε μικρά μπατσάκια στον Κωστή για να συνέλθει. «Εδώ δίπλα είναι το σπίτι μου. Δεν πάμε όλοι εκεί, να συνέλθουμε και να συνεννοηθούμε; Η βροχή όσο πάει δυναμώνει...»

Ο Κωστής ανέκτησε τις αισθήσεις του και τον βοήθησαν να σηκωθεί. Άγνωστο γιατί, αλλά δέχτηκαν την πρόταση της Ναταλίας αν και δεν είχε καμία λογική. Έπειτα από μια καραμπόλα, δε βρίσκεται κανείς στο σπίτι ενός εκ των εμπλεκομένων, με μια κούπα καυτό τσάι στα χέρια, τα ρούχα του να στεγνώνουν όπως όπως στα καλοριφέρ, φορώντας ό,τι υπάρχει, και τον υπαίτιο να ροχαλίζει στο κρεβάτι. Κι όμως... έτσι έγινε. Ο Κωστής κοιμόταν μακαρίως από το μεθύσι του, ενώ οι τρεις γυναίκες, ντυμένες με ρούχα της Ναταλίας, έπιναν τσάι με άρωμα βανίλιας.

Έτσι άρχισαν όλα...

# ΑΠΡΙΛΙΟΣ
## *Ο μήνας του Δία*

### ΔΙΑΣ

*Πατέρας θνητών και αθανάτων. Αγαπάει και προστατεύει τους καλούς και δίκαιους. Θεός του όρκου και της οικογένειας. Προστατεύει το σπίτι κάθε θνητού και το ίδιο φροντίζει για τους περαστικούς και τους προσκυνητές. Μόνο αυτός, σαν παντοδύναμος που ήταν, μπορούσε να κρατήσει την ισορροπία ανάμεσα στους ανθρώπους και στο Σύμπαν...*

*Οι άνθρωποι γνωρίζουν τα γινόμενα.*
*Τα μέλλοντα γνωρίζουν οι θεοί,*
*πλήρεις και μόνοι κάτοχοι πάντων των φώτων.*

Κ. Π. Καβάφης, *Σοφοί δε Προσιόντων*

Η Ναταλία τεντώθηκε και τράβηξε το βλέμμα της από την οθόνη του ηλεκτρονικού υπολογιστή. Κοίταξε έξω από το παράθυρό της. Ένας λαμπρός ήλιος ζέσταινε τη φύση, προσπαθώντας να την κάνει να ξεχάσει πως τις προηγούμενες μέρες είχε... λάμψει διά της απουσίας του. Τα πάντα ήταν διαφορετικά έπειτα από μια βδομάδα βροχής και λάσπης. Ξαναγύρισε στο κείμενο που έπρεπε να επιμεληθεί και αναστέναξε. Ο συγγραφέας του έδειχνε να μη θυμάται ότι στον γραπτό λόγο υπήρχε και η τελεία. Οι προτάσεις του ξεπερνούσαν τις έξι αράδες η καθεμία, γεγονός που έκανε πολύ κουραστική την ανάγνωση, ειδικά όταν το μυαλό του αναγνώστη δεν ήταν προσηλωμένο στο κείμενο· και το δικό της δεν ήταν.

Η προχθεσινή βραδιά ήταν διαφορετική. Κάτι ξεκινούσε, χωρίς να ξέρει τι ήταν αυτό. Άφησε το μυαλό της να γυρίσει πίσω, σ' εκείνες τις ώρες, όταν μετά το τρακάρισμα βρέθηκαν όλοι σπίτι της. Ο Κωστής ήταν πια εκτός τόπου και χρόνου. Ούτε κατάλαβε ότι τον έγδυσαν και τον ξάπλωσαν στο κρεβάτι. Μόνο που κάποιες στιγμές, μέσα στ' ακατάληπτα λόγια που του ξέφευγαν, τα μάτια του γέμιζαν δάκρυα και παράπονο. Η Ελπίδα, που έδινε σκληρή μάχη να τον απαλλάξει από τα βρεγμένα ρούχα, είχε αρχίσει να εκνευρίζεται.

«Τι να σου κάνω, που δε μ' αφήνει η συνείδησή μου να σε αφήσω έτσι όπως είσαι, να πάθεις πνευμονία, για να βάλεις μυαλό! Έλα, παλικάρι μου, κάνε έτσι το χέρι σου να βγάλουμε το ρημάδι το πουκάμισο!... Εσύ, κυρία, με τα ψηλά τακούνια, για κάνε και καμιά δουλειά!» είχε απευθυνθεί στη Μαρίνα.

«Τι να κάνω δηλαδή;»

«Πάρε τα βρεγμένα και βάλ' τα σε κανένα καλοριφέρ!»

«Σε περίπτωση που σ' ενδιαφέρει, είμαι κι εγώ μούσκεμα!»

«Πώς φαντάστηκες ότι υπήρχε περίπτωση να μ' ενδιαφέρει αυτό; Για την ώρα, όπως βλέπεις, ασχολούμαι με το μεθύστακα που μας έτυχε!»

«Κι εγώ τι φταίω; Τι με νοιάζει γι' αυτόν το χαμένο; Στο κάτω κάτω, εξαιτίας του έγινε ό,τι έγινε! Κι αν θέλεις να ξέρεις, εγώ τώρα κανονικά θα ήμουν στο σπίτι της φίλης μου που με περιμένει άδικα, θα ήμουν στεγνή με τα μαλλιά μου στη θέση τους, θα έπινα καφεδάκι, θα έπαιζα χαρτάκι και θα...»

«Έλεος, κορίτσι μου! Πάντα τόσο πολλά λες και μάλιστα χωρίς να σε ρωτήσουν; Και πώς σε είπαμε, αλήθεια;»

«Μαρίνα... αλλά δε νομίζω ότι...»

«Στοπ! Μην αρχίσεις πάλι! Εμένα με λένε Ελπίδα... και η οικοδέσποινα...; Πώς λέγεται;»

«Ναταλία», απάντησε εκείνη.

«Λοιπόν, Ναταλία, μήπως έχεις τίποτα να μας δώσεις να φορέσουμε, γιατί προβλέπω ότι θα σώσουμε αυτόν και θ' αρρωστήσουμε εμείς!»

Είχε τρέξει και είχε φέρει φόρμες και ζακέτες και για τις τρεις τους. Αργότερα, είχε φέρει τσάι, τοστ και κουλουράκια. Ο άγνωστος ως τότε άνδρας κοιμόταν. Αναστέναζε όμως μέσα στον ύπνο του. Από τα κλειστά του μάτια έτρεχαν δάκρυα.

«Φαίνεται κύριος, πάντως!» είχε πει λίγο αργότερα η Μαρίνα. «Και τα ρούχα του είναι γνωστής και ακριβής φίρμας!»

«Τι άλλο θα πρόσεχες εσύ;» την ειρωνεύτηκε η Ελπίδα, και η Μαρίνα μούτρωσε. «Οφείλω όμως να συμφωνήσω μαζί σου ότι έχει ευγενική φυσιογνωμία».

«Γιατί τόσος πόνος;» αναρωτήθηκε η Ναταλία και, υποχωρώντας σε μια παρόρμηση, του χάιδεψε απαλά τα μαλλιά. Εκείνος, σαν να κατάλαβε το χάδι, ηρέμησε και βυθίστηκε στον ύπνο του.

Κάθισαν πάνω στη φλοκάτη, ανάμεσα στα μεγάλα μαξιλάρια και γύρω από το χαμηλό τραπεζάκι που η Ναταλία είχε γεμίσει με ό,τι περιείχαν τα ντουλάπια της. Είχε ανάψει και τα περισσότερα κεριά γιατί η Ελπίδα κάπνιζε πολύ... Σκληρή γυναίκα. Θα έπρεπε να τη φοβάται κανονικά, αλλά κάτι την τραβούσε σ' αυτό το αυστηρό και αγέλαστο πρόσωπο με τις σκληρές γωνίες και το διαπεραστικό βλέμμα.

«Τι δουλειά κάνεις;» την είχε ρωτήσει ξεκάρφωτα.

«Είμαι προϊσταμένη στο *Αντικαρκινικό Κέντρο*», είχε απαντήσει ανέκφραστα η Ελπίδα.

Η Μαρίνα δεν είχε συγκρατήσει την αυθόρμητη αντίδρασή της. «Χριστέ μου! Και πώς αντέχεις εκεί μέσα;»

«Τι θέλεις να πεις;»

«Θέλω να πω... τόσος πόνος... θάνατος... άνθρωποι χωρίς ελπίδα...»

«Έτσι τους βλέπεις;»

«Μα αυτή είναι μια αρρώστια που κανένας δεν της ξεφεύγει!»

«Δεν έχεις ενημερωθεί φαίνεται ότι η επιστήμη έχει προχωρήσει πολύ από το Μεσαίωνα! Δεν έφτασαν τα τελευταία ιατρικά κατορθώματα στο... κάστρο σου;»

«Και βέβαια! Πού νομίζεις ότι ζω;»

«Αυτό αναρωτιέμαι! Σε ποιον πλανήτη ζεις εσύ;»

«Μα δε μ' αφήνεις να τελειώσω! Γιατί κάνεις κάτι τόσο... τόσο δύσκολο;»

«Ίσως γιατί τα εύκολα με αφήνουν αδιάφορη! Ίσως έτσι να αισθάνομαι περισσότερο χρήσιμη!»

«Εγώ, πάντως, φοβάμαι το θάνατο!»

«Ο Αριστοφάνης έλεγε ότι το να φοβάται κανείς το θάνατο είναι μεγάλος παραλογισμός, γιατί είναι μοιραίο για όλους τους ανθρώπους να πεθάνουν!»

«Όχι μ' αυτό τον τρόπο, πάντως! Εγώ δε θ' άντεχα μια τέτοια δουλειά».

«Αλήθεια, εσύ τι κάνεις στην τόσο ποιοτική ζωή σου, που σου δίνει το δικαίωμα να κρίνεις τη δική μου χωρίς να έχεις την παραμικρή ιδέα γι' αυτήν;»

«Εγώ; Εγώ δεν εργάζομαι!»

«Γιατί δεν είχα αμφιβολία γι' αυτό; Και πώς ζεις;»

«Μα... ο πατέρας μου... δηλαδή όχι ο πατέρας μου, ο άντρας μου... δηλαδή και οι δύο... Θέλω να πω...»

Η Ναταλία ήρθε σε δύσκολη θέση όταν είδε τη Μαρίνα να συστρέφεται αμήχανα και να κατεβάζει τα μάτια. Δεν της άρεσε να είναι στενοχωρημένοι οι άνθρωποι γύρω της. Έτσι, πήρε το λόγο με περισσότερη ευθυμία απ' όση χρειαζόταν και απ' όση ένιωθε. «Τι τυχερή που είσαι να μη χρειάζεται να δουλεύεις! Ξυπνάς ό,τι ώρα θέλεις, όλη η μέρα είναι δική σου, δεν έχεις κανέναν πάνω απ' το κεφάλι σου... Τι ωραία!»

Ακολούθησε σιγή... αμηχανία. Η Μαρίνα ίσιωσε την πλάτη της και στράφηκε στην Ελπίδα με άλλο ύφος: «Συγγνώμη αν ακούστηκα επικριτική για τη δουλειά σου, δεν είχα τέτοια πρόθεση. Είναι τόσο δύσκολο αυτό που κάνεις, που του αξίζει μόνο σεβασμός και όχι ανόητα σχόλια. Ο καρκίνος είναι μια αρρώστια που ο περισσότερος κόσμος φοβάται και να προφέρει. Εσύ ζεις, εργάζεσαι και προσφέρεις παλεύοντας. Συγγνώμη, λοιπόν. Μίλησα επιπόλαια». Κοίταξε την Ελπίδα κατάματα. Με κάθε ειλικρίνεια. Άντεξε ακόμη και το διαπεραστικό της βλέμμα, χωρίς να κατεβάσει τα μάτια. Έπειτα στράφηκε στη Ναταλία. «Αρκετά μ' εμάς. Εσύ, Ναταλία, τι δουλειά κάνεις;»

Εκείνη τους είχε πει με δυο λόγια για τον τρόπο με τον οποίο έβγαζε τα έξοδά της· ακριβώς την ώρα που ο Κωστής άλλαξε πλευρό και βόγκηξε δυνατά...

Το βλέμμα της ξαναγύρισε στην οθόνη του υπολογιστή και οι αναμνήσεις σκόρπισαν, όχι όμως και η γλυκιά θαλπωρή που αισθανόταν από προχθές, από εκείνο το γελοίο τρακάρισμα. Η παράλογη αίσθηση ότι δεν ήταν πια μόνη δεν έλεγε να την αφήσει. Μπορεί να έφταιγε που θα τους ξανάβλεπε σήμερα!

Η Μαρίνα τεντώθηκε τεμπέλικα στο τεράστιο κρεβάτι της. Ο Νικήτας είχε από ώρα φύγει για το γραφείο του. Ο ήλιος έμπαινε ακόμη και από τις κλειστές κουρτίνες, σημάδι πως μια καλή μέρα είχε ξεκινήσει μαζί με τον νέο μήνα. Τελικά, ο Απρίλιος θα έκανε το θαύμα για μιαν ακόμη φορά. Θα έφερνε την άνοιξη. Την τελευταία βδομάδα του Μαρτίου, που επέλεξε να φύγει μέσα σε βροχές και καταιγίδες, δεν ήθελε καν να τη θυμάται. Πολλές ανατροπές, μέχρι κι ένα τρακάρισμα! Αυτό το τελευταίο δεν ήξερε πώς να το χαρακτηρίσει, ειδικά ύστερα από την περίεργη έκβασή του.

Έπρεπε να θυμηθεί να ζητήσει από τη μαγείρισσα να βάλει στις προμήθειες και τσάι με άρωμα βανίλιας. Της είχε αρέσει πολύ. Και η Ναταλία της άρεσε πολύ· γλυκιά κοπέλα με μια κατανόηση συγκινητική. Όσο για την άλλη, θα ήθελε να τη χαρακτηρίσει αντιπαθητική αλλά δεν μπορούσε. Κάτι πάνω της την τραβούσε. Μόνο για μια στιγμή φοβήθηκε ότι η παράξενη εκείνη γυναίκα με το τόσο αυστηρό πρόσωπο είχε φτάσει να ανακαλύψει την παλιά Μαρίνα. Εκείνη που τόσο αναπάντεχα είχε αναδυθεί και με τόσο κόπο είχε ξανακρυφτεί στα έγκατα του εγώ της, εκείνο το περίεργο βράδυ στη βεράντα.

Σηκώθηκε και άνοιξε τις κουρτίνες. Ο ήλιος όρμησε μέσα κυριεύοντας με έφοδο κάθε γωνιά του δωματίου. Η Μαρίνα επέστρεψε στο κρεβάτι της. Μισοξαπλωμένη τώρα, ξαναγύρισε στο μικρό και ζεστό διαμέρισμα της Ναταλίας. Η φόρμα που της είχε δώσει για ν' αλλάξει τα βρεγμένα ρούχα θα είχε γνωρίσει και καλύτερες μέρες, αλλά φρεσκοπλυμένη καθώς ήταν μοσχοβολούσε ένα διακριτικό άρωμα και ήταν ζεστή. Τα ρούχα της βέβαια ήταν για πέταμα και τα παπούτσια της επίσης, αλλά ύστερα από λίγη ώρα ούτε που τα σκεφτόταν πια. Είχε αφεθεί στο ευχάριστο κουβεντολόι με τις δυο γυναίκες που μόλις είχε γνωρίσει. Ήταν αρκετά ειλικρινής και μπορούσε να παραδεχτεί ότι σε τίποτα δε συγκρινόταν η βραδιά έτσι όπως εξελίχθηκε, με αυτήν που αρχικά είχε προγραμματίσει.

Το σπίτι της Μαίρης της φαινόταν τόσο απόμακρο όσο και αποκρουστικό σε σχέση με τη ζεστή φωλιά της Ναταλίας, που μοσχομύριζε κανέλα, γαρίφαλο και βανίλια. Το φλιτζάνι με το αρωματικό τσάι ήταν στην πραγματικότητα μια πήλινη κούπα, που είχε ζωγραφισμένο πάνω της ένα χαμογελαστό αρκούδο με κόκκινο κασκόλ και, φυσικά, δεν είχε καμία σχέση με την πορσελάνη Rosenthal, όπου θα έπινε τον καφέ της στη Μαίρη. Προτιμούσε τον αρκούδο με το κόκκινο κασκόλ.

Όταν η συζήτηση είχε στραφεί στα βιβλία χάρη στη δουλειά της Ναταλίας, ανακάλυψαν ότι είχαν διαβάσει και οι τρεις σχεδόν τα ίδια βιβλία και τους άρεσαν περίπου τα ίδια. Η Μαρίνα θυμόταν ακόμη το έκπληκτο βλέμμα της Ελπίδας σ' αυτή τη διαπίστωση.

«Ε, λοιπόν, είσαι σίγουρη ότι δεν έχεις διχασμένη προσωπικότητα;» έφτασε να της πει.

«Γιατί το λες αυτό τώρα;»

«Μα, κούκλα μου, όταν σε γνωρίζει κάποιος, μπορεί άνετα να κόψει το κεφάλι του ότι η φιλολογία σε αφήνει παντελώς αδιάφορη και τ' αγαπημένα σου αναγνώσματα περιορίζονται σε περιοδικά μόδας!»

«Τότε αυτός ο κάποιος, που βιάζεται να κρίνει, δικαίως θα χάσει το κεφάλι του! Δε νομίζεις;»

«Και δε μου λες, το μαλλάκι το ξανθό είναι φυσικό ή βαμμένο;»

«Φυσικότατο!»

«Α, ώστε και ξανθιά και ετοιμόλογη!»

«Έχεις κάτι εναντίον των ξανθών γυναικών;»

«Μπα!... Αλλά κάτι ανέκδοτα που κυκλοφορούν τα έχεις ακούσει;»

«Διαδόσεις, κυρία μου! Διαδόσεις καστανών και μελαχρινών με ρατσιστικά κόμπλεξ!»

«Εγώ είμαι κοκκινομάλλα!»

«Βαμμένη όμως! Και μη μου πεις όχι, γιατί έχω μεγάλη θητεία στα κομμωτήρια και μπορώ να ξέρω!»

Τότε είχε επέμβει η Ναταλία γελώντας. «Θα σταματήσετε ποτέ; Από την πρώτη στιγμή που γνωριστήκατε, δεν έχετε βαρεθεί να τρώγεστε; Σαν κοριτσάκια του νηπιαγωγείου κάνετε!»

«Ναι, αλλά το διασκεδάζουμε!» είχε απαντήσει απροσδόκητα η Μαρίνα και οι άλλες δύο την είχαν κοιτάξει έκπληκτες.

Σ' αυτή την τελευταία ανάμνηση χαμογέλασε και βολεύτηκε καλύτερα στο κρεβάτι της. Είχε χρόνια να αισθανθεί τόσο ζωντανή. Ήταν σαν να 'χε περάσει μια αιωνιότητα από την τελευταία φορά που θυμόταν τον εαυτό της να συμμετέχει σε μια τόσο σπινθηροβόλα συζήτηση, που είχε αρχή, μέση και τέλος, και δε γινόταν έτσι για να γίνει. Οι ώρες που πέρασαν σ' εκείνο το μικροσκοπικό διαμέρισμα κράτησαν το πνεύμα της σ' εγρήγορση. Το γέλιο της, που ακόμη και η ίδια είχε χρόνια ν' ακούσει, γέμιζε το χώρο, καθαρό και ανεπιτήδευτο όπως τότε, στα φοιτητικά της χρόνια.

Δεν ήθελε να τελειώσει η βραδιά, ακόμη και όταν ξύπνησε ο υπαίτιος. Τώρα πια η Μαρίνα δεν αισθανόταν κανένα θυμό για το αυτοκίνητο· μόνο ευγνωμοσύνη για την ευκαιρία που τους δόθηκε να γνωριστούν. Η Ελπίδα τον είχε υποβάλει σε κανονική ανάκριση κι εκείνος απαντούσε με αφοπλιστική ειλικρίνεια για όλα. Σχεδόν ολόκληρη τη ζωή του ξεδίπλωσε σ' εκείνες, που δεν ήταν παρά τρεις άγνωστες. Δε δίστασε να εκδηλώσει όλη του την πικρία όχι μόνο για τη γυναίκα του αλλά για όλες τις γυναίκες, και να τις κατακρίνει ξεχνώντας ότι απέναντί του είχε γυναίκες...

Η Μαρίνα θυμήθηκε την τελευταία του φράση και χαμογέλασε. Ήταν τόσο παράλογη!

«Ο Θεός, αφού έπλασε τη γυναίκα, σταμάτησε από φόβο μη διαπράξει και δεύτερο λάθος!» είχε πει εκείνος. «Πώς έγιναν τόσες πολλές δεν μπορώ να καταλάβω! Γιατί δε σταμάτησε τόσο κακό ο Θεός;»

Η Ελπίδα πολύ ψύχραιμη είχε στραφεί προς το μέρος του. «Φαντάζεσαι έναν κόσμο χωρίς γυναίκες;» τον ρώτησε. «Σκέτη πλήξη, αγαπητέ μου! Ακόμη κι εγώ, που δεν είμαι θαυμάστρια του φύλου σου, δε θα ήθελα έναν κόσμο χωρίς άντρες! Καλώς ή κακώς, ο Θεός μάς έταξε να συμβιώνουμε!»

«Δηλαδή τι θέλεις να πεις τώρα για τους άντρες;»

«Εγώ; Τίποτα! Ο λαός λέει: "Σε εκατό άντρες θα βρείτε δύο έξυπνους, σε εκατό γυναίκες θα βρείτε μία κουτή"».

Η Μαρίνα γέλασε και μόνο που θυμήθηκε την έκφραση του Κωστή ύστερα από την κουβέντα της Ελπίδας.

Γιατί τέλειωσε τόσο γρήγορα εκείνη η βραδιά; Ήταν μία μετά τα μεσάνυχτα, τα ρούχα τους είχαν πια στεγνώσει και κανένας δε φαινόταν να θέλει να φύγει. Τα κεριά της Ναταλίας κόντευαν να λιώσουν εντελώς, τα τοστ και τα κουλουράκια είχαν αφήσει μόνο τα ψίχουλά τους στα πιάτα και οι τέσσερίς τους ήταν ανέτοιμοι να γυρίσουν στις ζωές τους. Ο χρόνος είχε σταματήσει πάνω στη φλοκάτη και γύρω από το παλαιικό τραπεζάκι, σ' ένα δρομάκι δίπλα στην Πανόρμου. Ευτυχώς που υπήρχε η εκκρεμότητα της καραμπόλας. Είχαν ανταλλάξει τηλέφωνα, για να τακτοποιήσουν τις δηλώσεις.

Ευτυχώς δεν ήταν μόνο αυτό! Όλοι είχαν συμφωνήσει να έρθουν σπίτι της. Τους περίμενε σήμερα...

Η Ελπίδα κοίταξε το γιατρό Καλιβωκά που υπέγραφε το εξιτήριο. Είχε κάθε λόγο να είναι ευχαριστημένος, όπως κι εκείνη. Έτσι ήταν κάθε φορά που κάποιος μαχητής-ασθενής είχε νικήσει το θηρίο. Η γυναίκα την οποία αφορούσε η αναστολή της ποινής του θανάτου, κατά διαβολική σύμπτωση, είχε τα γενέθλιά της σήμερα. Η σαραντάχρονη ζωή της είχε πάρει παράταση χάρη στη σχολαστικότητά της. Σπάνια περίπτωση και άξια για το *Βιβλίο Γκίνες*. Σχεδόν απαίτησε να μπει στο χειρουργείο, έχοντας μόνο μια υπόνοια. Τσακώθηκε με όλους τους γνωστούς και άγνωστους γιατρούς. Ο χαρακτηρισμός «κατά φαντασίαν ασθενής» της δόθηκε από την πλειοψηφία αυτών που αγανάκτησαν μαζί της. Έφτασε στο *Αντικαρκινικό* και στον Καλιβωκά με την αγωνία του πολύτιμου χρόνου που χανόταν.

Μια μικρή, σχεδόν αδιόρατη απόκλιση στην εξέταση καρκινικών αντιγόνων τού τράβηξε την προσοχή. Προχώρησε σε περισσότερο εξειδικευμένες εξετάσεις προτού τη βάλει στο χειρουργείο. Ο μικροσκοπικός όγκος βρέθηκε σφηνωμένος στην αρχή του στέρνου, στη βάση του στήθους, και αφαιρέθηκε προτού καταφέρει να μεγαλώσει και να γίνει φονιάς. Η βιοψία έδειξε ότι επρόκειτο για καρκίνο και ακολούθησε ανάλογη θεραπεία. Η ίαση ήταν ολοκληρωτική και τώρα η γυναίκα μπορούσε να ατενίζει το μέλλον ελπίζοντας πως η μοίρα είχε ξεμπερδέψει με τα ύπουλα παιχνίδια εναντίον της.

«Προϊσταμένη, σήμερα γελάς ολόκληρη!» της είχε πει ο γιατρός όταν έφυγε η γυναίκα, αφού σε μια έντονη, συγκινησιακά φορτισμένη στιγμή είχε φτάσει να του φιλήσει τα χέρια, κλαίγοντας σαν παιδί.

«Κάθε μέρα που γλιτώνει κάποιος από δω μέσα είναι σαν γιορτή, γιατρέ!» είχε απαντήσει χωρίς καμιά προσπάθεια να κρύψει τα δάκρυα που ανέβηκαν στα μάτια της.

Μόνη της τώρα στο γραφείο της, παρακολουθούσε το παιχνίδισμα του ήλιου στους τοίχους. Θαυμάσια μέρα! Επιτέλους, αυτή η απαίσια βροχή έμοιαζε με κακό όνειρο. Βροχή... Τι μπορεί, αλήθεια, να σου κοστίσει μια βροχή; Να κοστίσει ή να χαρίσει; Χαμογέλασε. Τώρα μπορούσε να χαμογελάει όταν θυμόταν εκείνο το απόγευμα και πώς εξελίχθηκε. Η Ναταλία, η Μαρίνα, ο Κωστής... Είχε τόσο ανάγκη από ανθρώπινη παρουσία στη ζωή της ή αυτοί οι τρεις την άγγιξαν κάπου, ενάντια σε κάθε λογική; Χρόνια είχε να αισθανθεί τόση θαλπωρή σ' ένα σπίτι, αν και τώρα που το ξανασκεφτόταν, δεν είχε γνωρίσει ποτέ αυτό το συναίσθημα. Κι όμως, στο σπίτι της Ναταλίας...

Περίεργη κοπέλα! Αν βιαζόσουν, θα την έλεγες άχρωμη. Αν περίμενες, θα αντιλαμβανόσουν μια ήρεμη δύναμη· σχεδόν σιωπηλή αλλά όχι κενή· αδιαμφισβήτητα γλυκιά αλλά όχι γλυκερή· μοναχική αλλά δε φαινόταν να είναι από επιλογή. Από τα λίγα που σχεδόν της ξέφυγαν, είχε φανεί ότι υπήρχε μια «συνωμοσία» απ' όσους είχαν βρεθεί πλάι της να την αφήσουν μόνη... Γιατί όμως; Ίσως γιατί ήταν διαφορετική και οι περισσότεροι φοβούνται το διαφορετικό και το απομονώνουν. Δε θέλουν να το ξέρουν, γιατί ό,τι δεν ξέρουν, δεν μπορεί να τους πειράξει.

Όσο για την άλλη... Η Μαρίνα έχρηζε ψυχιατρικής παρακολούθησης. Πώς αλλιώς να εξηγήσει την ύπαρξη δύο διαφορετικών χαρακτήρων στο ίδιο πρόσωπο; Σίγουρα δεν ήταν το επιπόλαιο πλουσιοκόριτσο ή, τουλάχιστον, δεν ήταν μόνο αυτό. Τότε, γιατί τόσος αγώνας για να πείσει ότι το μόνο της πρόβλημα ήταν τα ρούχα της, τα παπούτσια της, τα μαλλιά της; Έξυπνη πέρα από κάθε αμφιβολία, ετοιμόλογη με αποδείξεις στους τόσους φραστικούς διαξιφισμούς τους, και σίγουρα όχι επιφανειακά καλλιεργημένη. Οι αναλύσεις που έκανε για τα βιβλία έδειχναν άνθρωπο που κατανοούσε ένα κείμενο, προχωρώντας σε βάθος, άνθρωπο που «διάβαζε» και ανάμεσα στις γραμμές, καταφέρνοντας να εντοπίζει και ν' αναλύει τα μηνύματα του συγγραφέα. Οι γνώσεις της για την αγγλική λογοτεχνία είχαν καταπλήξει τη Ναταλία.

«Μαρίνα, διαβάζεις αγγλική πεζογραφία;» την είχε ρωτήσει.

«Φυσικά! Αλλά όχι από μετάφραση. Πιστεύω ότι οι περισσότερες μεταφράσεις γίνονται με λάθος κριτήρια. Ο μεταφραστής, στην αγωνία του να μεταφέρει το κείμενο στα ελληνικά όσο πιο πιστά μπορεί, μεταφράζει με απόλυτη ακρίβεια μεν, αλλά χάνει το άρωμα και τη γεύση του κειμένου, όπως θέλησε ο συγγραφέας ν' αναδίδονται όταν έγραφε, στη γλώσσα του βέβαια. Δεν ξέρω αν με καταλαβαίνεις».

«Και συμφωνώ απόλυτα!» σχολίασε με θέρμη η Ναταλία που είχε ενθουσιαστεί. «Το έχω σκεφτεί κι εγώ πολλές φορές, αλλά δεν το είχα διατυπώσει τόσο εύστοχα. Ώστε διαβάζεις κείμενα στο πρωτότυπο; Άρα ξέρεις καλά αγγλικά!»

«Έχω τελειώσει αγγλική φιλολογία!»

Η Ελπίδα δεν είχε συγκρατηθεί. «Και νέα, και όμορφη, και πλούσια, και μορφωμένη!» την είχε ειρωνευτεί.

«Είδες πόσα προσόντα μπορεί να συγκεντρώσει ένας άνθρωπος;» της είχε αντιγυρίσει η Μαρίνα στο ίδιο ύφος και είχαν γελάσει όλες χωρίς λόγο.

Είχαν γελάσει πολύ εκείνο το βράδυ, σαν έφηβες που έκαναν κοπάνα από το σχολείο. Εκείνες είχαν κάνει κοπάνα από τις ζωές τους... ή μήπως τίποτα δε θα ήταν το ίδιο πια, ύστερα από εκείνο το απόγευμα το αρωματισμένο με βανίλια, κανέλα και γαρίφαλο;

Έπειτα, ήταν και ο Κωστής· ο μόνος ειλικρινής. Τουλάχιστον αυτός είχε παραδεχτεί ότι η ζωή που κρατούσε στα χέρια του δεν άξιζε και πολλά πράγματα. Ήταν αυτός που τόλμησε να πει: «Είμαι τριάντα οκτώ χρόνων. Χρειάστηκα κοντά τέσσερις δεκαετίες από τη ζωή μου για να καταλάβω πόσο λάθος έζησα! Όλες οι επιλογές που έκανα ήταν λάθος και αυτά τα λάθη έχω μπροστά μου τώρα! Βράχια ολόκληρα που έπεσαν και μου έφραξαν το δρόμο! Δεν μπορώ να προχωρήσω».

Η Ελπίδα πήρε ένα στιλό στα χέρια της, αλλά αντί να γράψει, άρχισε να παίζει μ' αυτό αφηρημένη, χαμένη σε όσα ειπώθηκαν εκείνο το βράδυ. Είχε δίκιο ο Κωστής. Και τα δικά της λάθη ήταν βράχια και είχε την υποψία πως και οι άλλες δύο βίωναν την προσωπική τους... κατολίσθηση στις ζωές τους. Ωστόσο, ήξερε ότι και οι τέσσερις, όπως και οι περισσότεροι άνθρωποι, αν άρχιζαν από την αρχή τη ζωή τους, στο ίδιο σημείο θα κατέληγαν. Ν' ατενίζουν ένα σωρό από βράχια, κομμάτια της ζωή τους ξεκολλημένα, να τους φράζουν το δρόμο.

Ο Κωστής, λοιπόν, ήταν ειλικρινής. Και ο μόνος άντρας, εκτός από συναδέλφους και γιατρούς, που δεν ήθελε να δει σαν αρσενικό. Τους μεν πρώτους τους απέφευγε γιατί δεν ήθελε σχόλια στο περιβάλλον της δουλειάς της, τον Κωστή γιατί... Γιατί άραγε; Ίσως ο λόγος να ήταν πολύ ρομαντικός για να παραδεχτεί ότι τον αισθάνθηκε. Ο Κωστής της έκανε για τον αδελφό που πάντα θα ήθελε να είχε. Εντελώς παράλογο, αλλά τι λογικό υπήρχε σ' αυτή τη γνωριμία των τεσσάρων; Πού βρισκόταν η λογική, όταν είχε πάει μία η ώρα και κανένας τους δεν έδειχνε διάθεση να φύγει; Απουσίαζε! Όπως και την ώρα που συμφώνησαν να βρεθούν σήμερα στο σπίτι της Μαρίνας.

Ο Κωστής άνοιξε τα μάτια του και τα ξανάκλεισε. Το προηγούμενο βράδυ, είχε ξεχάσει να κλείσει τις κουρτίνες και ο ήλιος είχε ορμήσει στο δωμάτιό του ακάλεστος βέβαια, αλλά όχι ενοχλητικός έπειτα από τόσες μέρες βροχής. Σηκώθηκε και τις έκλεισε. Δεν πονούσε το κεφάλι του και το στομάχι του ήταν μια χαρά, ύστερα από πολύ καιρό. Δεν είχε πιει χθες. Έμοιαζε με άνθρωπο που συνερχόταν ύστερα από μακροχρόνια και βαριά ασθένεια.

Άνοιξε το παράθυρο να μπει ο καθαρός αέρας, που αποδείχτηκε όμως πολύ παγωμένος. Η γυναίκα του δεν είχε παραλείψει να του βάλει όλες τις ρόμπες του μέσα στις αποσκευές του. Διάλεξε την πιο ζεστή, την πέρασε στους ώμους του και στάθηκε μπροστά στο ανοιχτό παράθυρο. Κοίταξε τα γύρω μπαλκόνια που ανήκαν σε διαμερίσματα πολυκατοικιών· γλάστρες, κουβάδες, λίγα ρούχα απλωμένα και κάποιο παιδικό ποδήλατο ανάμεσα σε όλα αυτά. Αναρωτήθηκε πού έβρισκαν χώρο οι μικροί ιδιοκτήτες αυτών των δίτροχων να παίξουν, σε μιαν Αθήνα φτιαγμένη μόνο για μεγάλους στα πρόθυρα νευρικής κρίσης. Κοίταξε τον ουρανό. Ήταν καταγάλανος. Όλα τα σύννεφα που τροφοδοτούσαν τις βροχές των τελευταίων ημερών είχαν εξαφανιστεί. Εκεί που νόμιζε ανεξάντλητο το απόθεμα, όλα άλλαξαν. Ακόμη και η ψυχή του είχε γίνει πιο ανάλαφρη. Άραγε, ήταν ο ήλιος που έφερε την αλλαγή ή το τρακάρισμα στη βροχή;

Τι περίεργη γνωριμία ήταν αυτή; Γιατί αισθανόταν ότι στο δρόμο του βρέθηκαν όχι τρεις απλές γυναίκες αλλά τρεις μοίρες, ικανές ν' ανατρέψουν τα δεδομένα της ζωής του; Τι ήταν αυτό που τον έκανε να μιλήσει τόσο ανοιχτά σε τρεις άγνωστες και να βγάλει όλο του τον πόνο και την πίκρα; Δεν ήξερε τι προτιμούσε. Τον οίκτο στα μάτια της Μαρίνας, τη συμπόνια στα μάτια της Ναταλίας ή τα μάτια της Ελπίδας, που έκοβαν σαν ξυράφια και ταυτόχρονα του έλεγαν: «Μίλα! Μη σταματάς! Εγώ μπορώ να σε καταλάβω, αλλά μην περιμένεις να σε χαϊδέψω!»

Και τα είχε πει όλα. Μίλησε πολύ ειλικρινά και παρόλο που τα σχόλια για τη γυναίκα του τα γενίκευσε περιλαμβάνοντας όλο τον γυναικείο πληθυσμό, ομολόγησε και τα δικά του λάθη. Εκεί ήταν που η Ελπίδα τον είχε σταματήσει.

«Είσαι σίγουρος ότι θέλεις να μιλήσεις για τα λάθη σου;» ψιθύρισε.

«Είπα τόσα άλλα, γιατί να μην αναφέρω και τα λάθη μου;»

«Γιατί ο Γκαίτε είπε κάποτε ότι ξεχνάμε εύκολα τα λάθη μας όταν είναι γνωστά μόνο σ' εμάς! Εσύ, τώρα, ετοιμάζεσαι να τα... κοινοποιήσεις!»

«Σ' ευχαριστώ που προσπαθείς να με σταματήσεις από το να εξευτελίσω τον εαυτό μου, αλλά δε θέλω να κρυφτώ πίσω απ' το δάχτυλό μου!»

«Κάποια στιγμή πρέπει ν' αρχίσουμε να κόβουμε δάχτυλα, για να μην κρυβόμαστε πίσω απ' αυτά! Πού το άκουσα αυτό;» Ήταν η Ναταλία που είχε μιλήσει. Γύρισαν και την κοίταξαν. Εκείνη αισθάνθηκε αμήχανα. «Συγγνώμη, είπα δυνατά αυτό που σκεφτόμουν», ψέλλισε.

«Αυτό κανονικά θα έπρεπε να κάνουν όλοι», της απάντησε η Μαρίνα και η φωνή της μαρτυρούσε έντονη πίκρα. «Τουλάχιστον αυτοί που γνώρισα και γνωρίζω, έντεκα φορές στις δέκα λένε το ακριβώς αντίθετο από αυτό που σκέφτονται!»

«Ακόμη κι εσύ;» είχε ρωτήσει η Ελπίδα.

«Γιατί εγώ ν' αποτελώ εξαίρεση; Όταν βρίσκεσαι σε ένα σαλόνι, περιτριγυρισμένος από εκατό άσχετους, με ένα ποτήρι στο χέρι και έχεις απέναντί σου τη γυναίκα του τάδε βιομηχάνου ή του δείνα εφοπλιστή, δεν κάθεσαι να της πεις ό,τι σκέφτεσαι! Γι' αυτό οι συζητήσεις είναι τόσο ανιαρές, γι' αυτό τα χαμόγελα είναι τόσο ίδια, τόσο παγωμένα, που μπορείς να καταλάβεις ότι όλοι εκεί μέσα έχουμε γυμνάσει τους ίδιους μυς στο πρόσωπό μας για να προσφέρουν αυτά τ' αποτελέσματα!»

«Και δεν έχεις πεθάνει ακόμη από πλήξη μέσα σ' όλα αυτά;»

«Όχι, Ελπίδα! Δεν πέθανα! Ο άνθρωπος έχει εκπληκτικές αντοχές!»

«Όχι όμως και η ψυχή του! Αυτή πεθαίνει· παγώνει».

Ο Κωστής έφερε μπροστά του την εικόνα της Ναταλίας που είχε μιλήσει. Αυτή η γυναίκα με το εφηβικό πρόσωπο είχε περίεργη επίδραση πάνω του. Τα μάτια της ήταν έτοιμα να δακρύσουν κάθε στιγμή ή, τουλάχιστον, έτσι του φαινόταν. Τα χείλη της νόμιζες ότι μόλις είχαν στραγγίξει ένα ολόκληρο ποτήρι δροσιάς και η τελευταία σταγόνα είχε μείνει πάνω τους. Ολόκληρη απέπνεε φρεσκάδα, ζωντάνια και μια ιδιότυπη, παράξενη ομορφιά που δεν είχε σχέση μόνο με το παρουσιαστικό της, αλλά έβγαινε κατευθείαν από την ψυχή της.

Η Μαρίνα αντίθετα, ενώ ήταν πολύ ωραία γυναίκα, έξυπνη και καλλιεργημένη, του προκαλούσε μιαν ανεξήγητη λύπη. Σίγουρα δεν ήταν για να τη λυπάται κανείς, αλλά πολλές φορές τού γεννήθηκε η επιθυμία να την αγκαλιάσει και να την παρηγορήσει.

Τελευταία η άλλη, η Ελπίδα. Εδώ το σκηνικό άλλαζε εντελώς. Ένας τέλειος αντίπαλος σ' ένα φανταστικό ρινγκ, όπου οι γροθιές δεν ήταν αποτέλεσμα μυϊκής δύναμης αλλά ακονισμένου μυαλού και οξύτητας πνεύματος. Γοητευτική γυναίκα που τον τραβούσε σαν μαγνήτης αλλά χωρίς ερωτισμό. Μια τέτοια γυναίκα θα την ήθελε πάντα στη ζωή του, αλλά ποτέ στο κρεβάτι του. Όχι... Καμιά από τις τρεις δεν μπορούσε να δει ερωτικά και αναρωτιόταν γιατί. Ήταν και οι τρεις όμορφες, η καθεμία με τον τρόπο της!

Απομακρύνθηκε από το παράθυρο. Άναψε τσιγάρο

και έδιωξε από το κεφάλι του τις ανόητες σκέψεις. Τα έβαλε με τον εαυτό του. *Γελοίο αρσενικό! Ίδιο μέσα στους αιώνες! Με το μυαλό σακατεμένο από το αρχέγονο ένστικτο! Βρήκες τρεις γυναίκες να σε στηρίξουν και αμέσως το μυαλό γλίστρησε σ' ένα κρεβάτι!* Χαμογέλασε. Το βράδυ που τον έδιωξε η Αντιγόνη, τις πρώτες εκείνες ώρες, νόμιζε ότι ποτέ ξανά το πρόσωπό του δε θα γνώριζε τις συσπάσεις ενός χαμόγελου, πολύ δε περισσότερο ενός γέλιου. Κι όμως, από την ώρα που γνώρισε αυτές τις τρεις είχε χαμογελάσει πολλές φορές. Είχε μάλιστα φτάσει να ξεκαρδιστεί στα γέλια μ' ένα ανέκδοτο που είχε πει η Μαρίνα και έκανε θραύση στα κοσμικά σαλόνια τον τελευταίο καιρό. Όλοι είχαν γελάσει εκτός από την Ελπίδα που είχε απλώς μειδιάσει και είχε δηλώσει: «Σιχαίνομαι τ' ανέκδοτα!» Δήλωση που είχε φέρει νέα δυνατά γέλια στην παρέα και ακόμη πιο αυστηρό ύφος στην Ελπίδα.

Το κινητό του χτυπούσε. Ήταν η Ευγενία. Το σήκωσε και προτού απαντήσει, εκείνη είχε αρχίσει να μιλάει: «Έλα, αφεντικό! Πώς είσαι; Έπεσε ο πυρετός; Πονάς πουθενά; Κάλεσες γιατρό;»

«Αν δε σταματήσεις να ρωτάς, δεν μπορώ να σου απαντήσω γιατί απλούστατα δεν προλαβαίνω!»

«Ουφ! Δόξα τω Θεώ! Πρώτη φορά έπειτα από τόσες μέρες που ακούγεσαι καλά!»

«Ναι, είμαι καλύτερα, σ' ευχαριστώ. Εσύ τι κάνεις;»

«Πλήττω χωρίς εσένα! Πότε σκοπεύεις να έρθεις;»

«Δεν ξέρω ακόμη», αποκρίθηκε κοφτά και η φωνή του έχασε τη ζωντάνια της.

«Κωστή, τι συμβαίνει;» έκανε. Πρώτη φορά τον αποκαλούσε με τ' όνομά του. «Και μην πεις "τίποτα", γιατί δε θα το καταπιώ! Αν δε θέλεις να μου εξηγήσεις, πες μου να μην ανακατεύομαι, αλλά κάτι συμβαίνει! Πήρα σπίτι σου και η γυναίκα σου μου είπε ότι κάνω λάθος στον αριθμό, κι αυτό την πρώτη φορά γιατί τη δεύτερη μου το έκλεισε!»

«Είχε δίκιο!»

«Για ποιο πράγμα;»

«Ήταν λάθος να με αναζητήσεις εκεί. Δεν είναι πια σπίτι μου, αν υποθέσουμε ότι ήταν ποτέ! Η κυρία με πέταξε έξω πριν από μια βδομάδα...»

«Α, γι' αυτό η σοβαρή ασθένεια! Και πού βρίσκεσαι τώρα;»

«Σ' ένα ξενοδοχείο».

«Και τι κάνεις;»

«Πίνω και κλαίω τη μοίρα μου... υποθέτω».

«Δηλαδή αυτοκαταστρέφεσαι!»

«Μπορείς να το πεις κι έτσι. Άκουσε, Ευγενία, θέλω να σου ζητήσω μια χάρη. Δε θέλω να μάθει κανείς... καταλαβαίνεις...»

«Τώρα θ' αρχίσεις και να με προσβάλλεις;»

«Συγγνώμη, αλλά ακόμη δεν έχω συνέλθει».

«Ούτε και θα συνέλθεις αν δε γυρίσεις στη δουλειά σου!»

«Ίσως έχεις δίκιο. Στο κάτω κάτω, δε βγαίνει τίποτα με το να κάθομαι κλεισμένος σε τέσσερις τοίχους».

«Πότε θα έρθεις, λοιπόν;»

«Δεν ξέρω... ίσως σε μια-δυο μέρες... Τι να σου πω...;»

«Τότε θα σου πω εγώ! Αν τη Δευτέρα δε σε δω στη θέση σου, θα πάω στον πρόεδρο, θα του τα πω όλα κι ας κάνει εκείνος ό,τι νομίζει για να σε συνεφέρει!»

«Αυτό λέγεται εκβιασμός!»

«Χαίρομαι που το κατάλαβες! Καλημέρα και περαστικά!»

Του έκλεισε το τηλέφωνο. Ξαφνικά, του φάνηκαν όλα μαύρα και πάλι. Τα βράχια ήταν ξανά εκεί· του έκλειναν το δρόμο, του έκοβαν μέχρι και την αναπνοή. Πώς θα γύριζε στη δουλειά; Πώς θα κρατούσε μυστική τη διάλυση της ζωής του; Πώς θα τους αντιμετώπιζε όλους; Αυτός, ο επιτυχημένος, ο άνθρωπος που κυριαρχούσε σε μια κολοσσιαία επιχείρηση, είχε αποτύχει στο πιο απλό, σ' αυτό που πετύχαινε ο πιο ασήμαντος κλητήρας: να κρατήσει ενωμένη την οικογένειά του. Το χέρι του απλώθηκε ορμέμφυτα στο μπουκάλι με το ουίσκι, αλλά το τράβηξε ντροπιασμένος· αποτυχημένος οικογενειάρχης σίγουρα, όχι όμως και αλκοολικός. Στο κάτω κάτω, σήμερα τον περίμενε η νέα και παράξενη παρέα του στο σπίτι της Μαρίνας. Δεν έπρεπε να πάει μεθυσμένος. Πώς θα τα έβγαζε πέρα με την Ελπίδα υπό την επήρεια του αλκοόλ;

Σήκωσε το τηλέφωνο και παράγγειλε να του φέρουν καφέ...

Το εξασκημένο μάτι της Μαρίνας σάρωσε κάθε εκατοστό του μικρού καθιστικού. Εκεί είχε επιλέξει να δεχτεί τους νέους φίλους της. Το μεγάλο σαλόνι τής φαινόταν πολύ ψυχρό για τη ζεστασιά που θυμόταν ν' αναδίδεται από αυτή την παρέα Το τραπεζάκι στο κέντρο του μικρού δωματίου είχε φορτωθεί από τη μαγείρισσα με όλων των ειδών τα κέικ, τα κουλούρια, τα κρουασάν. Κοίταξε συνοφρυωμένη τη χρυσή μπορντούρα στο χείλος των φλιτζανιών. Ήταν σίγουρη ότι ειδικά γι' αυτά την περίμενε κάποια τσουχτερή παρατήρηση από την Ελπίδα, αλλά δεν είχε κάτι πιο απλό. Δεν πρόλαβε ν' αγοράσει. Είχε άγχος, έπρεπε να το παραδεχτεί. Μετά τη ζεστή γωνιά της Ναταλίας, το σπίτι της, ξεχνώντας πόσο το καμάρωνε, της φαινόταν άσχημο και κακόγουστο.

Μετακίνησε, χωρίς λόγο, για τρίτη φορά ένα τασάκι

και κοίταξε το ρολόι της. Δεν περνούσε η ώρα... Αναπήδησε στη θέα του άντρα της που κοιτούσε με απορία το χώρο.

«Περιμένουμε κόσμο;» τη ρώτησε.

«Ναι... δηλαδή... εγώ περιμένω λίγους φίλους».

«Αν κρίνω από τις ετοιμασίες, πρέπει να είναι αρκετοί αυτοί οι "λίγοι" φίλοι! Γιατί δεν κάθεστε στο σαλόνι; Θα στριμωχτείτε εδώ μέσα! Πόσοι θα είναι;»

«Τρεις».

«Και για τρεις ανθρώπους είναι όλα αυτά; Τόσο πεινασμένοι θα είναι;»

«Ήθελα να τους ευχαριστήσω! Εσύ τι πρόβλημα έχεις τώρα;»

«Εγώ; Κανένα, αγάπη μου! Απλώς απόρησα. Και... ποιοι θα είναι;»

«Δεν τους ξέρεις».

«Μη λες κουταμάρες, μωρό μου! Ξέρω όλους τους φίλους σου!» την αποπήρε ο Νικήτας και κάθισε απέναντί της χαμογελώντας με συγκατάβαση.

«Ε, αυτοί είναι καινούργιοι! Είναι εκείνοι που τρακάραμε προχθές!»

Είχε την ικανοποίηση να τον δει να πετάγεται από το κάθισμά του χάνοντας τη διάσημη ψυχραιμία του.

«Και τους κάλεσες στο σπίτι;»

«Γιατί όχι; Είναι καλά παιδιά και γίναμε φίλοι!»

«Πότε; Μέσα σε δυο μέρες; Κι απ' ό,τι μου είπες, αυτοί οι άνθρωποι δεν είναι καν του κύκλου μας!»

«Μα... αν ήταν, δε θα είχαμε γίνει φίλοι! Ξέρεις εσύ ν' ανθίζει τέτοιο λουλούδι στα ιερά αλλά και... κατάξερα χώματα του "κύκλου μας";»

«Δε σε καταλαβαίνω!»

«Τραγικό έπειτα από τέσσερα χρόνια γάμου, δε νομίζεις; Εν πάση περιπτώσει, σε λίγο η Ναταλία, η Ελπίδα και ο Κωστής θα είναι εδώ. Θα τους γνωρίσεις και θα μου πεις τη γνώμη σου!»

«Α, όχι, αγαπητή μου! Εγώ δε θ' ασχοληθώ με τη νέα σου εκκεντρικότητα!»

«Θεωρείς εκκεντρικότητα να γνωρίζω καινούργιους ανθρώπους αντί να ανακυκλώνω τους ήδη υπάρχοντες που μόνο φίλοι δεν μπορούν να θεωρηθούν;»

«Τι άλλο είναι, όταν καλείς σπίτι μας αυτούς που σου κατέστρεψαν το αυτοκίνητο και έγιναν αιτία να μην πας στη Μαίρη, η οποία μου τηλεφώνησε χθες, και δε σου κρύβω ότι είναι πολύ θυμωμένη μαζί σου!»

«Ώρες είναι! Πρώτα απ' όλα η ζημιά του αυτοκινήτου είναι δύο φανάρια άνευ σημασίας! Όσο για τη Μαίρη, αν είναι τόσο θυμωμένη όσο λες, ας πιει ξίδι να της περάσει!»

«Μαρίνα! Τι τρόπος είναι αυτός;»

«Για την ώρα, αυτόν έχω πρόχειρο!»

«Δε σ' αναγνωρίζω!»

«Νικήτα, δε θα είναι η πρώτη φορά! Και τώρα, αν έχεις τίποτα καλύτερο να κάνεις απ' το να μου χαλάς το κέφι, πήγαινε να το κάνεις και άσε με ήσυχη!»

Είχε καταφέρει να τον αφήσει με το στόμα ανοιχτό. Πάτησε το κουμπί του στερεοφωνικού. Χατζιδάκις. Είχε προσέξει τα πολλά CD στο σπίτι της Ναταλίας, άρα της άρεσε. Ο Νικήτας είχε φύγει. Καλύτερα!

Η Ναταλία πάρκαρε το αυτοκίνητο έξω από την πανέμορφη μεζονέτα. Κοίταξε τον αριθμό, συμβουλεύτηκε την κάρτα που της είχε δώσει η Μαρίνα και βεβαιώθηκε. Αυτό ήταν! Βγήκε στον παγωμένο αέρα. Κλείδωσε το αυτοκίνητο, έσφιξε πάνω της το παλτό της και στάθηκε αναποφάσιστη.

«Είδες ανάκτορο το Μαρινάκι;»

Γύρισε και είδε την Ελπίδα να της χαμογελάει. Της ανταπέδωσε το χαμόγελο προτού απαντήσει. «Για να είμαι ειλικρινής δεν το περίμενα...»

«Αφού μας είπε ότι μένει στην Πολιτεία, τι περίμενες; Καμιά παράγκα;»

«Ανάμεσα σε παράγκα κι αυτό εδώ, υπάρχει και μέση οδός!»

«Δε βαριέσαι! Παιδί μου, ή να είσαι πλούσιος ή να μην είσαι! Άντε! Πάμε μέσα γιατί ξεπάγιασα! Μετά σου λέει μπήκε ο Απρίλιος!»

Πέρασαν την πόρτα του κήπου. Έφτασαν στην κομψή είσοδο και προτού προλάβει η Ναταλία να τραβήξει το χέρι της από το κουδούνι, η πόρτα άνοιξε. Δεν περίμεναν βέβαια να δουν τη χαριτωμένη κοπέλα από το υπηρετικό προσωπικό που τις καλωσόριζε. Προς στιγμή φοβήθηκαν ότι είχαν κάνει λάθος, αλλά αμέσως είδαν και την ίδια τη Μαρίνα να έρχεται βιαστική και χαρούμενη να τις υποδεχτεί. Για δευτερόλεπτα υπήρχε μια μικρή αμηχανία, αλλά το διακριτικό άρωμα μιας φιλίας που ανθούσε την έδιωξε. Η Μαρίνα τις αγκάλιασε, τις φίλησε και τις τράβηξε στο εσωτερικό του σπιτιού.

Δεν ήξερε κι εκείνη τι να κάνει όταν τις είδε να σταματούν και να θαυμάζουν το σαλόνι της. Ένιωσε σχεδόν αμήχανα. Περίμενε τα πρώτα σχόλια από την Ελπίδα και ξαφνιάστηκε όταν το μόνο που βγήκε από τα χείλη της ήταν ένα σφύριγμα επιδοκιμασίας. «Και νόμιζα ότι τέτοια σπίτια υπάρχουν μόνο σε περιοδικά διακόσμησης!» της είπε στο τέλος και η Μαρίνα δεν ήξερε τι να απαντήσει.

Ανάσανε μόνον όταν πέρασαν στο μικρό καθιστικό, ύστερα από λίγο. «Σκέφτηκα να καθίσουμε εδώ για να είμαστε πιο άνετα... Το σαλόνι μου είναι τόσο μεγάλο!»

Η Ελπίδα την κοίταξε με απορία. «Μαρίνα, τι έπαθες; Μοιάζεις σαν να ντρέπεσαι για το σπίτι σου και δεν είναι από τα σπίτια που ντρέπεται κανείς γιατί το έχει!»

«Για να είμαι ειλικρινής, φοβόμουν λίγο τα σχόλιά σου!»

«Τα σχόλιά μου δε θ' αφορούσαν ποτέ την οικονομική κατάσταση κάποιου! Έχω περάσει εδώ και πολλά χρόνια το στάδιο, όπου νόμιζα ότι όλοι οι άνθρωποι είμαστε ίδιοι! Εσύ, μικρή, γιατί δε μιλάς;» απευθύνθηκε στη Ναταλία.

«Όταν μπορέσω θα το κάνω! Για την ώρα, δε χορταίνω να κοιτάζω γύρω μου! Τι όμορφο κι αυτό το δωμάτιο!» Η Ναταλία χάιδεψε με το βλέμμα της τις άνετες πολυθρόνες, τα καλόγουστα διακοσμητικά και στάθηκε στη βιβλιοθήκη που κάλυπτε τον μεγάλο τοίχο. «Θα μπορούσα να περάσω την υπόλοιπη ζωή μου σ' έναν τέτοιο χώρο!» συμπλήρωσε.

«Χαίρομαι που σ' αρέσει! Η αλήθεια είναι ότι κι εγώ το αγαπάω αυτό το δωμάτιο... Εδώ ηρεμώ, διαβάζω, ακούω μουσική. Είναι... πώς να το πω... ο δικός μου χώρος».

Η Ελπίδα κρατούσε στα χέρια της μια κορνίζα και κοιτούσε τον Νικήτα που της χαμογελούσε από τη φωτογραφία με αυτοπεποίθηση. «Ο άντρας σου;» τη ρώτησε.

«Ναι... ο Νικήτας».

«Ωραίος άντρας!»

«Ναι...»

Η Ελπίδα χρειάστηκε δέκα δευτερόλεπτα για να διεισδύσει στο μυαλό της και έπειτα, χωρίς να πει λέξη, άφησε την κορνίζα στη θέση της. Κάθισε σε μια πολυθρόνα και άναψε τσιγάρο. «Καφέ κερνάει το μέγαρο;» ρώτησε χαλαρώνοντας τη στιγμιαία ένταση. Δέκα λεπτά αργότερα, προστέθηκε και ο Κωστής στην παρέα. Η Ελπίδα τον κατακεραύνωσε προτού καλά καλά προλάβει να καθίσει. «Λοιπόν; Πόσο ήπιαμε σήμερα και με πόσους τράκαρες ώσπου να έρθεις;»

Ο Κωστής της χαμογέλασε. «Εδώ έπεσες έξω, κούκλα μου! Έχω πιει τρεις καφέδες από το πρωί και μία πορτοκαλάδα!»

«Κρίμα! Και θα ήσουν πολύ χαριτωμένος αλκοολικός!»

«Α, για κάνε μου τη χάρη! Επειδή διαλύθηκε το σπίτι μου και ήπια λίγο παραπάνω, δε σημαίνει ότι έγινα ή θα γίνω αλκοολικός!»

«Μην απελπίζεσαι! Πάντα υπάρχει το μέλλον, που δεν ξέρεις τι θα φέρει!»

«Για σταματήστε, επιτέλους!» Η Ναταλία είχε επέμβει δυναμικά. «Ελπίδα, βάλε στο στόμα σου κανένα κουλουράκι να το κρατήσει απασχολημένο για λίγο, να πούμε καμιά κουβέντα κι εμείς! Ακόμη δεν ήρθε ο άνθρωπος και τον πήρες απ' τα μούτρα!»

Η Ελπίδα ξαφνιάστηκε, αλλά την επόμενη στιγμή πήρε μπροστά της ένα πιάτο με κουλουράκια βουτύρου και άρχισε να μασουλάει. Η Ναταλία της χαμογέλασε και μετά στράφηκε στον Κωστή.

«Και τώρα τι σκοπεύεις να κάνεις;» τον ρώτησε.

«Δεν ξέρω. Υποθέτω ότι η Αντιγόνη θα έχει βάλει μπρος το διαζύγιο. Πρέπει να βρω κι εγώ ένα δικηγόρο. Πρέπει να βάλω τη ζωή μου σε τάξη και, για να είμαι ειλικρινής, δεν ξέρω από πού ν' αρχίσω... Έχω να πάω στη δουλειά μου μια βδομάδα!»

«Κακώς!» πέταξε η Μαρίνα που τον κοιτούσε έντονα, έτοιμη να τον μαλώσει.

«Προτού αρχίσεις την κατήχηση, Μαρίνα, σου λέω ότι δεν ήξερα πώς να πάω. Τι να τους πω;»

«Έλα τώρα! Ούτε ο πρώτος είσαι ούτε ο τελευταίος που χωρίζει!»

«Σωστά! ΄Επειτα, η δουλειά θα σε βοηθήσει να το ξεπεράσεις πιο εύκολα!»

«Τα ίδια μου είπε και η γραμματέας μου, Ναταλία, αλλά...»

«Δεν έχει “αλλά”! Εδώ μιλάει η πείρα!»

«Χωρισμένη κι εσύ;»

«Εγώ, αγόρι μου, στις χυλόπιτες είμαι... σεφ! Τι σημασία έχει που δεν ήμουν παντρεμένη; Ο χωρισμός είναι πάντα χωρισμός και πονάει το ίδιο».

«Ναι, αλλά στη δική μου περίπτωση υπάρχει και ένα παιδί! Αν μάλιστα ξέρω καλά την Αντιγόνη, που την ξέρω, αυτή τη στιγμή η κόρη μου δε θα θέλει να με δει στα μάτια της!»

«Αδύνατον! ΄Ενα παιδί έχει ένστικτο, δεν επηρεάζεται. Η κόρη σου θα ξέρει ότι την αγαπάς».

«Μαρίνα, μην είσαι τόσο σίγουρη γι' αυτό! Η Αντιγόνη είχε δίκιο σε πολλά πράγματα κι ένα από αυτά είναι ότι, τόσα χρόνια, μέσα στο άγχος μου να πετύχω επαγγελματικά, απέτυχα ως πατέρας. Ποτέ δεν ασχολήθηκα με το παιδί μου, δεν έπαιξα μαζί της, και τώρα που την έχασα καταλαβαίνω πόσο μου λείπει... Τι θα κάνω;»

Σώπασαν. Ο Κωστής κατέβασε το κεφάλι, οι άλλες δύο ήταν έτοιμες να βάλουν τα κλάματα.

Η Ελπίδα τους κοίταζε μασουλώντας. Ξαφνικά, άφησε με θόρυβο το πιάτο στο τραπέζι, κατάπιε βιαστικά, ήπιε μια γουλιά νερό, άναψε τσιγάρο και, επιτέλους, ήταν έτοιμη να κάνει χρήση της προσοχής τους που είχε αποσπάσει εδώ και ώρα. «Αν τελειώσατε με την κλάψα και προτού αρχίσετε το μελόδραμα, και μια και τέλειωσαν τα κουλουράκια, μπορώ να μιλήσω! Πρώτα απ' όλα, λεβέντη μου, πρέπει να δώσεις δυο γερά χαστούκια στον εαυτό σου για να συνέλθεις! Αν δεν μπορείς εσύ, είμαι στη διάθεσή σου! Σου τα δίνω με μεγάλη ευχαρίστηση!»

«Ευχαριστώ!»

«Τώρα μιλάω εγώ! Κλείσ' το και άκουσε, λοιπόν! Το πρώτο πράγμα που σου χρειάζεται, μετά τα χαστούκια, είναι ένα σπίτι! Ένα ζεστό και όμορφο σπιτικό, στο οποίο θα σ' επισκέπτεται το παιδί κι έτσι θα του αποδείξεις ότι δεν είσαι το ρεμάλι που του λέει η πρώην συμβία σου! Τέλος, χρειάζεσαι χρόνο! Χρόνο που θα τον διαθέσεις στο παιδί σου για να σε γνωρίσει! Κατάλαβες;»

«Μέσες άκρες...»

«Δεν περίμενα και περισσότερα!»

Τους βρήκε η νύχτα να κάνουν σχέδια για τη ζωή του Κωστή. Ήταν και οι τρεις πρόθυμες να βοηθήσουν. Θα τον έστηναν στα πόδια του, με ή χωρίς τη θέλησή του, κι αυτό του το έκαναν ξεκάθαρο. Στις έντεκα το βράδυ, ο Νικήτας τους βρήκε να κάθονται στο ολομέταξο περσικό χαλί, με μια μπίρα στο ένα χέρι και ένα κομμάτι πίτσα στο άλλο. Έμεινε στήλη άλατος όταν αντίκρισε τη Μαρίνα να γλείφει τα δάχτυλά της μπουκωμένη. Γύρισαν και τον κοίταξαν. Με το ατσαλάκωτο κοστούμι, τη μεταξωτή γραβάτα και τα καλογυαλισμένα παπούτσια, αποτελούσε παραφωνία.

«Επιτέλους!» αναφώνησε ο Κωστής κεφάτα. «Ήρθε κι άλλος ένας άντρας! Έλα, φίλε μου, γιατί δεν τα βγάζω πέρα με τρεις γυναίκες!»

Ο Νικήτας τον κοίταξε σχεδόν με φρίκη. Η Μαρίνα σηκώθηκε και τον πλησίασε. «Έλα, Νικήτα! Έλα να γνωρίσεις τα παιδιά... Σου έχω μιλήσει...»

Προσπάθησε να του χαμογελάσει αλλά δεν τα κατάφερε. Εκείνος μίλησε και ίσως ήταν καλύτερα να είχε σωπάσει. «Με συγχωρείτε, δε θα σας κάνω το χατίρι! Είμαι κουρασμένος, και η σκέψη να καθίσω στο χαλί και να φάω σαν ημιάγριος με τα χέρια μού προκαλεί αηδία! Είναι καλύτερα ν' αποσυρθώ! Καληνύχτα σας!»

΄Εφυγε. Η Μαρίνα κατέβασε το κεφάλι. Δεν τολμούσε να κοιτάξει κανέναν. Είχε προσπαθήσει να δώσει μια καλύτερη εικόνα του άντρα της και ο Νικήτας, με τρεις προτάσεις, είχε καταφέρει να κάνει ολοφάνερη τη διαφορετική πραγματικότητα.

«Μου φαίνεται ότι δε μας συμπάθησε!» ακούστηκε η φωνή του Κωστή.

«Σώπα, παιδί μου! Λάθος κατάλαβες!» ήρθε η απάντηση της Ελπίδας.

Την επόμενη στιγμή, η Μαρίνα ένιωσε το χέρι της Ναταλίας στον ώμο της. Γύρισε και κοίταξε δυο μάτια γεμάτα κατανόηση.

«Μη στενοχωριέσαι», της είπε. «΄Ισως ήταν κουρασμένος. Μας είδε κι εμάς να έχουμε κάνει κατάληψη στο περσικό με μπίρες και πίτσες...»

«Είναι αδικαιολόγητος! Είστε φίλοι μου, δεν είχε το δικαίωμα να φερθεί έτσι! Σας ζητώ συγγνώμη, δεν περίμενα τέτοια συμπεριφορά!»

«Μη χαλάς το κέφι σου, κορίτσι μου!» Ο Κωστής ήταν τώρα δίπλα της κι αυτός. «Στο κάτω κάτω, δεν είναι και υποχρεωτικό να του αρέσουμε! Αλλά επειδή καλό είναι να μην πιέζει κανείς την τύχη του, ίσως είναι καλύτερα να πηγαίνουμε!»

«Όχι!» υψώθηκε ικετευτική η φωνή της Μαρίνας. «Είναι νωρίς ακόμη! Σας παρακαλώ, μη φεύγετε!»

Σιωπηρή συμφωνία... Κάθισαν πάλι στις θέσεις τους. Η Ελπίδα άναψε τσιγάρο, η Ναταλία αφηρημένη άρχισε να στρίβει και να ξεστρίβει την άκρη της μπλούζας της, ο Κωστής δίπλωνε και ξεδίπλωνε μια χαρτοπετσέτα και η Μαρίνα... ΄Ετσι, χωρίς πρόλογο, ζωντάνεψε για χάρη τους το καλοκαίρι στην Αλόννησο. Στα χείλη τους έφτασε η αλμύρα της θάλασσας, τα χέρια τους γέμισαν κοχύλια και βότσαλα από το νησί. Μαζί ξαναζωντάνεψαν και τα υπόλοιπα τέσσερα χρόνια. Το δωμάτιο γέμισε αναμνήσεις. Η ευγενική φυσιογνωμία του Φίλιππου ήρθε να συμπληρώσει την παρέα... Κάπου βρέθηκε και μια φωτογραφία. Δυσκολεύτηκαν ν' αναγνωρίσουν στην κοπέλα εκείνη, με τ' ανακατεμένα μαλλιά και τον έρωτα στο άβαφο πρόσωπο, την κοσμική κυρία τού σήμερα. Κι έπειτα, ήρθε η απόφαση του χωρισμού... η δειλία της. Πίκρα στα χείλη, θρύψαλα τα κοχύλια... Τα βότσαλα έγιναν δάκρυα να κατρακυλούν στα μάτια της προτού μουσκέψουν το πουκάμισο του Κωστή που την αγκάλιασε να την παρηγορήσει. Τελευταία η αυτοτιμωρία ήρθε με μια πρόταση: «Δεν πρέπει να κλαίω. Πήρα, έχω και κρατώ αυτό που μου αξίζει!» Τα δάκρυα τα ρούφηξε μια χαρτοπετσέτα. Το ύφος άλλαξε, η πλάτη ίσιωσε. «Τι μ' έπιασε; Γιατί τα θυμήθηκα όλ' αυτά στα καλά καθούμενα; Ό,τι έγινε, έγινε, και μάλιστα έχουν περάσει χρόνια από τότε! Μάλλον θα με πείραξε η μπίρα».

«Σωστά!» ήρθε η ειρωνεία από την Ελπίδα. «Όταν έχεις συνηθίσει σε γαλλική σαμπάνια και χαβιάρι, η μπίρα σε συνδυασμό με την πίτσα προκαλεί κρίση! Γι' αυτό, κούκλα μου, μην απομακρύνεσαι από τις συνήθειες!»

Το βλέμμα της Μαρίνας έστειλε ένα «ευχαριστώ» στην Ελπίδα. Άρχιζε να υποψιάζεται το πότε η τσουχτερή γλώσσα της έμπαινε σε λειτουργία, αλλά το κράτησε για τον εαυτό της.

Η Ελπίδα σηκώθηκε και όλοι την κοίταξαν. Δεν τους άφησε να περιμένουν. «Λοιπόν, απ' ό,τι κατάλαβα, έχουμε αρχίσει ένας ένας να βγάζουμε όλους τους κρυμμένους σκελετούς από το ντουλάπι της ζωής μας. Άρχισε ο Κωστής, συνέχισε η Μαρίνα... Ποιος έχει σειρά; Εγώ ή η Ναταλία;»

Ήταν η σειρά της Ναταλίας. Μεσημέρι Κυριακής, λίγες μέρες μετά. Έπειτα από μια παρόρμηση της στιγμής και μερικά βιαστικά τηλεφωνήματα, αποφάσισαν μια βόλτα στο Λαγονήσι. Μπήκαν όλοι στο αυτοκίνητο του Κωστή και ξεκίνησαν να συναντήσουν τη θάλασσα, μια μέρα που ερωτοτροπούσε με τον ήλιο.

Στη διαδρομή κανένας δε μιλούσε. Μια συντροφικότητα στην απόλαυση της θέας και του αρωματισμένου από τη θάλασσα αέρα που έμπαινε από τα μισάνοιχτα παράθυρα κάλυπτε την ανάγκη της όποιας συζήτησης. Εξάλλου, είχαν καιρό για κουβέντες. Όλοι είχαν και πάλι αποδράσει.

Ο Κωστής άφησε το μελαγχολικό δωμάτιο του ξενοδοχείου που τόσες μέρες είχε ποτίσει με τη μοναξιά του. Η Ελπίδα αγνόησε όλες τις κλήσεις από Θεσσαλονίκη, και ξέχασε για λίγο το 506 και το 332 που είχαν εκείνες τις δύσκολες περιπτώσεις. Η Ναταλία έκλεισε πίσω της την πόρτα στ' αποξηραμένα της και απόδιωξε τη σκέψη ότι το ίδιο αποξηραμένη πλησίαζε να γίνει και η ζωή της. Η Μαρίνα άφησε το κάστρο της, αγνοώντας το δυσαρεστημένο ύφος του άντρα της, που δε θα τον συνόδευε σ' εκείνο το γεύμα με κάτι φίλους του και τις βαρετές γυναίκες τους. Έκανε το ίδιο και για τους γονείς της, που της πρότειναν να τους επισκεφθεί το απόγευμα.

Το παγάκι βυθίστηκε στο ποτήρι και αμέσως σκόρπισε γαλακτερές ανταύγειες στο διάφανο ποτό, μέχρι που το λευκό χρώμα κυριάρχησε. Η ευωδιά του γλυκάνισου άρχισε να αναδίδεται από το ούζο και έσμιξε με τη μυρωδιά από το φρεσκοψημένο καλαμάρι που είχαν μπροστά τους. Τσούγκρισαν τα ποτήρια τους με δύναμη και χαμογέλασαν προτού πιουν την πρώτη γουλιά. Δίπλα τους η θάλασσα σιωπηλή και ήρεμη δεχόταν να τη ζεσταίνει ο ήλιος και αποδέχτηκε ήρεμα την ήττα της. Δε θ' αποσπούσε την προσοχή αυτής της παρέας. Αυτοί οι τέσσερις είχαν πια ο ένας τον άλλο, και μπορεί να μην το ήξεραν ακόμη, αλλά όσο ήταν μαζί, δεν είχαν ανάγκη κανέναν.

Είχαν τελειώσει και το τρίτο καραφάκι ούζο. Οι μεζέδες έρχονταν και αμέσως τα πιάτα άδειαζαν. Τα γέλια των τριών πιο δυνατά. Το χαμόγελο της Ελπίδας πιο γενναιόδωρο, ήθελε λίγο ακόμη για να βγάλει και ήχο. Ακόμη και η ίδια ένιωθε το πρόσωπό της διαφορετικό. Άμαθοι οι μύες να συσπώνται κάθε λίγο, της έδιναν την αίσθηση ότι κάτι αφύσικο συνέβαινε· κάτι σπάνιο, που όμως έκανε καλό στην ψυχή της. Ένα συναίσθημα που δεν ήταν αναγνωρίσιμο την κύκλωνε. Συντροφικότητα; Όχι, ήταν λίγο αυτό. Τρυφερότητα; Ναι... και πληρότητα. Το πιο περίεργο ήταν η αίσθηση, η βεβαιότητα ότι το ίδιο πρέπει να ένιωθαν και οι άλλοι τρεις. Για πρώτη φορά ήταν μαζί με ανθρώπους που η ταύτιση μαζί τους έριχνε τις άμυνές της.

«Γεννήθηκα σ' ένα χωριό από πατέρα ιερέα. Το πέμπτο παιδί μιας ήδη μεγάλης οικογένειας...» Η Ναταλία αντιμετώπισε την απορία τους για την ξεκάρφωτη εισαγωγή μ' ένα γέλιο που είχε το άρωμα του ούζου. «Τι; Δεν είναι η σειρά μου για αποκαλύψεις;» ρώτησε. «Πώς το είπε η Ελπίδα; "Να βγάλω όλους τους κρυμμένους σκελετούς από το ντουλάπι της ζωής μου"!»

Συμφώνησαν κι εκείνη συνέχισε. Τώρα που αισθανόταν ότι δεν ήταν μόνη, μπορούσε να μιλάει για τη μοναξιά της. Τώρα που γνώριζε την αποδοχή κάποιων, μπορούσε να περιγράφει την απόρριψη που γνώρισε από τη μέρα που γεννήθηκε. Τώρα αισθανόταν ότι ήταν με φίλους. Μιλούσε και κοιτούσε τη θάλασσα, σαν να διάβαζε πάνω στις ανεπαίσθητες πτυχώσεις της γαλάζιας επιφάνειας όλη τη ζωή της. Όταν έφτασε στο τέλος, σώπασε και τους κοίταξε έναν έναν. Αυτή τη στιγμή τη φοβόταν. Ίσως θεωρούσαν ότι δικά της ήταν τα σφάλματα που την οδήγησαν στη μοναξιά. Ίσως οι απανωτές αποτυχίες στην ερωτική της ζωή να τους έκαναν να τη χαρακτηρίσουν ένα μεγάλο μηδενικό. Ίσως ακόμη να τη λυπόνταν και δεν ήξερε αν θ' άντεχε να δει οίκτο στα μάτια τους. Δεν υπήρχε όμως· μόνο κατανόηση διέκρινε.

«Δε θέλω να τελειώσω προτού σας πω πως, όσο παράλογο κι αν φαίνεται... θέλω να πω... ήταν τόσο παράξενη αυτή η συνάντησή μας, αλλά χαίρομαι που ήρθατε στη ζωή μου και ελπίζω να μείνετε...»

Σώπασε. Η τελευταία δήλωση αιωρούνταν ακόμη στον αέρα. Κανένας δεν είπε ότι αυτό αισθάνονταν όλοι.

«Αυτό ήταν!» ήρθε η πάντα σωτήρια επέμβαση της Ελπίδας. «Ούτε το ούζο μάς κάνει καλό! Πρέπει να το κόψουμε κι αυτό όπως και την μπίρα!»

Ούτε ο καφές αργότερα, όμως, σταμάτησε τις αποκαλύψεις της Ελπίδας. Δεν ήταν το αλκοόλ που κυλούσε, αλλά η ανάγκη της ανθρώπινης επαφής που και οι τέσσερις είχαν στερηθεί για πολλά χρόνια. Αυτή έκανε τα στόματα ν' ανοίγουν και τις ψυχές ν' αποκαλύπτονται. Η Ελπίδα εξιστόρησε τα γεγονότα της ζωής της, το γάμο της και τις σχέσεις της με τους γονείς της, όπως έκανε όταν έδινε οδηγίες στις νοσοκόμες. Σύντομες και κοφτές οι εκφράσεις, αλλά δεν ξεγέλασαν κανέναν. Μοναξιά... Αυτό ήταν το σημείο επαφής. Αυτό τους ένωσε τελικά.

Τώρα που ο κύκλος των αποκαλύψεων είχε κλείσει, είχαν καταλάβει. Όταν η αφήγηση χρόνων μοναξιάς και αναζήτησης τέλειωσε, η ίδια η Ελπίδα έβαλε και την τελεία. «Λοιπόν, όταν βρισκόμαστε εμείς οι τέσσερις, δεν πρέπει να πίνουμε ούτε νερό. Μας κάνει κακό!»

«Γιατί;» ρώτησε η Μαρίνα. «Είναι κακό που τολμήσαμε να πούμε πράγματα που κρατούσαμε τόσα χρόνια κρυμμένα; Που μιλήσαμε για όσα μας πονούσαν;»

«Σωστά!» συμφώνησε η Ναταλία. «Αισθανθήκαμε άνετα, νιώσαμε αν θέλεις ότι είμαστε με ανθρώπους που μπορούν να μας καταλάβουν, που μπορούν να γίνουν φίλοι».

Η Ελπίδα τη διέκοψε. «Αυτό, κούκλα μου, δε λέγεται φιλία! Ομαδική ψυχανάλυση λέγεται! Και το χειρότερο είναι ότι δεν έχουμε και ψυχαναλυτή εδώ να βοηθήσει!»

«Αν θέλετε, μπορώ να καλύψω εγώ αυτή την ανάγκη!» προσφέρθηκε ο Κωστής χαμογελώντας.

«Εσύ, αγόρι μου, κοίτα να μαζέψεις τα δικά σου κομμάτια και άσε μας εμάς! Στο κάτω κάτω, δεν ήμαστε εμείς που αδειάζαμε μπουκάλια και βάζαμε τους ανθρώπους σε μπελάδες!» τον αντέκρουσε εκείνη, αλλά τα μάτια της γελούσαν.

«Αυτοί οι μπελάδες, όμως, μας έφεραν κοντά!»

«Τώρα δηλαδή θέλεις να σου έχουμε και υποχρέωση;»

«Εγώ, πάντως, σας έχω! Χάρη σ' εσάς συνήλθα και από αύριο γυρίζω στη δουλειά μου!»

Το χαμόγελο της Ευγενίας ήταν διάπλατο όταν τον είδε στη θέση του τη Δευτέρα το πρωί, και δε χάθηκε όταν της είπε δήθεν αυστηρά: «Άργησες πέντε λεπτά και θέλω τον καφέ μου, μαζί με όλους τους φακέλους, τα υπομνήματα και τα ονόματα αυτών που με ζήτησαν όσες μέρες έλειπα! Άντε, γιατί μου φαίνεται ότι το διαλύσαμε εντελώς!»

«Μάλιστα, αφεντικό!» του απάντησε κεφάτα και σε λίγο όλα ήταν σαν να μην έλειψε ούτε μια μέρα.

Ακόμη και όταν επικοινώνησε με το δικηγόρο της γυναίκας του, κατάφερε να μη χάσει την ψυχραιμία του. Δέχθηκε όσα του είπε για τη διατροφή που έπρεπε να πληρώνει και για τις συναντήσεις με το παιδί του. Δύο ώρες κάθε βδομάδα και ένα σαββατοκύριακο το μήνα, εφόσον είχε εξασφαλίσει στέγη και με την προϋπόθεση ότι και το ίδιο το παιδί θα ήθελε. Τα δέχτηκε όλα ήρεμα. Ίσως γιατί το βράδυ θα πήγαινε κινηματογράφο με τα κορίτσια!

Η επίσκεψη του προέδρου ήταν αναμενόμενη. Ήθελε να μάθει γιατί ο προστατευόμενός του είχε λείψει τόσες μέρες από τη δουλειά του, αυτός που παλιότερα ούτε ο πιο υψηλός πυρετός δεν τον κρατούσε μακριά από τους φακέλους του. Του είπε πολύ σύντομα τι είχε συμβεί. Δεν του έκρυψε την απόλυτη συντριβή του ούτε τις ώρες που πέρασε κλαίγοντας και πίνοντας. Μόνο για τις τρεις γυναίκες της ζωής του δεν του είπε τίποτα, γιατί θα ήταν δύσκολο να του εξηγήσει πώς μια καραμπόλα μπορεί να σε στήσει και πάλι στα πόδια σου.

Ο πρόεδρος άκουγε συνοφρυωμένος. «Δε σου κρύβω ότι δε μου άρεσαν καθόλου όσα άκουσα!» του είπε όταν ο Κωστής σταμάτησε να μιλάει.

«Δεν ήταν και ευχάριστα, κύριε πρόεδρε!»

«Όχι μόνο γι' αυτό! Η αντίδρασή σου με εξέπληξε! Σε περίμενα πιο δυνατό!»

«Κάθε άνθρωπος έχει τις δικές του αντοχές...»

«Δεν περίμενα όμως και να το ρίξεις στο ποτό, εσύ!»

«Δε σας είπα ότι έγινα και αλκοολικός, κύριε πρόεδρε!»

«Και τι σκοπεύεις να κάνεις από δω και πέρα;»

«Θα προχωρήσω, φυσικά! Αρκετά έκλαψα, αρκετά τιμώρησα τον εαυτό μου! Δεν αλλάζει τίποτα! Θα βρω ένα σπίτι και θα προσπαθήσω ν' αποκαταστήσω τη σχέση μου με το παιδί μου! Πάντως, μπορώ να σας διαβεβαιώσω ότι η δουλειά μου δε θα επηρεαστεί καθόλου! Είμαι στη θέση μου και θα κάνω, όπως πάντα, ό,τι καλύτερο!»

«Έτσι μπράβο! Αυτό ήθελα ν' ακούσω από σένα!» Ο πρόεδρος έμεινε ικανοποιημένος κι έκανε να φύγει, αφού πρώτα τον χτύπησε φιλικά στην πλάτη. «Δε σε φοβάμαι εσένα!» του είπε προτού κλείσει πίσω του την πόρτα.

Ο Κωστής είχε την ειλικρίνεια να παραδεχτεί ότι δεν του άξιζαν τα εύσημα. Ανήκαν δικαιωματικά σε μια καραμπόλα, κάτω από δυνατή βροχή, και στο συναπάντημα με τρεις... μοίρες.

Η ταινία ήταν καταπληκτική. Την είχαν απολαύσει και οι τέσσερις, όπως απόλαυσαν μετά και το τεράστιο παγωτό στην Κηφισιά, σ' ένα πολύβουο μαγαζί, όπου ανάμεσα στη δυνατή μουσική και τις φωνές των θαμώνων προσπαθούσαν να κάνουν ανάλυση του θέματος που είχαν παρακολουθήσει. Στο τέλος παραιτήθηκαν. Έφυγαν, αλλά δεν ήταν έτοιμοι ν' αποχωριστούν ο ένας τον άλλο, όπως κάθε φορά άλλωστε. Η νύχτα ήταν γλυκιά και το πάρκο τούς προσκαλούσε να βολτάρουν ανάμεσα στα δέντρα του. Το έκαναν. Στη διαδρομή μιλούσαν ασταμάτητα και γελούσαν. Πιθανότατα ενοχλούσαν τα ζευγαράκια, που έκρυβαν τον έρωτά τους στο πάρκο μη έχοντας άλλη επιλογή, αλλά εκείνοι αδιαφόρησαν. Είχαν τόσα να πουν!

«Σε δυο βδομάδες έχουμε Πάσχα!» ανέφερε κάποια στιγμή η Μαρίνα. «Τι θα κάνουμε;»

«Θ' αναστήσουμε, φαντάζομαι», πέταξε η Ελπίδα ξερά.

Ξαφνικά το κέφι χάθηκε. Η μοναξιά υψώθηκε να τους αρπάξει. Αυτή τη φορά ήταν ο Κωστής που της χάλασε τα σχέδια. «Αυτό είναι σίγουρο!» σχολίασε. «Αλλά πού θ' αναστήσουμε;»

«Εγώ, πάντως, το βράδυ της Ανάστασης έχω υπηρεσία στο νοσοκομείο!»

«Και την Ημέρα του Πάσχα;»

«Ρεπό!»

«Ωραία! Εσύ, Ναταλία;»

«Εγώ δε δουλεύω από τη Μεγάλη Παρασκευή!»

«Σπουδαία! Εσένα, παντρεμένη της παρέας, δε σε ρωτάω· έχεις οικογενειακές υποχρεώσεις! Ακούστε, λοιπόν...»

Το σχέδιο ήταν απλό. Τρεις άνθρωποι μόνοι δεν υπήρχε κανένας λόγος να είναι μόνοι, αφού μπορούσαν να είναι μαζί. Η Μαρίνα θα τους συναντούσε όταν μπορούσε να ξεφύγει από τις υποχρεώσεις της. Το κέφι ξαναγύρισε παρ' όλη την γκρίνια της Μαρίνας ότι εκείνη θα ήταν μπλεγμένη. Βγήκαν από το πάρκο με καλύτερη διάθεση και με τα γέλια τους ν' αντηχούν ολόγυρα. Καιρός ήταν! Τα ζευγαράκια είχαν αρχίσει να ενοχλούνται σοβαρά από τους αναίσθητους ταραξίες.

Κατάλαβε ότι θα καβγάδιζαν με το που μπήκε στο σπίτι. Η Μαρίνα άφησε τη ζακέτα της και κοίταξε τον συνοφρυωμένο Νικήτα, που καθόταν μ' ένα ποτήρι ουίσκι στο χέρι. Στο τασάκι, δίπλα του, υπήρχαν αρκετά αποτσίγαρα, σημάδι ότι την περίμενε αρκετή ώρα. Τον πλησίασε.

«Καλησπέρα!»

«Καλύτερα να πεις "καλημέρα"! Ξέρεις τι ώρα είναι;»

«Αν πηγαίνει καλά το ρολόι μου... δύο και δέκα!»

«Σωστά! Πού ήσουν;»

«Αν και το ύφος σου μ' ενοχλεί, θα σου απαντήσω,

αλλά φρόντισε να το αλλάξεις αν έχεις κι άλλες ερωτήσεις, γιατί διαφορετικά δε θα πάρεις απάντηση! Ήμουν στον κινηματογράφο και μετά πήγαμε για παγωτό στην Κηφισιά με την παρέα μου!»

«Και ποια ήταν αυτή η παρέα; Μήπως οι νέοι σου... φίλοι;»

«Δε χρειάζεται να κομπιάζεις! Φίλοι μου είναι!»

«Δηλαδή ήσουν πάλι μ' αυτούς!»

«Ακριβώς! Έχεις κανένα πρόβλημα;»

«Πολλά!»

Ο Νικήτας τσάκισε το τσιγάρο που μόλις είχε ανάψει και σηκώθηκε εκνευρισμένος. Στάθηκε απέναντί της και η Μαρίνα αντιμετώπισε το βλέμμα του.

«Σ' ακούω, αν και είμαι κουρασμένη! Πες ό,τι έχεις να πεις να τελειώνουμε!»

«Πρώτα απ' όλα, γύρισα σπίτι και η γυναίκα μου έλειπε!»

«Δεν ήξερα ότι είμαι υποχρεωμένη να σε περιμένω να γυρίσεις! Το πρόγραμμά σου δεν είναι ποτέ σταθερό! Εξάλλου από πότε σ' ενοχλεί η απουσία μου;»

«Το θέμα δεν είναι η απουσία σου! Κατανοώ ότι έχουμε και οι δύο τις υποχρεώσεις μας! Αλλά να γυρίζεις με αυτούς...!»

«Πρώτα απ' όλα χαμήλωσε τον τόνο της φωνής σου, γιατί δεν ανέχομαι να μου φωνάζουν και μάλιστα στο σπίτι ΜΟΥ! Κατάλαβες, Νικήτα; Και για να τελειώνουμε, είμαι ενήλικη και δε θα δώσω λογαριασμό σε κανένα με ποιον κάνω παρέα, πολύ δε περισσότερο σ' εσένα! Τέσσερα χρόνια τώρα, μπαίνεις, βγαίνεις και δε μου δίνεις λογαριασμό ούτε πού πας, ούτε τι κάνεις! Δε σ' το ζήτησα, ούτε θα σ' το ζητήσω! Ποτέ άλλοτε, επίσης, δεν ασχολήθηκες με το ποιες είναι οι παρέες μου! Θα μου πεις... δεν είχες αντίρρηση να γυρίζω με όλη τη σνομπαρία του κύκλου μας, αλλά όχι με άλλους! Μπορείς επιτέλους να μου πεις τι έχεις εναντίον αυτών των τριών ανθρώπων;»

«Ε, λοιπόν τι να σου πω;»

«Την αλήθεια! Γιατί τέτοια αντιπάθεια; Δεν ήσουν τόσο σνομπ ποτέ, γιατί έγινες τώρα;»

«Δεν είναι σνομπισμός!»

«Τότε τι είναι;»

«Δε μ' αρέσουν αυτοί οι άνθρωποι...»

«Ναι, αλλά γιατί;»

«Μα δεν το βλέπεις; Δεν καταλαβαίνεις τι σου κάνουν;»

«Καλό μού κάνουν, αλλά έχεις διαφορετική άποψη απ' ό,τι καταλαβαίνω!»

«Ακριβώς! Από τον καιρό που έμπλεξες μαζί τους, είσαι διαφορετική, φέρεσαι περίεργα. Έγινες μια Μαρίνα που... πώς να σ' το πω... με φοβίζει!»

Τον κοίταξε στα μάτια, αλλά εκείνος απέφυγε το βλέμμα της. Κάθισε στη θέση του και άναψε τσιγάρο. Η Μαρίνα στρώθηκε απέναντί του.

«Σε φοβίζει η ευτυχία, Νικήτα;» τον ρώτησε.

«Τι θα πει αυτό;»

«Θα πει ότι η Μαρίνα που λες πως σε φοβίζει είναι μια γυναίκα ευτυχισμένη! Πραγματικά ευτυχισμένη! Γεμάτη!»

«Δηλαδή πριν μπλέξεις μ' αυτούς δεν ήσουν ευτυχισμένη;»

«Πριν... δεν ξέρω αν ήμουν ικανή να νιώσω οτιδήποτε! Υποθέτω ότι όλη τη ζημιά την είχε κάνει η άδεια μου κοινωνική ζωή!»

«Μα τι είναι αυτά που λες; "Άδεια κοινωνική ζωή" εσύ; Το καρνέ σου ήταν γεμάτο!»

«Άδειο σε ποιότητα!»

«Γι' αυτό δεν πηγαίνεις πουθενά πια; Ούτε καν στο τένις κλαμπ! Το ξέρεις ότι έχει αρχίσει να συζητιέται η αποχή σου;»

«Μπα; Δεν έχουν άλλο θέμα πιο σοβαρό ν' ασχοληθούν; Κι επιτέλους, έχω το δικαίωμα, νομίζω, να επιλέγω με ποιους θέλω να κάνω παρέα!»

«Και τώρα θέλεις να κάνεις παρέα μ' αυτούς τους απίθανους! Μιαν ασήμαντη υπάλληλο, έναν αποτυχημένο μεθύστακα που σας έκανε να τρακάρετε, και μια νοσοκόμα επίσης ασήμαντη!»

«Δε θα καθίσω να σου αναλύσω τι είναι ο καθένας, αλλά θα σε ρωτήσω αυτό που με ρώτησε κάποτε η... ασήμαντη νοσοκόμα: "Τι κάνεις εσύ, στην τόσο ποιοτική ζωή σου, που σου δίνει το δικαίωμα να κρίνεις τους άλλους;"»

«Ορίστε;»

«Νικήτα, δε θέλω να εμπλακώ σε μια τέτοια συζήτηση μαζί σου, γιατί πολύ φοβάμαι ότι θα πούμε πικρές κουβέντες! Κοίτα λοιπόν τη ζωή σου και μην ασχολείσαι με τους άλλους! Και προπαντός μην τους κρίνεις!»

«Η ζωή μου είναι μια χαρά ! Εσύ να δω τι θα κάνεις, όταν βαρεθείς το καινούργιο σου παιχνιδάκι και, στο μεταξύ, σ' έχει εξοστρακίσει όλος ο κύκλος μας! Θα μείνεις ολομόναχη!»

«Μόνη μου ήμουν πάντα, Νικήτα...»

Η Μαρίνα αποχώρησε. Δεν υπήρχε λόγος να συνεχίσει μια κουβέντα που οδηγούσε στο πουθενά. Στο δωμάτιό της άνοιξε διάπλατα το παράθυρο να μπει η νυχτερινή δροσιά. Δε χρειαζόταν ν' ανησυχεί αν θα ερχόταν ο άντρας της. Όπως κάθε φορά που λογομαχούσαν, εκείνος θα κοιμόταν στο άλλο δωμάτιο σε... ένδειξη διαμαρτυρίας!

Τα πυροτεχνήματα έκοψαν στη μέση το *Χριστός Ανέστη!* Η Ναταλία κοίταξε θαμπωμένη τις πολύχρωμες ομπρέλες που στόλιζαν τον ουρανό, προτού διαλυθούν σκορπίζοντας πολύτιμα πετράδια στο νυχτερινό στερέωμα. Δίπλα της ο Κωστής χαμογελούσε.

«Μου θυμίζεις την κόρη μου!» της είπε κάποια στιγμή. «Έτσι μαγεύεται κι εκείνη από τα πυροτεχνήματα! Μόνο που εσύ είσαι πιο ήσυχη! Εκείνη τσιρίζει από ενθουσιασμό!»

«Μα είναι τόσο όμορφα! Κοίτα, κοίτα! Αυτό είναι διαφορετικό!»

Ξεχάστηκε πάλι καθώς νέα σχέδια έκαναν την εμφάνισή τους. Είχε χρόνια να πάει στην Ανάσταση η Ναταλία. Την παρακολουθούσε από την τηλεόραση, ανάβοντας ένα κεράκι. Τσούγκριζε μόνη της δύο αυγά και ευχόταν στον εαυτό της. Παιδιάστικο ίσως, αλλά θα ήταν θλιβερό να πάει μόνη της στην εκκλησία, να σταθεί με το αναμμένο κερί ανάμεσα σε οικογένειες και παρέες που ανυπομονούσαν να γυρίσουν στο σπίτι, όπου τους περίμενε το στολισμένο αναστάσιμο τραπέζι. Το είχε κάνει μια φορά και την ώρα που άρχισαν όλοι ν' αγκαλιάζονται για να δώσουν το φιλί της Αγάπης και να ευχηθούν, έφυγε κλαίγοντας και δεν πήγε ποτέ ξανά. Ένιωσε τόσο παρείσακτη, τόσο περιττή σε μια γιορτή χαράς. Αυτή η Ανάσταση, όμως, ήταν διαφορετική. Είχε δίπλα της τον Κωστή. Αντάλλαξαν φιλιά και ευχές. Δεν ήταν μόνη.

Ο αυλόγυρος της εκκλησίας είχε αρχίσει ν' αδειάζει. Η ζεστή μαγειρίτσα στο σπίτι έκανε τον κόσμο να ξεχνάει τη θρησκευτική πραγματικότητα· το θαύμα της Ανάστασης!

Ο Κωστής κοίταξε τη Ναταλία. «Έχω μια ιδέα!» της είπε. «Πάμε στην Ελπίδα;»

«Πού; Στο νοσοκομείο;»

«Γιατί όχι; Θα της ευχηθούμε και φεύγουμε! Τι λες;»

«Δεν μπορούσες να έχεις καλύτερη ιδέα! Κανένας δεν πρέπει να είναι μόνος μια τέτοια βραδιά. Πάμε!»

Η Ελπίδα τα έχασε όταν τους είδε μπροστά της.

«Τι θέλετε εσείς εδώ;» τους ρώτησε.

«Ήρθαμε να σου ευχηθούμε "Χριστός Ανέστη!"» της είπε ο Κωστής και τη φίλησε.

Η Ναταλία τον μιμήθηκε. «Χριστός Ανέστη, Ελπίδα...»

Ο κόμπος στο λαιμό επίπονος. Αυτοί οι δύο είχαν καταφέρει να τη συγκινήσουν. Μια βραδιά σαν αυτή, μια νύχτα που η ζωή νικούσε το θάνατο, εκείνοι εθελοντικά είχαν περάσει μια πόρτα όπου ο θάνατος παραμόνευε, μόνο και μόνο για να της ευχηθούν. Μόνο και μόνο για να της πουν με τον τρόπο τους ότι δεν ήταν μόνη. Δεν είπε τίποτα. Δεν μπορούσε. Θα ξεσπούσε σε κλάματα και δεν επέτρεπε στον εαυτό της τέτοια αδυναμία. Αυτό που δεν μπορούσε να θέσει υπό έλεγχο ήταν τα μάτια της. Το βλέμμα της υπήρξε πιο φλύαρο από την ίδια και πιο προδοτικό.

Στην αρχή νόμισε ότι το τηλέφωνο θα την έσωζε από την έφοδο της συγκίνησης. Απελπίστηκε. Ήταν η Μαρίνα που της τηλεφωνούσε για να της ευχηθεί. Έβαλε ανοιχτή ακρόαση για ν' ακούν και οι άλλοι.

«Χρόνια πολλά! Χριστός Ανέστη!» ευχήθηκε η γελαστή φωνή της.

«Αληθώς Ανέστη! Είναι εδώ ο Κωστής και η Ναταλία!» της απάντησε η Ελπίδα.

«Α, εκεί μου είστε! Εσύ, κύριε, γιατί δεν απαντάς στο κινητό;»

Ο Κωστής κοίταξε τις τρεις αναπάντητες κλήσεις στην οθόνη του κινητού προτού της πει: «Ούτε που το άκουσα! Γινόταν χαλασμός από τα πυροτεχνήματα! Χριστός Ανέστη! Πού είσαι;»

«Στο σπίτι με τους γονείς μου, τον άντρα μου και καμιά δεκαριά άσχετους, και βαριέμαι! Η Ναταλία πού είναι; Δεν την ακούω!»

«Εδώ είμαι! Αλλά, ως συνήθως, δεν προλαβαίνω να μιλήσω μ' εσάς που έμπλεξα! Χριστός Ανέστη!»

«Αληθώς Ανέστη! Πού θα είστε αύριο;»

«Επειδή οι δύο κυρίες δεν έχουν σπίτι με κήπο, εγώ πάλι είμαι άστεγος, λέμε να πάμε στη Βάρη για αρνάκι στη σούβλα!» της είπε ο Κωστής.

«Και μετά;»

«Μετά... παραλία για καφέ, παγωτό, σόδες... ό,τι χρειαστεί τέλος πάντων για να... ανανήψουμε! Εσύ;»

«Είμαστε καλεσμένοι στους γονείς μου με άλλα πενήντα άτομα, αλλά εγώ θα φύγω νωρίς! Να έχετε ανοιχτά τα κινητά για να ξέρω πού θα είστε και να έρθω να σας βρω!»

Έκλεισαν το τηλέφωνο. Δεν πήγαν πουθενά τελικά εκείνο το βράδυ. Κάθισαν μαζί με την Ελπίδα μέχρι την ώρα που τέλειωσε η βάρδια της. Ευτυχώς ήταν μια ήσυχη νύχτα. Κανένα κουδούνι δε χτύπησε, κανένας δε χρειάστηκε τίποτα ούτε καν παυσίπονο. Το θαύμα της Ανάστασης του Θεανθρώπου είχε φέρει ένα διάλειμμα γαλήνης στα ταλαιπωρημένα κορμιά.

Ο Κωστής κατάφερε μέσα στ' άγρια χαράματα να βρει και να τους φέρει φαγητό, ενώ προτού χωριστούν ήπιαν και τον πρώτο καφέ της μέρας μαζί.

Τίποτα δεν κρατούσε τη Μαρίνα όταν ήρθε η ώρα να φύγει. Το καθήκον της το είχε κάνει και με το παραπάνω. Είχε μιλήσει και είχε προσπαθήσει να γελάσει με όλα τ' άνοστα που είχε ακούσει. Ακόμη τα ίδια ανέκδοτα έλεγαν...

Έφαγε ανόρεχτα το καλοψημένο κρέας. Οι γονείς της είχαν φέρει ολόκληρο επιτελείο από ψήστες για να ευχαριστήσουν τους καλεσμένους τους. Συνάντησε ανθρώπους που 'χε καιρό να δει και γνώρισε και κάποιους καινούργιους. Ανάμεσά τους και τον νέο χρηματιστή των γονιών της. Είχε ακούσει πολλά γι' αυτόν από τους ίδιους και δε συμφώνησε σε τίποτε από αυτά. Αυτός ο άνθρωπος δεν της άρεσε καθόλου και σημείωσε στο μυαλό της ότι έπρεπε να τους το πει στην πρώτη ευκαιρία.

Την ώρα που ανακοίνωσε την αποχώρησή της, δεν τη στενοχώρησε η γεμάτη επιτίμηση ματιά της μητέρας της ούτε το αυστηρό ύφος του πατέρα της που έδειχνε τη δυσαρέσκειά του. Ο Νικήτας, πάλι, ευτυχώς είχε κανονίσει με φίλους του να βρεθούν στο τένις κλαμπ και έτσι δε χρειάστηκε καν να του δώσει εξηγήσεις. Ήταν ελεύθερη. Έφυγε σαν να την κυνηγούσαν για να σμίξει με τους φίλους της.

Τους πέτυχε να πίνουν σόδα με το πρώτο κουμπί του παντελονιού ανοιχτό σε ένδειξη διαμαρτυρίας. Το αρνάκι στη Βάρη ήταν καταπληκτικό. Η συνέχεια της μέρας άγγιξε την τελειότητα!

Ο Απρίλης ξεψυχούσε. Δύο μήνες κόντευε να κλείσει αυτή η παράξενη συντροφιά που κάθε μέρα ερχόταν και πιο κοντά, δίνοντας άλλη διάσταση στην έκφραση «αδελφές ψυχές». Τίποτα δεν είχαν κρύψει ο ένας από τον άλλο. Σ' αυτόν το μήνα ο Δίας είχε καταφέρει να βάλει τη σφραγίδα του. Θεός του όρκου· κι εκείνοι είχαν σιωπηρά ορκιστεί να είναι πάντα μαζί. Προστάτης των περαστικών και των προσκυνητών· προσκυνητές κι εκείνοι. Μιας φιλίας που δεν πίστευαν ότι μπορεί να υπάρξει στα χρόνια που κουβαλούσαν.

Στο τέλος του Απρίλη δεν υπήρχε μυστικό ανάμεσά τους. Ο Κωστής είχε πει τα πάντα. Όλοι γνώριζαν για τις αποτυχίες της Ναταλίας και την αδιαφορία των δικών της που είχαν πάψει και να της τηλεφωνούν ακόμη για να δουν τι κάνει. Ήξεραν για τη ζωή της Μαρίνας που περιλάμβανε τον Νικήτα και τις άδειες κοινωνικές συναναστροφές, αλλά είχαν μάθει πως δεν ήταν πάντα έτσι ούτε η γυναίκα αυτή ήταν μόνον ό,τι έδειχνε. Τέλος, απαριθμούσαν τους δεσμούς της Ελπίδας που είχαν απομακρυνθεί, πολλές φορές κακήν κακώς, όπως είχαν καταλάβει ότι ούτε εκείνη ήταν αυτό που έδειχνε.

Ατέλειωτοι καφέδες, τσάγια, μπίρες και ουίσκι βοήθησαν να ξεδιπλωθούν και τελικά να ενωθούν οι ζωές τεσσάρων ανθρώπων, όπως η μοίρα θα πρόσταζε!

# ΜΑΪΟΣ
## *Ο μήνας της Εστίας*

### ΕΣΤΙΑ

*Η πιο σεβαστή απ' όλες τις θεές του Ολύμπου, βρίσκεται καθισμένη στη μέση των ναών και στη μέση κάθε κατοικίας. Αυτή δίδαξε τους ανθρώπους πώς έπρεπε να χτίζουν τις κατοικίες τους. Δε θέλησε ποτέ να παντρευτεί και μόνη της φροντίδα ήταν να διατηρεί άσβηστη τη φλόγα που πρέπει να καίει σε κάθε σπιτικό...*

*Ποιος έχει απ' τους θεούς τόσο σκληρή καρδιά,*
*που με τα πάθη αυτά σου να γελά;*
*Τα βάσανά σου ποιος δε συμπονεί;*

Αισχύλος, *Προμηθεύς Δεσμώτης*
*(Μτφρ.: Ι. Γρυπάρης)*

Ενιωθε νευρικότητα. Γύρω του, στο φαστφούντ, υπήρχαν κι άλλοι σαν αυτόν. Μπαμπάδες που ασκούσαν το δικαίωμα επισκέψεων που τους έδινε ο νόμος. Μιλούσαν με τα παιδιά τους, μοιράζονταν τις σκέψεις τους και τη σάλτσα για τις πατάτες, άκουγαν τα κατορθώματα στο σχολείο. Για εκείνον δεν ήταν το ίδιο. Η κόρη του ήταν καθισμένη απέναντί του, αμίλητη. Έτρωγε ένα τεράστιο παγωτό, προσηλωμένη σ' αυτό, αποφεύγοντας να τον κοιτάξει έστω και τυχαία. Οι κουβέντες που είχαν ανταλλάξει μια ώρα τώρα μαζί ήταν ελάχιστες. Οι απαντήσεις της μονολεκτικές.

Το μόνο που του αναπτέρωνε τις ελπίδες ήταν ότι είχε δεχτεί να τον δει, παρόλο που η Αντιγόνη, ακόμη και μπροστά του, της είχε εξηγήσει ότι δεν ήταν υποχρεωμένη να πάει μαζί του. Η Ισμήνη όμως, εντελώς απροσδόκητα, είχε απαντήσει θετικά. Το ραντεβού ήταν για τις τρεις μετά το μεσημέρι της Κυριακής. Την πήρε από το σπίτι. Στην πόρτα εμφανίστηκε η γυναίκα του· ψυχρή!

«Το παιδί έχει φάει. Να τη φέρεις στις πέντε και μισή ακριβώς!» του είπε κοφτά μόλις τον είδε κι εκείνος κούνησε μόνο το κεφάλι καταφατικά.

Έκανε την εμφάνισή της η κόρη του. Μ' ένα παντελόνι τζιν και τα μαλλιά πλεγμένα σε σφιχτή κοτσίδα, με μια-δυο ανυπότακτες μπούκλες να ξεφεύγουν όπως πάντα δεξιά και αριστερά. Το μπουφάν κόκκινο – το αγαπημένο της χρώμα.

«Γεια σου, Ισμήνη», είπε απλά. Ούτε αγκαλιές ούτε φιλιά. Το παιδί φαινόταν σφιγμένο, έπρεπε να είναι προσεκτικός. «Είσαι έτοιμη;»

Η μικρή κούνησε καταφατικά το κεφάλι. Έπειτα κοίταξε τη μητέρα της. Ο Κωστής της άπλωσε το χέρι και αισθάνθηκε αισιόδοξος όταν ένιωσε το μικροσκοπικό χεράκι της κόρης του μέσα στο δικό του. Πήγαν για παγωτό.

«Λοιπόν; Πώς ήταν το παγωτό σου;» τη ρώτησε όταν η Ισμήνη εξαφάνισε και το τελευταίο ίχνος από σιρόπι σοκολάτας στο μπολ που είχε μπροστά της.

«Καλό...»

«Και τώρα που τελείωσε, θα μου πεις πώς πας στο σχολείο;»

«Καλά...»

Ήταν ολοφάνερο πως η κόρη του δεν είχε σκοπό να κάνει τα πράγματα πιο εύκολα. Ίσως και να μην μπορούσε. Την κοίταξε. Καθόταν σφιγμένη, με τα χέρια σταυρωμένα στην ποδιά της και τα μάτια της καρφωμένα στο άδειο μπολ. Για πρώτη φορά σκέφτηκε ότι ίσως εκείνη ήταν το μεγάλο θύμα σ' αυτή την ιστορία, αφού τα γεγονότα εξελίχθηκαν ερήμην της και χωρίς η ίδια να έχει δικαίωμα γνώμης, όπως συμβαίνει με όλα τα παιδιά που το σπίτι τους διαλύεται. Ξαφνικά ντράπηκε για τον εαυτό του. Ήταν τόσο απορροφημένος όλο αυτό τον καιρό με τα δικά του συναισθήματα που δε σκέφτηκε ούτε μια στιγμή τι επιπτώσεις θα είχε αυτός ο χωρισμός στον πιο αθώο. Σ' ένα παιδί εννιά χρόνων που δεν μπορεί να καταλάβει τι συνέβη από τη μια στιγμή στην άλλη και πήρε ο άνεμος το σπίτι του!...

Πήρε μια βαθιά ανάσα προτού της μιλήσει. «Ισμήνη, γιατί αποφεύγεις να με κοιτάξεις;»

Το παιδί σήκωσε το βλέμμα για να συναντήσει το χαμόγελο του πατέρα της.

«Επιτέλους! Τόση ώρα αναρωτιόμουν αν είχα βγάλει κανένα τεράστιο αηδιαστικό σπυρί στη μύτη και δεν μπορούσες να το βλέπεις!»

Ένα μικρό αδιόρατο χαμόγελο έκανε την εμφάνισή του και του έδωσε θάρρος να προχωρήσει.

«Είσαι θυμωμένη μαζί μου;» τη ρώτησε.

«Δεν ξέρω...»

«Λογικό το βρίσκω να είσαι μπερδεμένη. Όμως, Ισμήνη, είμαι ο πατέρας σου... σ' αγαπάω πάρα...»

«Λες αλήθεια;»

Δεν τον ενόχλησε η διακοπή όσο η αμφιβολία στη φωνή της, που ήταν ανάμεικτη με αγωνία. «Φυσικά και λέω αλήθεια! Σ' αγαπάω και μου έλειψες όλο αυτό τον καιρό!»

«Τότε γιατί δεν ήρθες να με δεις;»

Σε δευτερόλεπτα αποφάσισε ότι δε θα έβγαζε ψεύτρα την Αντιγόνη. Δε θα της έλεγε για τις φορές που τον έδιωξαν κακήν κακώς. Όχι. Δε θα έβαζε το παιδί στη μέση αυτής της διαμάχης. Αρκετές πληγές ήταν ανοιχτές, δε θ' άνοιγε ο ίδιος άλλες, έστω κι αν δεν είχε σύμμαχο την Αντιγόνη σ' αυτό.

«Καρδιά μου», άρχισε να λέει, «όταν ένα ζευγάρι χωρίζει και υπάρχει ένα παιδί που το αγαπούν και οι δύο πάρα πολύ, το θέλουν και οι δύο τόσο πολύ, τότε, επειδή δεν μπορούν να βρουν μια λύση, αναλαμβάνουν οι δικηγόροι. Μέχρι να τακτοποιηθούν όλα, περνούν λίγες μέρες...»

«Έτσι έγινε με σένα και τη μαμά;» – καχυποψία...

«Κάπως έτσι. Σημασία έχει ότι είμαστε μαζί τώρα και αν το θέλεις, θα είμαστε κάθε βδομάδα! Θέλεις;»

Κράτησε την αναπνοή του μέχρι να έρθει η απάντηση που ήταν ένα απλό κούνημα του κεφαλιού. Δόξα τω Θεώ, η κόρη του είχε απαντήσει θετικά.

«Πού μένεις;» τον ρώτησε απροσδόκητα.

«Σ' ένα ξενοδοχείο, προς το παρόν... Ψάχνω για σπίτι όμως...»

«Γιατί; Η μαμά λέει πως εσύ δεν έχεις ανάγκη από σπίτι! Σου φτάνει ένα κρεβάτι στο γραφείο σου!»

Ευχαρίστως θα στραγγάλιζε την Αντιγόνη αν την είχε μπροστά του εκείνη τη στιγμή, αλλά στο παιδί απλώς χαμογέλασε. «Πάντα υπερβολική αυτή η μαμά! Όχι, αγαπούλα μου! Δεν είναι έτσι! Απλώς πέρασα ένα μεγάλο χρονικό διάστημα, όπου έπρεπε να δουλεύω πολύ για να πετύχω!»

«Το θυμάμαι! Ήσουν συνέχεια στο γραφείο και όταν ερχόσουν σπίτι, δούλευες εκεί και δεν είχες χρόνο για μένα! Ποτέ δεν παίξαμε μαζί! Ποτέ δε με πήγες στις κούνιες! Ούτε μου έκανες βουτιές στη θάλασσα!»

Το κατηγορώ της κόρης του προκάλεσε τριγμούς. Τα βράχια απειλούσαν με κατολισθήσεις πάλι. Ο δρόμος θα έκλεινε. Μόνο η αλήθεια μπορούσε να εμποδίσει την καταστροφή.

«Έχεις δίκιο, μωρό μου. Ήταν λάθος μου τότε να δουλεύω τόσο πολύ και να χάνω τόσες όμορφες στιγμές μαζί σου. Το καταλαβαίνω τώρα, αλλά δεν μπορώ ν' αλλάξω όσα έγιναν. Μπορώ όμως να επανορθώσω, αν μου δώσεις μια ευκαιρία».

«Αυτό το "επανορθώσω" τι θα πει, μπαμπά;»

«Θα πει ότι, αν με αφήσεις, εσύ κι εγώ θα περάσουμε πολλές όμορφες και διασκεδαστικές ώρες και θα σβήσουμε όλες τις άσχημες από το μυαλό μας!»

«Και η μαμά;»

«Η μαμά σου είναι και θα είναι μαμά σου όπως κι εγώ ο μπαμπάς σου! Με τη μανούλα θα μένεις, εμείς θα βλεπόμαστε κάθε Κυριακή προς το παρόν και θα διασκεδάζουμε! Αργότερα όμως, που θα βρω σπίτι, θα μπορείς να έρχεσαι και να μένεις και μαζί μου κάποιο σαββατοκύριακο ή στις διακοπές!»

«Στο σπίτι σου;»

«Φυσικά! Θα σου φτιάξω το πιο υπέροχο δωμάτιο που είχε ποτέ ένα κορίτσι!»

«Θα με αφήσει η μαμά;»

«Νομίζω ότι η μαμά δε θα έχει αντίρρηση, αν το θέλεις κι εσύ. Αυτό που θέλουμε και οι δύο είναι να είσαι ευτυχισμένη!»

«Τότε γιατί δε γυρίζεις σπίτι;»

Πολύ θα ήθελε να της πει ότι δεν είχε πρόθεση να φύγει από το σπίτι, αν δεν τον πετούσε έξω η μητέρα της, όπως ότι θα το σκεφτόταν να ξαναγυρίσει, αν δεν είχε διαπιστώσει την ύπαρξη του «άλλου». Δεν είπε όμως τίποτε από αυτά.

«Αυτό που ζητάς δε γίνεται, κούκλα μου!» ψιθύρισε. «Η μαμά και ο μπαμπάς δεν μπορούν πια να ζήσουν μαζί. Αυτό όμως δεν έχει σχέση μ' εσένα! Εσύ θα είσαι πάντα το αγαπημένο μας κοριτσάκι... Όταν μεγαλώσεις, θα καταλάβεις και τα υπόλοιπα που τώρα σου φαίνονται παράξενα».

Η ώρα που του αναλογούσε είχε τελειώσει. Έπρεπε να γυρίσουν, όπως κι έπρεπε να μιλήσει με την Αντιγόνη. Αυτό δε σήκωνε αναβολή. Έπρεπε να συμφωνήσουν σε ορισμένα θέματα, προτού κάνουν κακό στο παιδί τους.

Όταν άφησε την Ισμήνη στο σπίτι, η μικρή εξαφανίστηκε στη στιγμή όπως την είχε παρακαλέσει ο πατέρας της. Ο Κωστής τράβηξε έξω τη γυναίκα του κι έκλεισε την πόρτα. Εκείνη τον κοίταξε αγριεμένη.

«Αποφάσισες να γίνεις βάναυσος;» του φώναξε. «Τι τρόπος είναι αυτός; Με ποιο δικαίωμα...»

«Αντιγόνη, κλείσε λίγο το στόμα σου ή χαμήλωσε τη φωνή σου τέλος πάντων! Θέλω να μιλήσουμε και επειδή ξέρω ότι είμαι ανεπιθύμητος μέσα, σε τράβηξα έξω! Ούτε βίαιος αποφάσισα να γίνω, ούτε να σου φερθώ άσχημα! Για όνομα του Θεού! Με ξέρεις τόσα χρόνια!»

Εκείνη τη στιγμή, η πόρτα άνοιξε και εμφανίστηκε ο γνωστός «άλλος» με απειλητικές διαθέσεις, αλλά τον σταμάτησε η ψυχρή φωνή του Κωστή που μιλούσε στην Αντιγόνη αγνοώντας τον.

«Πες στον κύριο να επιστρέψει μέσα και να μας αφήσει να μιλήσουμε, γιατί σου δίνω το λόγο μου ότι θα σου κάνω το βίο αβίωτο για το διαζύγιο, θα σε καταγγείλω για μοιχεία, θα ζητήσω την κηδεμονία του παιδιού, θα σε σύρω στα δικαστήρια για όποιο λόγο μπορώ να σκεφτώ εγώ ή ο δικηγόρος μου και γενικά θα πράξω ό,τι περνάει από το χέρι μου για να σου κάνω τη ζωή ποδήλατο! Είμαστε ακόμη παντρεμένοι, έχουμε ένα παιδί, μπορούμε και επιβάλλεται να έχουμε κάποια επικοινωνία, όχι γιατί το θέλουμε, αλλά γιατί είναι για το καλό του ίδιου του παιδιού που δεν έφταιξε σε τίποτα για να πληρώσει τις ανοησίες μας!»

Για λίγο αναμετρήθηκαν με τα μάτια. Ο Κωστής είχε λαχανιάσει. Η Αντιγόνη κούνησε καταφατικά το κεφάλι και ο άλλος εξαφανίστηκε.

«Σε ακούω!» του είπε και σταύρωσε τα χέρια στο στήθος.

«Καιρός ήταν! Κατ' αρχάς, θέλω να μάθω τι συμβαίνει μ' αυτό τον κύριο! Μένετε μαζί;»

«Όχι βέβαια! Πώς σου πέρασε τέτοια ιδέα;»

«Δεν είναι και εντελώς παράλογη, δεδομένου ότι όποτε έχω έρθει αυτός είναι πάντα εδώ! Στο παιδί τι ακριβώς έχεις πει;»

«Ότι είναι ένας πολύ καλός φίλος! Την αλήθεια, δηλαδή!»

«Αντιγόνη, δε μιλάς στην Ισμήνη, σ' εμένα μιλάς! Μπορεί όσα χρόνια κράτησε ο γάμος μας να υπήρξα αφελής και ανόητος, αλλά δεν είμαι και ηλίθιος!»

«Δε σε καταλαβαίνω!»

«Σε πολλά απ' όσα με κατηγόρησες, ίσως να είχες και κάποιο δίκιο...»

«Α, ώστε το παραδέχεσαι ότι αδιαφόρησες για μας!»

«Όχι! Ό,τι έκανα το έκανα για σας!»

«Φτηνή δικαιολογία για να καλύψεις τις προσωπικές σου φιλοδοξίες!»

«Όσο και η δική σου για τον... "καλό φίλο"!»

«Μα εγώ...»

«Αντιγόνη, τίποτε από αυτά δεν έχει σημασία τώρα πια! Είσαι με κάποιον άλλο και δε θέλω να ξέρω πόσο καιρό με κορόιδευες! Εγώ, πάλι, βρίσκω σιγά σιγά το έδαφος που τράβηξες κάτω από τα πόδια μου».

«Τότε γιατί ήθελες να μιλήσουμε;»

«Για την Ισμήνη... Θα σε παρακαλέσω να μη βάζεις ιδέες για μένα που δεν ευσταθούν στο κεφαλάκι της! Άφησέ την ανεπηρέαστη!»

«Τι θέλεις να πεις;»

«Ξέρεις πολύ καλά! Το παιδί δεν πρέπει για κανένα λόγο, ό,τι κι αν αισθάνεσαι εσύ για μένα κι εγώ για σένα, να βρεθεί ανάμεσα σε πυρά που διασταυρώνονται! Ας με γνωρίσει τουλάχιστον προτού με απορρίψει!»

«Τι σε κάνει να πιστεύεις ότι δε σ' έχει απορρίψει κιόλας;»

«Αν είχε συμβεί κάτι τέτοιο, δε θα δεχόταν να βγει σήμερα μαζί μου! Την έκανες να πιστέψει ότι δεν την ήθελα γι' αυτό και δεν ερχόμουν τόσο καιρό να τη δω, ενώ ξέρουμε και οι δύο τον τρόπο που με διώχνατε εσύ και ο φιλαράκος σου!»

«Δεν είναι φιλαράκος μου!»

«Αρκετά, Αντιγόνη! Δε θα συνεχίσω άλλο τη συζήτηση και ούτε ήρθα εδώ για να κρίνω την προσωπική σου ζωή! Αυτό που απαιτώ είναι να είσαι διακριτική και το κυριότερο να μην ξαναμιλήσεις εναντίον μου στο παιδί! Θα τα πούμε την άλλη Κυριακή... Α, και αν δεν έχεις αντίρρηση, θα πάρω τη μικρή στις δώδεκα και θα πάμε για φαγητό».

Την άφησε και έφυγε χωρίς να κοιτάξει πίσω του, αλλά ήταν σίγουρος ότι την είχε ξαφνιάσει. Μπήκε στο αυτοκίνητο σφυρίζοντας. Η παρέα τον περίμενε στο σπίτι της Ναταλίας. Ήδη τον κύκλωνε η μυρωδιά της βανίλιας...

«Λες να τα κατάφερε;» Η Μαρίνα μασουλούσε ένα μπισκότο και αγωνιούσε.

Όλες ήξεραν ότι ο Κωστής θα συναντούσε για πρώτη φορά την κόρη του ύστερα από τόσο καιρό.

«Θα το καταλάβουμε μόλις μπει!» της απάντησε η Ελπίδα. «Αν μπει παραπατώντας... απέτυχε!»

«Αυτό δε θέλω ούτε να το σκέφτομαι!» είπε η Ναταλία κι ήπιε μια γουλιά από το τσάι της. «Σημαίνει πολλά για τον Κωστή η σχέση του με την κόρη του».

«Λες η μικρή να μην τον θέλει;» έκανε η Μαρίνα ενώ στρεφόταν με βουλιμία στο κέικ.

«Σταμάτα να τρως συνέχεια, γιατί θα γίνεις στρογγυλή σαν βαρέλι και μετά δε θα θέλει εσένα ο άντρας σου!» της πέταξε η Ελπίδα αυστηρά και η Μαρίνα άφησε ντροπιασμένη το γλυκό.

«Έχεις δίκιο», αποκρίθηκε, «τρώω από εκνευρισμό... Μα γιατί αργεί;»

Πάνω στην ώρα ακούστηκε το κουδούνι. Ο Κωστής μπήκε και τις βρήκε όρθιες.

«Τι έγινε, κορίτσια; Γιατί είστε στο πόδι; Φεύγετε;»

Η Ελπίδα τον πλησίασε· το βλέμμα της εξεταστικό. «Εκ πρώτης όψεως, δεν παραπατάς. Αυτό σημαίνει ότι δεν ήπιες! Να υποθέσουμε ότι όλα πήγαν καλά;»

Ο Κωστής χαμογέλασε. Προχώρησε, κάθισε στη φλοκάτη, έβαλε τσάι σε μια κούπα και άρχισε να τρώει με όρεξη. Οι τρεις γυναίκες κοιτάχτηκαν προτού καθίσουν κοντά του.

Η Μαρίνα αγανάκτησε. «Θα μας πεις επιτέλους; Σε περιμέναμε τόσες ώρες, άργησες, δεν ξέραμε τι να υποθέσουμε και τώρα τρως σαν αναίσθητος χωρίς να μιλάς!»

«Συγγνώμη, κορίτσια, αλλά από το άγχος μου είμαι νηστικός όλη μέρα και τώρα που είδα όλα αυτά...» Κατάπιε βιαστικά την τελευταία μπουκιά και ύστερα άναψε τσιγάρο. Τους εξήγησε τι έγινε από το πρώτο λεπτό ως το τελευταίο και έπειτα σώπασε. «Ορίστε! Σας τα είπα όλα! Ποια είναι η γνώμη σας, λοιπόν;»

«Σημασία έχει πώς είδες εσύ την κατάσταση!»

«Είμαι αισιόδοξος, Ελπίδα, και δε νομίζω να είναι παράλογο αυτό!»

«Πιστεύεις πως η γυναίκα σου θα συμμορφωθεί;»

Ο Κωστής κοίταξε τη Ναταλία που τον είχε ρωτήσει. «Δεν ξέρω. Έχω την εντύπωση ότι αυτή τη γυναίκα δεν την έμαθα ποτέ και ας ήμουν τόσα χρόνια μαζί της! Αμφιβάλλω, μάλιστα, αν μπορεί ποτέ κανείς να πει πως ξέρει μια γυναίκα! Παράξενα και αλλόκοτα πλάσματα!»

«Ο Γκαίτε είπε κάποτε πως κανένας άντρας δεν είναι σε θέση να εκτιμήσει την αξία της γυναίκας ούτως ώστε και να τη σέβεται!»

«Με κατηγορείς για κάτι, Ελπίδα; Θεωρείς ότι δε σεβάστηκα τη γυναίκα μου, ότι δεν την εκτιμούσα;»

«Δεν ξέρω... Εσύ τι νομίζεις ότι έκανες ή ΔΕΝ έκανες για να φτάσετε ως εδώ; Λένε ότι οι γυναίκες δεν είναι ποτέ υπεύθυνες για τα σφάλματά τους, γιατί τα προκαλούν οι άντρες!» συνέχισε η Ελπίδα.

«Δηλαδή εγώ έκανα τη γυναίκα μου να βρει άλλον, να με πετάξει απ' το σπίτι και να με διαβάλει στο παιδί μου;»

Η Ναταλία επενέβη ήρεμα. «Έχεις παραδεχτεί, όμως, ότι δεν ήσουν ο ιδανικός σύζυγος και πατέρας... Έτσι δεν είναι;»

«Ναι, αλλά θα μπορούσε να μου μιλήσει προτού φτάσει στα άκρα! Ποτέ δεν παραπονέθηκε, ποτέ δε μου είπε το παραμικρό! Και ξαφνικά... μπαμ! Έξω, κύριε, από το σπίτι!»

«Και εσύ, με κάθε ειλικρίνεια, μπορείς να μας πεις ότι θ' άλλαζες τακτική, αν σου μιλούσε τότε;»

«Τι θέλεις να πεις, Μαρίνα;»

«Ότι αν είσαι σωστός με τον ίδιο σου τον εαυτό, πρέπει να παραδεχτείς ότι δε θα γινόταν τίποτα! Θα την αποκαλούσες γκρινιάρα και αχάριστη! Ήσουν φιλόδοξος, Κωστή, και αποφασισμένος να πετύχεις, όχι μόνο για την οικογένειά σου αλλά πρώτα για σένα τον ίδιο!»

«Και δεν είσαι μόνο εσύ, αν αυτό σε παρηγορεί», πρόσθεσε η Ναταλία. «Οι περισσότεροι άντρες, για να μην πω όλοι, παραμελούν την οικογένεια για να πετύχουν!»

«Όπως και πάρα πολλές γυναίκες! Μα τι πάθατε; Γιατί τέτοια επίθεση, και μάλιστα άδικη; Τρεις εναντίον ενός; Ντροπή!»

«Άσ' τα αυτά και μην πας να ξεφύγεις! Στο κάτω κάτω, λεβέντη μου, αυτή η συζήτηση μπορεί να σου βγει σε καλό!»

«Μπα; Και γιατί, Ελπίδα;»

«Όλοι οι άντρες, αν είχαν φιλίες με γυναίκες και μιλούσαν μαζί τους ειλικρινά, θα γίνονταν καλύτεροι σύζυγοι και πατεράδες! Φοβάστε, όμως! Ο Σαίξπηρ έλεγε ότι ένας άντρας μορφώνεται καλύτερα από τις στοχαστικές και πνευματώδεις ομιλίες μιας φρόνιμης γυναίκας παρά απ' όλες τις σχολαστικές φιλοσοφίες των βιβλίων!»

«Δεν εννοούσε εσάς ο ποιητής! Εσείς, φρόνιμες γυναίκες; Έλεος! Και μια και πιάσαμε τα λόγια μεγάλων ανδρών, ξέρω κι εγώ μερικά! Ο Σαίξπηρ, λοιπόν, που μου ανέφερες, είπε και το άλλο: "*Μερικές γυναίκες είναι το χαμόγελο του Πλάστη και άλλες οι μορφασμοί Του*"! Και δε νομίζω να εννοούσε μόνο την εμφάνιση! Είπε, ακόμη, ότι η γυναίκα είναι φαγητό αντάξιο των θεών, όταν δεν το έχει μαγειρέψει ο διάολος! Και ο Βολτέρος είπε: "Το μόνο πλάσμα που δεν μπορεί κανείς να συκοφαντήσει είναι η γυναίκα, γιατί έχει όλες τις κακίες"! Θέλεις κι άλλα;»

«Θεέ και Κύριε! Σταματήστε, επιτέλους!» Η Μαρίνα δεν ήξερε αν έπρεπε να γελάσει ή να θυμώσει. «Δεν μπορείτε να συζητήσετε χωρίς να τσακωθείτε;»

«Εμένα ρωτάς; Την κυρία από δω να ρωτήσεις! Εκείνη άρχισε την επίθεση και εγώ απλώς αμύνομαι! Και δεν είναι μόνο εκείνη! Όλες σας πέσατε να με φάτε!»

«Μη φοβάσαι! Εσύ δεν τρώγεσαι! Ούτε ωμός ούτε ψημένος!»

«Ελπίδα!» μπήκε στη μέση η Ναταλία. «Κωστή, μάλλον εσύ το ξεκίνησες, όταν γενίκευσες το πρόβλημα που έχεις με την Αντιγόνη και πήρε η μπάλα όλες τις γυναίκες! Δεν είμαστε όλες το ίδιο ούτε λέω ότι δεν έχουμε ελαττώματα! Δεν υπάρχει άνθρωπος χωρίς ελαττώματα!»

«Εδώ θα συμφωνήσω!» Ο Κωστής έμοιαζε με παιδί που το έχουν πιάσει κατά τη διάρκεια σκανταλιάς.

«Θέλω όμως να σε ρωτήσω κάτι: Ας υποθέσουμε ότι βρίσκεις μια γυναίκα που δεν έχει το παραμικρό ελάττωμα. Τι θα έκανες;»

«Αν και δεν υπάρχει τέτοια γυναίκα, μια και μιλάμε υποθετικά, θα σου απαντήσω: θα την παντρευόμουν και δε θα την άφηνα στιγμή από κοντά μου!»

«Ναι, αλλά μια τέλεια γυναίκα θ' απαιτούσε ίση τελειότητα από σένα! Θα ήσουν σε θέση να της την προσφέρεις;» συνέχισε η Ναταλία.

«Ορίστε;»

«Είσαι τέλειος εσύ, Κωστή, και κρίνεις τόσο αυστηρά τις γυναίκες και ειδικά τη γυναίκα σου;»

«Υποθέτω...»

«Αυτό που προσπαθούμε να σου πούμε και οι τρεις είναι απλό. Έκανες λάθη σοβαρά στη σχέση σου. Πρόσεξε μην τα επαναλάβεις στην επόμενη! Διδάξου από αυτά τα λάθη, όπως προσπαθεί να κάνει κάθε άνθρωπος. Μην αναλωθείς σε ατέλειωτα κατηγορώ, αλλά φτιάξε τον εαυτό σου! Κατάλαβες, επιτέλους;»

«Νομίζω ναι...»

«Και μια και ήταν η μέρα των σοφών αποφθεγμάτων, άκουσε και ένα από μένα: *Όσο περισσότερο αγαπάει μια γυναίκα έναν άντρα, τόσο του διορθώνει τα ελαττώματα. Όμως, όσο περισσότερο αγαπάει ένας άντρας μια γυναίκα, τόσο της μεγαλώνει τα ελαττώματά της!*»

«Ζήτω που κάηκα δηλαδή!»

«Γιατί;»

«Γιατί αν υποθέσουμε ότι με αγαπάτε, θέλετε να με... στρώσετε, αλλά εγώ που είμαι άντρας θα σας κακομάθω!»

«Πάνω-κάτω!»

Γέλασαν και οι τέσσερις. Η αρμονία επανήλθε στη συντροφιά τους. Απόλαυσαν το ποτό τους με την Άλκηστη Πρωτοψάλτη να τους τραγουδάει:

*«Τι γίνεται ο άνθρωπος μετά,*
*μετά το πέρασμά του.*
*Μου λες αστέρι γίνεται η καρδιά,*
*το σώμα του φωτιά.*
*Τι γίνεται, όμως, ο άνθρωπος μετά*
*το τέλος του έρωτά του.*
*Εκεί κρύβεται, μάτια μου, η φθορά*
*και η οδύνη του θανάτου...»*

Η Ναταλία δεν πίστευε στα μάτια της. Ήταν πολύ ωραίο για να είναι αληθινό κάτι τέτοιο. Κι όμως, το χαρτί στην είσοδο της διπλανής πολυκατοικίας ήταν ξεκάθαρο. Νοικιαζόταν το ρετιρέ. Διαμέρισμα με δύο υπνοδωμάτια. Έπρεπε να πάρει λαχείο! Διαμέρισμα στην καρδιά των Αμπελοκήπων και μάλιστα δίπλα στο δικό της! Έπρεπε όμως και να βιαστεί. Καταράστηκε τον εαυτό της που δεν είχε κινητό. Ανέβηκε σαν τρελή στο σπίτι της και τηλεφώνησε στον Κωστή. «Τσακίσου και έλα!» του είπε αφού του εξήγησε.

Η αλήθεια είναι ότι πραγματικά τσακίστηκε. Άφησε σύξυλη στο γραφείο μια έκπληκτη Ευγενία, χωρίς να της πει ούτε πού πάει ούτε αν και πότε θα γυρίσει, και έφυγε. Βρήκε τη Ναταλία να περιεργάζεται ένα πραγματικά υπέροχο σπίτι: άνετοι χώροι, φωτεινά δωμάτια και μια τεράστια βεράντα απ' όπου είχε κανείς όλη την Αθήνα στα πόδια του.

Η προκαταβολή δόθηκε αμέσως. Τα συμβόλαια υπογράφτηκαν εκείνη τη στιγμή και ο Κωστής βρέθηκε με το κλειδί στο χέρι να το κοιτάζει ζαλισμένος μόλις έφυγε η ιδιοκτήτρια.

«Τι το κοιτάς έτσι; Δικό σου είναι!» τον πείραξε η Ναταλία.

«Μου φαίνεται σαν όνειρο!»

«Φταίει που έγιναν όλα τόσο γρήγορα!»

«Δε θέλω να σκέφτομαι και πόσα άλλα πρέπει να γίνουν! Νοίκιασα τέσσερις τοίχους που πρέπει να τους κάνω σπίτι!»

«Κατ' αρχάς οι τοίχοι είναι πολλοί περισσότεροι από τέσσερις!»

«Αυτό το είπες για να νιώσω καλύτερα;»

«Όχι, για να τρομάξεις!»

«Είμαι τρομοκρατημένος αν θέλεις να ξέρεις!»

«Κακώς! Έχεις δίπλα σου τρεις πανέξυπνες, πρόθυμες, υπέροχες...»

«Θα πεις κι άλλα;»

«Θα μπορούσα αλλά είμαι μετριόφρων! Έλα! Μην κάνεις σαν παιδί! Δεν είσαι μόνος σου! Το απόγευμα κιόλας, συγκαλείται έκτακτο πολεμικό συμβούλιο με θέμα: *Πώς θα κάνουμε το σπίτι αυτό κατοικήσιμο κι εσένα άνθρωπο!*»

«Οχ! Γιατί δε μ' αρέσει όλο αυτό;»

«Είναι αργά για ν' αρχίσεις τώρα να φοβάσαι! Είσαι ήδη στα βαθιά νερά και πρέπει να μάθεις κολύμπι, αν δε θέλεις να πνιγείς! Είμαι σαφής;»

«Και τρομακτική επίσης!»

«Στο τέλος του μήνα, κι αυτό είναι υπόσχεση, δε θα αναγνωρίζεις ούτε το σπίτι αλλά ούτε και τον εαυτό σου!»

Η Εστία. Το πρώτο παιδί του Κρόνου και της Ρέας. Μόλις βγήκε από το στομάχι του πατέρα της, έτρεξε να βοηθήσει τον Δία. Στάθηκε δίπλα του νύχτα και μέρα, όσο κρατούσαν οι αγώνες του με τους Τιτάνες και τους Γίγαντες.

Τώρα οι Εστίες είχαν γίνει τρεις. Δεν ήταν θέμα κλωνοποίησης αλλά φιλίας... Νύχτα-μέρα, πλάι στον Κωστή, όσο κράτησαν οι αγώνες με τους δικούς του Τιτάνες και Γίγαντες, που άλλοτε είχαν τη μορφή των επίπλων που έπρεπε να επιλεγούν, άλλοτε των ηλεκτρικών συσκευών, άλλοτε ήταν οι κουρτίνες, άλλοτε τα κάδρα... Στήθηκε ένα ολόκληρο σπίτι!

Εκεί όπου όλοι ασχολήθηκαν μερόνυχτα ολόκληρα ήταν το δωμάτιο της Ισμήνης. Ομηρικοί καβγάδες στήθηκαν, χιλιάδες απόψεις και ιδέες έπεσαν στο τραπέζι των διαπραγματεύσεων, μέχρι να βγει ένα δωμάτιο κατευθείαν από τα παραμύθια. Ακόμη και η Ελπίδα έδειχνε να απολαμβάνει τη δημιουργία αυτού του δωματίου και ας είχε δηλώσει από την αρχή ότι δεν ήξερε τίποτα για παιδιά και ούτε επιθυμούσε να μάθει. Οι πράξεις της διέψευδαν τα λόγια της. Διαφωνούσε ώρες με τον Κωστή για το χρώμα των τοίχων, πήρε μάλιστα να ρωτήσει και παιδίατρο για το ποιο ήταν το πιο σωστό χρώμα και θριαμβολόγησε όταν ο γιατρός υποστήριξε τη δική της άποψη για το απαλό χρώμα της βανίλιας, για το οποίο, λόγω ονόματος, υπερθεμάτισαν και η Ναταλία και η Μαρίνα. Το κρεβάτι έγινε κατόπιν παραγγελίας, αφού κανένα απ' όσα είδαν δεν πληρούσε τις κατάλληλες προδιαγραφές. Εκτός όλων των άλλων είχε και ουρανό με αστεράκια που έλαμπαν στο σκοτάδι. Ήταν ένα μικρό αριστούργημα. Τόσο όμορφο που καμία πριγκίπισσα, όσο απαιτητική και να ήταν, δε θα μπορούσε παρά να μη το θαυμάσει. Δίπλα του υπήρχε το κομοδίνο με φωτιστικό που θύμιζε καρουζέλ βγαλμένο από τα παραμύθια.

Οι κουρτίνες είχαν κεντημένα λουλουδάκια και άφηναν το φως του ήλιου να περνάει ανάμεσά τους έτσι ώστε τα λουλούδια έδειχναν έτοιμα να μοσχοβολήσουν. Όταν κρεμάστηκαν, όλοι παραδέχτηκαν ότι προσέγγιζαν αρκετά την τελειότητα. Κάτω από το παράθυρο τοποθετήθηκε ένα μικρό κομψό γραφείο με την πολυθρόνα του από μπαμπού, για την περίπτωση που η ιδιοκτήτρια του δωματίου ήθελε να γράψει κάτι. Η επίπλωση συμπληρωνόταν από την τουαλέτα της πριγκίπισσας μ' ένα κάθισμα πνιγμένο στις δαντέλες. Ένα μικρό παλάτι που περίμενε τη μικρή βασίλισσα. Μόνο που η ίδια δεν είχε ιδέα για όλ' αυτά που επρόκειτο να γίνουν εκείνη την Κυριακή, που βγήκε με τον πατέρα της για φαγητό.

Ήταν οι δυο τους σε μια ταβέρνα. Πάλι η ίδια αμηχανία τον βεβαίωνε πως άδικα είχε μιλήσει στην Αντιγόνη. Το παιδί βρισκόταν πάλι σε άμυνα και σε σύγχυση. Την κοίταξε που έτρωγε το μπιφτέκι της αμίλητη.

«Μήπως δε σου αρέσει το φαγητό σου; Θέλεις να πάρουμε κάτι άλλο;»

«Όχι... δεν έχω πρόβλημα με το φαγητό...»

«Τότε, με τι έχεις πρόβλημα;» Την είδε που δίσταξε. «Ισμήνη, θέλω να μου μιλάς. Ό,τι θέλεις να μάθεις, δεν έχεις παρά να με ρωτάς κι εγώ θα προσπαθώ να σου εξηγώ ό,τι δεν καταλαβαίνεις».

«Τι κάνεις όλη τη βδομάδα που δε με βλέπεις;»

«Ό,τι κάνει όλος ο κόσμος! Δουλεύω!»

«Και μετά τη δουλειά;»

«Βγαίνω με φίλους... φίλες... πάω σινεμά ή για καφέ και μετά γυρίζω στο ξενοδοχείο μου και κοιμάμαι. Γιατί ρωτάς;»

«Προσπαθώ να σε φανταστώ...»

«Αυτό ήταν όλο;»

«Όχι... δηλαδή, θέλω να σε ρωτήσω και κάτι ακόμη...»

«Σε ακούω».

«Δε θα θυμώσεις;»

«Δε νομίζω...»

«Μπαμπά, θα ξαναπαντρευτείς;»

«Αυτό που με ρωτάς δεν είναι τόσο απλό. Είναι νωρίς ακόμη για κάτι τέτοιο... ίσως αργότερα... Αν δηλαδή βρω κάποια...»

«Και δεν την έχεις βρει;»

«Όχι βέβαια!»

«Μα αν δεν αγάπησες άλλη, τότε γιατί μας άφησες;»

Μπήκε στον πειρασμό να ρωτήσει ποιος ήταν αυτός που της είχε πει κάτι τέτοιο, αλλά κρατήθηκε. Αφού μπορούσε να υποθέσει, δεν είχε νόημα να φέρει σε δύσκολη θέση το παιδί του. «Καρδούλα μου, δε σας άφησα! Απλώς συμφωνήσαμε με τη μαμά ότι δεν μπορούμε πια να ζήσουμε μαζί και από το να κοροϊδεύουμε ο ένας τον άλλο, ήταν καλύτερα να χωρίσουμε».

«Και ο θείος Βασίλης;»

«Ποιος είναι αυτός;»

«Αυτός που είδες στο σπίτι μας την περασμένη Κυριακή! Είναι συνέχεια με τη μαμά! Λες να τον αγαπάει;»

«Γιατί δε ρωτάς τη μαμά να σου πει;»

«Τη ρώτησα και μου είπε ότι είναι ένας πολύ καλός της φίλος!»

«Τότε, να πιστέψεις αυτό που σου είπε! Όλοι έχουμε φίλους! Κι εγώ έχω τρεις φίλες που θέλω να γνωρίσεις!»

«Τρεις; Πολλές δεν είναι;»

«Τι να κάνουμε; Πάνε όλες μαζί!»

«Και πώς τις λένε;»

«Ελπίδα, Ναταλία και Μαρίνα!»

«Είναι όμορφες;»

«Μμμ... Νομίζω ναι...»

«Είναι καλές;»

«Πολύ! Αλλά θα περιμένω και τη δική σου γνώμη!»

«Πότε θα τις γνωρίσω;»

«Θα δούμε! Για την ώρα, πρέπει να γνωριστούμε οι δυο μας».

«Η μαμά είπε ότι κάποιο σαββατοκύριακο θα μπορούσαμε να μείνουμε μαζί, αλλά δε γίνεται γιατί δεν έχεις σπίτι!»

«Η μαμά έχει δίκιο. Εσύ θα ήθελες να μείνεις μαζί μου για ένα σαββατοκύριακο;»

«Μμμ... Νομίζω ότι δε θα μου άρεσε να μείνω στο ξενοδοχείο».

«Ούτε και μένα θα μου άρεσε κάτι τέτοιο, γι' αυτό νοίκιασα ένα σπίτι!»

«Αλήθεια; Και γιατί δε με πήγες σήμερα να το δω;»

«Γιατί δεν είναι έτοιμο ακόμη! Θέλω να το φτιάξω πρώτα και μετά θα είσαι η πρώτη μου επίσημη καλεσμένη! Τι λες;»

«Μπαμπά, δε θα τα καταφέρεις! Η μαμά λέει ότι είσαι ανίκανος να φροντίσεις τον εαυτό σου! Πώς θα μπορέσεις να φτιάξεις ένα ολόκληρο σπίτι; Ποιος θα σου μαγειρεύει; Η μαμά λέει...»

Διέκοψε σταθερά το φερέφωνο της Αντιγόνης. «Πολύ φοβάμαι ότι η μαμά κάνει λάθος, αγαπούλα μου! Θυμάται τον παλιό Κωστή, αλλά από τότε έχουν αλλάξει πολλά! Πρώτα απ' όλα, όπως σου είπα, έχω τρεις θαυμάσιες φίλες που με βοηθούν με όλη τους την καρδιά! Αυτές θα με μάθουν να ζω μόνος και να φροντίζω και τον εαυτό μου, αλλά και σένα όταν θα έρχεσαι!»

«Θα σε μάθουν και να μαγειρεύεις;»

«Φυσικά! Δεν μπορούμε να τρώμε έξω συνεχώς!»

«Μπαμπά;»

«Ορίστε, κορίτσι μου...»

«Ξέρει καμιά από τις φίλες σου να φτιάχνει κέικ σοκολάτας;»

«Δεν ξέρω. Γιατί ρωτάς;»

«Γιατί θα ήθελα να μάθεις να φτιάχνεις κι εσύ! Πώς θα γίνει σπίτι χωρίς κέικ σοκολάτας;»

«Περίεργες απόψεις έχεις για το σπίτι! Είσαι σίγουρη ότι μιλάμε για κέικ σοκολάτας;»

«Αν έχει και γκλάσο σοκολάτας από πάνω, ακόμη καλύτερα!»

Της χαμογέλασε και της χάιδεψε το μάγουλο. Θα μπορούσε να τραγουδήσει από ευτυχία αν δεν τον προβλημάτιζε εκείνο το κέικ σοκολάτας, που έπρεπε να έχει και γκλάσο από πάνω!

«Πρέπει να μάθω οπωσδήποτε να φτιάχνω κέικ σοκολάτας!» ανακοίνωσε με συντριβή στην παρέα το ίδιο βράδυ.

«Ορίστε;» Η Ελπίδα κοίταξε τις άλλες δύο με την απορία μήπως ο φίλος τους είχε τρελαθεί.

Ήταν όλες εκεί και καθάριζαν το καινούργιο του σπίτι, με τη Μαρίνα να διαμαρτύρεται συνεχώς για τη ζημιά του μανικιούρ της μέχρι που έφερε την Ελπίδα στα όριά της. Θα είχε ξεσπάσει καβγάς, αν η Ναταλία δεν είχε φέρει ένα ζευγάρι γάντια από το σπίτι της. Και τώρα το κέικ σοκολάτας!

«Τι είπες μόλις τώρα;» συνέχισε η Ελπίδα.

Τους μετέφερε με λίγα λόγια ό,τι είχε συζητηθεί με το παιδί και κατέληξε: «Νομίζω ότι πάμε πολύ καλά!»

«Μόνο καλά;» έκανε η Ναταλία και τον πλησίασε. «Φαίνεται ότι το παιδί σ' αγαπάει πολύ, παρ' όλα τα εμπόδια που βάζει η γυναίκα σου και παρ' όλη την αδιαφορία τη δική σου τόσα χρόνια!»

«Σ' το είχα πει ότι τα παιδιά έχουν ένστικτο!» θριαμβολόγησε η Μαρίνα ανεβασμένη στη σκάλα για να φτάνει τα ψηλά ντουλάπια. «Η μικρή ξέρει ότι την αγαπάς!»

«Λέτε;»

«Θέλει και ρώτημα;»

«Ναι, αλλά τι θα γίνει με το κέικ σοκολάτας;»

Η Ελπίδα χτύπησε απελπισμένη το μέτωπό της. «Κοίτα πού κόλλησε τώρα! Παλικάρι μου, πριν από το κέικ πρέπει να μάθεις να βράζεις κανένα αυγό! Να πλένεις κανένα πουκάμισο! Και πριν απ' όλα αυτά, σήκωσε τα μανίκια και κάνε τα τζάμια!» ξέσπασε και του πέταξε ένα πανί.

Συμμορφώθηκε...

Το αποτέλεσμα ήταν πέρα από κάθε προσδοκία. Μπορούσε να καμαρώνει για το σπίτι του. Και ενώ όσο ζούσε με την Αντιγόνη ελάχιστα πρόσεχε τις λεπτομέρειες, τώρα χαιρόταν με το καθετί. Το μοναδικό του πρόβλημα, η συντήρησή του δηλαδή, λύθηκε με τη βοήθεια της ιδιοκτήτριας που ήξερε την κυρία Νέλλη. Μια γυναίκα που θα ερχόταν δύο φορές τη βδομάδα και θα τον φρόντιζε. Έμαθε όμως και ο ίδιος να βάζει πλυντήριο χωρίς ν' ανακατεύει τα ρούχα. Ξεπέρασε γρήγορα, χάρη στο εντατικό φροντιστήριο της Ναταλίας, το πόσο τον μπέρδευαν οι διαφορετικές θερμοκρασίες και έτσι γλίτωσε από την υποχρεωτική ανανέωση των ρούχων του. Αυτό που έβρισκε εξαιρετικά εύκολο ήταν το σκούπισμα και το ξεσκόνισμα. Κάποιες φορές τον βοηθούσε και η Μαρίνα, αλλά εκείνη ήταν πιο απρόσεκτη από εκείνον και αρκετές φορές τού ανανέωσε κάποια αντικείμενα που του είχε σπάσει. Το σιδέρωμα ήταν μεγάλο πρόβλημα, αλλά η Ελπίδα δεν τον άφησε σε ησυχία μέχρι που κανένας δε θα μπορούσε να υπερηφανευτεί ότι σιδέρωνε καλύτερα τα πουκάμισα απ' ό,τι ο ίδιος. Η κυρία Νέλλη τον μάλωνε που δεν της άφηνε περισσότερες δουλειές αλλά εκείνος ήθελε να τα μάθει όλα. Παρέμενε βέβαια το πρόβλημα με το κέικ, αλλά πρώτα σειρά είχαν τα μαθήματα μαγειρικής.

Απόλυτη τάξη επικρατούσε στην κουζίνα. Στον πάγκο περίμενε ένα λαχταριστό κομμάτι κρέας για να μαγειρευτεί, αλλά υπήρχε χρόνος. Η μαγείρισσα στο σπίτι της Μαρίνας απολάμβανε τον πρωινό καφέ της συντροφιά με κουλουράκια. Ήταν η αγαπημένη της ώρα. Έπιανε δουλειά στις επτά και μισή και έφευγε στις τρεις κάθε μέρα εκτός Κυριακής.

Η πρώτη της ασχολία ήταν να ετοιμάσει τους δίσκους των αφεντικών με το πρωινό τους. Αμέσως μετά ήταν η ώρα του καφέ της. Μέσα στα καθήκοντά της ήταν το μαγείρεμα του μεσημεριανού φαγητού και η προετοιμασία κάποιας σαλάτας, γιατί κανένας από το ζευγάρι δεν έτρωγε το βράδυ. Άλλωστε, τις περισσότερες φορές δεν ήταν καν στο σπίτι. Εκτός από τα καθιερωμένα, έφτιαχνε κουλουράκια, κέικ και τάρτες που άρεσαν στον Νικήτα. Υποχρέωσή της ήταν και ο ανεφοδιασμός. Το ψυγείο και τα ντουλάπια έπρεπε να είναι πάντα γεμάτα, σε περίπτωση που η Μαρίνα ήθελε να μαγειρέψει κάτι. Τέσσερα χρόνια όμως, που δούλευε στο σπίτι της η Αγγέλα, το πρωί έβρισκε την κουζίνα όπως την είχε αφήσει. Κανένας δεν την είχε επισκεφθεί, κανένας δεν είχε φτιάξει ούτε καφέ.

Φυσικά όταν η Μαρίνα είχε κόσμο το βράδυ, η Αγγέλα δούλευε όλη τη μέρα και έφευγε όταν αποχωρούσε και ο τελευταίος καλεσμένος και η κουζίνα άστραφτε πεντακάθαρη. Δεν είχε παράπονο όμως. Πληρωνόταν καλά, της έκαναν δώρα και η Μαρίνα ήταν πολύ καλός άνθρωπος, χωρίς ιδιοτροπίες. Ποτέ δεν την ενοχλούσε, ποτέ δεν ανακατευόταν στη δουλειά της και πάντα είχε να της πει έναν καλό λόγο. Τον άντρα της δε συμπαθούσε, αλλά αυτόν δεν τον έβλεπε σχεδόν καθόλου.

Το κουλουράκι που κρατούσε έπεσε στον καφέ και έμεινε εκεί, καθώς η Αγγέλα πετάχτηκε όρθια από την κατάπληξη, όταν είδε μπροστά της τη Μαρίνα.

«Κυρία Μαρίνα! Εσείς εδώ;» ρώτησε και τα μάτια της είχαν γουρλώσει με πολύ κωμικό τρόπο.

«Γιατί κάνεις έτσι, κυρία Αγγέλα; Είναι τόσο παράξενο να μπω στην κουζίνα του σπιτιού μου;»

«Όχι αλλά επειδή δεν το συνηθίζετε...»

«Καιρός ν' αλλάξω συνήθειες, λοιπόν! Εκτός αν σε ενοχλώ...»

«Μα τι λέτε τώρα;»

Η Μαρίνα κάθισε και η μαγείρισσα τη μιμήθηκε. Ύστερα όμως συνειδητοποίησε τι έκανε και σηκώθηκε απότομα.

«Να σας φτιάξω κάτι; Έναν καφέ; Τσάι μήπως ή προτιμάτε χυμό;»

«Δε θέλω τίποτα! Να μιλήσουμε θέλω!»

«Υπάρχει κάποιο πρόβλημα; Μήπως δεν ήταν εντάξει το πρωινό; Μήπως δε σας άρεσε το χθεσινό φαγητό; Η τυρόπιτα ήταν αλμυρή! Και το είπα εγώ! Το τυρί που μου έφεραν δεν ήταν το ίδιο με την άλλη φορά!»

«Ηρέμησε, κυρία Αγγέλα!» την έκοψε γελώντας η Μαρίνα. «Όλα είναι άψογα, όπως πάντα! Δεν έχω κανένα παράπονο από σένα!»

«Δόξα σοι ο Θεός! Με τρομάξατε! Αλλά τότε... γιατί στην κουζίνα πρωί πρωί; Α, κατάλαβα! Θα έχετε κόσμο! Πότε; Τι να σας φτιάξω; Ψάρι; Ή μήπως προτιμάτε...»

«Αμάν, κυρία Αγγέλα μου! Άσε με να μιλήσω! Ούτε κόσμο θα έχω, ούτε τίποτε άλλο συμβαίνει!»

«Μα τότε...;»

«Κέικ σοκολάτας με γκλάσο σοκολάτας ξέρεις να φτιάχνεις;»

«Ορίστε;»

«Πρέπει να το επαναλάβω;»

«Όχι, όχι ! Κατάλαβα!»

«Λοιπόν, ξέρεις;»

«Φυσικά και ξέρω, αλλά δεν το φτιάχνω γιατί δεν αρέσει στον κύριο Νικήτα και εσείς πάντα προσέχετε τη γραμμή σας. Θέλετε να σας φτιάξω;»

«Όχι! Θέλω να με μάθεις να το φτιάχνω εγώ!»

Πάλι γούρλωσαν τα μάτια της μαγείρισσας από την έκπληξη, αλλά αυτή τη φορά προστέθηκε και η απορία στο βλέμμα της.

Ήταν πάντως καλύτερο από το ύφος της μητέρας της αργότερα. Μπήκε στην κουζίνα, την ώρα που η Μαρίνα, κάτω από το άγρυπνο μάτι της Αγγέλας, γκλασάριζε το κέικ. Τα είχε καταφέρει εξαιρετικά για γυναίκα που μέχρι εκείνη τη στιγμή δεν ήξερε να ξεχωρίσει το αλεύρι από την άχνη ζάχαρη. Πάντως η μητέρα της δε φάνηκε να χαίρεται την πρόοδό της.

«Όταν μου είπε η καμαριέρα σου πού ήσουν, δε θέλησα να το πιστέψω! Ακόμη και τώρα που αντικρίζω αυτό το... θέαμα, νομίζω ότι δε βλέπω καλά!» της είπε αυστηρά.

«Γιατί, μαμά; Είναι τόσο παράξενο μέρος η κουζίνα για μια γυναίκα;»

«Για την κόρη μου δεν είναι παράξενο! Είναι απαράδεκτο! Τι κάνεις εκεί;»

«Βάζω γκλάσο στο κέικ που μου έμαθε να φτιάχνω η κυρία Αγγέλα! Τι πρόβλημα έχεις;»

«Θα σου πω, αν με ακολουθήσεις στο σαλόνι, αφού βγάλεις την ποδιά που φοράς! Χριστέ μου! Τι άλλο θα δω;»

Η Φωτεινή έκανε μεταβολή και έφυγε. Η Μαρίνα έκλεισε πονηρά το μάτι στην Αγγέλα που ζούσε απανωτές εκπλήξεις και αποτελείωσε τη δουλειά της χωρίς να αγχώνεται. Ήξερε τι την περίμενε από τη μητέρα της και δε βιαζόταν καθόλου ν' ακούσει άλλη μια κατήχηση για... ανάρμοστη συμπεριφορά.

Έφυγε από την κουζίνα, αφού έδωσε οδηγίες στην Αγγέλα: «Άφησέ το να κρυώσει και μετά βρες ένα κουτί και βάλ' το! Θα το πάρω μαζί μου το απόγευμα!»

Η Φωτεινή στο σαλόνι αδημονούσε. Καθισμένη σε μια πολυθρόνα, χτυπούσε νευρικά τα νύχια της στο τραπεζάκι. Πετάχτηκε όρθια μόλις μπήκε η κόρη της. «Επιτέλους! Περιμένω τόση ώρα!»

«Έπρεπε να τελειώσω με το γκλάσο! Ξέρεις, αν κρυώσει, μετά δεν απλώνεται τόσο εύκολα και δεν μπορείς να το ξαναζεστάνεις γιατί θα σβολιάσει!»

«Να χαρείς! Σταμάτα με τις νεοαποκτηθείσες γνώσεις σου γύρω από την κουζίνα! Δε με ενδιαφέρουν καθόλου!»

«Εντάξει, δε θα σε ζαλίσω! Πες μου τι θέλεις! Είμαι στη διάθεσή σου!»

«Γιατί δεν ήρθες στο κομμωτήριο σήμερα;»

«Οχ! Είχα ραντεβού; Το ξέχασα τελείως!»

«Ξέχασες να έρθεις στο κομμωτήριο και θυμήθηκες να πας στην κουζίνα;»

«Ήθελα να μάθω να φτιάχνω κέικ σοκολάτας!»

«Χρυσό μου, είσαι καλά; Τι έχεις πάθει τον τελευταίο καιρό; Εξαφανίστηκες από τις παρέες σου! Δεν εμφανίζεσαι σε καμία συγκέντρωση, αμφιβάλλω αν θυμάσαι πώς παίζουν χαρτιά, για να μη θυμηθώ το τένις κλαμπ και με πιάσει κρίση! Στο ινστιτούτο, κάνεις τ' απολύτως απαραίτητα και φεύγεις σαν να σε κυνηγούν! Σήμερα δεν ήρθες στο κομμωτήριο ενώ έμαθα ότι απάντησες αρνητικά στην πρόσκληση για τη δεξίωση του Κυρίτση! Μαρίνα, τι έχεις πάθει;»

«Με κατηγορείς για κάτι συγκεκριμένο, μαμά; Μου τα είπες πολλά και μπερδεύτηκα!»

«Θα σε ρωτήσω καθαρά και θέλω μια ειλικρινή απάντηση: Έχεις εραστή;»

Η Φωτεινή πήρε σαν απάντηση το δυνατό γέλιο της κόρης της.

«Ορίστε! Γελάς! Και μάλιστα δυνατά! Ούτε αυτό είναι φυσιολογικό!»

Το γέλιο σταμάτησε απότομα. Η Μαρίνα κάρφωσε τη μητέρα της μ' ένα βλέμμα. «Ώστε βρίσκεις αφύσικο το γέλιο, μαμά; Προτιμάς το παγωμένο χαμόγελο της κερένιας κούκλας που με μάθατε ότι είναι πιο... σικ;»

«Μα τι είναι αυτά που λες; Και γιατί δεν απαντάς στην ερώτηση που σου έκανα;»

«Αν έχω εραστή; Όχι, μαμά! Δεν υπάρχει τέτοια περίπτωση!»

«Τότε τι είναι; Ο άντρας σου έχει φρικτά παράπονα από σένα!»

«Α, μπα; Ήρθε και κλάφτηκε σ' εσάς;»

«Τι έκφραση! Άκου "κλάφτηκε"! Ο Νικήτας δεν είναι καμιά γυναικούλα! Απλώς μας ανέφερε τα προβλήματα που αντιμετωπίζει μ' εσένα, εξαιτίας κάποιων... τυχαίων ανθρώπων που τώρα τελευταία έχεις επιτρέψει να σε πλαισιώνουν! Και σε ρωτάω πάλι: Μήπως είναι κάτι άλλο; Μήπως αυτός ο πώς τον λένε...;»

«Κωστή τον λένε!»

«Ε, λοιπόν, μήπως μ' αυτόν...»

Το κέικ ήταν τοποθετημένο στο κάθισμα του συνοδηγού με τέτοιο τρόπο, ώστε να φτάσει ακέραιο στο σπίτι του Κωστή που ήταν ο προορισμός του. Δεν ήθελε να θυμάται όσα είχαν συζητηθεί με τη μητέρα της το πρωί και είχε βάλει δυνατά το ραδιόφωνο για να μπλοκάρει τις σκέψεις, αλλά μάταια. Ήταν από τις λίγες φορές που είχε λογομαχήσει με τη μητέρα της και τώρα που το ξανασκεφτόταν κάτι δεν της άρεσε. Φαινόταν πολύ νευρική, εκείνη που ήταν το πρότυπο της αταραξίας. Ή ο Νικήτας την είχε κάνει βαπόρι ή κάτι άλλο συνέβαινε. Μπα... μάλλον ο άντρας της είχε κάνει το θαύμα του.

Πάντως είχε ειλικρινά προσπαθήσει να δώσει στη μητέρα της να καταλάβει τι σήμαιναν αυτοί οι άνθρωποι για εκείνη. Φυσικά δεν ήταν βέβαιο ότι τα είχε καταφέρει. Υπήρχαν λέξεις και έννοιες που ήταν ανύπαρκτες στο λεξιλόγιό της.

«Τι θα πει *πληρότητα*, *συντροφικότητα* και *ζεστασιά*;» την είχε ρωτήσει κάποια στιγμή. «Άκου ζεστασιά! Δηλαδή, πριν τους γνωρίσεις αυτούς, κρύωνες;»

«Αυτό κατάλαβες εσύ;»

«Μα τι να καταλάβω από τις ασυναρτησίες που μου λες τόση ώρα; Και απορώ γιατί κάθομαι και σε ακούω, αντί να σου δώσω το τηλέφωνο του ψυχίατρου!»

Ήταν πλέον ηλίου φαεινότερον ότι δεν μπορούσαν να συνεννοηθούν. Πώς να της εξηγήσει ότι αισθανόταν πάλι ζωντανή; Πώς να της δώσει να καταλάβει ότι αγαπούσε αυτά τα τρία πλάσματα, ότι η ζωή της είχε ενδιαφέρον τώρα; Ότι ξαφνικά το γκρίζο που αισθανόταν να την κυκλώνει φωτίστηκε από τη λιακάδα μιας φιλίας; Οι τσουχτερές παρατηρήσεις της Ελπίδας, η γλυκύτητα της Ναταλίας, το χιούμορ του Κωστή, όλα αυτά που έκαναν την ψυχή της να ξαναβγεί στην αληθινή ζωή, τα μάτια της ν' ανοίξουν στην πραγματικότητα...

Κανένα από αυτά τα επιχειρήματα δεν μπορούσε να διαπεράσει τη Φωτεινή. Τουλάχιστον πείστηκε ότι σ' αυτή την ιστορία δεν υπήρχε τίποτα μεμπτό, τίποτα πονηρό. Έφυγε με τη βεβαιότητα ότι η κόρη της δεν είχε εραστή, αλλά διερχόταν μια φάση εκκεντρικότητας που οδηγούσε στη συναναστροφή των λαϊκών στρωμάτων. Αυτή η διάγνωση την καθησύχαζε.

Η Μαρίνα φρέναρε μαλακά και έψαξε μια θέση για να παρκάρει. Ύστερα από δεκαπέντε λεπτά αγωνιώδους και άκαρπης αναζήτησης, ορκίστηκε ότι την επόμενη φορά θα έπαιρνε ταξί. Καβάλησε ένα πεζοδρόμιο και βγήκε χωρίς να ρίξει πίσω της ούτε βλέμμα. Το πολύ πολύ να το έπαιρνε ο γερανός!...

Ο Κωστής κοίταξε με αηδία τις... πρώτες ύλες μπροστά του. Η Ελπίδα είχε βάλει τον κιμά σ' ένα μπολ, η Ναταλία είχε προσθέσει το κρεμμύδι, τη φρυγανιά, το αυγό και όλα τα υπόλοιπα.

«Και τώρα, κορίτσια; Τι το κάνουν αυτό;»

«Τώρα, πουλάκι μου, σηκώνεις τα μανίκια, πλένεις τα χεράκια και το ζυμώνεις... αυτό!»

«Είναι τουλάχιστον αηδιαστικό!» διαμαρτυρήθηκε αργότερα με τα χέρια μέσα στους κιμάδες.

«Ναι, αλλά τα μπιφτεκάκια που θα φάμε αργότερα θα είναι νοστιμότατα και, επιπλέον, φτιαγμένα από τα χεράκια σου!» τον ειρωνεύτηκε η Ελπίδα, αλλά μέσα της παραδεχόταν ότι ο Κωστής τα πήγαινε θαυμάσια. Μάθαινε γρήγορα και είχε θέληση. Είχε εκτιμήσει το γεγονός ότι δεν εκμεταλλεύτηκε ποτέ την προθυμία τους να τον βοηθήσουν, παρά περιορίστηκε στα μαθήματα... οικοκυρικής. Μόλις το προηγούμενο βράδυ τούς είχε κάνει πάλι το τραπέζι με μιαν αξιοπρεπή μακαρονάδα με νόστιμη σάλτσα και τώρα τα μπιφτέκια ήταν έτοιμα για το φούρνο.

«Τελικά, είσαι καλό παιδί!» του πέταξε απροσδόκητα, και ο Κωστής ήξερε πόσο πολλά σήμαινε αυτή η απλή παρατήρηση προερχόμενη από την Ελπίδα.

Έπειτα ήρθε η Μαρίνα και το... κέικ. Γενική επιδοκιμασία. «Εγώ το έφτιαξα!» δήλωσε περήφανη.

«Τότε πρέπει να το ξανασκεφτούμε πριν το δοκιμάσουμε!» την πείραξε ο Κωστής, και η Μαρίνα αρπάχτηκε.

«Α, ώστε έτσι! Δε φταίει κανείς! Εγώ φταίω που έβαλα τη μαγείρισσά μου να μου το μάθει για να σου το δείξω! Άθλιε και αχάριστε τύπε! Που, αν θέλεις να μάθεις, εγώ ποτέ άλλοτε δεν...»

«Έλεος, κορίτσι μου!» την έκοψε η Ελπίδα. «Με μοτεράκι δουλεύεις; Ένα αστείο έκανε το παιδί και λίγο ακόμη και θα του πάρεις το κεφάλι!»

Η Ναταλία έφερε ένα μαχαίρι. «Μου επιτρέπεις να δοκιμάσω;» ρώτησε.

«Αστειεύεσαι; Μακάρι να το φας όλο και να μην προλάβει ούτε ψίχουλο αυτός!» της απάντησε η θιγμένη και αγριοκοίταξε τον Κωστή.

Το ύφος της Ναταλίας έδειχνε την ικανοποίησή της μετά την πρώτη μπουκιά. «Δεν έχω φάει καλύτερο κέικ σοκολάτας!» τους πληροφόρησε και ο Κωστής βιάστηκε να δοκιμάσει και να συμφωνήσει, όπως και η Ελπίδα που τον μιμήθηκε.

«Σου οφείλω μια συγγνώμη...» άρχισε μετανοημένος τάχα ο Κωστής.

«Ναι, αλλά θα το σκεφτώ αν θα τη δεχτώ!»

«Ακόμη και αν τη συνοδεύσω μ' ένα φιλί;»

Έπαιζαν σαν παιδιά... Τώρα πια δε χρειαζόταν να περιμένουν άλλο. Είχε έρθει η ώρα η μικρή πριγκίπισσα Ισμήνη να επιθεωρήσει τις προσπάθειές τους και όλοι έλπιζαν στην εύνοιά της.

Πάντως, ο Κωστής ήταν πια πανέτοιμος. Όρθιος και περήφανος για όσα είχε καταφέρει. Είχε από καιρό καταλάβει ότι δεν είχε βελτιωθεί μόνο η ζωή του αλλά και ο ίδιος. Είχε γίνει καλύτερος άνθρωπος, ό,τι κι αν σήμαινε αυτό. Η δουλειά του είχε κερδίσει σε ποιότητα και προκάλεσε επαίνους από τον πρόεδρο. Αυτό όμως που μετρούσε περισσότερο ήταν άλλο. Επιτέλους, έβλεπε! Όχι με το αδιάφορο και τυπικό βλέμμα τού πριν, αλλά με το γεμάτο ανθρωπιά και ουσία τού τώρα.

Η Ευγενία τα έχασε όταν μια μέρα της είπε: «Τι έχεις; Πονάς πουθενά; Σε είδα πριν να κάνεις ένα μορφασμό».

«Εεε... όχι... λίγο το κεφάλι μου», απάντησε εκείνη.

«Μήπως είσαι άρρωστη; Θέλεις να φύγεις; Θέλεις να σε πάω σπίτι σου να ξαπλώσεις;»

«Μα δε χρειάζεται! Πήρα παυσίπονο και είμαι ήδη καλύτερα!»

«Το ύφος σου πάντως δεν είναι! Γιατί με κοιτάζεις έτσι;»

«Γιατί, αφεντικό, δεν ξέρω τι συμβαίνει μ' εσένα, αλλά τον τελευταίο καιρό δε σε αναγνωρίζω!»

«Γιατί, Ευγενία; Τι έκανα;»

«Όχι... δεν είναι τι έκανες... αλλά...»

«Πρέπει ν' ανησυχήσω;»

«Το αντίθετο! Είσαι πιο ανθρώπινος, αφεντικό. Όταν με κοιτάζεις, ξέρω πια ότι με βλέπεις. Όταν σου φέρνω τους φακέλους, θυμάσαι να πεις "ευχαριστώ" ή κάτι άλλο εξίσου ευγενικό. Σήμερα πρόσεξες ότι δεν είμαι καλά. Προχθές μου έφερες τυρόπιτα γιατί θα δουλεύαμε υπερωρίες για το καινούργιο υποκατάστημα και σκέφτηκες ότι μπορεί να πεινούσα...»

«Δηλαδή, ήμουν τόσο αναίσθητος παλιά;»

«Μάλλον απορροφημένος στον κόσμο σου θα έλεγα. Κι αυτός ο κόσμος ήταν γεμάτος μόνο από αυτοκίνητα. Εδώ που τα λέμε, τι καλό να περιμένεις όταν κάνεις παρέα μόνο με μηχανές;»

«Πάντα ευγενική και καλοπροαίρετη, αλλά στη συγκεκριμένη περίπτωση θέλω την αλήθεια!»

«Ε, η αλήθεια είναι ότι μας έβλεπες όλους σαν μηχανές και το μόνο που σ' ενδιέφερε ήταν να κάνουμε σωστά τη δουλειά μας».

«Και δε μου είπες τίποτα;»

«Πρώτα απ' όλα, δε συνηθίζεται να κάνεις παρατηρήσεις στον προϊστάμενο! Κι έπειτα, πώς να διαμαρτυρηθεί κανείς όταν εσύ πρώτος επέβαλλες αυτούς τους ρυθμούς στον εαυτό σου; Πρώτος ερχόσουν και τελευταίος έφευγες. Εγώ έπρεπε να κοιτάω το ρολόι μου;»

«Λυπάμαι, δεν είχα καταλάβει ότι είχα καταντήσει έτσι».

«Σημασία έχει ότι το κατάλαβες εγκαίρως και άλλαξες».

«Μάλλον με... άλλαξαν και πολύ καλά μού έκαναν!»

Τα είπε όλα στη Ναταλία. Είχε πάει σπίτι της να τη βοηθήσει να σηκώσουν επιτέλους τις φλοκάτες και τις κουβέρτες της και να τις βάλουν στο πατάρι. Με τις δικές του αναταράξεις, δεν είχε προλάβει εκείνη να κάνει τις δουλειές της. Πεσμένος στα τέσσερα, χωμένος στον μικρό χώρο, πασπαλισμένος με ναφθαλίνες, συνέχιζε πότε να μιλάει και πότε να παραμιλάει. Η Ναταλία, όρθια στη σκάλα, ακούμπησε τους αγκώνες στο περβάζι του παταριού και τον παρακολουθούσε χαμογελώντας.

Κάποια στιγμή ο Κωστής την πρόσεξε. Έβαλε την τυλιγμένη κουβέρτα στη θέση της και μετά κάθισε οκλαδόν. «Μπορείς να μου πεις γιατί χαμογελάς; Σου φαίνεται αστεία η κατάντια μου;»

«Μήπως είσαι λίγο υπερβολικός;»

«Ναταλία, η ίδια η γραμματέας μου μου είπε ότι είχα

γίνει ένας αναίσθητος του κερατά και δεν τολμούσε να μου πει κουβέντα η κακομοίρα! Δε μ' ενδιέφεραν οι άνθρωποι, αλλά το αν ήταν καλοί στη δουλειά τους!»

«Αυτό δεν κάνει ένας προϊστάμενος; Έχεις την εντύπωση ότι ο εκδότης για τον οποίο δουλεύω, όταν με κοιτάζει, με βλέπει κιόλας; Δεκάρα δε δίνει αν έχω πονοκέφαλο, αν είμαι άρρωστη, αν υποφέρω! Το μόνο που τον νοιάζει είναι να κάνω καλά τη δουλειά για την οποία πληρώνομαι!»

«Πίστευα ότι ήμουν διαφορετικός! Με την Ευγενία είχαμε μιαν άλλη σχέση... φιλική!»

«Είσαι ρομαντικός αν νομίζεις ότι μπορεί να υπάρξει φιλία ανάμεσα σε προϊστάμενο και υφιστάμενο! Χαλάρωσε! Παντού γίνεται το ίδιο! Έπειτα, δε φαντάζομαι ότι τα πράγματα ήταν τόσο τραγικά όσο μου τα λες! Εντάξει, μπορεί να σε είχε απορροφήσει λίγο περισσότερο η δουλειά σου, αλλά...»

«Ναταλία, είσαι κι εσύ πολύ ευγενική για να μου πεις κατάμουτρα την αλήθεια! Έπειτα, μην ξεχνάς ότι με γνώρισες όταν τα χαστούκια είχαν ήδη βρει το στόχο τους! Τελικά είχε δίκιο η Αντιγόνη! Δεν πιστεύω ότι το παραδέχομαι, αλλά είχε απόλυτο δίκιο! Ήμουν εγωιστής, εργασιομανής, τυφλός, αναίσθητος...» Ένα δυνατό φτέρνισμα διέκοψε το κατηγορώ του.

Η Ναταλία έβαλε τα γέλια. Ο Κωστής την κοίταξε με απορία και εκείνη βιάστηκε να του εξηγήσει. «Είσαι καθισμένος στο πατάρι μου, εγώ όρθια στη σκάλα, συζητάμε σαν να είμαστε στο σαλόνι της Μαρίνας και επιπλέον σ' έπιασε φτέρνισμα από τη ναφθαλίνη! Είμαστε για γέλια και οι δύο!»

Εκείνο το βράδυ έμειναν τελικά οι δυο τους. Η Ελπίδα ήταν νυχτερινή και η Μαρίνα είχε κόσμο στο σπίτι. Πήγαν στον κινηματογράφο, αλλά μελαγχόλησαν με την ταινία και για να συνέλθουν, πήγαν να πιουν ένα ποτό. Στο μπαράκι τούς πέτυχε το λακωνικό τηλεφώνημα της Μαρίνας.

«Πήρα εντελώς τυχαία την Ελπίδα και δεν είναι καλά. Κάτι έγινε απόψε εκεί. Εγώ ξεμπέρδεψα με τους καλεσμένους και φεύγω τώρα για το νοσοκομείο», τους είπε.

Έφτασαν και οι τρεις ταυτόχρονα και συναντήθηκαν στην είσοδο. Βρήκαν την Ελπίδα στο γραφείο της, με τα χείλη σφιγμένα και τα μάτια καρφωμένα στον απέναντι τοίχο. Δεν τους μίλησε, δεν τους ρώτησε γιατί βρέθηκαν εκεί, ούτε εκείνοι είπαν τίποτε. Μπήκαν, κάθισαν και περίμεναν τη στιγμή που θα ήταν έτοιμη να τους πει τι την είχε φέρει σ' αυτή την κατάσταση.

Σχεδόν τρόμαξαν από τη χροιά της φωνής της, είκοσι λεπτά αργότερα. Λες και είχε σπάσει κάποια από τις φωνητικές της χορδές και έβγαζε αλλιώτικο ήχο. «Σπάσαμε ρεκόρ απόψε... Ποτέ άλλοτε δε χάσαμε τρεις σε μια νύχτα», άρχισε να μιλάει. «Ήταν τρομακτικό... δεν ήξερα πού να πρωτοτρέξω. Ώσπου να κλείσουμε τα μάτια του ενός άκουγα φωνές και κλάματα στην άλλη άκρη... Αχόρταγο το θηρίο απόψε. Δεν ξέρω γιατί μένω ακόμη σ' αυτή τη δουλειά. Σε οποιοδήποτε άλλο νοσοκομείο, οι ασθενείς επιστρέφουν σπίτια τους. Εδώ, στην καλύτερη περίπτωση, φεύγουν έχοντας κερδίσει μόνο μια μικρή παράταση».

«Ελπίδα...» τόλμησε μόνο ο Κωστής να τη διακόψει, «μη γίνεσαι άδικη μέσα στη λύπη σου. Και στ' άλλα νοσοκομεία πεθαίνει κόσμος!»

«Ναι, αλλά όχι με τη συχνότητα που συμβαίνει εδώ μέσα! Κανένας δε γλιτώνει!»

«Μόνη σου μας έχεις πει πόσους έχετε σώσει. Πόσοι έφυγαν με μια δεύτερη ευκαιρία στη ζωή!»

Η Ναταλία πήρε θάρρος. Την πλησίασε και γονάτισε μπροστά της. Πήρε τα χέρια της Ελπίδας στα δικά της. «Οι άνθρωποι χαιρόμαστε την επιτυχία πολύ λιγότερο απ' όσο στενοχωριόμαστε για την αποτυχία», προσπάθησε να την ησυχάσει. «Θυμήσου πόσο χαρούμενη ήσουν όταν υπογράφτηκε το εξιτήριο για εκείνη τη γυναίκα με τον όγκο στο στέρνο. Θυμήσου πόσες φορές έχεις χαρεί για παρόμοιες περιπτώσεις! Και θα ξαναχαρείς! Απλώς απόψε...»

«Απόψε χάσαμε τρεις! Ο ένας δεν είχε πατήσει τα σαράντα, η άλλη ήταν στην ηλικία μου και η τρίτη... δε θέλω να το σκέφτομαι! Μόλις δεκαεννιά χρόνων! Και δεν είναι ο θάνατος που με ανατριχιάζει, ούτε τον φοβάμαι! Είναι ο δρόμος που διαβαίνουν όλοι αυτοί μέχρι να τον συναντήσουν! Δεν μπορείτε να φανταστείτε τι βλέπουν τα μάτια μου κάθε μέρα! Η ανθρώπινη αξιοπρέπεια καταντάει θλιβερό αστείο! Το σώμα φτάνει στο ύστατο στάδιο εξαθλίωσης! Καταλήγω να σκέφτομαι ότι μερικοί κακώς περνούν αυτό το κατώφλι! Καλύτερα να πέθαιναν όρθιοι!»

«Ελπίδα, παραλογίζεσαι!» την έκοψε ο Κωστής που πήρε τη θέση της Ναταλίας μπροστά της. «Οι άνθρωποι αυτοί έρχονται γιατί εκτός από τη θεραπεία, που αρκετοί τη βρίσκουν, αναζητούν και την ελπίδα!»

«Όπου αντίθετα με όσα λέγονται εδώ μέσα δεν πεθαίνει τελευταία, αλλά πρώτη πρώτη για να γλιτώσει το διασυρμό της!» αποκρίθηκε εκείνη και σηκώθηκε.

«Νομίζω ότι δεν είσαι η αρμόδια για να το πεις αυτό!»

«Εγώ; Εγώ δεν είμαι η αρμόδια; Και ποιος είναι τότε; Εγώ δεν είμαι δίπλα τους κάθε στιγμή, εγώ δεν τους βλέπω να λιώνουν μέρα με τη μέρα; Να βασανίζονται και από τα συμπτώματα της αρρώστιας και από τη θεραπεία; Αν δεν ξέρω εγώ, τότε ποιος ξέρει;»

«Οι ίδιοι οι ασθενείς! Τους ρώτησες ποτέ; Τους ρώτησες πώς αισθάνονται; Τι νομίζεις λοιπόν; Ότι θέλει κανείς από αυτούς να πεθάνει; Όλοι ελπίζουν ότι όσα περνούν είναι προσωρινά, και για κάποιους είναι! Όλοι ελπίζουν ότι θα φύγουν από δω ζωντανοί και υγιείς, και κάποιοι το καταφέρνουν! Μην τολμήσεις λοιπόν ποτέ να υποτιμήσεις τη δουλειά που γίνεται εδώ και όπου αλλού πολεμούν την αρρώστια· κάθε αρρώστια!»

Η Ελπίδα σώπασε πιο ήρεμη τώρα. Είχε ξαναβρεί πάλι τον εαυτό της αν και φαινόταν αδύναμη από το σοκ.

Η Μαρίνα την πλησίασε δειλά. «Ελπίδα μου, μη χάνεις το κουράγιο σου. Δε φταις εσύ για ό,τι έγινε και είναι λογικό να αισθάνεσαι όπως αισθάνεσαι. Είσαι άνθρωπος κι εσύ... Αυτό το νοσοκομείο είναι ό,τι καλύτερο υπάρχει σ' αυτό τον πόλεμο. Χάνονται βέβαια μάχες, αλλά ο ίδιος ο πόλεμος συνεχίζεται, έτσι δεν είναι;»

«Υποθέτω πως ναι. Μάλλον μεγάλωσα και κουράστηκα. Δεν αντέχω τις καταδικασμένες μάχες».

Έμειναν μαζί της ως το πρωί. Κάθε φορά που ακουγόταν κάποιο κουδούνι από τους θαλάμους, πάγωναν. Παρακαλούσαν να τελειώσει εκείνη η νύχτα χωρίς να συμβεί κάτι άλλο τραγικό, γιατί έπειτα δε θα ήξεραν τι να κάνουν με την Ελπίδα. Παρόλο που εξωτερικά έδειχνε να έχει ξαναβρεί την αυτοκυριαρχία της, ήξεραν ότι ήταν στα όριά της.

Ο Κωστής και η Ναταλία πήγαν στη δουλειά τους κατευθείαν από το νοσοκομείο, ενώ η Μαρίνα, σταθερά και αποφασιστικά, παρέκαμψε όλες τις αντιρρήσεις της και πήρε την Ελπίδα σπίτι της για να τη φροντίσει και να μην είναι μόνη ύστερα απ' όσα είχε περάσει. Όταν έφτασαν, την πήγε κατευθείαν στην κουζίνα. Πάλι έκπληκτη η Αγγέλα, είδε την κυρία της να φροντίζει εκείνη τη γυναίκα που ήταν φανερό ότι είχε περάσει κάποιο σοκ, σχεδόν να την ταΐζει γάλα με κέικ, και στη συνέχεια να τη συνοδεύει στον ξενώνα. Ίσως να τα έχανε ακόμη περισσότερο, αν έβλεπε με πόση τρυφερότητα το ανεύθυνο μέχρι εκείνη τη στιγμή πλάσμα, για το οποίο εργαζόταν, είχε βοηθήσει τη φίλη της να γδυθεί και να ξαπλώσει. Με πόση αγάπη την είχε σκεπάσει και πόσο υπομονετικά είχε περιμένει να κοιμηθεί για να φύγει από το δωμάτιο, κλείνοντας την πόρτα πίσω της αθόρυβα.

Στη σκάλα συναντήθηκε με τον Νικήτα.

«Επιτέλους!» της είπε. «Πού ήσουν όλη τη νύχτα;»

«Στο *Αντικαρκινικό* με την Ελπίδα. Είναι μέσα και κοιμάται. Ήταν πολύ δύσκολη νύχτα η χθεσινή γιατί...»

«Ήσουν όλη τη νύχτα σ' ένα... τέτοιο νοσοκομείο;» Η φρίκη είχε αλλοιώσει τα χαρακτηριστικά του.

«Πώς κάνεις έτσι, Νικήτα; Ο καρκίνος δεν είναι μεταδοτική ασθένεια!»

«Αυτό το ξέρω! Δεν είμαι άσχετος!»

«Είσαι όμως αναίσθητος!»

«Τι έκανα πάλι; Δηλαδή είναι τόσο παράλογη η αντίδρασή μου μετά τα χθεσινά; Μόλις έφυγαν οι καλεσμένοι μας, με παράτησες για να πας σε... νοσοκομείο;»

«Εσύ ήσουν μια χαρά, η Ελπίδα όμως ήταν χάλια! Αλήθεια, ξέρεις πώς είναι να είσαι χάλια και ολομόναχος ή η μακαριότητα στην οποία ζεις δεν επιτρέπει τέτοιου είδους ανθρώπινα συναισθήματα;»

«Πάλι με προσβάλλεις;»

«Το προσπαθώ, αλλά αμφιβάλλω αν θα καταφέρω ποτέ να σε ξυπνήσω!»

«Μα δεν κοιμάμαι!»

«Η Ελπίδα όμως κοιμάται και έχει ανάγκη από ύπνο, γι' αυτό σε παρακαλώ πήγαινε στη δουλειά σου προτού την ξυπνήσεις!»

Η Ελπίδα ξύπνησε λίγο πριν από το μεσημέρι. Αν και δεν είχε κοιμηθεί πολύ, ένιωθε ήρεμη και ξεκούραστη. Κοίταξε γύρω της το δωμάτιο και χαμογέλασε. Δεν ήταν ν' απορεί κανείς που αισθανόταν τόσο καλά. Όταν κοιμάται κανείς σ' ένα παλάτι, σε μεταξωτά σεντόνια και φορώντας επίσης μεταξωτές πιτζάμες, έχει... υποχρέωση να ξυπνήσει τουλάχιστον ευδιάθετος. Ήξερε βέβαια ότι η αιτία της καλής της διάθεσης βρισκόταν σε αντίθετη κατεύθυνση με οτιδήποτε υλικό. Το προηγούμενο βράδυ είχε δίπλα της δικούς της ανθρώπους· το ένιωσε με κάθε κύτταρό της. Ένα τυχαίο τηλεφώνημα της Μαρίνας, η διαπίστωση ότι κάτι είχε γίνει και μόνο από τη φωνή της, ο συναγερμός στην παρέα, η άμεση και ουσιαστική τους παρουσία, όλα αυτά μαζί τής είχαν πει ό,τι χρειαζόταν να ξέρει γι' αυτή την τόσο ξαφνική όσο και δυνατή φιλία.

Σηκώθηκε από το κρεβάτι και εξερεύνησε το δωμάτιο: φίνο σε κάθε του λεπτομέρεια· πραγματικός ξενώνας. Τηλεόραση, ραδιόφωνο, μερικά βιβλία, ακόμη και ένα μικρό ψυγείο με νερό, αναψυκτικά και χυμούς σε περίπτωση που ο φιλοξενούμενος επιθυμούσε να πιει κάτι, άνετα έπιπλα, ζεστή ατμόσφαιρα και διακριτική πολυτέλεια. Άνοιξε την πόρτα που οδηγούσε σ' ένα μικρό μπάνιο. Θαύμασε τη διακόσμηση και αποφάσισε να το χρησιμοποιήσει μόλις είδε διπλωμένο ένα άσπρο αφράτο μπουρνούζι πάνω σε μια μπαμπού πολυθρόνα.

Βγήκε από το δωμάτιο μισή ώρα μετά, φορώντας ακόμη το μπουρνούζι. Μια κοπέλα που καθάριζε τη σκάλα τής είπε ότι η Μαρίνα την περίμενε στο μικρό καθιστικό. Τη βρήκε να ξεφυλλίζει αδιάφορα ένα περιοδικό.

Μόλις είδε την Ελπίδα να μπαίνει, η Μαρίνα σηκώθηκε στη στιγμή. «Ξύπνησες; Κοιμήθηκες καλά; Θέλεις καφέ; Μήπως πεινάς; Πώς είσαι;»

«Τι είδους διαστροφή είναι αυτή να πετάς πάντα τις ερωτήσεις σαν πολυβόλο;»

«Παίρνω πίσω την τελευταία ερώτηση! Είσαι μια χαρά!»

Η Ελπίδα κάθισε και έκανε το ίδιο και η Μαρίνα. Άναψε τσιγάρο.

«Να πω να σου φτιάξουν καφέ;»

«Άσε, είμαι λίγο ιδιότροπη στον ελληνικό και δε θα μου τον πετύχουν. Θα πιω από αυτό το νεροζούμι που έχει εδώ».

Η Μαρίνα της γέμισε ένα φλιτζάνι από τη γεμάτη καφετιέρα και της το έδωσε χαμογελώντας. «Είναι καφές φίλτρου», τη διόρθωσε μαλακά.

«Φιλτραρισμένο νεροζούμι, λοιπόν! Κάθισε κάτω, Μαρίνα! Θέλω να σου πω κάτι!»

Η Μαρίνα υπάκουσε ανήσυχη. «Τι συμβαίνει; Δεν είσαι καλά;»

«Δε μου είναι εύκολο, ίσως γιατί ποτέ μέχρι τώρα δεν έκανε κανένας κάτι για μένα, κανένας δεν ενδιαφέρθηκε... αυτό που θέλω να πω είναι... ευχαριστώ!»

«Μα δεν...»

«Είπα ότι είναι δύσκολο, μην τα κάνεις χειρότερα με το να με διακόπτεις! Χθες βράδυ ήταν μια άσχημη νύχτα για μένα και τρέξατε όλοι κοντά μου. Και δεν είναι η πρώτη φορά!... Ο Κωστής και η Ναταλία το έκαναν και το βράδυ της Ανάστασης και ξέρω ότι, αν μπορούσες, θα ήσουν κι εσύ εκεί... Εσύ, που χθες έφτασες να με πάρεις σπίτι σου και να με φροντίσεις σαν να ήμουν αδελφή σου. Δεν ξέρω αν θα τα κατάφερνα μόνη μου έτσι όπως ήμουν...» Σώπασε αμήχανη.

«Εντάξει; Τέλειωσες; Μπορώ να μιλήσω;»

«Νομίζω ναι».

«Δε χρειαζόταν το "ευχαριστώ"! Για πρώτη φορά στη

ζωή μου έχω τρεις φίλους και δε θα μπορούσαν να είναι πιο αληθινοί, ακόμη κι αν τους γνώριζα όλη μου τη ζωή και όχι λίγους μήνες! Μπορώ μάλιστα να σου απαριθμήσω δεκάδες άλλους που γνωρίζω από τότε που ήμουν παιδί και μόνο φίλοι δεν είναι! Είναι χαρά μου που μπόρεσα να αισθανθώ χρήσιμη, γιατί ομολογώ ότι αυτό μου συμβαίνει σπάνια! Και τώρα που τελειώσαμε με τα συγκινητικά, πάμε παρακάτω!»

Η Ελπίδα την κοίταξε με νόημα. «Μαθαίνεις γρήγορα, μικρή! Αυτό το... υφάκι θυμίζει εμένα!»

«Ε! Με όποιον δάσκαλο καθίσεις...»

«Αλήθεια, ο άντρας σου πού είναι;»

«Έφυγε για το γραφείο του».

«Του είπες ότι με φιλοξένησες;»

«Ε... ναι... δηλαδή...»

«Κατάλαβα! Του ήρθε βαρύ!»

«Δεν ξέρω τι έχει πάθει τον τελευταίο καιρό! Εκτός... Ελπίδα, πώς σου φαίνεται ο άντρας μου;»

«Μα σου είπα και την πρώτη φορά. Γοητευτικός, ωραίος άντρας...»

«Σαν χαρακτήρας λέω!»

«Μα μια φορά τον είδα τον άνθρωπο!»

«Ελπίδα, μην προσπαθείς να ξεφύγεις! Εσύ κάνεις... αξονική σ' ένα λεπτό! Λέγε, λοιπόν!»

«Δεν εκφέρω ποτέ γνώμη για συζύγους!»

«Ελπίδα, εγώ ζήτησα τη γνώμη σου! Σε παρακαλώ!»

«Ωραία, αλλά να θυμάσαι ότι εσύ επέμεινες! Ο άντρας σου, καλό μου κορίτσι, μου θυμίζει ένα ωραίο βάζο!»

«Βάζο; Μόνο αυτό δεν περίμενα ν' ακούσω!»

«Μη βιάζεσαι! Ένα ωραίο βάζο λοιπόν, καλοφτιαγμένο, καλαίσθητα στολισμένο αλλά... άδειο!»

«Άδειο;»

«Ακριβώς! Χωρίς λουλούδια, χωρίς πρασινάδα, χωρίς καν λίγο νερό μέσα! Και ένα άδειο βάζο, όσο ωραίο και αν είναι, είναι και θλιβερό! Άσε που αν σπάσει, τα κομμάτια του θα τιναχτούν με δύναμη και θα πληγώσουν όποιον είναι κοντά!»

«Τι εννοείς “αν σπάσει”;»

«Γενικά μιλάω, Μαρίνα. Δεν ξέρω τι κοινά έχετε εσείς οι δύο. Μπορεί κάποιος να σε κατηγορήσει για πολλά, αλλά όχι για κενότητα. Έχεις ψυχή! Ψάξε και βρες γιατί υποκρίνεσαι κάτι που δεν είσαι! Και τώρα που τελείωσα με τη διάγνωση για την οποία τόσο πιέστηκα να δώσω, φεύγω!»

«Πού πας;»

«Σπίτι μου φυσικά! Εδώ θα ξεκαλοκαιριάσω;»

«Είσαι σίγουρη; Εννοώ... θα είσαι εντάξει;»

«Μην ανησυχείς! Το ξεπέρασα κι αυτό. Η ζωή συνεχίζεται και ο πόλεμος επίσης, όπως πολύ σωστά ανέφερες χθες! Όσο γι’ αυτά που είπα για τον Νικήτα, είναι η προσωπική μου άποψη, η οποία δεν έχει βαρύτητα! Δικός σου άντρας είναι και για να είσαι κοντά σου, βλέπεις κάτι άλλο από αυτό που βλέπουμε όλοι εμείς!»

«Ίσως όχι...»

«Τι είπες;»

«Τίποτα. Πάμε ν’ αλλάξεις. Α, μην ξεχάσεις! Την Κυριακή είναι η μεγάλη μέρα!»

Μεγάλη μέρα... Ο Κωστής θα έκανε το τραπέζι στην κόρη του. Η μικρή θα ερχόταν από το πρωί και θα έμενε ως το απόγευμα. Ατέλειωτες ώρες αφιερώθηκαν και πάλι στην προετοιμασία αυτής της... μεγάλης μέρας. Το παιδί έπρεπε να μείνει ευχαριστημένο. Ήξεραν ότι στην επιστροφή, η Αντιγόνη θα χρησιμοποιούσε όλα τα ηθικά και ανήθικα μέσα για να μάθει με λεπτομέρειες... περίπου τα πάντα.

Είχε αποφασιστεί από κοινού ότι θα ήταν παρούσες και οι τρεις γυναίκες. Η Ισμήνη είχε ζητήσει να τις γνωρίσει, ύστερα από τόσα που της είχε πει ο πατέρας της. Φυσικά θα μαγείρευε ο Κωστής για να δείξει τις προόδους του. Το μενού θα ήταν απλό για να μην υπάρξουν απρόοπτα. Μία από τις μεγαλύτερες επιτυχίες του ήταν το κοκκινιστό με μακαρόνια. Αυτό θ' αποτελούσε το κυρίως πιάτο. Φυσικά σαλάτα, αλλά και τυρόπιτα που αγαπούσε ιδιαιτέρως η μικρή. Όσο για το γλυκό, δεν τέθηκε καθόλου θέμα. Κέικ σοκολάτας με γκλάσο σοκολάτας! Μέχρι να μάθει να το φτιάχνει ο Κωστής, είχαν πάει δύο κέικ στα σκουπίδια, τα επόμενα δύο, τα πρώτα πετυχημένα, τα έφαγαν όλοι μαζί, και τα άλλα δύο, όταν όλες αγανακτισμένες τον απείλησαν με καρατόμηση, τα έδωσε στην Ευγενία, η οποία ακόμη δεν είχε ξεπεράσει το σοκ της έκπληξης. Πάντως τώρα πια είχε μάθει να το φτιάχνει και μάλιστα καλύτερα και από την ίδια την Αγγέλα.

Η ανατροπή ήρθε από την Αντιγόνη. Ο Κωστής ένιωσε το αίμα ν' ανεβαίνει στο κεφάλι του, όταν την Παρασκευή τού τηλεφώνησε η ίδια στο γραφείο.

«Καλημέρα!» του είπε ξερά, αλλά αυτό το ύφος είχε πάψει εδώ και καιρό να τον επηρεάζει.

«Για να τηλεφωνήσεις πρωί πρωί, πολύ αμφιβάλλω για το αν θα είναι καλή αυτή η μέρα! Λέγε!» αποκρίθηκε εκείνος.

«Πρόκειται για την επίσκεψη της μικρής στο σπίτι σου!»

«Τι πρόβλημα υπάρχει; Είπαμε: θα έρθω στις δώδεκα να την πάρω!»

«Εκεί είναι το πρόβλημα! Δε θα έρθεις να την πάρεις!»

«Γιατί;»

«Γιατί θα μου δώσεις τη διεύθυνση και θα τη φέρω εγώ!»

«Εσύ; Και πώς φαντάστηκες ότι είσαι ευπρόσδεκτη στο σπίτι μου;»

«Μην ανησυχείς! Δεν πρόκειται φυσικά για κοινωνική επίσκεψη! Θέλω απλώς να βεβαιωθώ ότι είναι το κατάλληλο περιβάλλον για το παιδί!»

«Αντιγόνη, το παρατραβάς! Δηλαδή τι φαντάστηκες; Ότι μένω σε οίκο ανοχής;»

«Μη βάζεις στο στόμα μου λόγια που δεν είπα! Αναρωτιέμαι όμως τι είδους σπίτι διατηρείς εσύ που...»

«Πριν πεις κάτι τερατώδες και βριστούμε, σου λέω ότι το σπίτι μου είναι μια χαρά και...»

«Γι' αυτό θέλω να βεβαιωθώ!»

«...και με βοήθησαν τρεις καλές φίλες να το οργανώσω!» πρόσθεσε ο Κωστής.

«Τρεις... φίλες;»

«Λες ν' άνοιξα χαρέμι; Φίλες, Αντιγόνη! Καλές φίλες!»

«Και πού τις βρήκες; Εσύ καλές σχέσεις είχες μόνο με τον υπολογιστή σου!»

«Γίνονται και θαύματα, Αντιγόνη! Οι άνθρωποι αλλάζουν!»

«Κι εσένα σε άλλαξαν οι τρεις φίλες;»

«Επειδή εσύ δεν ενδιαφέρθηκες να με κάνεις να δω τα λάθη μου, επειδή εσύ αδιαφόρησες και στράφηκες σε άλλον, δε σημαίνει ότι...»

«Αυτό δεν έπρεπε να το πεις!»

«Πολλά δεν έπρεπε να έχουμε πει οι δυο μας, αλλά φαίνεται ότι κανένας μας δεν μπορεί να συζητήσει πολιτισμένα με τον άλλο! Τι θέλεις τώρα;»

«Σου είπα· να έρθω και να δω το σπίτι! Αν όλα είναι εντάξει και δεν έχεις κανένα νοικιασμένο αχούρι, θα φύγω και θα φέρεις εσύ το παιδί το απόγευμα όπως συμφωνήσαμε. Διαφορετικά θα την πάρω μαζί μου την ίδια στιγμή! Λοιπόν;»

«Θα μπορούσα να αρνηθώ, αλλά δε θα το κάνω, γιατί δεν έχω τίποτα να κρύψω! Να ξέρεις όμως ότι θα είναι εκεί και οι τρεις φίλες μου, γιατί θέλει να τις γνωρίσει η Ισμήνη!»

«Ξέρει γι' αυτές το παιδί;»

«Φυσικά!»

«Μα δε μου είπε τίποτα!»

«Αυτό είναι προς τιμήν της! Δεν είναι και απαραίτητο να σου μεταφέρει όσα συζητάμε, όπως εγώ δεν τη ρωτάω ποτέ για το τι γίνεται μέσα στο σπίτι σας! Επειδή λοιπόν θα είναι εκεί και οι τρεις κυρίες, σε προειδοποιώ: Να είσαι ευγενική!»

«Θα φροντίσω!»

Έκλεισε το τηλέφωνο αφού της έδωσε τη διεύθυνση, και κατέφυγε στη νικοτίνη για να ηρεμήσει. Είχε ξεχάσει το ταλέντο της Αντιγόνης να τον βγάζει από τα ρούχα του. Καθώς κοιτούσε τα δαχτυλίδια του καπνού, προσπάθησε να θυμηθεί πώς ήταν τον πρώτο καιρό μαζί της. Πώς αισθάνθηκε όταν την πρωτοφίλησε, όταν την αγκάλιασε για πρώτη φορά... Περίεργο, δε θυμόταν τίποτα! Καμιά γλυκιά θαλπωρή δεν τον τύλιξε, καμιά συγκίνηση· κενό... Αναμνήσεις γεγονότων πολλές, αλλά όχι συναισθημάτων. Η γυναίκα αυτή πέρασε από τη ζωή του χωρίς ν' αφήσει τίποτα μέσα του. Μόνο το παιδί μαρτυρούσε ότι κάποτε αγαπήθηκαν και συνυπήρξαν. Αν όμως αγαπήθηκαν, πώς είναι δυνατόν να μην έμεινε τίποτε απ' αυτή την αγάπη; Πώς είναι δυνατόν να αισθάνονται σαν ξένοι και να φέρονται σαν εχθροί;

Ανασήκωσε αδιάφορα τους ώμους. Φαίνεται πως έτσι συμβαίνει.

Ξημέρωσε η μεγάλη μέρα. Εξαιτίας της απροσδόκητης επίσκεψης της Αντιγόνης, η ένταση και το άγχος είχαν αυξηθεί. Άδικα οι τρεις γυναίκες προσπαθούσαν να τον πείσουν ότι δεν υπήρχε λόγος ανησυχίας. Όλα ήταν άψογα, ακόμη και για την Αντιγόνη με την έλλειψη αντικειμενικότητας. Το σπίτι έλαμπε, το κέικ καμάρωνε πάνω στον πάγκο της κουζίνας και το κοκκινιστό μοσχοβολούσε κάνοντας πιο αισθητή την οικογενειακή ατμόσφαιρα που ήδη πλημμύριζε το χώρο. Ο Κωστής, όμως, κόχλαζε περισσότερο κι απ' το κρέας στην κατσαρόλα.

Όταν ακούστηκε το κουδούνι, όλοι αυθόρμητα σηκώθηκαν όρθιοι, σαν να σήμανε μέσα τους ο ίδιος συναγερμός. Στο άνοιγμα της πόρτας η Αντιγόνη κρατούσε από το χέρι την Ισμήνη. Χαιρετήθηκαν ψυχρά και οι συστάσεις έγιναν στο ίδιο κλίμα. Μόνο η μικρή κοίταζε μ' ενδιαφέρον γύρω της, ρίχνοντας κλεφτές ματιές στις τρεις γυναίκες.

«Αυτό είναι το σπίτι σου, μπαμπά;» τον ρώτησε.

«Αυτό είναι μόνο το καθιστικό», αποκρίθηκε εκείνος και της χαμογέλασε. «Πώς σου φαίνεται;»

«Μ' αρέσει! Έχει φως. Και η τηλεόραση είναι πολύ μεγάλη!»

«Χαίρομαι που σου αρέσει. Τι θα έλεγες να σου έδειχνα και το υπόλοιπο;»

Της έδειξε το δρόμο. Πίσω ακολουθούσαν οι τρεις γυναίκες. Είχε έρθει η ώρα της ανταμοιβής όλων. Τελευταία ερχόταν η Αντιγόνη.

Μπήκαν στο δωμάτιό του και η μικρή περιεργάστηκε τα πάντα με ύφος ευχαρίστησης. Το ίδιο και στο μπάνιο. Δεν της ξέφυγε ότι υπήρχαν και παιδικά καλλυντικά.

«Αυτά για ποιον είναι;» ρώτησε.

«Για σένα, φυσικά! Δεν ήξερα τι προτιμάς, αλλά όταν έρθεις να μείνεις εδώ, ίσως θελήσεις να κάνεις μπάνιο!»

Αγνοώντας το μόνιμα ξινισμένο ύφος της Αντιγόνης, προχώρησε. Είχε έρθει η στιγμή για το δωμάτιο των παραμυθιών.

Η Ισμήνη, μόλις μπήκε μέσα, κοίταξε ολόγυρα σαν να μην πίστευε στα μάτια της. Στράφηκε στον πατέρα της που κρατούσε την αναπνοή του. «Δικό μου;» κατάφερε μόνο να ψελλίσει.

«Δικό σου...»

Η κόρη του έκανε τα πρώτα δειλά βήματα. Άγγιξε με ευλάβεια το γραφείο, την τουαλέτα, τη μικρή βιβλιοθήκη με τα βιβλία και τα παιχνίδια, έμεινε να κοιτάζει το κρεβάτι και μετά γύρισε προς τον πατέρα της. Όρμησε στην αγκαλιά του που την περίμενε ορθάνοιχτη. Η ψυχή του Κωστή ήταν στα μάτια του όταν κοίταξε τις γυναίκες που είχαν σταθεί δίπλα του όλο αυτόν το δύσκολο καιρό. Κι εκείνες διάβασαν εκεί το «ευχαριστώ» του.

«Μπαμπά μου!» του μίλησε η Ισμήνη. Εκείνος την κοίταξε. «Μοιάζει με παλάτι παραμυθιού!» συμπλήρωσε.

«Κι εγώ για μια πριγκίπισσα το έφτιαξα», της απάντησε και το παιδί ξανακρύφτηκε στην αγκαλιά του.

Αυτή τη φορά συνάντησε τα μάτια της Αντιγόνης, αλλά δεν κατάλαβε τίποτε από το βλέμμα της. Μόνο τα χείλη της έμοιαζαν να έχουν γίνει μια λεπτή άσπρη γραμμή. Είχε το ίδιο ύφος και όταν ξαναγύρισαν στο καθιστικό. Εκεί η Ισμήνη πρόσεξε το κέικ.

«Κέικ σοκολάτας!» φώναξε και χτύπησε τα χέρια της ενθουσιασμένη.

«Εσύ μου είπες ότι σπίτι δε γίνεται χωρίς αυτό!» της είπε γλυκά ο Κωστής. «Φρόντισα λοιπόν κι εγώ να μάθω να φτιάχνω!»

«Δηλαδή θέλεις να μας πεις ότι εσύ το έφτιαξες;» τον ρώτησε η Αντιγόνη και ήταν η πρώτη φορά που άνοιγε το στόμα της από τη στιγμή που πέρασε το κατώφλι.

Ο Κωστής την κοίταξε ψυχρά. «Εγώ το έφτιαξα! Ρώτα και τις κυρίες που υπήρξαν τα πρώτα... θύματα των δοκιμών μου! Μπορώ αν θέλεις να σου δώσω τη συνταγή!» της απάντησε. «Έχω μάθει πολλά από τον καιρό που έμεινα μόνος μου!»

«Φαντάζομαι ότι επιτέλους έμαθες να είσαι και άνθρωπος!»

Ο Κωστής δεν περίμενε τέτοια επίθεση και βιάστηκε να δει πού ήταν η κόρη του, αλλά η μικρή είχε εξαφανιστεί στο δωμάτιό της για να το παρατηρήσει πάλι με την ησυχία της. Ταυτόχρονα άκουσε με έκπληξη την Ελπίδα ν' απαντάει στην Αντιγόνη: «Με συγχωρείτε, αλλά αυτό το τελευταίο δε μαθαίνεται! Ή είσαι άνθρωπος ή δεν είσαι κι αυτό... εκ γενετής! Και ο Κωστής δεν είχε να μάθει τίποτα! Ήταν άνθρωπος και μάλιστα καλός!»

«Μπα, μπα! Έχουμε και δικηγόρους βλέπω!»

«Μόνο οι ένοχοι έχουν ανάγκη από δικηγόρους και απ' ό,τι ξέρουμε ο Κωστής δεν ήταν ένοχος για τίποτα! Ούτε έδιωξε τη γυναίκα του, ούτε βρήκε αντικαταστάτρια!»

Γύρισαν όλοι και κοίταξαν τη Ναταλία που είχε μιλήσει κατακόκκινη από ντροπή αλλά και θυμό. Η Αντιγόνη κάρφωσε τα μάτια της στον Κωστή που είχε σταυρώσει τα χέρια και την παρατηρούσε χαμογελώντας.

«Δε σου είπα ότι είναι καλές φίλες;» τη ρώτησε και προτού προλάβει η Αντιγόνη να πει κάτι, η Μαρίνα σηκώθηκε και, πιάνοντάς την από το μπράτσο, την τράβηξε από τον καναπέ χαμογελώντας παγωμένα.

«Λοιπόν», άρχισε να μιλάει, «νομίζω ότι ήρθε η στιγμή να σας αποχαιρετήσουμε. Βλέπετε είναι ώρα για το μεσημεριανό και δε θέλουμε να κρυώσει το φαγητό που έφτιαξε ο Κωστής ειδικά για την κόρη του. Κυρία μου, είμαι σίγουρη ότι όλες μείναμε γοητευμένες από τη γνωριμία σας. Δε σας λέω πότε να ξανάρθετε, νομίζω ότι καταλαβαίνετε και μόνη σας!»

Την είχε συνοδεύσει ως την πόρτα. Η Αντιγόνη είχε χάσει μαζί με τα λόγια και το χρώμα της. Εκείνη τη στιγμή, εμφανίστηκε η Ισμήνη κρατώντας μια κούκλα.

«Φεύγεις, μαμά;»

«Ν... ναι... δηλαδή είναι ώρα...»

«Μαμά, τώρα που ο μπαμπάς έχει ένα τόσο ωραίο σπίτι και μου έχει φτιάξει και υπέροχο δωμάτιο, μπορώ να έρχομαι να μένω όποτε θέλω;»

«Εεε... ναι... δηλαδή έχεις και μαθήματα...»

«Μα θα διαβάζω κι εδώ! Δεν είδες τι ωραίο γραφείο που έχω; Σε παρακαλώ, μανούλα! Μου αρέσει τόσο πολύ το σπίτι του μπαμπά!»

Η Αντιγόνη κοίταξε τον Κωστή με ύφος παγιδευμένο. Ήταν έτοιμη να βάλει τα κλάματα. Εκείνος πλησίασε την κόρη του και γονάτισε δίπλα της.

«Γλυκιά μου, μην πιέζεις τη μαμά και τη στενοχωρείς. Φυσικά είσαι πάντα ευπρόσδεκτη σ' αυτό το σπίτι. Θα περνάμε κάθε Κυριακή μαζί και μια φορά το μήνα θα μένεις μαζί μου το σαββατοκύριακο!»

«Μόνο μια φορά; Μα γιατί;»

«Γιατί όλη τη βδομάδα έχεις μαθήματα και διαβάσματα, και η μαμά δε σε χαίρεται καθόλου. Θέλει λοιπόν κι εκείνη να έχει χρόνο μαζί σου!»

«Μα δεν είναι δίκαιο! Μόνο ένα σαββατοκύριακο μαζί σου και όλα τα υπόλοιπα με τη μαμά!»

«Ναι, αλλά οι Κυριακές; Αφού θα έρχεσαι εδώ τις Κυριακές! Τι μένει, λοιπόν, για τη μαμά;»

Η Ισμήνη κοίταξε τη μητέρα της και μετά στράφηκε στον πατέρα της. «Έχεις δίκιο».

«Είσαι πολύ καλό και λογικό κορίτσι. Εξάλλου, δε χρειάζεται να στενοχωριέσαι! Αν κάποιο σαββατοκύριακο θέλεις να έρθεις έτσι... εκτάκτως, δε νομίζω η μαμά να έχει αντίρρηση! Έτσι, Αντιγόνη;»

Ήταν το πρώτο ήρεμο βλέμμα που αντάλλαξαν. «Φυσικά...»

«Δηλαδή, το άλλο σαββατοκύριακο θα έρθω να μείνω;»

Η Αντιγόνη χαμογέλασε. «Αυτό δεν το συζητάμε καν! Μάλιστα, αν ο μπαμπάς μπορεί, ας έρθει να σε πάρει από την Παρασκευή! Έτσι, θα κοιμηθείς δύο βράδια στο υπέροχο κρεβάτι σου!»

Ο Κωστής έμεινε ασάλευτος από την έκπληξη. Το παιδί έτρεξε και αγκάλιασε τη μητέρα του. «Σ' ευχαριστώ, μαμά! Είσαι τέλεια!»

«Ισμήνη, τι θα έλεγες αν με βοηθούσες να στρώσουμε το τραπέζι;»

Η πρόταση είχε έρθει από τη Ναταλία και η μικρή είχε τρέξει ενθουσιασμένη. Την ακολούθησαν η Μαρίνα και η Ελπίδα.

Η Αντιγόνη άνοιξε την πόρτα, αλλά προτού βγει στράφηκε στον Κωστή. «Λοιπόν, ξέρεις κάτι; Είναι κρίμα...»

«Ποιο πράγμα;»

«Που άλλαξες όταν πια ήταν αργά για μας».

«Αν είμαστε ειλικρινείς, θα πρέπει να παραδεχτούμε ότι για μας ήταν πάντα αργά!» ψιθύρισε ο Κωστής.

«Τελικά, ήταν λάθος που παντρευτήκαμε. Αυτό δε θέλεις να πεις;»

«Όχι, από το γάμο μας υπάρχει η Ισμήνη και αυτή δεν είναι λάθος!»

«Σ' ευχαριστώ που πριν...»

«Αντιγόνη, δε διεκδικώ το παιδί! Μόνο λίγο από το χρόνο της θέλω! Να είμαι κι εγώ μέρος της ζωής της και όχι κάποιος ξένος! Όσο κι αν δεν το πιστεύεις... αγαπάω το παιδί μας πάρα πολύ!»

«Ναι, δεν το πίστευα, αλλά μάλλον μου απέδειξες το αντίθετο. Έκανες τόσο πολλά και απίστευτα! Και δε μιλάω γι' αυτά που αγόρασες! Εννοώ για τον Κωστή που κατάφερες να γίνεις!»

«Τι μου λες τώρα;»

«Προχώρα! Δε θα σ' εμποδίσω! Ούτε θα μπω ξανά ανάμεσα σ' εσένα και την Ισμήνη! Για να είμαι ειλικρινής, το έκανα λίγο από κακία, αλλά και για να μην πληγωθεί το παιδί, αν εσύ δεν ήσουν αυτό που φαινόταν! Βλέπεις, η μικρή είχε αρχίσει να ελπίζει. Τώρα όμως... προχώρα!»

«Ευχαριστώ πολύ!»

«Υπό έναν όρο!»

«Αντιγόνη, σε παρακαλώ... δεν...»

«Θέλω τη συνταγή για το κέικ σοκολάτας!»

Την κοίταξε έκπληκτος κι εκείνη του έκλεισε το μάτι και έφυγε. Έμεινε για λίγο ακίνητος. Έπειτα σφάλισε την πόρτα και γύρισε στην Ελπίδα που, στο μεταξύ, είχε πλησιάσει.

«Λοιπόν, ξέρεις κάτι; Αυτό λέγεται *το ημέρωμα της στρίγκλας*!» σχολίασε.

Ο Κωστής έβαλε τα γέλια. Άρπαξε την Ελπίδα στην αγκαλιά του και τη στριφογύρισε. Όταν την άφησε, εκείνη τον κεραυνοβόλησε.

«Δε θα σοβαρευτείς ποτέ!» τον μάλωσε, αλλά το χαμόγελο ήταν εκεί, στα μάτια της.

Θα χαμογελούσε πάντα όταν θα θυμόταν εκείνη τη μέρα που την ακολούθησαν άλλες, ακόμη καλύτερες. Το φαγητό είχε μεγάλη επιτυχία και το γλυκό ακόμη μεγαλύτερη. Οι ώρες κύλησαν χωρίς να το καταλάβουν και όταν ο Κωστής έφυγε με την Ισμήνη, έμειναν πίσω οι τρεις γυναίκες.

Η Ελπίδα έφτιαξε καφέ και άναψε τσιγάρο. «Πάει κι αυτό!» μονολόγησε και κάθισε αναπαυτικά στον καναπέ.

Εκείνη τη στιγμή η Ναταλία μάζευε το επιτραπέζιο που έπαιζαν με τη μικρή. «Γλυκό παιδί», είπε. «Μοιάζει του Κωστή».

«Και ευγενικό!» πρόσθεσε η Μαρίνα τσιμπολογώντας λίγο κέικ. «Πάντως, η μέρα πήγε πολύ καλύτερα απ' ό,τι περιμέναμε!»

«Αν σκεφτείς ότι μέχρι κι η γυναίκα του έθαψε το τσεκούρι του πολέμου...» συμπλήρωσε η Ελπίδα κι έριξε μια ματιά στη Ναταλία που μάζευε αφηρημένη τα πούλια του παιχνιδιού. «Τι έχεις εσύ, μικρή;» τη ρώτησε.

«Τίποτα. Σκέφτομαι ότι θα ήθελα κάποτε ένα παιδί!»

«Και τι σ' εμποδίζει να κάνεις;»

«Α, όχι, Ελπίδα! Το παιδί έχει ανάγκη από σωστή οικογένεια!»

«Ναι, είδαμε κι εμάς που είχαμε μια οικογένεια με τη συντηρητική έννοια του όρου!» αντιγύρισε εκείνη.

«Δεν έχει σημασία! Άλλωστε, δεν είμαι τόσο... προχωρημένη! Για μένα ένα παιδί προϋποθέτει γάμο».

«Και πού είναι το πρόβλημα;»

«Στο ότι κανένας μέχρι τώρα δε θέλησε όχι να με παντρευτεί, αλλά ούτε καν να μείνει μαζί μου! Υποθέτω ότι δεν είναι της μοίρας μου. Εσύ, Ελπίδα, όσο ήσουν παντρεμένη, δε θέλησες ένα παιδί;»

«Θεός φυλάξοι! Ούτε που μου πέρασε από το μυαλό! Μάλλον δεν είμαι φτιαγμένη για μητέρα! Ξέρεις τι λέει ο Μπέρναρντ Σο για τα παιδιά; *Το παιδί είναι ένα πράγμα που το πρωί φωνάζει, το μεσημέρι κλαίει και τα μεσάνυχτα ουρλιάζει*! Δεν είμαι εγώ για τέτοια! Δε μου αρέσουν τα παιδιά!»

«Ναι, αλλά στην κόρη του Κωστή...»

«Η Ισμήνη δεν είναι μωρό! Είναι ολόκληρη κοπέλα και επιπλέον ευγενική, με γνώσεις, με ανατροφή, μιλάει σωστά. Δεν είναι το ίδιο!»

Η Ναταλία στράφηκε στη Μαρίνα. «Εσύ; Είσαι παντρεμένη τέσσερα χρόνια! Δε σκεφτήκατε με τον άντρα σου να κάνετε ένα παιδί;»

«Να σας πω... δεν το συζητήσαμε ποτέ. Ούτε ο Νικήτας δείχνει να θέλει, αλλιώς θα μου το είχε πει, φαντάζομαι. Δεν ξέρω». Η Μαρίνα έδειχνε μπερδεμένη. «Κανονικά, όμως, θα έπρεπε να είχα έστω ένα! Έτσι δεν είναι; Πώς είναι, άραγε, να είσαι μητέρα;»

«Χειρότερα από το να είσαι πατέρας! Για σκέψου», άρχισε ν' απαριθμεί η Ελπίδα μετρώντας με τα δάχτυλά της. «Πρώτον, μέχρι να το κάνεις, παραμορφώνεσαι εντελώς! Μπαλόνι γίνεσαι! Δεύτερον, περνάς όλους τους πόνους μόνη σου, ενώ ο πραγματικός υπεύθυνος απλώς σουλατσάρει στην αίθουσα αναμονής! Τρίτον, ξυπνάς για να το ταΐσεις, ακόμη κι όταν δε βλέπεις μπροστά σου από τη νύστα· τέταρτον, έχεις όλη τη χαρά της λερωμένης πάνας· πέμπτον, καταντάς όρθιο πτώμα να το κυνηγάς όταν αρχίσει να περπατάει· έκτον, αγωνιάς μέχρι να μιλήσει· έβδομον, δε σ' αφήνει σε ησυχία όταν τελικά μιλήσει· όγδοο...»

«Τι λες τόση ώρα;» την έκοψε η Ναταλία γελώντας.

«Βρίσκω δέκα λόγους για να μην κάνει κάποιος παιδί! Γιατί με διακόπτεις;»

«Γιατί είσαι υπερβολική! Καμιά χαρά δεν είναι μεγαλύτερη από αυτήν της μητρότητας. Ένα πλάσμα που βγήκε από σένα, που είναι δικό σου!» Η Ναταλία μιλούσε με κλειστά μάτια, προσπαθώντας να φανταστεί όσα έλεγε.

Η Ελπίδα χτύπησε τα χέρια και η Ναταλία τινάχτηκε τρομαγμένη. «Μου έκοψες το αίμα!» διαμαρτυρήθηκε.

«Την ονειροπόληση ήθελα να σου κόψω! Για να συνερχόμαστε σιγά σιγά! Και ποιος σου είπε ότι ένα παιδί ανήκει στη μάνα του; Παιδί είναι! Δεν είναι οικόπεδο!»

«Κι όμως, φαντάσου...»

«Όχι! Δε θέλω να φαντάζομαι! Αλίμονο αν έχουμε τα ίδια κάθε φορά που θα ερχόμαστε σ' επαφή με την Ισμήνη!»

Και ήταν πολύ τακτική αυτή η επαφή. Η ίδια η Ισμήνη τις αναζητούσε κάθε φορά. Δεν έκρυβε την προτίμησή της στη Ναταλία, αλλά ήθελε και τη Μαρίνα και οπωσδήποτε την Ελπίδα. Η τελευταία, μάλιστα, ήταν ένα μυστήριο για τη μικρή. Ποτέ δεν της έδινε ιδιαίτερη σημασία, αλλά και ποτέ δεν αρνιόταν να μιλήσει μαζί της όταν η Ισμήνη την πλησίαζε.

«Γιατί δε γελάς ποτέ;» την είχε ρωτήσει σοβαρή και η Ελπίδα την κοίταξε ανέκφραστη.

«Τι θέλεις να πεις;» της αντιγύρισε την ερώτηση με έντονο ύφος, αλλά η μικρή δε χαμήλωσε το βλέμμα.

«Να, πρόσεξα πως όταν όλοι γελάμε με κάτι, εσύ σφίγγεις τα χείλη σαν να μη θέλεις να γελάσεις μαζί μας!»

«Το γεγονός να μη βρίσκω τόσο αστείο το... αστείο σας, το έχεις λάβει υπόψη σου;»

«Μα εσύ προσπαθείς να μη γελάσεις! Δεν είναι το ίδιο!» διαμαρτυρήθηκε η Ισμήνη, την ώρα που όλοι παρακολουθούσαν με ενδιαφέρον αυτή την αντιπαράθεση.

Η Ελπίδα στάθηκε για μια στιγμή χωρίς να ξέρει τι να απαντήσει.

Η Ισμήνη ακούμπησε το χέρι της στο μπράτσο της Ελπίδας με κατανόηση. «Αν δε θέλεις να μου πεις, δεν πειράζει», της είπε γλυκά. «Μπορείς να μου πεις ό,τι μου λένε όλοι...»

«Τι σου λένε δηλαδή;»

«Όταν δεν ξέρουν ή δε θέλουν να μου απαντήσουν, μου λένε πως είμαι μικρή ακόμη, αλλά όταν μεγαλώσω θα καταλάβω!»

Η Ελπίδα αυτή τη φορά χαμογέλασε. «Λοιπόν, δε θα σου πω ό,τι οι άλλοι! Η αλήθεια είναι ότι δε γελάω γιατί έχω ξεχάσει πώς είναι! Ίσως να φοβάμαι και λιγάκι».

«Εμένα;»

«Γενικά...»

«Κατάλαβα!» φώναξε θριαμβευτικά η Ισμήνη.

«Τι κατάλαβες;»

«Ότι κάνεις την αυστηρή ενώ δεν είσαι, για να μην το καταλάβουν οι άλλοι και μετά σε κάνουν ό,τι θέλουν! Με άλλα λόγια "το παίζεις δύσκολη"!»

Αυτή τη φορά η Ελπίδα είχε γελάσει και η Ισμήνη της έκλεισε το μάτι συνωμοτικά.

Ο Κωστής αποφάσισε να επέμβει. «Δε μου λες, δεσποινίς, πού έμαθες εσύ τέτοιες κουβέντες;» ρώτησε αυστηρά, αλλά η Ισμήνη τον κοίταξε πονηρά.

«Αφού, καλέ μπαμπά, όλα τα παιδιά έτσι μιλάνε στο σχολείο! Πού ζεις πια;»

«Ίσως πρέπει το παιδί ν' αλλάξει σχολείο!» στράφηκε στην Ελπίδα ο Κωστής, για να εισπράξει από εκείνη ένα ειρωνικό βλέμμα.

Πάντως, το πρώτο σαββατοκύριακο που έμεινε στον πατέρα της, αποσύρθηκαν όλες διακριτικά για ν' αφήσουν πατέρα και κόρη να κερδίσουν τον χαμένο καιρό. Ο Κωστής την είχε πάρει από την Παρασκευή και το απόγευμα πήγαν κινηματογράφο. Το Σάββατο το πρωί πήγαν για ψώνια και μετά η Ισμήνη κάθισε να διαβάσει. Την ώρα που έτρωγαν η μικρή ζήτησε να μάθει πού ήταν οι τρεις τους. «Δε θα έρθουν να μας δουν;» ρώτησε.

Κι έτσι το απόγευμα η παρέα συγκεντρώθηκε. Μόλις

η Ισμήνη είδε τη γαλλική κοτσίδα της Ναταλίας, στρώθηκε στην αγκαλιά της και την παρατηρούσε.

«Τι συμβαίνει;» μουρμούρισε η Ναταλία.

«Μ' αρέσουν τα μαλλιά σου!» της απάντησε. «Μόνη σου τα έφτιαξες;»

«Φυσικά! Μήπως θέλεις να σου τα φτιάξω και σένα;»

«Μπορείς;» έλαμψε από χαρά η μικρή.

«Φέρε μου τη χτένα σου και ένα λαστιχάκι!»

Η Ισμήνη σηκώθηκε και όταν ξαναγύρισε, κρατούσε στην αγκαλιά της την αγαπημένη της κούκλα, ένα τεράστιο μωρό που της είχε αγοράσει ο Κωστής. Την άφησε στην αγκαλιά της Ελπίδας που τα έχασε.

«Έκλαιγε μόνη της η μπέμπα! Μπορείς να την κρατήσεις μέχρι να με χτενίσει η Ναταλία; Αν χρειαστεί να της αλλάξεις πάνα, θα σε βοηθήσει η Μαρίνα!»

Η Ελπίδα κοίταξε τρομοκρατημένη την κούκλα σαν να ήταν αληθινό μωρό και δεν ήξερε τι να το κάνει. Έβαλαν όλοι τα γέλια, εκτός από την Ισμήνη που πολύ σοβαρά συμβούλευσε την... προσωρινή παραμάνα. «Μην κοιτάζεις έτσι άγρια την μπέμπα, γιατί θ' αρχίσει να κλαίει η καημένη και μετά δε θα μπορείς να τη σταματήσεις!»

Ο Μάιος έφτασε στο τέλος του. Όλα είχαν πάει καλά. Ανέλπιστα καλά. Η Εστία τα είχε καταφέρει. Ένα ακόμη σπιτικό δούλευε στην εντέλεια, κλείνοντας μέσα του ευτυχισμένους ανθρώπους. Τι επιφύλασσε το μέλλον; Ποιος θεός, άραγε, θα σφράγιζε τον Ιούνιο;

# ΙΟΥΝΙΟΣ
## *Ο μήνας του Ήφαιστου*

### ΗΦΑΙΣΤΟΣ

*Γιος της Ήρας και του Δία, ο πρώτος που γεννήθηκε μετά το γάμο τους. Κακοφτιαγμένος, άσχημος και κουτσός. Εξουσιάζει τη φωτιά. Δουλεύει ασταμάτητα στο εργαστήρι του, όπου οι φλόγες καίνε μέρα και νύχτα. Παίζει με τους εχθρούς του και η εκδίκησή του είναι κι αυτή παιχνίδι...*

*...κάλλιο να μου 'δινε η μοίρα*
*τη δυστυχία να την είχα από πάντα· βαστάς,*
*όταν η ζωή σου περνά αποξαρχής μες στα βάσανα.*
*Πραγματική συμφορά η αλλαγή 'ναι της τύχης·*
*είναι βαρύ*
*από χαρούμενες μέρες να πέφτεις σε λύπες.*

Ευριπίδης, *Ιφιγένεια η εν Ταύροις*
*(Μτφρ.: Θρ. Σταύρου)*

Το αυτοκίνητο γλιστρούσε στην παραλιακή και το μόνο που ακουγόταν ήταν ο ήχος του κλιματιστικού. Η Μαρίνα ήταν χωμένη στο κάθισμα του συνοδηγού και κοιτούσε αδιάφορα γύρω της. Ο Νικήτας είχε αφοσιωθεί στην οδήγηση και σε κάποια εκπομπή του ραδιοφώνου. Έψαξε να βρει κάποιο θέμα να συζητήσει μαζί του, αλλά στάθηκε αδύνατο. Κάτι τριβέλιζε το μυαλό της, όμως δεν ήξερε πώς ν' αρχίσει. Ίσως ήταν καλύτερα να συζητούσαν όταν θα έφταναν σπίτι. Να μπορεί να τον βλέπει, να παρατηρεί τις αντιδράσεις του.

Άρχισε να σχεδιάζει τον τρόπο. Θα έπιναν ένα ποτό στη βεράντα τους, να χαλαρώσουν λίγο. Όχι ότι δεν είχαν πιει αρκετά εκείνο το βράδυ. Δεξίωση και πάλι, σε παραλιακό κλαμπ... Μεγάλη συχνότητα! Αυτές οι προσκλήσεις για δεξιώσεις, πάρτι, ανεπίσημα δείπνα με ασήμαντη αφορμή δε σταματούσαν ποτέ. Τώρα που το σκεφτόταν είχαν ανταποκριθεί σχεδόν σε όλες και έπρεπε να διοργανώσει κι εκείνη κάτι, χωρίς όμως να έχει και τη διάθεση να το κάνει. Γιατί όλος αυτός ο κόσμος έψαχνε τόσο απελπισμένα τρόπο να διασκεδάσει και γιατί επέλεγαν αυτόν το συγκεκριμένο όπου όμως όλοι έπλητταν; Γιατί περιφέρονταν από σπίτι σε κλαμπ και από κλαμπ σε δεξίωση; Μακριά από την αληθινή ζωή, μακριά από αληθινούς ανθρώπους! Δεν ήθελαν καν να ξέρουν ότι γύρω τους υπήρχε αρρώστια, πόνος, δυστυχία, προβλήματα. Δεν άφηναν κανέναν να εισβάλει σε αυτό τον κύκλο, από φόβο μην τους αναγκάσει να μάθουν τι γίνεται έξω από τον τοίχο που είχαν χτίσει για να προφυλάξουν τον κόσμο τους.

Κοίταξε κλεφτά τον άντρα της. Έδειχνε ικανοποιημένος. Ελάχιστα είχαν ιδωθεί τις τελευταίες τρεις ώρες. Κάποιες φορές, συναντήθηκαν τυχαία μέσα στο πλήθος που «διασκέδαζε». Εκείνος απορροφημένος σε συζητήσεις με διαφόρους, εκείνη εγκλωβισμένη με τις γυναίκες να κουβεντιάζει ούτε που θυμόταν τι... Μήπως είχε και σημασία; Έφτασαν σπίτι τους λίγο πριν από τις δύο. Έβγαλε τα πέδιλα που φορούσε, τα οποία είχαν αποδειχθεί εξαιρετικά άβολα τελικά.

«Νυστάζεις;» τον ρώτησε.

«Όχι ιδιαίτερα».

«Θέλεις να πιούμε ένα τελευταίο ποτό στη βεράντα; Είναι πολύ γλυκιά η βραδιά!»

Εκείνος σήκωσε αδιάφορα τους ώμους και προχώρησε προς το μπαρ.

«Άσε», του είπε, «θα βάλω εγώ».

Κάθισαν με τα ποτά στα χέρια. Γύρω τους μια νύχτα ήρεμη, μια πόλη που σιωπούσε συγκεντρώνοντας δυνάμεις για τη μέρα που ερχόταν.

«Πώς πέρασες απόψε;» στράφηκε προς το μέρος της.

«Πληκτικά όπως πάντα. Απορώ γιατί αποδεχθήκαμε την πρόσκληση και τελικά πήγαμε!»

«Γιατί το λες αυτό; Εγώ νομίζω ότι ήταν από τις καλύτερες δεξιώσεις που έχουμε πάει τον τελευταίο καιρό! Βέβαια, έπαιξε ρόλο και η επιλογή του κλαμπ. Καταπληκτικό! Και πολύ ακριβό! Το πρόσεξες;»

«Τι σημασία έχει; Η παρέα κάνει πάντα τη διαφορά! Αν έχεις καλή παρέα, περνάς καλά και στην πιο φτωχική ψαροταβέρνα!»

«Ε, όχι κι έτσι! Άκου "ψαροταβέρνα"! Πώς σου ήρθε; Κι έπειτα, τι είχε η παρέα; Εγώ σε πληροφορώ ότι έκανα πολύ ενδιαφέρουσες γνωριμίες! Βλέπεις, αγάπη μου, αυτόν το σκοπό έχουν τέτοιες εκδηλώσεις! Να κάνεις γνωριμίες! Δεν πας για να διασκεδάσεις! Αν είσαι έξυπνος βέβαια! Υπάρχουν ανόητοι που αναλώνονται σε αδιάφορες συζητήσεις με άχρηστους ανθρώπους! Αν ο άλλος δεν μπορεί να μου φανεί χρήσιμος, γιατί να χάσω το χρόνο μου μαζί του;»

«Ίσως έχεις δίκιο...»

Δε συνέχισε. Δεν ήθελε να διαφωνήσουν απόψε κι έτσι δεν του είπε ότι θεωρούσε λάθος τις απόψεις του. Ήταν πολύ μικρόψυχο εκ μέρους του να κατατάσσει τους ανθρώπους με μοναδικό κριτήριο το πόσο χρήσιμοι θα του ήταν στο μέλλον. Την ενοχλούσε που δεν είχε φίλους παρά μόνο... κύκλο γνωριμιών. Ωστόσο, δεν ήταν ώρα να του τα πει όλα αυτά.

«Πολύ ήσυχη είσαι απόψε!» σχολίασε. Το είχε προσέξει επιτέλους.

«Ναι, με απασχολεί ένα πρόβλημα...»

«Οικονομικό;»

Άφησε το ποτήρι της και σηκώθηκε. Ακούμπησε με την πλάτη στα κάγκελα, σταύρωσε τα χέρια στο στήθος και τον κοίταξε. «Υπάρχουν κι άλλα προβλήματα που δεν έχουν σχέση με λεφτά, Νικήτα!» αποκρίθηκε προσπαθώντας να παραμείνει ήρεμη.

«Όπως;»

«Όπως... Νικήτα, είμαστε ήδη τέσσερα χρόνια παντρεμένοι!»

«Το ξέρω αυτό, αλλά δε βλέπω το πρόβλημα!»

«Δεν έχουμε ένα παιδί!»

Την κοίταξε σαν χαμένος. «Πώς σου ήρθε τώρα αυτό;»

«Το σκέφτομαι αρκετά τον τελευταίο καιρό!»

«Γιατί;»

«Εσύ, δηλαδή, δεν το έχεις σκεφτεί ποτέ;»

«Για να είμαι ειλικρινής, ούτε που μου πέρασε από το μυαλό!»

«Περίεργο...»

«Γιατί είναι περίεργο; Εσύ, δηλαδή, μέχρι σήμερα που μου το είπες τόσο απότομα, το είχες ξανασκεφτεί;»

«Σου είπα ότι το σκέφτομαι πολύ τον τελευταίο καιρό! Έπειτα, οι άντρες συνήθως, όταν παντρεύονται, θέλουν ένα παιδί».

«Εγώ ξέρω ότι αυτό συμβαίνει με τις γυναίκες!»

«Έστω! Δε θα διαφωνήσουμε τώρα για κάτι τόσο ασήμαντο! Τι λες, λοιπόν;»

«Για να είμαι πάλι ειλικρινής, με βρίσκεις απροετοίμαστο. Δεν ξέρω τι να σου πω. Η αλήθεια είναι ότι κάποτε πρέπει να κάνουμε ένα παιδί, αλλά...»

«Νικήτα, δεν κάνεις παιδί από υποχρέωση! Είμαι πια τριάντα χρόνων!»

«Είσαι πολύ νέα ακόμη!»

«Το ξέρω και γι' αυτό το θέλω, τώρα που είμαι νέα! Μετά και να θέλω, δε θα μπορώ!»

«Έχεις πολλά χρόνια μπροστά σου για να μην μπορείς! Δεν είναι εκεί το θέμα μας!»

«Τότε πού είναι; Εγώ νόμιζα ότι θα συμφωνούσες αμέσως μαζί μου, ότι είναι καιρός να ολοκληρώσουμε την οικογένειά μας!»

«Μα, αγάπη μου, πρέπει να καταλάβεις ότι ένα παιδί είναι τεράστια ευθύνη!»

«Και ποιον από τους δυο θεωρείς ανεύθυνο; Εμένα ή εσένα;»

Σηκώθηκε εκνευρισμένος. Άρχισε να πηγαινοέρχεται με τα χέρια στις τσέπες. «Δεν μπορώ να καταλάβω πώς καταλήξαμε σε μια τέτοια συζήτηση, από ένα ποτό που είπαμε να πιούμε!»

«Μα γι' αυτό σου το ζήτησα! Ήθελα να μιλήσουμε!»

«Α, ώστε με παγίδευσες! Το είχες προσχεδιάσει!»

«Νικήτα, σοβαρέψου! Δε μιλάμε για έγκλημα αλλά για παιδί! Έτσι όπως αντέδρασες, να υποθέσω ότι το αποκλείεις;»

«Δεν το αποκλείω βέβαια, αλλά...»

«Και κατά την άποψή σου, πότε θα είναι η κατάλληλη στιγμή; Πόσα χρόνια πρέπει να περάσουν για να κάνουμε παιδί;»

«Δηλαδή, όταν μιλάς για παιδί, αναφέρεσαι στο άμεσο μέλλον;»

«Αμεσότατο!»

«Και περιμένεις να σου απαντήσω τώρα;»

«Αν σου είναι εύκολο!»

«Δε μου είναι. Θέλω να το σκεφτώ. Ένα παιδί έχει έξοδα...»

Το ειρωνικά υψωμένο φρύδι της γυναίκας του τον σταμάτησε. Θα έμπαινε σ' ένα θέμα που και οι δύο, κατόπιν σιωπηρής συμφωνίας, δε συζητούσαν ποτέ: ο Λουκάς και η Φωτεινή, τα πεθερικά του· οι ισόβιοι χρηματοδότες της ακριβής ζωής τους και η απουσία της συμμετοχής του στα έξοδα. Ξέσφιξε τη γραβάτα του και κάρφωσε τα μάτια του στη Μαρίνα που δεν τον κοιτούσε πια. Με την πλάτη γυρισμένη, ακουμπούσε στα κάγκελα και άφηνε το βλέμμα της να χαϊδεύει μιαν Αθήνα φωτισμένη, αλλά μοναχική... όσο και η ίδια.

Την πλησίασε και την αγκάλιασε, αγνοώντας το αυθόρμητο σφίξιμο του κορμιού της σ' αυτή την επαφή. Τη φίλησε στα μαλλιά. «Μωρό μου, δε θέλω να με παρεξηγήσεις. Ήταν λίγο απότομο, αλλά τώρα που ξέρω ότι το θέλεις, σου υπόσχομαι να το σκεφτώ σοβαρά και να σου απαντήσω σύντομα. Εντάξει;»

Δε γύρισε καν να τον κοιτάξει γιατί φοβήθηκε τα όσα θα μαρτυρούσαν τα μάτια της. Κούνησε καταφατικά το κεφάλι κι εκείνος έφυγε. Αθόρυβα, δειλά, σαν να εγκατέλειπε ένα πλοίο που βυθιζόταν. Η απογοήτευση θα έμενε κρυμμένη πίσω από τα κλειστά της βλέφαρα. Εκεί απ' όπου άρχισαν να τρέχουν και τα δάκρυα λίγο αργότερα.

Κάτι δεν πήγαινε καλά, κάτι της διέφευγε· ή μήπως ήθελε κι εκείνη να της διαφεύγει; Και το παιδί; Ήταν σίγουρη ότι αυτό που έλειπε από τη ζωή της ήταν ένα παιδί; Προσπαθούσε να φανταστεί τον Νικήτα σαν τρυφερό πατέρα, αλλά στάθηκε αδύνατο. Ποτέ δεν τον είχε δει να φέρεται με τρυφερότητα σε κανένα πλάσμα ούτε καν στην ίδια. Ευγενικός, ναι· αβρός, οπωσδήποτε· αλλά τρυφερός ποτέ. Ήταν στιγμές που αναρωτιόταν τι ήταν ικανός να νιώσει ο άντρας που παντρεύτηκε.

Έδιωξε τις σκέψεις όσο πιο μακριά μπορούσε. Πήρε τα ποτήρια και τα πήγε στην κουζίνα. Αφηρημένη τα έπλυνε και την επόμενη στιγμή χαμογέλασε. Το πιθανότερο ήταν, την άλλη μέρα, η Αγγέλα να έκανε το σταυρό της όταν θα τα έβλεπε πλυμένα, αλλά αυτή δεν ήταν και η μόνη της αλλαγή τον τελευταίο καιρό...

Η ατμόσφαιρα ήταν υγρή και ζεστή, ό,τι ακριβώς χρειαζόταν. Η Μαρίνα έκλεισε πίσω της την πόρτα της σάουνας. Ήταν μόνη. Καλύτερα. Σήμερα δεν είχε διάθεση για αδιάφορες συζητήσεις, ούτε ήθελε να μάθει τι θα ήταν στη μόδα τον φετινό χειμώνα. Κάθισε και έκλεισε τα μάτια. Ίσως έπρεπε να κάνει και μασάζ. Αισθανόταν όλα τα νεύρα του σώματός της δεμένα κόμπο. Δεν είχε κοιμηθεί καλά το προηγούμενο βράδυ, μετά τη συζήτηση με τον Νικήτα.

Εκείνος, όταν ανέβηκε στο δωμάτιό τους, κοιμόταν βαθιά. Για την ίδια στάθηκε πολύ δύσκολο, παρ' όλο το αλκοόλ που κυκλοφορούσε στον οργανισμό της και το καυτό μπάνιο που έκανε προτού ξαπλώσει. Είχε μείνει ώρες να σκέφτεται κοιτώντας τον άντρα της να κοιμάται. Αλήθεια, πώς τα κατάφερνε να δείχνει τόσο... κομψός ακόμη και στον ύπνο του; Ποτέ του δε χαλάρωνε αυτός ο άνθρωπος;

Η πόρτα της σάουνας άνοιξε. Η φιγούρα γνωστή.

«Μαμά!»

«Μαρίνα, κι εσύ εδώ; Δε μου είπες ότι είχες ραντεβού!» Η Φωτεινή κάθισε απέναντί της.

«Δεν το είχα προγραμματίσει, αλλά είχα απόλυτη ανάγκη από λίγη χαλάρωση».

«Χαίρομαι που ξαναβρίσκεις τις παλιές σου συνήθειες! Να υποθέσω ότι επιτέλους κατάλαβες το λάθος σου και αποσπάστηκες από τη νέα σου παρέα;»

«Να μην υποθέσεις τίποτα, γιατί κάνεις λάθος! Απλώς τέτοια ώρα είναι όλοι στις δουλειές τους! Διαφορετικά θα προτιμούσα να ήμουν μαζί τους και είμαι σίγουρη ότι θα με καταλάβαιναν».

«Για ποιο πράγμα;»

«Όταν θα τους έλεγα τα προβλήματά μου!»

«Έχεις προβλήματα; Τι είδους;»

«Μαμά, ο μπαμπάς ήθελε παιδιά όταν παντρευτήκατε;»

«Τι θα πει αυτό; Δεν καθίσαμε να το συζητήσουμε βέβαια, αλλά όταν κάποιος παντρεύεται, θεωρείται αυτονόητο ότι θα κάνει παιδιά! Πάντως, όταν έμεινα έγκυος σ' εσένα, χάρηκε πάρα πολύ!»

«Και γιατί δεν κάνατε κι άλλα παιδιά;»

«Γυναίκα ήμουν, χρυσό μου, δεν ήμουν κουνέλα! Στο κάτω κάτω, δεν ήθελα να χαλάσω και το σώμα μου, για το οποίο πλήρωνα και πληρώνω μια περιουσία για να το διατηρώ!»

«Α, μάλιστα... κατάλαβα».

«Μπορείς τώρα να μου δώσεις και μένα να καταλάβω την αιτία όλων αυτών των ερωτήσεων;»

«Θέλω να κάνω ένα παιδί... μάλλον».

«Τι θα πει αυτό το "μάλλον"; Θέλεις ή δε θέλεις;»

«Δεν ξέρω. Όμως, μαμά, είμαι πια τριάντα χρόνων!»

«Αυτό δεν είναι επιχείρημα, χρυσό μου!»

«Ναι, αλλά δεν είναι λογικό να θέλω ένα παιδί;»

«Και πού είναι το πρόβλημα;»

«Ο Νικήτας...»

«Μη μου πεις! Δεν μπορεί;»

«Δεν είπα τέτοιο πράγμα! Μάλλον δεν είναι και πολύ πρόθυμος. Το συζητήσαμε χθες το βράδυ...»

«Πάλι δε βλέπω πρόβλημα! Αν δε θέλει εκείνος...»

«Μόνη μου θα το κάνω το παιδί, μαμά; Ή μήπως εννοείς να βρω άλλον και να μείνω έγκυος;»

«Μα τι λες τώρα; Δε θα σου πρότεινα ποτέ κάτι τέτοιο, παρά μόνο αν ο άντρας σου είχε πρόβλημα! Τότε, θα ήταν μια λύση ένας άλλος, αλλά μόνο γι' αυτό το σκοπό και φυσικά χωρίς ποτέ να το μάθει κανείς!»

«Και ο άντρας μου;»

«Θα ήταν περήφανος για τη γονιμότητά του!»

Η Μαρίνα έριξε μια ματιά στο θερμόμετρο. Πρέπει να είχε ανέβει η θερμοκρασία. Διαφορετικά, γιατί πνιγόταν;

«Μαμά, καταλαβαίνεις τι λες;» ρώτησε.

«Φυσικά! Ξέρεις πόσες το έχουν κάνει στον κύκλο μας; Να σου πω εγώ ονόματα να φρίξεις!»

«Να χαρείς! Δε θέλω να ξέρω! Όπως και να 'χει, το πρόβλημα δεν είναι οργανικό! Ο Νικήτας δε θέλει!»

«Και λοιπόν; Εσύ θέλεις;»

«Σου είπα ότι το σκέφτομαι!»

«Όταν το αποφασίσεις, δεν έχεις παρά να κόψεις τα χάπια!»

«Χωρίς να του το πω;»

«Είσαι αφελής! Και βέβαια χωρίς να του το πεις!»

«Και μετά;»

«Θα... δείξεις ειλικρινή μεταμέλεια που ξέχασες να πάρεις το χάπι σου ένα βράδυ! Αυτός μπορεί να σε πιστέψει, μπορεί και όχι! Πάντως, θα είναι αργά για οτιδήποτε κι εσύ θα έχεις πετύχει το σκοπό σου!»

«Μα αυτό είναι απάτη!»

«Δε θα το τοποθετούσα τόσο άκομψα! Θα έλεγα ότι... ότι φροντίζεις για το καλό του γάμου σου, που ο άντρας σου δυσκολεύεται να δει και να δεχτεί!»

«Πολύ βολικό αυτό!»

«Αγάπη μου, αν οι άντρες θέλουν να λέγονται έξυπνοι και ένας Θεός ξέρει πόσο λάθος κάνουν, τότε εμείς διαλέγουμε να είμαστε πονηρές!»

«Εσύ, μαμά, συμφωνείς ότι πρέπει να κάνω ένα παιδί;»

«Αυτό είναι άλλη υπόθεση! Βέβαια, δε μετανιώνω που σε έχω, αλλά δε θέλω να θυμάμαι την παραμόρφωση της εγκυμοσύνης, την ταλαιπωρία της γέννας και τον αγώνα που έκανα για να βρω και πάλι τη γραμμή μου!»

«Εγώ σε ταλαιπώρησα καθόλου, μαμά; Ήμουν δύσκολο μωρό;»

«Και πού να το ξέρω αυτό; Η νταντά σου νομίζω ότι κουράστηκε αρκετά!»

«Κατάλαβα!»

«Πάντως να το σκεφτείς καλά προτού αποφασίσεις να κάνεις παιδί! Όπως και να το δεις, είναι ταλαιπωρία να...»

«...να βρεις νταντά! Εντάξει, μαμά! Κατάλαβα! Ας αλλάξουμε συζήτηση καλύτερα! Ο μπαμπάς τι κάνει;»

«Αυτό μάλιστα! Είναι πρόβλημα!»

«Γιατί; Τι έχει ο μπαμπάς;»

«Δεν ξέρω, πάντως κάτι συμβαίνει!»

«Μήπως είναι άρρωστος;»

«Όχι, βέβαια! Αλλά φέρεται περίεργα: πάντα σκεφτικός, περνάει ώρες στο γραφείο του και μιλάει συνέχεια με το χρηματιστή στο τηλέφωνο».

«Τώρα που το λες... αυτός ο χρηματιστής, ο...»

«Ο Χρήστου;»

«Ναι. Ξέρεις τι μέρος του λόγου είναι;»

«Εξαιρετικός! Ο πατέρας σου τον εμπιστεύεται απόλυτα! Του έχει αναθέσει εν λευκώ τη διαχείριση όλων των μετοχών μας!»

«Όλων; Και εν λευκώ; Τρελάθηκε ο μπαμπάς; Απ' ό,τι ξέρω το χρηματιστήριο πάει χάλια και ο μπαμπάς ήταν πάντα πολύ προσεκτικός στις τοποθετήσεις του. Γι' αυτό και κατάφερε να επιβιώσει την εποχή που άλλοι έχαναν εκατομμύρια! Κάποτε, μάλιστα, προτού αρχίσει το κατρακύλισμα, είχα ακούσει ότι είχε αποσύρει μεγάλο μέρος του κεφαλαίου του!»

«Και λοιπόν;»

«Έριξε λεφτά πάλι στο χρηματιστήριο;»

«Και πού θέλεις να ξέρω εγώ; Ο πατέρας σου, αγαπούλα μου, είναι τόσο έξυπνος! Έπειτα, δε φαντάζομαι να μην παρακολουθεί ο ίδιος τα πράγματα!»

«Μα μου είπες ότι τώρα διαχειρίζεται άλλος τα λεφτά, τον οποίο μέχρι χθες κανένας δε γνώριζε, και εδώ μιλάμε για πολλά εκατομμύρια!»

«Αχ, χρυσούλι μου, μη με ζαλίζεις μ' αυτά! Εγώ ακόμη προσπαθώ να προσαρμοστώ στο νέο νόμισμα και αποτυγχάνω συνεχώς! Πού να καταλάβω τα περί χρηματιστηρίου και επενδύσεων, και γιατί να τα καταλάβω στο τέλος τέλος;»

«Πρέπει να μιλήσω στον μπαμπά!»

«Να μην ανακατευτείς καθόλου! Τι δουλειά έχεις εσύ μ' αυτά; Ο κύριος Χρήστου και ο πατέρας σου είναι οι αρμόδιοι!»

«Μαμά, ξέρεις πόσο εύκολο είναι να χαθούν τα πάντα, όταν όλα τα λεφτά είναι στο χρηματιστήριο και δεν έχεις δεκάρα στην άκρη;»

«Μα τι κουβέντες είναι αυτές τώρα; Γιατί προσπαθείς να με φοβίσεις;»

«Προσπαθώ να σε ξυπνήσω για να μιλήσεις στον μπαμπά! Πες του να πάρει τον έλεγχο στα χέρια του, ν' αποσύρει το μεγαλύτερο μέρος των κεφαλαίων του από εκεί μέσα και να τα επενδύσει αλλού, προτού να είναι αργά!»

«Εγώ να του πω όλα αυτά; Θα νομίσει ότι τρελάθηκα! Ποτέ δεν έχω ανακατευτεί στις δουλειές του και ποτέ δε μου έλειψε τίποτα!»

«Ούτε σ' εμένα κι αυτό είναι κάτι που θέλω επίσης να το συζητήσω με τον μπαμπά! Γιατί πληρώνει εκείνος και τα δικά μας έξοδα; Ο Νικήτας τι κάνει με τα λεφτά που βγάζει; Γιατί δε συντηρεί ο ίδιος το σπίτι μας;»

«Μαρίνα! Αυτή η συζήτηση ξέφυγε από τα όρια! Πόσες φορές σού έχω πει ότι μια κυρία δε μιλάει ποτέ για χρήματα;»

«Σε ποιον αιώνα ζεις, μαμά; Η γυναίκα σήμερα δουλεύει και συνεισφέρει στο σπίτι!»

«Να! Αυτά κάνουν οι κακές συναναστροφές! Είδες εσύ καμιά κυρία του κύκλου μας να... δουλεύει; Για όνομα του Θεού πια! Άκουσες ποτέ να συζητιούνται αυτά τα θέματα στον κύκλο μας;»

«Στον... κύκλο μας, δεν έχω ακούσει ποτέ μια συζήτηση της προκοπής! Αλλού είναι το θέμα μας! Τέσσερα χρόνια παντρεμένοι και ο Νικήτας δεν έχει φέρει στο σπίτι ούτε... ούτε ένα κιλό πατάτες!»

«Χριστέ μου! Και τι είναι ο Νικήτας; Μανάβης;»

«Υποτίθεται ότι είναι οικογενειάρχης! Δε θα έπρεπε να πληρώνει και αυτός για όσα απολαμβάνει;»

«Όχι, βέβαια! Άλλωστε, αυτή ήταν η συμφωνία με τον πατέρα σου πριν από το γάμο!»

«Ένα είδος προίκας δηλαδή, αλλά σε... ισόβιες δόσεις! Και γιατί δεν ενημερώθηκα εγώ;»

«Γιατί αυτά είναι αντρικές κουβέντες!»

Η σάουνα έφταιγε ή η συζήτηση που την είχαν εξουθενώσει τόσο; Βγήκε από το ινστιτούτο χειρότερα απ' ό,τι μπήκε. Τώρα ζαλιζόταν κιόλας. Το κακό ήταν ότι δεν ήξερε πού να πάει. Σπίτι της δεν ήθελε, πνιγόταν και μόνο στη σκέψη. Η κατάστασή της ήταν τέτοια που προτιμούσε να μην οδηγήσει, αισθανόταν κουρασμένη για να περπατήσει και το αποτέλεσμα ήταν να στέκεται στο πεζοδρόμιο ακίνητη σαν άγαλμα. Μια κοπέλα την έσπρωξε κατά λάθος και όταν σήκωσε τα μάτια να δει την άγνωστη που της ζητούσε συγγνώμη, διαπίστωσε ότι ήταν γνωστή.

«Συγγνώμη... Μαρίνα;» Η Ναταλία κοίταξε κατάπληκτη τη Μαρίνα με το άδειο βλέμμα. «Τι σου συμβαίνει; Πώς είσαι έτσι;»

«Ναι, δεν είμαι και πολύ καλά».

«Έλα... έλα να καθίσουμε κάπου».

Λίγο πιο πέρα, ένα μικρό μαγαζί πρόσφερε πρόχειρο φαγητό και καφέ. Η Ναταλία έβαλε τη Μαρίνα να καθίσει και της έφερε τοστ και πορτοκαλάδα. Η κατάσταση βελτιώθηκε. Το βλέμμα της Μαρίνας καθάρισε, ο εγκέφαλος μπήκε πάλι σε λειτουργία. Κοίταξε τη Ναταλία και της χαμογέλασε.

«Καημενούλα μου, σε τρόμαξα... Είμαι εντάξει τώρα».

«Ευτυχώς! Και βέβαια με τρόμαξες! Πού ήσουν και κατέληξες σ' αυτά τα χάλια;»

«Στο ινστιτούτο για σάουνα».

«Τρελάθηκες, κορίτσι μου; Μ' αυτή τη ζέστη; Κι ήταν ανάγκη να πας στο ινστιτούτο; Μισή ώρα στην Πατησίων το ίδιο θα κατόρθωνες!»

«Και στα ίδια χάλια θα έφτανα!»

«Άσε τ' αστεία και ήταν πολύ επικίνδυνο όλο αυτό! Λίγο ακόμη και θα λιποθυμούσες την ώρα που σε βρήκα! Ήσουν εντελώς χλομή και δεν επικοινωνούσες με το περιβάλλον!»

«Μάλλον θα μου είχε πέσει το ζάχαρο!»

«Το έχεις ξαναπάθει;»

«Όχι, δε θυμάμαι κάτι τέτοιο!»

«Τότε να πας σ' ένα γιατρό!»

«Ναι, μάλλον... Αλήθεια, εσύ πού πήγαινες όταν έπεσες επάνω μου; Τέτοια ώρα δεν έπρεπε να είσαι στο γραφείο σου;»

«Για δουλειά πήγαινα. Ο εκδότης μου θα δώσει μια διάλεξη σε μία ώρα για το εκπαιδευτικό σύστημα στην αρχαία Ελλάδα και με είχε παρακαλέσει να τον βοηθήσω με μια εργασία, την οποία όμως ξέχασε να πάρει και μου ζήτησε να του την πάω. Γύριζα στο γραφείο. Εσύ πού θα πας;»

«Μάλλον σπίτι».

«Αύριο, θα πάμε για μπάνιο; Ο Κωστής και η Ελπίδα λένε ότι είμαστε οι μόνοι που δεν έχουμε πάει στη θάλασσα ακόμη!»

«Όπως πάντα υπερβολικοί! Αλλά γιατί όχι; Ο Νικήτας αύριο έχει αγώνες στο τένις κλαμπ και εγώ βαριέμαι να ακολουθήσω! Πού λέτε να πάμε;»

«Δεν ξέρω. Ο Κωστής θα μας πάει με τ' αυτοκίνητό του. Στο κάτω κάτω τι σημασία έχει πού θα πάμε;»

Θα μπορούσε να είναι σκηνή από ταινία, αλλά δεν ήταν. Ήταν μια στιγμή αληθινής ζωής... Μια θάλασσα γαλάζια, εκτυφλωτικά γαλανή και ακίνητη· υποταγμένη στις προσταγές όλων αυτών που ήταν εκεί για να την απολαύσουν. Ένας ήλιος λαμπρός, που ζέσταινε την άμμο, τη θάλασσα και τους ανθρώπους. Ένα απαλό αεράκι που χάιδευε και δρόσιζε. Τέλειο σκηνικό.

Ο Κωστής είχε οργανώσει άψογα τη μέρα. Όταν άνοιξε το πορτμπαγκάζ του αυτοκινήτου, όλες του έδωσαν συγχαρητήρια: ομπρέλα, μικρές πολυθρόνες για την παραλία, τραπεζάκι, θερμός με παγωμένο νερό και φυσικά ψυγείο που περιείχε μικρά σάντουιτς, φρούτα και αναψυκτικά. Βρήκαν την κατάλληλη θέση· κοντά στη θάλασσα αλλά μακριά από τον κόσμο, που όσο περνούσε η ώρα γινόταν όλο και περισσότερος. Ο Κωστής άνοιξε την ομπρέλα κι έστησε τις πολυθρόνες και το τραπέζι. Η Μαρίνα κάθισε στη σκιά ενώ η Ελπίδα και η Ναταλία διάλεξαν τον ήλιο.

«Εκεί θα καθίσετε;» ρώτησε η Μαρίνα την ώρα που άπλωνε στο πρόσωπό της μια παχύρρευστη κρέμα.

«Γιατί; Τι έχει εδώ;»

«Ήλιο έχει, Ελπίδα! Ήλιο, και μάλιστα δυνατό! Ξέρεις τι ζημιά κάνει στις μέρες μας ο ήλιος;»

«Δεν ξέρω γιατί δε θέλω να μάθω, αλλά υποψιάζομαι ότι δε θα με αφήσεις στην ευτυχισμένη άγνοιά μου!»

«Φυσικά και δε θα σε αφήσω! Είσαι και νοσοκόμα! Δε θα σου αναφέρω το σημαντικότερο που είναι ο καρκίνος του δέρματος, γιατί φαντάζομαι ότι λόγω της θέσης σου το γνωρίζεις καλύτερα! Τη γήρανση όμως δεν τη σκέφτεσαι; Τις ρυτίδες;»

Η Μαρίνα μιλούσε με περισπούδαστο ύφος, ενώ άπλωνε μια δεύτερη κρέμα στο πρόσωπό της.

«Ε!...» τη σταμάτησε η Ναταλία. «Έβαλες κρέμα στο πρόσωπο! Πάλι θα βάλεις;»

«Άλλη δουλειά κάνει η μία, χρυσό μου, άλλη αυτή εδώ! Το δέρμα μας είναι ευαίσθητο, θέλει φροντίδα καθημερινή, και σε κάθε περίσταση θέλει το κατάλληλο προϊόν! Ξεκίνησα λοιπόν με απλή ενυδάτωση, γιατί ο ήλιος στεγνώνει την επιδερμίδα, και μετά αυτή σπάει... οι γνωστές ρυτίδες. Τώρα συνεχίζω με μια καλή αντηλιακή με δείκτη προστασίας φυσικά υψηλό και αργότερα θα βάλω...» Η Μαρίνα έκοψε την κουβέντα της στη μέση. Μπροστά της στεκόταν η Ελπίδα και την κοιτούσε ειρωνικά.

«Προτού συνεχίσεις», της είπε, «σου συνιστώ ν' αφήσεις το ύφος της κοσμικής χαζοχαρούμενης και να θυμηθείς ότι μιλάς σ' εμάς, κι εμείς δεν είμαστε η ηλίθια παρέα σου που πληρώνει εκατό και εκατόν πενήντα ευρώ για ένα σωληνάριο κρέμας, όσο... θαυματουργή κι αν είναι αυτή! Για να μη σου θυμίσω επιπλέον ότι υπήρξες κάποτε ανθρώπινη και τριγύριζες όλη την Αλόννησο χωρίς κρέμες και αηδίες, ξεχτένιστη και ξυπόλυτη! Άσε τη διάλεξη, λοιπόν, και γίνε πάλι η Μαρίνα που ξέρουμε και που αντέχουμε σ' αυτή την παρέα!»

Η Μαρίνα κοίταξε την Ελπίδα που μιλούσε χαμογελώντας, αλλά στα μάτια της υπήρχε η αλήθεια που μόλις της είχε πετάξει κατακέφαλα. Στράφηκε στον Κωστή που της χαμογελούσε και της έκλεινε το μάτι, σαν να της ζητούσε να θυμηθεί πως αυτή που μιλούσε ήταν η γνωστή Ελπίδα. Η Ναταλία έδειχνε να συμφωνεί μαζί του. Έτσι, άφησε την κρέμα και κούνησε καταφατικά το κεφάλι.

«Έχετε δίκιο», είπε. «Συγγνώμη, λέω κουταμάρες. Αντί να χαίρομαι τον ήλιο και τη θάλασσα σαν φυσιολογικός άνθρωπος, κάθομαι και παπαγαλίζω τα λόγια της μαμάς μου και της αισθητικού μου!»

«Έλα τώρα», έκανε η Ναταλία, πρόθυμη όπως πάντα να μην την αφήσει να κατηγορεί τον εαυτό της. «Μην είσαι τόσο αυστηρή! Στο κάτω κάτω, όλοι λένε ότι ο ήλιος κάνει ζημιά χωρίς τις απαραίτητες προφυλάξεις!»

«Έχει όμως δίκιο η Ελπίδα! Σας ζαλίζω τόση ώρα με κρέμες που, για να τις αγοράσετε, θα χρειαζόταν όλος ο μισθός σας και ίσως και να μην έφτανε! Μίλησα σαν... πώς το είπες, Ελπίδα;»

«Σαν "κοσμική χαζοχαρούμενη" το είπα!» Η Ελπίδα της χαμογελούσε πάλι, αλλά αυτή τη φορά το γέλιο είχε φτάσει και ως τα μάτια της.

«Και αφού τελειώσατε με τις αιώνιες κόντρες σας, μπορούμε επιτέλους να κάνουμε καμιά βουτιά;» πέταξε ο Κωστής που ήταν ήδη όρθιος.

Τον ακολούθησαν και οι τρεις. Πέρασαν σχεδόν μία ώρα, απολαμβάνοντας το υδάτινο στοιχείο, με κολύμπι, βουτιές και άτυπους αγώνες κολύμβησης που κατέληξαν σε διαμαρτυρίες, οι οποίες έληξαν με κατάβρεγμα των διαπλεκομένων.

Έπαιζαν σαν παιδιά, ίσως γιατί ήξεραν ότι δεν ήταν πια σ' αυτή την ηλικία, αλλά λαχταρούσαν να γυρίσουν έστω και για λίγο εκεί όπου η αθωότητα είναι δεδομένη και η ανεμελιά δικαίωμα. Ξάπλωσαν λαχανιασμένοι στη ζεστή άμμο. Ο Κωστής πρόσφερε σε όλες χυμό.

«Καιρό είχα να διασκεδάσω τόσο πολύ στη θάλασσα!» δήλωσε η Ναταλία και αμέσως μετά διαπίστωσε μόνη της: «Αλλά γιατί μου κάνει εντύπωση; Πώς να διασκεδάσεις μόνος σου;»

«Από το στόμα μου το πήρες!» την αποπήρε η Ελπίδα. «Δεν έχεις ακούσει αυτό που λέει ο απλός και σοφός λαός μας; *Μόνος σου δεν περνάς καλά ούτε στον Παράδεισο!*»

«Ατελείωτο το ρεπερτόριό σου σε σοφά αποφθέγματα!» την πείραξε ο Κωστής, για να εισπράξει ένα αγριεμένο βλέμμα της σαν απάντηση.

Στη συνέχεια δοκίμασε το χυμό και το πρόσωπό της παραμορφώθηκε από την αηδία. «Προσπαθείς να μ' εξοντώσεις;» τον ρώτησε. «Τι είναι αυτό που μου έδωσες να πιω;»

«Ηρέμησε, κούκλα μου! Χυμός από διάφορα εξωτικά φρούτα είναι!»

«Και γιατί έχουν τόσο χάλια γεύση;»

«Φταίω εγώ που έψαξα και σας έφερα τέτοιο χυμό!»

«Χάθηκαν τα δικά μας φρούτα που μας ξέρουν και τα ξέρουμε; Τι είμαι; Χαβανέζα, να πίνω εξωτικά φρούτα;»

«Εκτός από πεζή, είσαι και γκρινιάρα τελικά!»

«Αν δε σταματήσετε, θα πάρω τη Μαρίνα και θα φύγουμε!» απείλησε η Ναταλία, και οι δύο «αντίπαλοι» συμμορφώθηκαν.

«Γιατί δεν πήραμε και το παιδί σήμερα μαζί μας;» προσπάθησε ν' αλλάξει θέμα η Μαρίνα.

«Γιατί θα έφευγε για διήμερο με την Αντιγόνη. Εξάλλου, όπου να 'ναι κλείνουν τα σχολεία κι έτσι θα μπορώ να τη βλέπω περισσότερο!» αποκρίθηκε ο Κωστής.

«Κωστή...» δίστασε η Μαρίνα ν' ανοίξει κουβέντα, αλλά εκείνος την ενθάρρυνε με το βλέμμα να συνεχίσει. «Ήθελα να σε ρωτήσω... πώς αισθάνθηκες όταν έμαθες ότι η Αντιγόνη ήταν έγκυος;»

«Κοίταξε, όπως ξέρεις, όταν έγινε αυτό δεν ήμαστε παντρεμένοι και προς στιγμή μού ήρθε απότομα, αλλά χάρηκα πάρα πολύ. Τόσο που την παντρεύτηκα αμέσως! Και παρόλο που ήρθαν έτσι τα πράγματα, δε μετανιώνω! Γιατί ρωτάς;»

«Μπα... τίποτα! Έτσι ρώτησα, από περιέργεια».

Κανένα δεν έπεισε, βέβαια. Έτσι, μαζεύτηκαν γύρω της.

«Λέγε τι έγινε!» τη διέταξε η Ελπίδα.

«Μα δεν έγινε κάτι σοβαρό...»

«Μήπως είσαι έγκυος;» θέλησε να μάθει η Ναταλία, αλλά η Μαρίνα κούνησε αρνητικά το κεφάλι.

«Όχι», απάντησε, «απλώς είπα στον Νικήτα για το παιδί... για την πιθανότητα δηλαδή ν' αποκτήσουμε...»

«Και;» έκανε η Ελπίδα και άναψε τσιγάρο χωρίς να τη χάνει από τα μάτια της.

«Μάλλον δεν ενθουσιάστηκε. Δεν ξέρω, είμαι μπερδεμένη».

«Κοίτα, δεν είναι ότι τον δικαιολογώ, αλλά ένας άντρας δε θα καθίσει να σκεφτεί για παιδιά. Βέβαια συνήθως δεν αντιδρά... Είναι που είστε και τέσσερα χρόνια παντρεμένοι! Από την άλλη...»

«Να την ξεμπερδέψεις προσπαθείς ή να την κάνεις χειρότερα;» διέκοψε η Ελπίδα τον Κωστή και στράφηκε στη Μαρίνα. «Σου το απέρριψε δηλαδή εντελώς;» τη ρώτησε. «Δε θέλει παιδί;»

Τους τα είπε με τη σειρά. Ακόμη και τη συζήτηση με τη μητέρα της. Οι συμβουλές της τους άφησαν άφωνους.

«Να μου τα έλεγε άλλος, δε θα τα πίστευα!» Η Ελπίδα είχε βρει πρώτη τη μιλιά της. «Δε φαντάζομαι να σκέφτεσαι ν' ακολουθήσεις τις συμβουλές της!»

«Όχι, βέβαια! Να σκεφτείς ότι στο παρελθόν είχα ξεχάσει πραγματικά ένα-δυο βράδια να πάρω το χάπι και τώρα προσέχω διπλά! Όχι, δε θα κάνω παιδί με απάτη!»

«Κοίτα, φίλε μου, πόσο πονηρό μυαλό έχει μια γυναίκα!»

«Μπράβο που το κατάλαβες!» ειρωνεύτηκε η Ελπίδα τον Κωστή που απορούσε. «Και μετά σου φταίνε τα... σοφά μου αποφθέγματα! Ο Βολτέρος, κύριε, το έχει πει: *Ο Θεός έπλασε τη γυναίκα, μόνο για να εξημερώσει τον άντρα!*»

«Να τον εξημερώσει, κούκλα μου, να το δεχτώ! Γιατί πρέπει, όμως, και να τον κοροϊδεύει;»

«Γιατί το χρειάζεστε! Ώρες ώρες, μόνο με παραμύθια σάς κάνουμε καλά!»

«Αυτό που της είπε η μάνα της δεν είναι παραμύθι! Είναι απάτη!»

«Αν και το σιχαίνομαι όταν συμβαίνει, είμαι αναγκασμένη να συμφωνήσω μαζί σου! Είναι απάτη και ένα παιδί δεν πρέπει να είναι αποτέλεσμα απάτης!»

Η Ναταλία έπιασε το χέρι της φίλης της και την κοίταξε. «Μαρινάκι, νομίζω ότι αυτή η ιστορία δεν τελείωσε. Ούτε ο άντρας σου το απέκλεισε, αλλά κι εσύ πρέπει να παραδεχτείς ότι δεν του το είπες με πολύ... οριστικό τρόπο. Κάνατε, ας πούμε, μια προκαταρκτική συζήτηση!»

«Ίσως έχεις δίκιο!»

«Βρες την κατάλληλη ευκαιρία και πες το πάλι! Κάνε τον να καταλάβει πόσο πολύ το θέλεις».

«Το πρόβλημα είναι ότι δεν ξέρω αν το θέλω κι εγώ η ίδια. Μου έχει γίνει έμμονη ιδέα, χωρίς όμως να υπάρχει λαχτάρα για ένα παιδί. Δεν ξέρω αν είμαι και έτοιμη να γίνω μητέρα, αν θα είμαι ικανή. Μου φαίνεται βουνό!»

«Είναι! Αλλά... χαμηλό!» Ο Κωστής χαμογελούσε πάλι. «Μιλάω δηλαδή ως γονιός τώρα!»

«Εσύ να μη μιλάς ούτε ως γονιός ούτε ως τίποτα! Εσύ τα είχες φορτώσει όλα στη γυναίκα σου! Και προτού βιαστείς ν' αρπαχτείς, σου λέω ότι δεν είσαι και σπάνια περίπτωση! Όλοι το ίδιο κάνουν! Και ο πατέρας σου και ο πατέρας μου και όλοι οι άντρες που ξέρω!» του είπε η Ελπίδα... πάντα απότομη.

«Βάλε και τη μητέρα μου στη λίστα!» πρόσθεσε η Μαρίνα. «Απ' ό,τι μου είπε, δεν κουράστηκε ιδιαίτερα! Είχε νταντά από την πρώτη μέρα!»

«Μιλάμε για τον κανόνα τώρα και όχι για τις εξαιρέσεις!» αποκρίθηκε η Ελπίδα και στράφηκε πάλι στον Κωστή: «Αλήθεια, τώρα που μιλάμε για γονείς, είναι τόσος καιρός που θέλω να σε ρωτήσω. Πώς πήραν οι δικοί σου το νέο του χωρισμού σου;»

«Αν και είναι εντελώς άσχετο με το θέμα μας, δε χάρηκαν! Μπορώ μάλιστα να πω ότι με κατέπληξαν! Από εκεί που δεν ήθελαν να ξέρουν την Αντιγόνη, τώρα κατηγορούν εμένα ότι την άφησα! Όταν τους είπα ότι θα την παντρευτώ, και από την πρώτη στιγμή της γνωριμίας τους, αναπτύχθηκε αμοιβαία αντιπάθεια! Της χρέωσαν, εντελώς άδικα ομολογουμένως, την εγκυμοσύνη ως μέσο για να με... τυλίξει!»

«Πώς και δεν τους έχουμε γνωρίσει τόσο καιρό;» πέταξε η Ναταλία καθώς στράγγιζε την τελευταία γουλιά από το χυμό της.

«Μα δε μένουν στην Αθήνα! Τρία χρόνια μετά τη γέννηση της Ισμήνης, έφυγαν για την Κρήτη. Πέθαναν οι παππούδες μου και άφησαν στη μητέρα μου το πατρικό της. Τους πρότεινα φυσικά να μ' επισκεφθούν στο νέο μου σπίτι, αλλά μου είπαν ν' αφήσω τις κουταμάρες και να γυρίσω στη γυναίκα μου και στο παιδί μου, λες κι έφυγα με τη θέλησή μου! Δεν εννοούν να καταλάβουν! Με είπαν μάλιστα και επιπόλαιο που καταστρέφω την οικογενειακή μου ευτυχία! Άρχισαν να μου απαριθμούν τα προσόντα της Αντιγόνης!»

«Α, δε μου κάνει εντύπωση!» σχολίασε η Ελπίδα που έδειχνε να το διασκεδάζει. «Εμένα οι δικοί μου λάτρευαν και λατρεύουν τον πρώην μου και έχω τη βεβαιότητα ότι διατηρούν οικογενειακές σχέσεις μαζί του από τον καιρό που ξαναπαντρεύτηκε! Κάθε φορά που μιλάω με τη μητέρα μου, τόσα χρόνια τώρα, με κατηγορεί που έχασα τέτοιο κελεπούρι και μου δίνει λεπτομερή αναφορά για τη ζωή του, καθώς και για τα παιδιά που του κάνει κάθε λίγο και λιγάκι η νέα σύζυγος! Και μετά λένε εμένα ανάποδη! Λες και όλα αυτά είναι φυσιολογικά και τους πειράζω εγώ!»

Χαμογέλασαν όλοι με το ξέσπασμά της, αλλά η Μαρίνα φαινόταν αφηρημένη. Η Ναταλία στράφηκε σ' εκείνη.

«Γιατί είσαι έτσι; Συμβαίνει κάτι άλλο;»

«Τίποτα που να μπορεί να ειπωθεί. Τίποτα συγκεκριμένο, δηλαδή. Μόνο ένα προαίσθημα... σαν κάτι να με τριγυρίζει... κάτι που θα ξεσπάσει από ώρα σε ώρα και θα με συγκλονίσει».

Σώπασαν όλοι· κοιτάχτηκαν κλεφτά. Ευχήθηκαν να κάνει λάθος η Μαρίνα!

Το δέρμα είχε ροδίσει έντονα· ένα ελαφρό τσούξιμο. Προσωρινή ανακούφιση η δροσιά της κρέμας. Η Ναταλία κοίταξε την Ελπίδα και χαμογέλασε.

«Γιατί χαμογελάς;» τη ρώτησε εκείνη έτοιμη ν' αρπαχτεί.

«Γιατί είσαι σαν κλόουν με το γιαούρτι στη μύτη!»

«Τότε κοίταξε τον εαυτό σου! Αν εγώ είμαι για γέλια, εσύ είσαι για κλάματα! Πώς την πατήσαμε έτσι;»

«Είναι η τιμωρία μας, γιατί κοροϊδέψαμε τη Μαρίνα και τις κρέμες της!»

Ήταν οι δυο τους στο σπίτι της Ναταλίας. Η ξένοιαστη μέρα στη θάλασσα είχε τελειώσει. Η Μαρίνα θα έβγαινε με τον άντρα της και ο Κωστής είχε ένα επαγγελματικό δείπνο. Η Ελπίδα ακολούθησε τη Ναταλία, έχοντας αποφασίσει να τελειώσουν μαζί τη μέρα του ρεπό της. Την άλλη μέρα είχε βάρδια στο νοσοκομείο. Μία ώρα τώρα, προσπαθούσαν οι δυο τους να ελαχιστοποιήσουν τη ζημιά που τους είχε κάνει ο ήλιος. Μπροστά τους, στο μικροσκοπικό τραπέζι της μικρής βεράντας, υπήρχαν δυο ποτήρια παγωμένο τσάι με λεμόνι. Στην αρχή, η Ελπίδα αρνήθηκε να βγει στο μπαλκόνι.

«Τρελάθηκες, κορίτσι μου;» φώναξε στη Ναταλία. «Είναι για να βγούμε σ' αυτά τα χάλια; Θα μας βλέπουν οι εχθροί μας και θα χαίρονται!»

«Δεν έχω εχθρούς, Ελπίδα, μόνο γείτονες, και από αυτούς παραιτήθηκα εδώ και χρόνια απ' το να κρύψω οτιδήποτε! Έτσι όπως είναι τα διαμερίσματα στην Αθήνα, ζούμε όλοι τη ζωή όλων! Ώρες ώρες, νομίζω ότι αν απλώσω το χέρι μου, θ' αγγίξω την μπουγάδα της απέναντι κυρίας! Όταν τσακώνεται η από πάνω με τον άντρα της, κλαίω εγώ!»

«Εδώ δε λέμε καλημέρα μεταξύ μας και κατά τ' άλλα... συγκατοικούμε!»

Τελικά κάθισαν έξω· με τα γιαούρτια στο πρόσωπο. Απέναντι, ένας ηλικιωμένος κύριος καθόταν στη βεράντα του και διάβαζε εφημερίδα. Χαμογέλασε με κατανόηση μόλις τις είδε. Στο επάνω διαμέρισμα, ένα παιδάκι που έπαιζε στο μπαλκόνι μάλλον τρόμαξε και έκανε μεταβολή προς τα μέσα. Πότε πότε το έβλεπαν που τις κρυφοκοίταζε. Ακριβώς δίπλα, μια κοπέλα βγήκε ν' απλώσει το μαγιό της, πασαλειμμένη κι αυτή. Αντάλλαξαν ένα βλέμμα αλληλεγγύης για το κοινό τους μαρτύριο.

Όταν όμως άρχισαν να συζητούν, τους ξέχασαν όλους.

«Με απασχολεί η Μαρίνα», άρχισε η Ελπίδα.

«Κι εσένα; Κι εμένα». Η Ναταλία κυνηγούσε και έσπρωχνε τα παγάκια στο μεγάλο ποτήρι. «Δε μ' αρέσει να κρίνω ανθρώπους και ιδιαίτερα όταν δεν τους ξέρω καθόλου».

«Για τον άντρα της θέλεις να πεις;»

«Ναι, δηλαδή δεν ξέρω τι να υποθέσω».

«Ό,τι και να υποθέσεις, κοίταξε να είναι κάτι κακό, αλλιώς θα πέσεις έξω!»

«Κατάλαβα, ούτε κι εσένα σου αρέσει».

«Ακριβώς!» μουρμούρισε η Ελπίδα. «Και επειδή δεν έχω πρόβλημα να κρίνω τους ανθρώπους, σου λέω ότι αυτός δεν είναι καν άνθρωπος! Ψυχρός, σνομπ, εγωιστής, αναίσθητος και φυσικά προικοθήρας! Ειδικά αυτό το τελευταίο!»

«Δεν κολλάς στους χαρακτηρισμούς, βλέπω!»

«Πες μου έναν, στον οποίο πέφτω έξω!»

«Μμμ...»

«Άσ' το! Παραδέξου ότι έχω δίκιο!»

«Μα δεν τον ξέρουμε σχεδόν καθόλου!» αντέτεινε η Ναταλία. «Πώς είσαι τόσο σίγουρη;»

«Απ' όσα ακούς τόσο καιρό από την ίδια τη Μαρίνα και από τη σύντομη γνωριμία μας μαζί του, έχεις διαφορετική εντύπωση;»

«Εγώ το μόνο που μπορώ να πω είναι ότι δε μου αρέσει. Κάτι στο βλέμμα του ίσως...»

«Βλέμμα αρπακτικού λέγεται, κορίτσι μου! Το κακό είναι ότι εδώ δεν πρόκειται για μιαν απλή σχέση! Είναι άντρας της και δεν μπορούμε να πούμε κουβέντα! Τουλάχιστον όχι αυτά που είπα πριν! Δε λέγονται!»

«Νομίζεις ότι η Μαρίνα... θέλω να πω... αναρωτιέμαι αν τον αγαπάει», μουρμούρισε η Ναταλία.

«Αν τον αγαπάει, τότε δεν είναι και η ίδια αυτό που

νομίζουμε! Θεωρώ όμως αδιανόητο για ένα πλάσμα σαν αυτή, τρυφερό και ευαίσθητο όπως έχει αποδείξει ότι είναι, ν' αγαπάει αυτό το... το όρθιο κρέας!»

«Κι όμως! Ακριβώς επειδή είναι τρυφερή και ευαίσθητη, φοβάμαι ότι δε βλέπει τον αληθινό Νικήτα!»

«Τότε κοιμάται όρθια, αν και γι' αυτό το τελευταίο είμαι σίγουρη! Αυτή, παιδί μου, ώρες ώρες δείχνει σαν διχασμένη προσωπικότητα! Εκεί που μιλάει κανονικά, εκεί αναδύεται μια άλλη! Σουσού και κακομαθημένη! Ήθελα να 'ξερα, έτσι είναι όλοι οι πλούσιοι;»

«Δε νομίζω. Έχω γνωρίσει κι άλλους και δεν ήταν έτσι! Πάρε για παράδειγμα τον εκδότη μου. Δεν ξέρει τι έχει, και όμως, είναι ένας θαυμάσιος άνθρωπος και τα παιδιά του είναι απόλυτα προσγειωμένα και εργάζονται για την οικογενειακή επιχείρηση περισσότερο και από τον τελευταίο υπάλληλο εκεί μέσα!»

«Φαντάσου πόσο καλή δουλειά έχουν κάνει οι γονείς της Μαρίνας για να τη μετατρέψουν σε φυτό, και μάλιστα κοιμισμένο!» ξεφύσηξε η Ελπίδα.

«Τι θα γίνει όμως αν ξυπνήσει; Βλέπεις ότι κάνει προσπάθειες και τον τελευταίο καιρό έχει αλλάξει!»

«Μην αυταπατάσαι! Δε θα ξυπνήσει ποτέ εντελώς για να ξεφορτωθεί τον προικοθήρα! Δε θα την αφήσει αυτός! Όσο η Μαρίνα έχει το χρήμα, θα κάνει το παν για να την αποκοιμίζει συνεχώς! Μέχρι και παιδί θα δεχτεί να κάνουν και μάλιστα σύντομα!»

«Κι εμείς που βλέπουμε, που καταλαβαίνουμε, θα την αφήσουμε; Απλώς θα παρακολουθούμε αμέτοχες;»

«Κορίτσι μου, οι φίλοι δεν επεμβαίνουν στη ζωή ο ένας του άλλου! Είναι βέβαια πάντα σε ετοιμότητα, αλλά δυστυχώς η επέμβασή τους περιορίζεται μόνο αφού έχει ξεσπάσει η μπόρα! Δεν την προκαλούν!»

«Έχεις δίκιο, τι λέω τώρα; Θα μπούμε ανάμεσα σ' ένα

ζευγάρι στα καλά καθούμενα, επειδή υποψιαζόμαστε ότι ο Νικήτας δεν είναι και τόσο σόι; Κουταμάρα είπα!»

«Ήταν κουταμάρα καλής ψυχής όμως!»

Κοιτάχτηκαν και χαμογέλασαν. Η σκέψη και των δύο ήταν στη Μαρίνα.

Τα μακαρόνια ήταν έτοιμα. Μόλις έριχνε την κρέμα γάλακτος και τα τυριά, θα ήταν έτοιμη η καρμπονάρα. Η Μαρίνα κοίταξε το μπέικον που άρχισε να ροδίζει. Τον τελευταίο καιρό, δίπλα στον Κωστή, είχε μάθει κι εκείνη να μαγειρεύει. Αύριο το πρωί, η Αγγέλα πάλι θα χαμογελούσε με κατανόηση, αλλά είχε πια συνηθίσει στην ιδέα ότι η κουζίνα δεν της ανήκε κατ' αποκλειστικότητα όπως παλιά. Χαμήλωσε τη φωτιά, έριξε τα υπόλοιπα υλικά και ανακάτεψε το τυρί που έλιωνε στη σάλτσα της.

Ο Νικήτας μπήκε στην κουζίνα και γούρλωσε τα μάτια, την ώρα που η γυναίκα του σέρβιρε στον εαυτό της μια γενναία μερίδα. «Μαρίνα, τι κάνεις;»

«Δεν κοιμάσαι; Θέλεις λίγη καρμπονάρα; Μάλλον την πέτυχα!»

«Έφτιαξες ΕΣΥ καρμπονάρα;»

«Πώς κάνεις έτσι; Μακαρονάδα έφτιαξα, όχι βόμβα νετρονίου!»

«Ναι, αλλά η ώρα είναι μία!»

«Και λοιπόν; Υπάρχει νόμος που απαγορεύει τη μαγειρική μετά τα μεσάνυχτα;»

«Τότε μήπως πρέπει να σου θυμίσω ότι γυρίσαμε από τραπέζι μόλις πριν από μιάμιση ώρα;»

«Δεν είσαι παρατηρητικός, αγάπη μου! Γιατί αν ήσουν, θα είχες προσέξει ότι δεν έφαγα απολύτως τίποτα σ' αυτό το... υποτιθέμενο γαλλικό εστιατόριο με πιάτα που ούτε τ' όνομά τους μπορείς να πεις, πόσο μάλλον να τα φας! Για να μη θυμηθώ την εμφάνισή τους και μου έρθει αναγούλα! Τι τις θέλουν τόσες σάλτσες με περίεργο χρώμα; Για να καλύπτουν την αηδία που βρίσκεται από κάτω, σίγουρα! Τρία στρέμματα πιάτο και μέσα μια μπουκιά απροσδιόριστης προέλευσης. Ήθελα να ήξερα ποιος ηλίθιος το διάλεξε και μας κουβάλησε κι εμάς!»

«Ο Χρονόπουλος, ο διευθυντής της τράπεζάς μας!»

«Και γιατί μου το είπες με τέτοιο στόμφο; Επειδή είναι διευθυντής τραπέζης, αυτό τον κάνει λιγότερο ηλίθιο; Τι μανία είναι και αυτή με τα γαλλικά εστιατόρια; Αφού κανένας δεν τρώει ποτέ, όπως δεν έφαγε και απόψε! Μη σου πω ότι μετά, όλοι αυτοί θα πέρασαν από καμιά ψησταριά!»

«Αδυνατώ να σε παρακολουθήσω!»

«Τουλάχιστον θα μου κάνεις παρέα στη μακαρονάδα;»

«Όχι, ευχαριστώ!»

«Εσύ χάνεις!»

Η Μαρίνα κάθισε και άρχισε να τρώει με όρεξη. Ο Νικήτας στάθηκε για μια στιγμή μετέωρος, σαν να μην μπορούσε ν' αποφασίσει για την επόμενη κίνησή του, αλλά τελικά κάθισε απέναντί της.

«Από πότε ασχολείσαι με τη μαγειρική εσύ;» τη ρώτησε. «Όταν παντρευτήκαμε, αγνοούσες ακόμη και το πού βρίσκεται η κουζίνα κι ούτε φαινόσουν πρόθυμη να μάθεις!»

«Από τότε έχουν περάσει τέσσερα χρόνια και μέσα σ' αυτά ο άνθρωπος αλλάζει, Νικήτα!»

«Εγώ δεν άλλαξα!»

«Αυτό μην το αναφέρεις ως πλεονέκτημα! Οι άνθρωποι έχουν την ικανότητα της αλλαγής και της προσαρμογής!»

«Με κατηγορείς για κάτι;»

«Αισθάνεσαι ένοχος για οτιδήποτε;»

«Γιατί δεν μπορούμε πια να συζητήσουμε απλά;»

«Μάλλον γιατί δε μάθαμε ποτέ! Έπειτα, τόσα χρόνια δε θυμάμαι να συζητήσαμε ποτέ τίποτα σημαντικό!»

«Τέλος πάντων, θέλω να συνεννοηθούμε για κάτι οι δυο μας... και είναι σημαντικό!» κατέβασε τους τόνους ο Νικήτας.

«Δηλαδή πρόκειται για κάτι σοβαρό;»

«Όχι... αλλά μπορεί να γίνει!»

«Τότε σε ακούω προσεκτικά», αποκρίθηκε η Μαρίνα. Το πιάτο της είχε αδειάσει. Μπορούσε να τον παρακολουθήσει.

«Άκουσε, Μαρίνα. Ο Χρονόπουλος σήμερα μου έκανε μια σπουδαία πρόταση. Μου πρότεινε να τον συνοδεύσουμε, αυτόν και τη γυναίκα του, σε μια κρουαζιέρα με το κότερό του στις αρχές Ιουλίου. Θα είναι και άλλοι φυσικά και αυτό είναι το πιο σπουδαίο! Ανάμεσά τους θα είναι ο Γερουλάνος, ο εφοπλιστής, κι εκείνος ο φοβερά πλούσιος ο Σιμαρδάνης! Έχεις ακούσει φυσικά γι' αυτόν! Ψιθυρίζεται ότι τελευταία ανακατεύεται με πετρέλαια. Όπως καταλαβαίνεις, είναι μια θαυμάσια ευκαιρία...»

«Μια στιγμή γιατί μπερδεύτηκα! Για διακοπές μιλάμε ή για δουλειά;»

«Έλα τώρα, αγάπη μου, μην κάνεις σαν παιδί! Τι θα πει διακοπές; Εδώ σου μιλάω για μια σπάνια συνάντηση! Σημαντικοί οικονομικοί παράγοντες, και μάλιστα σε διεθνές επίπεδο, κι εμείς μαζί τους! Δέκα ολόκληρες μέρες στη διάθεσή μας, για να τους γνωρίσουμε και να μας γνωρίσουν! Ν' αποκτήσουμε σχέση! Καταλαβαίνεις τι σημαίνει αυτό;»

«Και βέβαια καταλαβαίνω! Δέκα μέρες σ' ένα πλοίο

με πληκτικούς υπέργηρους και όσο εσύ θα κάνεις τις περίφημες γνωριμίες σου, εγώ θα είμαι υποχρεωμένη να συναναστρέφομαι τις σνομπ γυναίκες τους, που νομίζουν ότι ο κόσμος δημιουργήθηκε μόνο για να περιστρέφεται γύρω απ' αυτές! Έλεος, Νικήτα!»

«Μα τι λες τώρα; Ποιον είπες υπέργηρο; Όλοι τους ζήτημα είναι αν πλησιάζουν τα εξήντα πέντε χρόνια και...»

«Όλοι μαζί, όμως, ξεπερνούν τους δέκα αιώνες!»

«Μα τι περιμένεις, λοιπόν; Είναι άνθρωποι μιας κάποιας ηλικίας, αλλά ξέρεις εσύ κανένα νεαρό που να είναι και πλούσιος, εκτός αν είναι γόνος μιας τέτοιας οικογένειας, αλλά τότε δεν έχει τη δύναμη που εγώ χρειάζομαι! Έπειτα, οι γυναίκες τους είναι όλες θαυμάσιες κυρίες με μεγάλη φιλανθρωπική δράση!»

«Άσε, Νικήτα! Τις ξέρω αυτού του είδους τις... φιλάνθρωπες κυρίες! Υπάρχουν βέβαια θαυμάσια και λαμπρά παραδείγματα στον κύκλο μας, αλλά σε διαβεβαιώνω ότι αυτές που μου ανέφερες δεν είναι μέσα σε αυτά τα παραδείγματα! Τις γνωρίζω από παλιά! Πολύ πριν παντρευτούμε είχα ακούσει ότι κινητοποιήθηκαν λιτοί και δεμένοι για να σώσουν τη Γερουλάνου, γιατί το όνομά της είχε μπλεχτεί σε σοβαρή απάτη, εις βάρος κάποιου ιδρύματος, απ' αυτά που απολάμβαναν τη... φιλανθρωπία της!»

«Αυτό είναι άσχετο με το θέμα μας! Εμένα μ' ενδιαφέρει ο ίδιος ο Γερουλάνος και φυσικά ο Σιμαρδάνης! Αυτούς χρειάζομαι και αυτούς θέλω να γνωρίσω!»

«Τότε γιατί δεν πας; Εμένα τι με θέλεις;»

«Μα δεν μπορώ να πάω χωρίς τη γυναίκα μου! Φαντάζεσαι τα σχόλια;»

«Ίσως να είναι λιγότερα από αυτά που θ' ακολουθήσουν αν τελικά σε συνοδεύσω!»

«Δηλαδή με απειλείς με... ανάρμοστη συμπεριφορά σου;» σοβάρεψε απότομα ο Νικήτας.

«Καθόλου! Εγώ θα είμαι αυτή που είμαι, αλλά δε νομίζω ότι θα τους αρέσω!»

«Αν είσαι αυτή που είσαι, έχεις δίκιο, δε θα τους αρέσεις! Αν όμως γίνεις η Μαρίνα που ήσουν, τότε δε θ' ανησυχώ!»

«Τώρα με κατηγορείς εσύ για κάτι;»

«Πρέπει να παραδεχτείς ότι άλλαξες! Δεν ξέρω τι ή ποιος φταίει, αλλά δεν είσαι πια η γυναίκα που παντρεύτηκα!»

«Λυπάμαι που νιώθεις έτσι. Ίσως και να έχεις δίκιο, αλλά αν πραγματικά άλλαξα, δεν μπορώ να ξαναγυρίσω στα παλιά! Δε νομίζω καν ότι το θέλω! Γι' αυτό σου λέω ότι, αν πρέπει να πας οπωσδήποτε σ' αυτή την κρουαζιέρα, είναι προτιμότερο να πας μόνος σου! Θα έχεις έτσι και καλύτερο πεδίο δράσης!»

«Τι εννοείς;»

«Σ' έχω δει πώς κολακεύεις όλα αυτά τα φτιασιδωμένα ερείπια με τις διαμαντοκοτρόνες στα δάχτυλα και ομολογώ ότι είσαι και πολύ πειστικός στις φιλοφρονήσεις σου! Φαίνεται από τα γεμάτα νάζι, ηλίθια χαμόγελά τους!»

«Μη μου πεις ότι ζηλεύεις!»

«Όχι, χρυσέ μου, μην κολακεύεις τώρα και τον εαυτό σου! Εξάλλου, ξέρω ότι εκείνη τη στιγμή εργάζεσαι και δεν μπερδεύεις ποτέ τη δουλειά με τη διασκέδαση! Απλώς ξέρεις ότι, πλησιάζοντας αυτές, φτάνεις πιο εύκολα στα πορτοφόλια των αντρών τους!»

«Αυτό που λες με θίγει! Δεν είμαι κανένας απατεώνας! Τη δουλειά μου κάνω!»

«Την οποία, τα τελευταία χρόνια, καλύπτει πυκνό μυστήριο θα μπορούσα να προσθέσω!»

«Μα τι θέλεις να πεις, επιτέλους;»

«Τίποτα! Δεν είναι ώρα να συζητήσουμε και αυτό το θέμα!»

«Ωραία! Θα μου πεις τότε γιατί αντιδράς γι' αυτό το ταξίδι; Εσύ, δηλαδή, τι πρόγραμμα είχες;»

«Δεν ξέρω αν έχει νόημα να σου πω τώρα πια».

«Επιμένω!»

«Ωραία, λοιπόν», έγνεψε η Μαρίνα. «Σκέφτηκα να πάμε κάπου οι δυο μας· σ' ένα ήσυχο και ρομαντικό νησάκι, μακριά από κόσμο και κοσμικότητες. Να περπατάμε οι δυο μας στο ηλιοβασίλεμα, να μαζεύουμε κοχύλια το ξημέρωμα, να κολυμπάμε τη νύχτα... να...»

Χωρίς να το καταλάβει είχε γλιστρήσει πάλι στην Αλόννησο. Περιέγραφε στον Νικήτα εκείνο το καλοκαίρι και οι αναμνήσεις της είχαν το πρόσωπο του Φίλιππου. Σταμάτησε απότομα. Το ύφος του άντρα της τη διαβεβαίωσε για το μάταιο της προσπάθειας. Ο Νικήτας την κοιτούσε ειρωνικά.

«Και μου ζητάς ν' απαρνηθώ μια σημαντική κοσμοπολίτικη κρουαζιέρα για να... μαζεύω κοχύλια στις αμμουδιές σαν κανένας ηλίθιος και άφραγκος φοιτητής;» σάρκασε εκείνος.

Ένα αδιόρατο τρέμουλο τη διαπέρασε. Όχι, ευτυχώς, ο Νικήτας δεν έμαθε ποτέ για εκείνον. Ευτυχώς ήταν εντελώς τυχαία η ειρωνική του παρατήρηση. Τον κοίταξε. Η περιφρόνηση ήταν διάχυτη ακόμη στο πρόσωπό του.

«Μόνο οι φοιτητές είναι ρομαντικοί, Νικήτα;» τον ρώτησε.

«Και οι αδέκαροι! Έπειτα, τι άλλο θέλεις να σου πω; Τόση ώρα σού εξηγώ τη σοβαρότητα αυτής της ευκαιρίας που μας δίνεται και μου αντιπαραθέτεις κοχύλια, αμμουδιές και ηλιοβασιλέματα! Τι μπορούν να μου προσφέρουν όλα αυτά, δηλαδή;»

«Την ευκαιρία να έρθουμε πιο κοντά, να πλησιάσει ο ένας τον άλλο, να σκεφτούμε το μέλλον μας, ν' αποφασίσουμε να κάνουμε ένα παιδί!»

«Α, πάλι εκεί καταλήξαμε! Γι' αυτό όλο το παραμύθι!»

«Παραμύθι η επιθυμία να ολοκληρώσω το γάμο μας με ένα παιδί δικό μου και δικό σου; Νόμιζα ότι μ' αγαπάς!»

«Αυτό είναι εντελώς άσχετο με το παιδί!»

«Καθόλου! Δύο άνθρωποι που είναι μαζί, και παντρεμένοι, και που υποτίθεται ότι δεν έχουν προβλήματα στο γάμο τους, κάνουν και ένα παιδί τουλάχιστον!»

«Άκουσε, Μαρίνα! Σου είπα ότι θα το σκεφτώ αυτό το θέμα και εσύ επιμένεις να με πιέζεις! Δε μ' αρέσει αυτή η τακτική! Σου ζητάω να με βοηθήσεις στην καριέρα μου και αρνείσαι προβάλλοντας ένα σωρό γελοίες δικαιολογίες! Δεν είμαστε πια παιδιά!»

«Για σένα ειδικά, αναρωτιέμαι αν υπήρξες ποτέ!»

«Νομίζω ότι είπαμε αρκετά γι' απόψε! Περιμένω από σένα να φερθείς λογικά! Καληνύχτα!»

Την άφησε μόνη. Το κεφάλι της το ένιωθε βαρύ. Βοήθησαν τα χέρια της να το στηρίξει. Το άσχημο προαίσθημα την κύκλωνε πάλι. Μια παγωμένη ανάσα άγγιξε την πλάτη της. Άρπαξε το πιάτο που είχε μπροστά της και το έσπασε στον απέναντι τοίχο. Ντράπηκε... Μάζεψε τα κομμάτια του και δεν μπόρεσε να εμποδίσει την παράλογη αίσθηση ότι πολύ γρήγορα θα έπρεπε να μαζέψει και τα κομμάτια της ίδιας της ζωής της. Πέταξε το σπασμένο πιάτο, σκούπισε τα ίχνη του από τα πλακάκια και έφυγε από την κουζίνα.

Δεν αισθανόταν καλά. Το στομάχι της ήταν άνω-κάτω. Μπήκε στο μικρό καθιστικό και ξάπλωσε στον καναπέ. Κουλουριάστηκε σαν έμβρυο και ευχήθηκε να μπορούσε να γίνει. Να μεταφερθεί σ' εκείνο το στάδιο, να χωθεί στην ασφάλεια και τη ζεστασιά μιας μήτρας που θα την προστάτευε και που δε θ' άφηνε κανένα κακό να την αγγίξει.

Είχαν σωπάσει όλοι. Η Μαρίνα μόλις τους είχε πει με κάθε λεπτομέρεια όσα είχαν συζητηθεί το προηγούμενο βράδυ στην κουζίνα. Γύρω της κάθονταν αμίλητοι ο Κωστής, η Ελπίδα και η Ναταλία. Υπήρχε σκιά και δροσιά στη μεγάλη βεράντα του Κωστή. Ολόγυρα τεράστιες γλάστρες με δέντρα ολόκληρα και ανάμεσα άλλες μικρότερες με λουλούδια, αλλά κανένας τους δε φαινόταν να προσέχει ή ν' απολαμβάνει το περιβάλλον, που ήταν ικανό να τους κάνει να ξεχάσουν ότι βρίσκονταν στην καυτή Αθήνα εκείνο το απόγευμα.

Η Μαρίνα τους κοίταξε έναν έναν. «Λοιπόν, δεν έχετε τίποτα να μου πείτε;»

«Τι θα ήθελες ν' ακούσεις;» τη ρώτησε η Ελπίδα.

«Κάτι, οτιδήποτε! Είστε φίλοι μου, δε θα μου πείτε τι πρέπει να κάνω;»

«Πάνω σε ποιο πράγμα;»

«Ελπίδα, με κοροϊδεύεις; Ο άντρας μου θέλει να με κουβαλήσει σε μια κρουαζιέρα όπου είναι απολύτως βέβαιο ότι θα πεθάνω από πλήξη!»

«Και μας ρωτάς αν πρέπει να πας;»

«Ακριβώς!»

«Με συγχωρείς», επενέβη ο Κωστής, «αλλά αυτή δεν είναι απάντηση που μπορείς να ζητάς από φίλους! Δηλαδή, τι πρέπει να σου πούμε; "Μην πας", έστω κι αν αυτό μπορεί να δημιουργήσει πρόβλημα στο γάμο σου;»

«Είναι σαν να μου λες: "Πήγαινε"!»

«Το πρόβλημα είναι η κρουαζιέρα;» Η Ελπίδα άναψε τσιγάρο και κοίταξε κατάματα τη Μαρίνα.

«Μα τι σας λέω τόση ώρα;»

«Εγώ άλλο κατάλαβα να είναι το πρόβλημα, αλλά για την ώρα ας επικεντρωθούμε σ' αυτή την κρουαζιέρα! Άσε με όμως πρώτα να σου κάνω μερικές ερωτήσεις και θα καταλάβεις μόνη σου ποιο είναι το πρόβλημα!»

«Αν και δεν καταλαβαίνω τίποτα για την ώρα, ορίστε! Ρώτησε ό,τι θέλεις!»

«Πού πήγες με τον άντρα σου πέρσι το καλοκαίρι;»

«Μμμ... νομίζω πως πάλι κάποιος μας είχε καλέσει στο κότερό του και πήγαμε, αλλά...»

«Άσε τις διαμαρτυρίες και ν' απαντάς σ' αυτά που σε ρωτάω! Τα Χριστούγεννα τι κάνατε; Πού πήγατε;»

«Στο σαλέ ενός φίλου για σκι!»

«Και το προηγούμενο καλοκαίρι;»

«Στη Μύκονο και στη Ρόδο, ενώ το Σεπτέμβρη, πήγαμε για μια βδομάδα στην Κυανή Ακτή, καλεσμένοι μαζί με τους γονείς μου. Μα γιατί όλες αυτές οι ερωτήσεις;»

«Για να σου αποδείξω ότι ο άντρας σου δε ζήτησε κάτι διαφορετικό φέτος! Εσύ ζήτησες κάτι, που για εκείνον ήταν περίεργο, για να μην πω... απαράδεκτο και παράλογο!»

«Παράλογο είναι να θέλω να κάνω διακοπές με τον άντρα μου, οι δυο μας και όχι τριγυρισμένοι από άσχετους;»

«Καλό θα ήταν να είσαι ειλικρινής με τον ίδιο σου τον εαυτό! Ζήτησες ν' αναβιώσεις με τον Νικήτα ό,τι έζησες με τον Φίλιππο!»

«Και έτσι να είναι, δε βλέπω πουθενά κάτι κακό!»

«Τότε να παντρευόσουν τον Φίλιππο, αντί να τον αφήσεις να φύγει και να χαθεί από τη ζωή σου, επιλέγοντας να ζήσεις έτσι όπως ζεις!»

«Αυτό ήταν κακία!»

«Απλή λογική, κορίτσι μου! Κι αν θέλεις να ξέρεις, εγώ συμφωνώ με την οργή του άντρα σου!»

«Συμφωνείς;»

«Μάλιστα! Παντρεύτηκε μια όμορφη, ανεγκέφαλη, κοσμική κουκλίτσα, η οποία ξαφνικά αποφάσισε ν' αλλάξει σε ολοκληρωμένη γυναίκα με απαιτήσεις για ουσιαστική σχέση! Ποιος φταίει, λοιπόν; Τον αναστάτωσες και τον μπέρδεψες! Μπορούμε να μάθουμε τι έχεις πάθει και γυρίζεις σ' ένα πρόσωπο από το παρελθόν που αυτή τη στιγμή μπορεί να ζει στην Ξάνθη, παντρεμένος με μια λογική γυναίκα και ίσως έχοντας δύο παιδιά;»

Την επόμενη στιγμή η Μαρίνα πετάχτηκε όρθια, εκνευρισμένη και έτοιμη να επιτεθεί στην Ελπίδα. Ήταν όμως η ώρα να επέμβει ο Κωστής και το έκανε αποφασιστικά.

«Κυρίες μου», άρχισε να λέει, «ξεφύγαμε πολύ και η βεράντα μου δεν είναι χώρος για μαλλιοτραβήγματα, για να μην αναρωτηθώ τι λένε τώρα οι γείτονες, έπειτα από τις φωνές σας! Μαρίνα, κάθισε στη θέση σου! Ελπίδα, περιόρισε τη γλώσσα σου!»

Η Ελπίδα του χαμογέλασε κοροϊδευτικά και μετά έβαλε στο στόμα της ένα κομμάτι ροδάκινο. Η Μαρίνα υπάκουσε μουτρωμένη, ενώ η Ναταλία που είχε χλομιάσει από την ένταση, ευχαρίστησε τον Κωστή μ' ένα βλέμμα.

Κανένας δεν περίμενε να μιλήσει η Μαρίνα. Άρχισε να το κάνει ήσυχα και χαμηλόφωνα. Έκαναν προσπάθεια για να την ακούσουν: «Υποθέτω ότι η Ελπίδα έχει δίκιο, γι' αυτό και νευρίασα. Εγώ άλλαξα. Παλιά, ίσως και ν' απολάμβανα μια τέτοια κρουαζιέρα, όπου όλη μέρα θ' άλλαζα συνολάκια και μαγιό, και κάθε βράδυ θα γλεντούσα σε μπαράκια, εκεί που θ' αράζαμε. Όμως, καταλαβαίνω πως δεν το θέλω πια! Είναι κακό και ρωτάω εσένα, Ελπίδα, να θέλω να παρασύρω και τον άντρα μου σε μια τέτοια αλλαγή; Είναι κακό που θέλω να κάνω τη σχέση μας πιο ουσιαστική;»

«Δεν είναι κακό, αλλά ίσως είναι μάταιο. Το σκέφτηκες αυτό; Διαπίστωσες στον άντρα σου διάθεση γι' αλλαγές ή έστω... αναβάθμιση της σχέσης σας;»

«Όχι».

«Και κάτι ακόμη. Θύμωσες γιατί αναφέρθηκα στον Φίλιππο. Εκείνος και ο Νικήτας είναι εντελώς διαφορετικοί! Και να έπειθες τον Νικήτα να σε ακολουθήσει, μη νομίζεις ότι θα ξαναζούσες την Αλόννησο. Τελείωσε, Μαρίνα. Πιθανότατα, θα γυρίζατε πίσω προτού περάσουν καλά καλά δυο μέρες!»

«Τόσο κακό βρίσκεις τον άντρα μου;»

«Δεν είπα "κακός". Είπα "διαφορετικός"...»

«Μπορώ να ρωτήσω κι εγώ κάτι;» Η Ναταλία, τώρα που η ένταση είχε εκτονωθεί, μπορούσε ν' αναπνέει και πάλι. «Γιατί υποκύψατε στην αντιπαράθεση, αντί να βρείτε με τον άντρα σου τη μέση λύση; Το πιο απλό θα ήταν να πάτε όπου ήταν απαραίτητο για τις δουλειές του και τις γνωριμίες του, αλλά να κρατήσετε και ένα τριήμερο μόνο για σας! Δεν είστε και υπάλληλοι για να έχετε συγκεκριμένο χρόνο άδειας!»

«Κανένας μας δεν το σκέφτηκε...»

«Τότε, κάνε εσύ την πρόταση, απόψε κιόλας!»

«Τι νόημα έχει τώρα πια; Εξάλλου, κατάλαβα πως ήταν λάθος. Η Ελπίδα έχει δίκιο, δεν μπορώ να ξαναζήσω την Αλόννησο, παρά μόνο αν είχα δίπλα μου τον ίδιο άνθρωπο και αυτό δε γίνεται».

Η Μαρίνα κοίταξε την Ελπίδα που της έκλεισε το μάτι επιδοκιμαστικά. Η Ναταλία, δίπλα της, μετατόπισε το βάρος της στην καρέκλα, ίσιωσε το μπλουζάκι της, έσπρωξε πίσω τα μαλλιά της· ήταν φανερή η αμηχανία της, όπως κάθε φορά που ετοιμαζόταν να προχωρήσει σε θέμα που θεωρούσε αδιάκριτο.

«Συγγνώμη», είπε, «αλλά εδώ και ώρα θέλω να σε ρωτήσω κάτι. Αν δε θέλεις ν' απαντήσεις θα καταλάβω...»

«Δεν έχω μυστικά από σας!»

«Τον αγαπάς τον Νικήτα;»

Αδιέξοδο... Η ερώτηση της Ναταλίας είχε πυροδοτήσει αλυσιδωτές αντιδράσεις μέσα της. Το χειρότερο ήταν ότι δεν μπορούσε ν' απαντήσει. Έφερνε ξανά και ξανά στο μυαλό της τη στιγμή που κοίταξε τη φίλη της σαν να την είχε χτυπήσει καταπρόσωπο. Σαν μέσα σ' όνειρο, θυμόταν την Ελπίδα και τον Κωστή που την κοίταζαν περιμένοντας μιαν απάντηση. Δεν είπε τίποτα. Προφασίστηκε ένα δήθεν ξεχασμένο ραντεβού και έφυγε, αφήνοντας πίσω της τους φίλους της ν' ανησυχούν. Το ήξερε, αλλά δεν μπορούσε να μείνει, δεν μπορούσε ν' απαντήσει, δεν μπορούσε καν να μιλήσει. Το μόνο που άντεχε ήταν η μοναξιά της.

Δεν είχε συγκεκριμένο προορισμό στο μυαλό της την ώρα που το αυτοκίνητό της κατάπινε αθόρυβα τα χιλιόμετρα, αλλά δεν ξαφνιάστηκε όταν διαπίστωσε ότι το υποσυνείδητό της κρατούσε το τιμόνι και την είχε οδηγήσει στη θάλασσα. Το μοναδικό της καταφύγιο, από τότε που ήταν παιδί. Τα καλοκαίρια, εκείνη και η νταντά της περνούσαν ατέλειωτες ώρες στην παραλία. Οι γονείς της νοίκιαζαν κάθε χρόνο και σε διαφορετικό θέρετρο ένα πολυτελές επιπλωμένο σπίτι και εγκαθιστούσαν εκεί τη μοναχοκόρη τους μαζί με τη γυναίκα που την είχε αναλάβει από την πρώτη μέρα που γεννήθηκε. Οι ίδιοι την επισκέπτονταν στα διαλείμματα των κοσμικών διακοπών τους.

Η Μαρίνα όσο μεγάλωνε, τόσο δενόταν με την καινούργια της φίλη, που ήταν απέραντη και είχε το χρόνο να την ακούει. Σ' αυτήν έλεγε όλα τα μικρά παιδικά της μυστικά και όταν μελαγχολούσε, σαν έβλεπε τ' άλλα παιδάκια να παίζουν με τους γονείς τους στην παραλία, ενώ εκείνη ήταν μόνη με μιαν αξιαγάπητη γυναίκα που όμως ήταν ξένη, τότε η φίλη της της χάιδευε απαλά τα πόδια για να την παρηγορήσει. Όταν κολυμπούσε, είχε την αίσθηση ότι βρισκόταν σε μια μεγάλη και φιλόξενη αγκαλιά. Κανένας δεν ανησυχούσε όταν η μικρή Μαρίνα χανόταν από το σπίτι. Ήξεραν ότι θα την έβρισκαν καθισμένη στην άμμο να κοιτάζει τη γαλάζια απεραντοσύνη, σαν να περίμενε να βγουν από κει οι γοργόνες των παιδικών της βιβλίων.

Όταν η Μαρίνα μπήκε στα δεκαπέντε, ο χωρισμός ήταν επίπονος. Δεν ήταν πια παιδί. Έπρεπε να μπει στον κοσμικό κύκλο του μπαμπά και της μαμάς. Άρχισαν να την παίρνουν μαζί τους, η νταντά έφυγε με μια γενναία αποζημίωση, και τη γαλούχηση της κοσμικής νεαρής επιμελήθηκε η ίδια η μητέρα της. Ευτυχώς, όπου πήγαιναν υπήρχε θάλασσα. Η Μαρίνα πάντα έβρισκε λίγο χρόνο για να τη συναντά μόνη της. Τότε, περπατούσε αφήνοντας την άμμο να της γαργαλάει παιχνιδιάρικα τις πατούσες και το νερό να της χαϊδεύει τρυφερά τα πόδια.

Ακριβώς όπως τώρα, με την ερώτηση της Ναταλίας να σφυροκοπάει το κεφάλι της: «*Τον αγαπάς τον Νικήτα;*»

Τι ν' απαντήσει; Ποτέ δεν αναρωτήθηκε γι' αυτό, ακόμη και τη στιγμή που της έκανε πρόταση γάμου. Δεν πέρασε από το μυαλό της τόσα χρόνια τώρα που ήταν παντρεμένη. Απλώς ήταν μαζί του. Ποτέ δε σκέφτηκε να φύγει ή έστω να τον απατήσει όπως έκαναν τόσες και τόσες γύρω της. Ήταν ο άντρας της και η αποδοχή αυτής της πραγματικότητας δεν έστελνε πιο βαθιά τον έλεγχο των συναισθημάτων· το σύνδρομο της κοιμισμένης πριγκίπισσας!

Ήθελε να είναι ειλικρινής. Δεν έφταιγε η Ναταλία ούτε κανένας από την καινούργια παρέα για τις ρωγμές του γυάλινου κάστρου της. Είχαν αρχίσει να εμφανίζονται από εκείνη τη νύχτα στη βεράντα, με τη βροχή να αργοκυλάει πάνω στο σώμα της. Και τώρα; Πού ακριβώς βρισκόταν; Ήξερε; Το μόνο που μπορούσε να πει ήταν ότι ο Νικήτας ήταν άντρας της, ένα κομμάτι της ζωής της και αυτό δεν άλλαζε.

Έπρεπε να τον δεχτεί όπως ήταν και να μην προσπαθεί να τον αλλάξει. Στο κάτω κάτω σ' αυτό είχε δίκιο η Ελπίδα, δεν έφταιγε εκείνος αν η ίδια προχωρούσε προς άλλη κατεύθυνση. Το μόνο που κατάφερνε μ' αυτή τη συμπεριφορά ήταν να τον μπερδεύει, και ένα πράγμα ήξερε πολύ καλά για τον άντρα της: δεν του άρεσε να νιώθει μπερδεμένος.

«Δε θα συγχωρήσω ποτέ τον εαυτό μου γι' αυτή την κουταμάρα! Πώς μπόρεσα να ρωτήσω κάτι τέτοιο; Τι, στην ευχή, σκεφτόμουν και δεν κράτησα τη γλώσσα μου και τις απορίες μου;»

Η Ναταλία, πραγματικά αναστατωμένη, πηγαινοερχόταν στη βεράντα, έχοντας τον Κωστή και την Ελπίδα να την παρακολουθούν.

«Μα δεν ήταν και τόσο τρομερό να ρωτήσεις αν τον αγαπάει!» προσπαθούσε να την ηρεμήσει ο Κωστής.

«Τρομερό ήταν! Δεν την είδες πώς ταράχτηκε; Πώς έφυγε σαν να την κυνηγούσαν; Πού να πήγε, Θεέ μου;»

«Αν κρίνω σωστά, μάλλον στη θάλασσα!» απάντησε η Ελπίδα που ήταν ήρεμη.

«Τι να κάνει στη θάλασσα νυχτιάτικα;»

«Πάντως, δε θα πνιγεί!» συνέχισε η Ελπίδα. «Αλλά την ξέρεις τη φίλη μας! Έχει... αρμονικές σχέσεις με την παραλία! Κι έπειτα, καλό θα της κάνει να μείνει μόνη και να σκεφτεί. Δεν το κάνει δα και κάθε μέρα!»

Ο Κωστής στράφηκε στην Ελπίδα. «Είσαι στις μεγάλες σου κακίες σήμερα ή μου φαίνεται;»

«Σου φαίνεται! Η αλήθεια, φίλε μου, δεν είναι κακία! Όσο για την αυτοσυγκέντρωση και την αυτογνωσία, αυτές οδηγούν πάντα στην ηρεμία της ψυχής και αυτό δεν είναι... σοφό απόφθεγμα! Η Μαρίνα πρέπει μόνη της να βρει αυτό που θέλει. Όσο για σένα, μικρή, κάθισε κάτω, θα φας τα μάρμαρα! Δεν ήταν λάθος η ερώτηση. Να αναρωτιέσαι τι κρύβεται και δε δόθηκε άμεση απάντηση!»

«Τι θέλεις να πεις;»

«Είναι απλό, κοριτσάκι μου! Ύστερα από τέσσερα χρόνια γάμου, αν δεν ξέρεις αν αγαπάς ή όχι τον άντρα σου, τότε μάλλον έχεις πρόβλημα! Αν μάλιστα θέλεις να κάνεις και παιδί μαζί του, τότε... είσαι σε βαθιά νερά και κινδυνεύεις να πνιγείς!»

«Αυτό που είπες δε με κάνει να νιώθω καλύτερα!»

«Τότε κάθισε με τις τύψεις σου! Πάντως, εγώ νομίζω ότι καλά έκανες και ρώτησες! Λοιπόν, τι θα γίνει; Θα πάμε καμιά βόλτα;»

Δεν πήγαν πουθενά τελικά. Ο Κωστής είχε θέσει το θέμα των διακοπών. Είχε χρόνια να κάνει διακοπές και ήταν αποφασισμένος αυτό το καλοκαίρι ν' αφιερώσει ένα δεκαήμερο στον Ποσειδώνα. Ήθελε όμως μαζί του και παρέα· τη δική τους.

«Ξέρω βέβαια», συμπλήρωσε, «ότι έχετε και γονείς και ίσως θέλετε να τους δείτε, αλλά θα ήμουν πραγματικά ευτυχισμένος αν οι πρώτες μου διακοπές έπειτα από τόσα χρόνια ήταν μαζί σας. Τι λέτε λοιπόν;»

Η Ελπίδα είχε χαμογελάσει χωρίς να κρύβει ότι η πίκρα ανακατεύτηκε με την ειρωνεία, την ίδια στιγμή που απέναντί της η Ναταλία ταυτιζόταν απόλυτα μαζί της.

«Τι είναι, κορίτσια; Γιατί αυτό το ύφος;» απόρησε ο Κωστής. «Είπα τίποτα που δεν έπρεπε;»

«Μια μεγάλη κουταμάρα είπες, όπως πάντα, αγόρι μου!»

«Γιατί, Ελπίδα; Θα ήταν παράλογο να θέλετε να δείτε τους γονείς σας;»

Η Ναταλία κούνησε το κεφάλι με κατανόηση προτού πάρει το λόγο: «Το θέμα δεν είναι αν θέλουμε εμείς να τους δούμε, το πρόβλημα είναι ότι εκείνοι δεν έχουν τη διάθεση. Μιλάω για τον εαυτό μου βέβαια, αλλά εδώ και καιρό, η επαφή με τους δικούς μου έχει περιοριστεί σε τρία τηλέφωνα το χρόνο! Χριστούγεννα, Πρωτοχρονιά και Πάσχα! Κι αν δεν ήταν οι ευχές, δε θα είχαμε καν τι να πούμε!»

«Όσο για μένα», έσπευσε να μιλήσει και η Ελπίδα, «τι να πάω να κάνω στη Θεσσαλονίκη; Ν' ακούσω πάλι για τα παιδιά του πρώην μου και μια γενναία κατήχηση για το ότι αφήνω τη ζωή και φεύγει χωρίς να κάνω τίποτα της προκοπής; Όχι, ευχαριστώ!»

«Συγγνώμη, δεν ήθελα να σας στενοχωρήσω».

«Ναι! Εσένα περιμέναμε! Άσε, Κωστή, έχουμε αποδεχτεί πια τα οικογενειακά μας... χάλια!»

«Εντάξει! Πάμε παρακάτω!»

Βγήκαν χάρτες, ημερολόγια, παράγγειλαν πίτσες, ήπιαν μπίρες, τα οικονομικά άνοιξαν κι αυτά τα χαρτιά τους στο τραπέζι της βεράντας, οι γνώμες διχάστηκαν, τα νησιά απορρίφθηκαν ως ύποπτα για πολυκοσμία και υψηλό κόστος, το Ναύπλιο έπεσε στις διαπραγματεύσεις και νίκησε, ίσως γιατί το Μπούρτζι δεν ήξερε να χάνει. Το Διαδίκτυο βοήθησε στον εντοπισμό ξενοδοχείου, κι ένας αέρας ενθουσιασμού και προσμονής φύσηξε ανάμεσά τους.

Μόνο η ερώτηση του Κωστή έκανε τα χαμόγελα να μουδιάσουν: «Και η Μαρίνα;»

Έμεινε η ερώτηση να αιωρείται προτού απαντήσει αποφασιστικά η Ελπίδα: «Η Μαρίνα έχει άντρα, συνεπώς και υποχρεώσεις, δεν μπορεί να τα παρατήσει και να εξαφανιστεί μαζί μας για δέκα μέρες στο Ναύπλιο!»

«Φαντάζεσαι, όμως, πώς θα αισθανθεί όταν θα το μάθει; Σίγουρα θα στενοχωρηθεί, ίσως και να θυμώσει μαζί μας! Από τη μέρα που γνωριστήκαμε, δεν έχουμε χωρίσει! Και τώρα να της πούμε ότι την παρατάμε και πάμε οι τρεις μας διακοπές; Θα μας κόψει και την καλημέρα!» σχολίασε η Ναταλία και δάγκωσε στενοχωρημένη τα χείλη της.

«Στάσου τώρα, γιατί η Ελπίδα έχει δίκιο! Μην το παρατραβάμε! Τι να κάνουμε δηλαδή; Να μην πάμε διακοπές για να είναι ήσυχη η Μαρίνα; Ούτε εκείνη μπορεί να μας πάρει μαζί στις κοσμικές της υποχρεώσεις, ούτε εμείς μπορούμε να την καλέσουμε να έρθει μαζί μας, φέρνοντας και τον άντρα της! Απ' ό,τι κατάλαβα, ο Νικήτας παθαίνει αναφυλαξία και μόνο που μας βλέπει!» Ο Κωστής σώπασε λαχανιασμένος.

Η Ελπίδα τον χτύπησε φιλικά στην πλάτη. «Μπράβο, αγόρι μου! Ούτε εγώ δε θα τα έλεγα καλύτερα!»

«Αν αυτό σημαίνει ότι αρχίζω να σου μοιάζω, πρέπει ν' ανησυχώ!»

Η Μαρίνα γύρισε σπίτι της όταν πλησίαζαν μεσάνυχτα. Από τις ανοιχτές κουρτίνες το φως του φεγγαριού έκανε οποιοδήποτε φωτισμό ακατάλληλο, υπερβολικό... Την προσοχή της τράβηξαν τα πολλά χαρτάκια δίπλα στο τηλέφωνο. Διάβασε τα μηνύματα στο φεγγαρόφωτο. Όλα ήταν από τον πατέρα της. Την ήθελε επειγόντως, ήθελε να μιλήσουν για κάτι πολύ σοβαρό. Άνοιξε το κινητό της που το είχε κλειστό τόσες ώρες. Δεκάδες κλήσεις είχαν γίνει και υπήρχαν και δύο μηνύματα, κι αυτά από τον πατέρα της, με την ίδια επίκληση για άμεση επικοινωνία.

Τα διέγραψε εκνευρισμένη. Ώστε ο Νικήτας είχε κάνει τα παράπονά του στα πεθερικά του κι εκείνοι σαν καλοί γονείς ήθελαν να την επαναφέρουν στον σωστό δρόμο. Δε θα τους έδινε την ευκαιρία λοιπόν. Δεν είχε διάθεση για κατήχηση περί των καθηκόντων μιας καλής συζύγου. Κάποτε έπρεπε να την αφήσουν ήσυχη να ζήσει όπως η ίδια θεωρούσε ό,τι μπορούσε να ζήσει. Ήξερε ότι δε θα ήταν εύκολο να ξεφύγει και ειδικά από τον πατέρα της. Θα το ανέβαλλε όσο μπορούσε, μαζί και τη δυσάρεστη συζήτηση. Ίσως όταν έλεγε στον Νικήτα ότι θα τον συνόδευε σαν πιστή σύζυγος στην ηλίθια κρουαζιέρα, να ηρεμούσαν όλοι.

Δεν το είχε αποφύγει τελικά. Έπειτα από δύο ημερών κυνηγητό, βρισκόταν μπροστά στον πατέρα της, αλλά το σκηνικό ήταν διαφορετικό απ' ό,τι το φανταζόταν, και περίεργα... λάθος. Κάτι δεν ήταν όπως έπρεπε να είναι. Η μητέρα της, για πρώτη φορά, δεν είχε το συνηθισμένο επιτιμητικό της ύφος και έμοιαζε κλαμένη. Θα μπορούσε ακόμη και να σκεφτεί ότι είχε ξεχάσει να περάσει από το κομμωτήριο αρκετές μέρες. Ο πατέρας της ήταν αξύριστος και έδειχνε ξαφνικά γερασμένος, με τους ώμους κυρτωμένους και το βλέμμα του... Αυτό το βλέμμα δε θα το ξεχνούσε ποτέ.

Με καθυστέρηση λίγων λεπτών, κατάλαβε ότι αυτό για το οποίο την έψαχναν δεν είχε καμία σχέση με το γάμο της, ούτε φυσικά και με τις... αταξίες της. Η καρδιά της την έκανε να χοροπηδήσει, αλλά η σιδερένια παλάμη του φόβου την έσφιξε με σκληρά δάχτυλα και την καθήλωσε. Μόλις ο πατέρας της άρχισε να μιλάει, το έδαφος άρχισε να τρέμει για να φύγει τελικά κάτω από τα πόδια της, η οροφή διαλύθηκε πάνω απ' το κεφάλι της και το τελευταίο που είδε ήταν ένα άσπρο φως να διαχέεται μπροστά στα μάτια της σε όλα τα χρώματα της ίριδας.

Αυτό δεν ήταν φυσιολογικό. Η Μαρίνα δεν είχε χάσει ποτέ συνάντησή τους. Το πρωί είχε τηλεφωνηθεί με τη Ναταλία και τον Κωστή και δεν είχε φέρει αντίρρηση για ένα νυχτερινό πικνίκ στο Πόρτο Ράφτη. Δύο ώρες την περίμεναν στο σπίτι της Ναταλίας απ' όπου θα ξεκινούσαν, αλλά μάταια. Το κινητό της ήταν κλειστό και δεν ήταν κανείς στο σπίτι της. Ούτε καν η υπηρεσία που απαντούσε συνήθως. Η ανησυχία άρχισε να εκδηλώνεται μ' εκνευρισμό.

«Μα δεν είναι δυνατό ν' άνοιξε η γη και να την κατάπιε!» διαμαρτυρήθηκε η Ναταλία που μέχρι κι αυτή είχε ανεβάσει τους τόνους της. «Ούτε έχει το δικαίωμα να μας κάνει ν' ανησυχούμε!»

Η Ελπίδα έσβησε το τσιγάρο της και σηκώθηκε. «Πάμε σπίτι της!» ανακοίνωσε στεγνά, και ο Κωστής βιάστηκε να την ακολουθήσει.

Ύστερα από μια διαδρομή όπου κανένας δεν έβγαλε λέξη, βρέθηκαν να χτυπούν την πόρτα της. Δεν περίμεναν να τους ανοίξει ο ίδιος ο Νικήτας. Κι εκείνος, όμως, δεν ξαφνιάστηκε λιγότερο. Τους πέρασε στο σαλόνι αν και από κανένα δε διέφυγε η στιγμιαία απροθυμία του.

«Πού είναι η Μαρίνα;» Η Ελπίδα θεωρούσε περιττή κάθε ευγένεια, κάτω από τις ειδικές συνθήκες.

«Δεν ξέρω! Γύρισα πριν από λίγο και βρήκα ένα άδειο σπίτι! Λείπει ακόμη και το προσωπικό! Η Μαρίνα δεν είναι μαζί σας;»

«Είχαμε ραντεβού και δεν ήρθε! Το κινητό το έχει κλειστό», πήρε το λόγο ο Κωστής ενώ έριξε μια εύγλωττη ματιά στις βαλίτσες που ήταν δίπλα στην πόρτα.

«Δικές μου είναι», του απάντησε ο Νικήτας σαν να είχε ρωτηθεί. «΄Ελειπα για δυο μέρες στη Ζάκυνθο για προσωπική μου υπόθεση!»

«Συγγνώμη, μίλησες μαζί της καθόλου σήμερα;» ζήτησε να μάθει η Ναταλία.

«Ναι, το πρωί, μου είπε ότι θα πήγαινε στους γονείς της. Το περίεργο είναι ότι τηλεφώνησα πριν από λίγο στα πεθερικά μου· κανένας δεν απαντάει ούτ' εκεί! Λες και εξαφανίστηκαν όλοι!»

«Κάτι σοβαρό συμβαίνει...» ήρθε η διαπίστωση από την κάτωχρη Ναταλία, που στηρίχτηκε πάνω στην Ελπίδα για να μην πέσει.

Ο Κωστής πλησίασε τον Νικήτα. «Πάει πουθενά το μυαλό σου;» τον ρώτησε.

Ο Νικήτας τον κοίταξε ανέκφραστα. «Πού να πάει δηλαδή; Προφανώς η γυναίκα μου πήγε κάπου με τους γονείς της και ξεχάστηκε!»

«Τόσο απλά!» σχολίασε ο Κωστής που είχε πάρει επιθετική στάση.

«Δεν κατάλαβα! ΄Ηρθες μέσα στο σπίτι μου να με κατηγορήσεις για κάτι; ΄Η μήπως η γυναίκα μου πρέπει να πάρει την άδειά σου για να πάει όπου θέλει;» ξέσπασε ο Νικήτας που ούτε κι εκείνος ήταν ψύχραιμος.

«΄Η είσαι ανόητος ή αναίσθητος! Η Μαρίνα είναι φίλη μας και ανησυχούμε, κάτι που θα έπρεπε να κάνεις κι εσύ! Δε συνηθίζει να εξαφανίζεται, τουλάχιστον όχι από μας!» πρόσθεσε ο Κωστής με έντονο ύφος.

«Μπορεί να σας βαρέθηκε! Πώς αλλιώς να σας το δείξει; Μπορεί επιτέλους να κατάλαβε πού είχε μπλέξει και να θέλει ν' απαλλαγεί από σας!»

Στην κατάλληλη στιγμή η Ελπίδα μπήκε ανάμεσά τους. Οι δύο άντρες απείχαν ελάχιστα από το να πιαστούν στα χέρια. Κάρφωσε τα μάτια της στα μάτια του Κωστή.

«Κωστή, είναι ώρα να φύγουμε. Τώρα!» τον διέταξε στεγνά, σταματώντας κάθε άλλη του αντίδραση.

Βγήκαν στο δρόμο χωρίς καν να χαιρετήσουν. Εκεί μόνο ξέσπασε ο Κωστής.

«Είναι κόπανος! Πάει και τέλειωσε!» έλεγε και ξανάλεγε. «Του χρειάζονται δυο-τρεις ανάποδες και απορώ γιατί δε μ' άφησες να του τις δώσω!»

«Γιατί το πρόβλημά μας είναι η Μαρίνα και όχι αυτό το υπεροπτικό ον εκεί μέσα!» του απάντησε ήρεμα η Ελπίδα.

«Τι κάνουμε τώρα;» Η Ναταλία κοιτούσε πότε τον έναν και πότε τον άλλο. «Πού να ψάξουμε; Μήπως στη θάλασσα; Σε κάποια παραλία;»

«Σε ποια απ' όλες; Γύρω γύρω η Αττική δεν έχει και τίποτε άλλο από παραλίες!» αποκρίθηκε η Ελπίδα.

Ένας απαλός ήχος ειδοποίησε τον Κωστή για το μήνυμα που είχε φτάσει στο κινητό του. Το πρόσωπό του φωτίστηκε όταν είδε τον αποστολέα.

«Μήνυμα από τη Μαρίνα!» φώναξε και οι δύο γυναίκες στριμώχθηκαν δίπλα του για να το διαβάσουν: *Πόρτο Ράφτη. Ερωτοσπηλιά*. Τρεις λέξεις που έδωσαν το στίγμα.

Το αυτοκίνητο μούγκριζε στα χέρια του Κωστή. Τουλάχιστον ήξεραν πού θα τη βρουν. Αυτό που τους φόβιζε ήταν σε τι κατάσταση θα τη βρουν. Κανένας τους δεν μπόρεσε να μη θυμηθεί το κακό της προαίσθημα. Αυτό που την κύκλωνε τώρα τελευταία.

Τη βρήκαν να κάθεται εντελώς ακίνητη πάνω στην άμμο, έχοντας αγκαλιάσει τα γόνατά της, με το βλέμμα καρφωμένο στον σκοτεινό ορίζοντα. Ολομόναχη. Ο Κωστής της έριξε μια ζακέτα στους ώμους. Η νύχτα ήταν υγρή. Με τη βοήθεια ενός φακού, μάζεψε ξυλαράκια και άναψε φωτιά. Η Μαρίνα δεν είχε βγάλει λέξη, ούτε είχε κινήσει τα μάτια της. Δεν ήξεραν τι να κάνουν μπροστά σε τόσο μεγάλο και ανείπωτο πόνο. Ολόκληρη έμοιαζε με ανοιχτή πληγή, δεν ήξεραν πού να την αγγίξουν. Τόλμησε ο Κωστής. Κάθισε δίπλα της και την αγκάλιασε από τους ώμους, ανήξερος ότι πυροδοτούσε φιτίλι. Σχεδόν τρόμαξε όταν δυνατοί λυγμοί άρχισαν να τραντάζουν τη γυναίκα που κρατούσε στην αγκαλιά του. Άναρθρες κραυγές έσμιγαν με τα δάκρυα, της πονούσαν το στήθος, αλλά είχε επιτέλους ξεσπάσει.

Τα δάκρυα στέγνωσαν, το βλέμμα καθάρισε και καρφώθηκε στην κόκκινη φλόγα προτού αρχίσει να ξετυλίγει, λίγο ασυνάρτητα στην αρχή, το κουβάρι του μυστηρίου.

«Δεν έχω τίποτα πια... χάθηκαν όλα... μέσα σε μια στιγμή. Στάχτη τα πάντα... Μου το ανακοίνωσε σήμερα ο πατέρας μου».

Ο χρόνος γύρισε πίσω. Το τώρα έγινε πριν...

«Μαρίνα, επιτέλους! Σε ψάχνω δύο ολόκληρες μέρες! Δεν πήρες τα μηνύματά μου;»

Μόλις είχε μπει στο σπίτι τους και ο πατέρας της έδειχνε κάτι παραπάνω από ανυπόμονος.

«Τα βρήκα», του απάντησε, «αλλά προτίμησα να τα αγνοήσω! Δεν είχα καμία διάθεση για κατήχηση! Νομίζω ότι...»

«Μαρίνα, για μια φορά θα σου ζητήσω να κλείσεις

το στόμα σου και να μ' ακούσεις! Δεν ξέρω για ποιο πράγμα μιλάς και αυτή τη στιγμή δε μ' ενδιαφέρει να μάθω! Συμβαίνουν πολύ σοβαρότερα πράγματα από την ανόητη φλυαρία σου!»

Ποτέ όσο ζούσε, δεν της είχε μιλήσει έτσι ο πατέρας της. Ποτέ δε θυμόταν τη μητέρα της να κλαίει. Σώπασε τρομαγμένη και εκείνος συνέχισε.

«Είμαι στη δυσάρεστη θέση να σου αναγγείλω την καταστροφή μας. Είναι πλήρης, ολοκληρωτική... Ο Χρήστου κατέστρεψε όσα δεν έκλεψε! Αυτή τη στιγμή που μιλάμε έχει ήδη εξαφανιστεί... Δεν έχουμε τίποτα πια».

Η λιποθυμία... η επαφή που χάθηκε... ο πανικός μέχρι να συνέλθει... οι ερωτήσεις... όλα αναβίωσαν μπροστά στη φωτιά σε μια έρημη παραλία... Ο Ιούνιος τελείωνε, η ανατροπή είχε έρθει απρόσμενα.

Ο Ήφαιστος είχε αφήσει τη φωτιά να του ξεφύγει και εκείνη βρήκε στόχο τη ζωή της Μαρίνας. Μια ζωή, φτιαγμένη από χρυσό και στολισμένη με ασήμι, έλιωσε. Σαν άμορφη μάζα απλώθηκε στο αμόνι του αθάνατου σιδηρουργού και περίμενε το τελειωτικό χτύπημα από το σφυρί του, αυτό που θα τη διέλυε σε μυριάδες κομματάκια. Ποιος από τους θεού ή τις θεές θα μπορούσε να μαζέψει τα κομμάτια αυτής της ζωής και να τα ενώσει;

# ΙΟΥΛΙΟΣ
## *Ο μήνας της Δήμητρας*

### ΔΗΜΗΤΡΑ

*Κόρη του Κρόνου και της Ρέας. Η ζωή της θεάς δεν ήταν ευτυχισμένη, όμως δεν έπαψε ποτέ, παρ' όλο τον πόνο της για την αρπαγή της κόρης της από τον Άδη, να βοηθάει τους θνητούς. Η Δήμητρα, η λυπημένη θεά, ψάχνει και βρίσκει καθετί που μπορεί να κάνει τη ζωή των θνητών πιο γλυκιά και ευτυχισμένη. Παρόλο που σπάνια χαμογελάει, το πέρασμά της φέρνει το γέλιο στα χείλη των ανθρώπων και τη χαρά της ελπίδας στις δικές τους ψυχές...*

*Έφτασαν ντυμένοι «φίλοι»*
*αμέτρητες φορές οι εχθροί μου...*
*[...]*
*Ήρθαν με τα χρυσά σιρίτια*
*τα πετεινά του Βορρά και της Ανατολής τα θηρία!*
*[...]*
*Για μας, για μας το ματωμένο σίδερο*
*κι η τριπλά εργασμένη προδοσία.*

Οδυσσέας Ελύτης, *Το Άξιον Εστί*

Είσαι καλά τώρα; Συνήλθες;»

Είχε κουνήσει απλώς το κεφάλι. Ο λαιμός της ήταν στεγνός, οι φωνητικές της χορδές ανίκανες να παράγουν οποιοδήποτε ήχο. Αισθανόταν παράλυτη και για να διαψεύσει αυτό το συναίσθημα, σταύρωσε τα χέρια της.

Τώρα πια ήξερε γιατί τον τελευταίο καιρό τη βασάνιζαν προαισθήματα χωρίς ταυτότητα, χωρίς προορισμό. Η κακοτυχία, όμως, είχε βρει το δρόμο της και αυτός ο δρόμος έγραφε τ' όνομά της.

Καθισμένη στον δερμάτινο καναπέ, ακίνητη, παρακολουθούσε τον πατέρα της που στεκόταν όρθιος λίγα μέτρα μακριά της. Δίπλα της, η μητέρα της τσαλάκωνε ένα μαντιλάκι ενώ πότε πότε σκούπιζε μ' αυτό τα δάκρυα που έτρεχαν από τα μάτια της.

Ο πατέρας της ξερόβηξε προτού συνεχίσει. «Λοιπόν, μια και είσαι καλύτερα τώρα, πρέπει να συνεχίσω. Όπως ήδη σου είπα, δεν υπάρχει τίποτα πια. Η καταστροφή είναι πλήρης. Χάθηκαν όλα».

«Και πώς έγινε αυτό, μπαμπά;» – Να που μπορούσε και να μιλήσει τώρα!

«Είναι μεγάλη ιστορία και αυτή τη στιγμή δε θέλω να μπω σε λεπτομέρειες. Σημασία έχει ότι αυτός ο αλήτης μάς διέλυσε και δεν μπορώ να κάνω απολύτως τίποτα πια γι' αυτό. Ας πούμε ότι έκανε μια... νόμιμη απάτη εις βάρος μας... Απ' ό,τι έμαθα δεν είμαστε οι μόνοι που εξαπάτησε, αλλά κανένας δεν τα έχασε όλα όπως εγώ. Ακόμη δεν μπορώ να χωνέψω το πόσο ανόητος στάθηκα! Γιατί και πώς έγιναν όλα αυτά...»

«Μας εξαπάτησε ο άτιμος! Μας ξεγέλασε!» Η μητέρα της είχε κάνει ένα σύντομο διάλειμμα στο κλάμα της, αλλά αμέσως μετά ξαναγύρισε σ' αυτό.

«Όπως καταλαβαίνεις, τα πράγματα αλλάζουν τώρα και μάλιστα με δραματικό τρόπο».

«Δηλαδή;»

«Δεν είσαι ανόητη! Καταλαβαίνεις! Δεν υπάρχει κανένα κεφάλαιο και το μόνο ευχάριστο είναι ότι τουλάχιστον δεν υπάρχουν ούτε χρέη! Απέλυσα φυσικά όλο το προσωπικό και εδώ και στο σπίτι σου, κατέβαλα τις αποζημιώσεις τους, πλήρωσα όλες τις υποχρεώσεις μου... Δε θ' ακουστεί τίποτα τουλάχιστον!»

«Πώς θα κρατήσεις μυστική την καταστροφή;»

«Με κάθε τρόπο! Βέβαια, θ' ακουστεί ότι έχασα κάποια λεφτά, αλλά το μέγεθος δε θα το γνωρίζει κανείς!»

«Και γιατί όλη αυτή η αγωνία να μη μάθει κανείς τίποτα; Τι σε νοιάζει;»

«Μα δε λειτουργεί το μυαλό σου; Δε φτάνει η καταστροφή, πρέπει να γίνει και διαπόμπευση;»

«Ας πούμε ότι έχει μία λογική η σκέψη σου. Άλλο θέλω να μάθω! Τι σκοπεύεις να κάνεις, μπαμπά, από δω και πέρα;»

«Πρώτα απ' όλα χρειάζομαι λεφτά! Θα διαδώσω, λοιπόν, ότι ψάχνω ν' αγοράσω σπίτι στα νότια προάστια και γι' αυτό πουλάω αυτό εδώ! Έτσι θα τηρηθούν τα προσχήματα!»

«Αλίμονο!»

«Μην ειρωνεύεσαι, μικρή! Δεν είναι ώρα για τέτοια! Με τα λεφτά της πώλησης του σπιτιού θα ξαναρχίσω! Εφόσον δε θα έχει μαθευτεί τίποτα, θα μπορώ να κινούμαι άνετα στο χώρο των επενδυτών!»

«Πάλι χρηματιστήριο;»

«Μην είσαι ανόητη! Υπάρχουν κι άλλοι τρόποι και δε σκοπεύω, έτσι όπως είναι η κατάσταση, να βρεθώ εγκλωβισμένος στη Σοφοκλέους! Αυτά είναι δική μου δουλειά! Ξέρω τι θα κάνω!»

«Και με τον Χρήστου υποτίθεται ότι ήξερες, αλλά κοίτα τι έγινε!»

«Μαρίνα, πώς μιλάς έτσι στον πατέρα σου;»

«Άσε με, μαμά! Εδώ ο κόσμος γύρισε ανάποδα κι εσείς δεν εννοείτε να βάλετε μυαλό! Όλο σας το πρόβλημα είναι τι θα πει ο κόσμος! Ποιος νοιάζεται τι μας συμβαίνει; Εσείς νοιάζεστε μην τυχόν και σας κόψουν απ' αυτό τον ανόητο και ηλίθιο κύκλο!»

«Σε τι θα εξυπηρετήσει αν μαθευτεί η καταστροφή μας; Θα μας αντιμετωπίσουν όλοι σαν φτωχούς συγγενείς! Ξέρεις πώς αντιδρά ο κόσμος σε τέτοιες περιπτώσεις! Κανένας δε θα μ' εμπιστευτεί ούτε θα με υπολογίσει! Θα με δουν όχι σαν επενδυτή αλλά σαν... τζογαδόρο που παίζει την τελευταία του ζαριά! Αυτός ο "ανόητος και ηλίθιος", όπως είπες, κύκλος κρατάει τα κλειδιά της επανένταξής μας! Αν δε με δεχτούν, πώς θα ξαναρχίσω; Το σπίτι αξίζει πολλές δεκάδες εκατομμύρια, κι έτσι μετά την πώλησή του θα έχω στα χέρια μου ένα σεβαστό κεφάλαιο!»

Ο πατέρας της ίσιωσε το κορμί του λες και τα λόγια του είχαν ξεχωριστή δύναμη. Το όραμα του πλούτου και της δύναμης, που θα επέστρεφε, ήρθε μπροστά του ζωντανό. Την κάρφωσε με το βλέμμα.

«Όπως βλέπεις υπάρχουν παράμετροι που το μυαλό σου δε φτάνει ούτε να σκεφτεί ούτε να κατανοήσει, και δεν έχω την απαίτηση να το κάνει!»

«Με θεωρείς ηλίθια, μπαμπά;»

«Απλώς είσαι γυναίκα!»

«Που μας κάνει περίπου το ίδιο, κατά τη δική σου άποψη;»

«Δε νομίζω ότι είναι ώρα για τέτοιες συζητήσεις!»

Η Μαρίνα σηκώθηκε και στάθηκε απέναντί του. «Διαφωνώ!» είπε. «Θέλω να ξέρω αν ο ίδιος μου ο πατέρας με θεωρεί ανίκανη και διανοητικά κατώτερη!»

«Δεν είπα τέτοιο πράγμα!»

«Τότε, γιατί τόσα χρόνια δεν είχα ιδέα για τα οικονομικά μας; Γιατί μόλις πρόσφατα έμαθα για τη συμφωνία που έγινε με τον άντρα μου να μας συντηρείς εσύ; Γιατί ποτέ δε ρώτησες τη γνώμη μου για οτιδήποτε αφορούσε τη δουλειά σου;»

«Γιατί η δουλειά μου ήταν οι επενδύσεις και όχι οι... ενδύσεις! Τόσο εσένα όσο και τη μητέρα σου, το μόνο που σας ενδιέφερε ήταν τα ρούχα και η μόδα! Δίπλα σε αυτά, πρόσθεσε και τα ινστιτούτα, το κομμωτήριο και τα ατέλειωτα πάρτι, και τότε ίσως καταλάβεις γιατί δεν υπολόγιζα στη γνώμη σου!»

«Εσείς με κάνατε έτσι! Εσείς με θέλατε μιαν άχρηστη

κοσμική! Όταν μου δόθηκε η ευκαιρία να ζήσω σαν κανονικός άνθρωπος, δίπλα σ' έναν επίσης κανονικό άνθρωπο, τρομάξατε και με τρομάξατε κι εμένα! Θυμάσαι τον Φίλιππο; Το έβαλα στα πόδια τότε και όταν έπεσα πάνω στον Νικήτα, πετάξατε από τη χαρά σας! Προκειμένου να με παντρευτεί, τον αγοράσατε! Τον πληρώνετε μέχρι σήμερα μόνο και μόνο για να μου παρέχετε αυτή την αποστειρωμένη ζωή!»

«Δε σου άρεσε κιόλας; Αυτό γυρίζεις και μας λες; Τότε είσαι αχάριστη!»

«Δεν είναι αχαριστία, πατέρα! Παράπονο είναι! Συνειδητοποιώ ότι το καράβι της ζωής μου το χτύπησε κεραυνός! Έπεσε σε καταιγίδα και δε νομίζω ότι αυτοί που το κατασκεύασαν πρόβλεψαν κάτι τέτοιο, ούτε έχει τις κατάλληλες προδιαγραφές για ν' αντέξει τους κλυδωνισμούς!»

«Γίνεσαι μελοδραματική και δε σου πάει! Εγώ και η μητέρα σου κάναμε ό,τι νομίζαμε καλύτερο για το μέλλον σου!»

«Και τώρα; Τώρα που το παρόν δεν έχει μέλλον, τι μου προτείνεις;»

«Πρώτα απ' όλα, έχεις τον άντρα σου! Απ' ό,τι μαθαίνω, οι δουλειές του πάνε περίφημα! Εσύ τουλάχιστον δε θ' αντιμετωπίσεις κανένα οικονομικό πρόβλημα! Σου ανήκει επιπλέον ό,τι περιέχει το σπίτι και είναι όλα μεγάλης αξίας! Δε θ' αλλάξει τίποτα στη ζωή σου, εκτός βέβαια από το γεγονός ότι τώρα θ' αναλάβει τα έξοδά σας ο Νικήτας!»

«Όπως όφειλε να κάνει εδώ και χρόνια δηλαδή!»

«Τίποτα δεν όφειλε να κάνει αφού έτσι είχαμε συμφωνήσει!»

«Ξέρει τίποτα για όλ' αυτά;»

«Όχι, βέβαια! Εσύ θα του μιλήσεις. Φυσικά ελπίζω ότι

όλα θα είναι προσωρινά, ότι πολύ σύντομα θα ξαναφτιάξω την περιουσία μου και θα επανέλθουμε στους αρχικούς ρυθμούς της ζωής μας».

«Πού θα μείνετε όταν πουληθεί το σπίτι; Αν θέλετε, μπορείτε να έρθετε σ' εμένα, ώσπου να τακτοποιηθείτε κάπου».

«Ευχαριστούμε για την προσφορά σου, αλλά όχι. Είναι καλύτερα να μη μας έχετε πάνω από το κεφάλι σας τώρα που θα προσαρμόζεστε στην καινούργια πραγματικότητα. Μίλησα με την αδελφή μου στο τηλέφωνο. Λείπει στο εξωτερικό και μας παραχωρεί το σπίτι της για όσο το χρειαζόμαστε. Εσύ, τώρα, πρέπει να μιλήσεις στον άντρα σου».

Ο Νικήτας μπορούσε να περιμένει... Όταν βρέθηκε μόνη στην παραλία, με τα μάτια καρφωμένα στο σημείο όπου ο ουρανός συναντούσε τη θάλασσα, θυμήθηκε τους τρεις ανθρώπους που την περίμεναν και θ' ανησυχούσαν για εκείνη, και τότε έστειλε το μήνυμα για να έρθουν κοντά της. Τους είχε ανάγκη. Το βάρος όσων είχαν ειπωθεί στο γραφείο του πατέρα της ήταν τεράστιο. Το κακό προαίσθημα την κύκλωνε πάλι. Δεν είχαν τελειώσει, το ένιωθε. Κάτι ακόμη την περίμενε, ίσως πιο δυνατό, πιο καταστροφικό απ' αυτό που προηγήθηκε. Ενός κακού, μύρια έπονται· το είχε ακούσει να το λέει και η Ελπίδα.

Φοβόταν. Είχε ανάγκη να στηριχτεί κάπου και το ένστικτό της της έκανε ξεκάθαρο ότι θα 'ταν λάθος να ελπίσει στον Νικήτα. Το βλέμμα της έπεσε πάλι στο πέλαγος, όχι μακριά αυτή τη φορά. Ακριβώς εκεί όπου η θάλασσα κατέληγε κουρασμένη· στα πόδια της γης. Ένα κλαρί ήταν στην ακρογιαλιά, αποκομμένο από το δέντρο του, παράδερνε. Η θάλασσα πότε το τραβούσε στο εσωτερικό της και πότε το ξέβραζε.

Ξάφνου η Μαρίνα είδε τον εαυτό της σ' αυτό το ασήμαντο κλαράκι. Το ίδιο ασήμαντη αισθανόταν κι εκείνη, με τον ίδιο τρόπο παράδερνε. Από τότε που θυμόταν τον εαυτό της, τα κύματα της ζωής της την πήγαιναν όπου ήθελαν χωρίς ποτέ η ίδια να σταθεί στα πόδια της και να πάρει αποφάσεις για όσα την αφορούσαν. Δεν είχε προορισμό, δεν είχε τέρμα. Μια μέσα, μια έξω... όπως το κλαράκι. Κακώς είπε στον πατέρα της ότι η ζωή της έμοιαζε με καράβι. Τα καράβια από κάπου ξεκινούν και κάπου φτάνουν, έστω κι αν πέσουν σε κακοκαιρία. Εκείνη όμως ποτέ δεν έβαλε κανένα στόχο. Περιφερόταν αδιάφορα σε μιαν αδιάφορη ζωή, αν και δεν ήταν λίγες οι φορές που ένιωθε ότι μπορούσε να κάνει κάτι πιο ουσιαστικό. Το κλαράκι έδειχνε... εξουθενωμένο, όπως και η ίδια. Ήθελε να κλάψει, αλλά τα δάκρυα πεισματικά επέμεναν να τσούζουν τα μάτια της χωρίς να κυλούν, χωρίς να επιτρέπουν την εκτόνωση μιας πίκρας που προκαλούσε πόνο. Έναν πόνο που πυρπολούσε το σώμα, που το βασάνιζε και το έκανε να δείχνει ανάπηρο.

Ύστερα, ήρθαν. Η αγκαλιά του Κωστή έμοιαζε λιμάνι, το χάδι της Ναταλίας φάρμακο για τις πληγές της και η σιωπή της Ελπίδας κρατούσε τους ανέμους του Αιόλου μακριά. Δάκρυα και εξηγήσεις ανακατεύτηκαν, αλλά το συμπέρασμα ήταν το ίδιο. Έπρεπε να μιλήσει στον Νικήτα.

Τον είχε πια απέναντί της. Την κοιτούσε απορώντας για την εξαφάνισή της, την αργοπορία της, την περίεργη έκφρασή της, για τη γενική κατάσταση όπου η ανατροπή των δεδομένων ήταν ολοφάνερη αλλά και αδικαιολόγητη. Ήταν γεμάτος ερωτήματα και εκείνη ήταν η μόνη που μπορούσε να τον διαφωτίσει, φτάνει να κατάφερνε να μιλήσει.

Πλησίαζε δώδεκα τα μεσάνυχτα. Τα φαντάσματα είχαν περικυκλώσει το σπίτι της. Όλα τους μικρά, κακάσχημα, σφύριζαν απειλητικά. Εκείνη τ' άκουγε καθαρά, ενώ απέναντί της ο Νικήτας την κοίταζε εκνευρισμένος.

«Περιμένω κάποιες εξηγήσεις, Μαρίνα! Λείπεις όλη μέρα, στο σπίτι δεν ήταν κανείς από το προσωπικό, η Αγγέλα δεν μπήκε στον κόπο να μαγειρέψει κι εσύ γυρίζεις τα μεσάνυχτα μ' ένα βλέμμα τρελό και μια εμφάνιση... καλύτερα να μην τη σχολιάσω! Τι συμβαίνει επιτέλους;»

«Θα σου τα εξηγήσω όλα. Ίσως είναι καλύτερα να καθίσουμε, έχω βάσιμες υποψίες ότι τα πόδια μου δεν αντέχουν άλλο το βάρος μου».

Για μια στιγμή εκείνος πήγε κάτι να πει, αλλά αμέσως το μετάνιωσε και συμμορφώθηκε. Κάθισε στον καναπέ. Η Μαρίνα διάλεξε την πολυθρόνα απέναντί του. Αν και κοιτούσε το χαλί, αισθανόταν το βάρος της ματιάς του πάνω της.

«Θα περιμένω πολύ ακόμη τις εξηγήσεις που στο κάτω κάτω νομίζω ότι μου οφείλεις;»

«Όχι, Νικήτα. Συγκεντρώνω δυνάμεις, γιατί αυτά που έχω να σου πω δε λέγονται εύκολα».

«Μα τι συμβαίνει επιτέλους;»

Τα είπε όλα με μιαν ανάσα. Χωρίς να σταματήσει πουθενά, χωρίς να βάλει τελεία, γιατί ήξερε πως αν σταματούσε δε θα είχε κουράγιο να συνεχίσει. Άφησε στην άκρη κάθε σκέψη και συγκεντρώθηκε στην αφήγηση. Το προαίσθημα του κακού την κύκλωνε πιο έντονα και το ύφος του Νικήτα, όσο προχωρούσαν οι εξηγήσεις της, το έκανε βασανιστικό. Σώπασε λαχανιασμένη και τον κοίταξε. Δεν της άρεσε αυτό που έβλεπε στο πρόσωπό του.

«Το περίμενα. Ίσως γι' αυτό είχα πάρει τα μέτρα μου», της είπε στεγνά και σηκώθηκε.

Η Μαρίνα τον παρακολούθησε να σερβίρει στον εαυτό του ένα ποτό.

«Τώρα εγώ είμαι αυτή που δεν καταλαβαίνει. Τι θέλεις να πεις; Τι περίμενες; Την καταστροφή του πατέρα μου;»

«Όχι βέβαια με αυτόν το γελοίο τρόπο, αλλά πάντως ήταν πιθανή. Καυχιόταν για τον Χρήστου, το νέο του απόκτημα, παντού! Λες και ήταν δικό του δημιούργημα! Στον κόσμο του χρήματος η αλαζονεία είναι επικίνδυνη!»

«Τότε να προσέχεις κι εσύ!»

«Με θεωρείς αλαζόνα; Τα μπερδεύεις, Μαρίνα! Εγώ έχω αυτοπεποίθηση γιατί δεν αφήνω τίποτα στην τύχη! Η επιτυχία μου είναι αποτέλεσμα γνώσης! Κάνω πάντα τις σωστές κινήσεις!»

«Και ο πατέρας μου έτσι νόμιζε!»

«Ο πατέρας σου είναι ανόητος! Εμπιστεύτηκε μια τεράστια περιουσία σ' έναν τυχάρπαστο που τον εντυπωσίασε και δεν μπήκε καν στον κόπο να τον ελέγξει τουλάχιστον!»

«Θα σε παρακαλούσα να προσέχεις πώς μιλάς για τον πατέρα μου!»

«Δεν οφείλω κανένα σεβασμό σ' έναν ξεμωραμένο γέρο, που καταστράφηκε επειδή θαμπώθηκε από έναν τυχοδιώχτη!»

«Είναι η δεύτερη φορά που το παθαίνει· η πρώτη στέκεται μπροστά μου αυτή τη στιγμή!»

«Τολμάς να λες εμένα τυχοδιώκτη;»

«Αν δε θέλεις να σε αποκαλώ έτσι, σταμάτα να φέρεσαι σαν τέτοιος! Ο άνθρωπος που χαρακτήρισες ανόητο και ξεμωραμένο γέρο είναι πεθερός σου και σε αγκάλιασε. Σε στήριξε και σε υποστήριξε!»

«Για να με ξεγελάσει! Άλλα μου είχε υποσχεθεί προτού σε παντρευτώ! Άλλα μου είχε προσφέρει!»

«Να σε ξεγελάσει; Νικήτα, τρελάθηκες; Λες ο πατέρας μου να καταστράφηκε μόνο και μόνο για να μη σου κάνει τα κέφια; Καταλαβαίνεις τι λες;»

«Εκείνο που καταλαβαίνω είναι ότι όλα αλλάζουν πια!»

«Αυτό το ξέρω! Γι' αυτό πρέπει να μιλήσουμε, να δούμε τι θα κάνουμε!»

«Τι θα κάνουμε; Εμείς οι δύο... μαζί;»

«Ζευγάρι δεν είμαστε; Δεν πρέπει να συζητήσουμε; Δεν έχω ιδέα πού βρίσκονται τα οικονομικά σου γι' αυτό και πρέπει να μου πεις εσύ. Μήπως πρέπει να βρω ένα μικρότερο σπίτι, να μετακομίσουμε; Αυτό εδώ κοστίζει πολλά για να συντηρηθεί».

Ο Νικήτας χαμογελούσε, αλλά με τον τρόπο που το έκανε, της πήρε όλο τον αέρα. Δεν μπορούσε ν' αναπνεύσει. Δεν ήταν δυνατόν να χωράει τόση ειρωνεία και τόση κακία σ' ένα απλό χαμόγελο.

«Γιατί με κοιτάζεις έτσι;» ρώτησε, χωρίς να είναι σίγουρη αν ήθελε καν να μάθει.

«Τελικά είσαι το ίδιο ανόητη με τον πατέρα σου! Τι σε κάνει να πιστεύεις πως ό,τι κάνουμε θα το κάνουμε μαζί;»

«Μα είμαστε παντρεμένοι!»

«Είδες γιατί σε είπα ανόητη; Λοιπόν, για να τελειώνουμε! Γιατί νομίζεις ότι σε παντρεύτηκα;»

«Απ' ό,τι μόλις τώρα κατάλαβα, όχι γιατί με αγάπησες!»

«Τελικά δουλεύει το μυαλό σου!»

«Ώστε μόνο για τα λεφτά μου... Και γιατί εμένα; Στον κύκλο μας υπήρχαν κι άλλες, πολύ πιο πλούσιες. Απ' ό,τι θυμάμαι, τότε, μπορούσες να έχεις όποια ήθελες! Γιατί εμένα, λοιπόν;»

«Γιατί εσύ ταίριαζες στα σχέδιά μου! Βλέπεις δεν ήσουν και πρώτης εξυπνάδας! Αργότερα, βέβαια, διαπίστωσα ότι δεν ήσουν ανόητη· απλώς κακομαθημένη. Όχι ότι μ' ενδιέφερε και ποτέ».

«Τι σ' ενδιέφερε τελικά;»

«Μα σου είπα! Τα λεφτά σου! Έπειτα, καμιά απ' όλες όσες με τριγύριζαν δεν είχε γονείς σαν τους δικούς σου, που προκειμένου να σε φορτώσουν σε κάποιον, πλήρωναν όσο όσο και δεν είχαν απαιτήσεις! Το αντίθετο! Ήταν έτοιμοι να υποχωρήσουν σε οποιαδήποτε δική μου απαίτηση!»

«Έκανα λάθος πριν όταν σε είπα τυχοδιώκτη, ήταν πολύ λίγο για σένα!»

«Μην προσπαθήσεις να με προσβάλεις, θα πάει άδικα ο κόπος σου! Δε μ' ενδιαφέρει η γνώμη σου!»

«Πες μου κάτι, σε παρακαλώ. Τόσα χρόνια, ζούσες, κοιμόσουν, έκανες έρωτα μαζί μου, χωρίς να νιώθεις τίποτα;»

«Ε, καλά, δεν πέρασα κι άσχημα! Ήσουν πρόθυμη, όμορφη, είχες καλή ανατροφή, έκανες καλή εντύπωση όπου κι αν σε παρουσίαζα και δεν είχες απαιτήσεις. Τώρα τελευταία, βέβαια, πήγες να μου τα χαλάσεις, αλλά έκανα υπομονή. Έπειτα, μην ξεχνάς ότι υπήρχε πάντα το βασικό: το χρήμα! Οι γονείς σου μου εξασφάλιζαν έναν τρόπο ζωής ακριβό, άνετο και με το στιλ που βοηθούσε να ανέβω. Δεν ξεχνάω βέβαια και το αρχικό κεφάλαιο με το οποίο...»

«Σου έδωσαν λεφτά;»

«Δεν το ήξερες; Ένα ποσό με πολλά μηδενικά... φυσικά!»

«Τώρα το ακούω για πρώτη φορά!»

«Δεν ήταν απαραίτητο να το ξέρεις! Πάντως, όπως και να έχει, τώρα που δεν υφίσταται ο μόνος λόγος για τον οποίο σε παντρεύτηκα, ο γάμος μας τελείωσε!»

«Μαζί με τα λεφτά!»

«Αλληλένδετα είναι αυτά!»

«Καμαρώνεις που είσαι τόσο κυνικός; Τόσο ωμός;»

«Είναι ωραίο να είσαι για λίγο ειλικρινής! Βλέπεις... αγάπη μου, το να παντρεύεσαι από συμφέρον έχει και μειονεκτήματα! Πρέπει να προσέχεις τι λες, για να μη δυσαρεστήσεις τους... χρηματοδότες σου!»

«Και τώρα που η... πηγή στέρεψε; Τι θα κάνεις τώρα;»

«Η αλήθεια είναι ότι χρειαζόμουν κανένα χρόνο ακόμη, αλλά δεν πειράζει! Χάρη σ' αυτή την... πηγή, όπως είπες, εγώ έκανα μια περιουσία αν όχι σαν του πατέρα σου, πάντως αρκετά σημαντική!»

«Ώστε έγινες πλούσιος χάρη στον πατέρα μου, αλλά τον κατηγορείς για ανοησία και εγκαταλείπεις το καράβι, ακριβώς όπως και τα ποντίκια! Αχάριστος και δειλός!»

«Απλώς πρακτικός! Μα τι νόμιζες; Ότι επειδή έκανα περιουσία, θα ήμουν και πρόθυμος να τη μοιραστώ με την αποτυχημένη οικογένειά σου; Όχι, αγαπητή μου! Τα λεφτά μου τ' απέκτησα με σκληρή δουλειά τεσσάρων χρόνων! Ανέχτηκα τους γονείς σου, εσένα με τα καπρίτσια και τις ιδιοτροπίες σου, και επιπλέον την κουταμάρα της μητέρας σου και τους ατέλειωτους σουσουδισμούς της».

«Τελειώσαμε, Νικήτα! Αρκετά είπες! Μπορείς να πηγαίνεις».

«Δε σκόπευα να καθίσω. Άλλωστε, πρέπει να μείνεις μόνη σου και να σκεφτείς τι θα κάνεις πια ως απένταρη».

«Να μείνω μόνη; Πάντα ήμουν μόνη μου!»

«Μη γίνεις μελοδραματική, πάνω στην ώρα που θα σου αναγνώριζα την ψυχραιμία με την οποία δέχτηκες την αλήθεια! Για να είμαι ειλικρινής, δεν το περίμενα!»

«Τι ακριβώς περίμενες; Να σε βρίσω, να σε χτυπήσω, να κλάψω, να ουρλιάξω; Μπορεί και να τα έκανα όλα αυτά μαζί, αν μπορούσα! Αλλά δε νιώθω τίποτα· ένα κενό».

«Το κενό δεν είναι καινούργιο για σένα! Αμφιβάλλω αν έχεις νιώσει ποτέ τίποτα, έτσι όπως σε μεγάλωσαν!»

«Η ανατροφή μου ήταν αυτή που σε βόλεψε πάντως! Φύγε, Νικήτα. Δε φταις εσύ που με υποτίμησες τόσο πολύ. Φταίω εγώ που σου έδωσα αυτό το δικαίωμα! Τελειώσαμε!»

Ο Νικήτας έτεινε το ποτήρι προς το μέρος της σαν πρόποση προτού το αδειάσει. Χωρίς να βιάζεται, το άφησε στο τραπεζάκι και πήγε προς τις βαλίτσες του στην είσοδο. Το ταξίδι στη γενέτειρά του, που είχε προηγηθεί, ήταν τελικά συμβολικό. Ένας προάγγελος της οριστικής του αποχώρησης. Στράφηκε στη Μαρίνα.

«Τα υπόλοιπα πράγματά μου θα μου επιτρέψεις να τα πάρω αύριο!»

«Φυσικά».

«Α, πριν φύγω, θέλω να σου τονίσω και κάτι ακόμη...»

«Τι άλλο μένει πια να πεις;»

«Ότι δε θ' ανεχτώ καμιά οικονομική σου απαίτηση! Αν σκέφτεσαι να διεκδικήσεις έστω και ένα ευρώ, θα σε συμβούλευα να το ξανασκεφτείς! Έχω πολύ ισχυρούς φίλους πια και οι περισσότεροι είναι δικηγόροι! Θα σε τυλίξω σε μια κόλλα χαρτί! Δε θα διστάσω να χρησιμοποιήσω το φιλαράκο σου και να σε κατηγορήσω για μοιχεία! Ξέρω πόσο τρέμετε για το τι θα πει ο κόσμος και μπορώ να σε βεβαιώσω ότι θα σε ρεζιλέψω τόσο στον κύκλο μας, ώστε δε θα μπορείς να σταθείς ούτε εσύ ούτε οι γονείς σου! Έγινα κατανοητός;»

«Ωραίο τρόπο διάλεξες για να πεις αντίο! Λυπάμαι... Τελικά είσαι κι εσύ ανόητος! Θα έπρεπε να με ξέρεις καλύτερα! Έπειτα απ' όσα έμαθα απόψε, δε θα ζητούσα τίποτε από σένα! Θα προτιμούσα να βγω να ζητιανέψω!»

«Ίσως και να μην το αποφύγεις τελικά, αλλά αυτό βέβαια δεν είναι δικό μου πρόβλημα!» της πέταξε κι έκανε να φύγει.

«Μια στιγμή!» υψώθηκε η φωνή της και τον σταμάτησε. «Θέλω να σου ξεκαθαρίσω κι εγώ κάτι, προτού φύγεις. Δεν έχω καμία απαίτηση, και μετά το διαζύγιο δε θ' ακούσεις τίποτα πια για μένα. Αυτό μπορώ να σ' το υποσχεθώ μαζί με κάτι άλλο! Αν ανοίξεις το στόμα σου και πεις έστω και μια λέξη για την καταστροφή του πατέρα μου, τότε θα φροντίσω να μάθουν όλοι τι σόι προικοθήρας και εκμεταλλευτής υπήρξες! Να είσαι βέβαιος ότι θα το κάνω με τέτοιο τρόπο, που δε θα υπάρξει άνθρωπος να μη με πιστέψει και ο... κύκλος που τόσο υπολογίζεις θα σ' εξοστρακίσει προτού προλάβεις ν' ανοιγοκλείσεις τα μάτια σου! Θα ξεχάσεις τα τελευταία τέσσερα χρόνια και δε θ' ασχοληθείς ποτέ πια μ' εμάς! Όποιος σε ρωτήσει για το διαζύγιο, θα πεις ότι ήταν ασυμφωνία χαρακτήρων! Αν το καλοσκεφτείς σε συμφέρει κι εσένα αυτή η εξήγηση! Έτσι θα μπορείς να κυνηγήσεις ανενόχλητος το επόμενο θύμα σου! Όποια κι αν είναι, όσα λεφτά κι αν έχει, τη λυπάμαι και εύχομαι να τη βοηθήσει ο Θεός να επιβιώσει δίπλα σ' έναν αλήτη σαν κι εσένα!»

«Τέλειωσες;»

«Είμαστε σύμφωνοι;»

«Απολύτως! Όπως πολύ σωστά είπες, με συμφέρει κι εμένα αυτό! Θέλεις τίποτε άλλο;»

«Ναι!... Κάτι σου οφείλω!... Αυτό!»

Το χαστούκι της αντήχησε σε όλο το σπίτι. Τα δάχτυλά της αποτυπώθηκαν στο πρόσωπό του την ώρα που το χέρι της έκαιγε από τη δυνατή πρόσκρουση στο μάγουλό του. Για μια στιγμή η Μαρίνα νόμισε ότι θ' άφηνε κάτω τις βαλίτσες και θα της το ανταπέδιδε. Μπόρεσε μέχρι και να νιώσει το αίμα να γλυκίζει στο στόμα της, αλλά όταν άκουσε τον ήχο της πόρτας που έκλεινε πίσω του, κατάλαβε ότι ήταν η ίδια που δάγκωνε τα χείλη της και είχαν ματώσει.

Το ρολόι μετρούσε τις ώρες και τα λεπτά της σιωπής της. Έδειχνε τρεις. Σαν φάντασμα, σαν αερικό, η Μαρίνα γλιστρούσε στο άδειο σπίτι βλέποντας και παρατηρώντας αντικείμενα που δεν είχε ποτέ πριν προσέξει. Καθετί της φαινόταν τόσο διαφορετικό. Όταν έφτασε στην κρεβατοκάμαρα που μοιράστηκε μαζί του όλ' αυτά τα χρόνια, είχε την αίσθηση ότι την έβλεπε για πρώτη φορά. Η ζωή της με τον Νικήτα έκανε κύκλους στο μυαλό της και δεν υπήρχαν περιθώρια για υπεκφυγές. Γεγονότα, άλλα μικρά και άλλα μεγάλα, της έδειχναν πόσο πολύ έξω είχε πέσει. Τα μηνύματα υπήρχαν από τις πρώτες μέρες, εκείνη όμως ήταν ανόητη και τ' αγνοούσε, ενώ δικαιολογούσε πάντα τα λάθη του. Κοίταξε το κρεβάτι και συνειδητοποίησε ότι καμιά στιγμή τους δεν της έφερνε συνταρακτικές αναμνήσεις. Τώρα που είχε μπροστά της όλες τις απαντήσεις, μπορούσε να διαχωρίσει την επιθυμία και το πάθος από το απλό συζυγικό καθήκον, αυτό που θα εμπόδιζε τους τριγμούς στη συζυγική ζωή και θα έκανε τους... χρηματοδότες του να τον επιπλήξουν. Ανόητη! Πάντα υπήρξε ανόητη! Τώρα θα πλήρωνε το τίμημα...

Η απελπισία ήρθε τα ξημερώματα παρέα με το πρώτο φως του ήλιου που όρμησε στο άδειο σπίτι. Μαζί με τον κόσμο που ξυπνούσε, ξύπνησαν και τα παγωμένα συναισθήματα· οργή για την προδοσία... πίκρα για τον χαμένο καιρό... θυμός γιατί τόσα χρόνια την κράτησαν κοιμισμένη... απελπισία... Για πρώτη φορά στη ζωή της ένιωσε ανασφάλεια και φόβο για το μέλλον. Μια ελαφριά ζάλη τής θύμισε ότι έκλεινε είκοσι τέσσερις ώρες νηστική. Μπήκε στην κουζίνα με το στομάχι της να διαμαρτύρεται και τον οισοφάγο της να δηλώνει ότι δε θα συνεργαζόταν στην κατάποση οποιασδήποτε στερεάς τροφής. Μόλις ήπιε μονορούφι ένα ποτήρι φρέσκο γάλα, θυμήθηκε ότι είχε να πιει γάλα από δέκα χρόνων. Πάντως, ένιωσε καλύτερα. Τώρα μπορούσε να ειδοποιήσει και τους άλλους να έρθουν. Ήταν Σάββατο, κανένας δε δούλευε.

Επείγον περιστατικό είχε καταντήσει και είχε κάνει τους φίλους της πραγματική ομάδα διάσωσης, αλλά τώρα καταλάβαινε πως δεν είχε πού αλλού να στραφεί, ούτε πού να στηριχτεί.

Το αυτοκίνητο του Κωστή σταμάτησε έξω από το σπίτι της Μαρίνας στις οκτώ το πρωί ακριβώς, αλλά κανένας δε βγήκε. Δίπλα στον Κωστή καθόταν η Ελπίδα και πίσω η Ναταλία. Ο άντρας έσβησε τη μηχανή και τις κοίταξε.

«Λοιπόν, φτάσαμε. Τι γίνεται τώρα; Εδώ θα καθίσουμε;» ρώτησε.

Η Ελπίδα απλά τον κοίταξε και δεν είπε λέξη.

«Για να είμαι ειλικρινής», μουρμούρισε η Ναταλία,

«πρώτη φορά σκέφτομαι τόσο πολύ να μπω στο σπίτι της. Έπειτα, ποιος αντέχει τέτοιες ώρες το υφάκι του Νικήτα;»

«Ναι, αλλά η Μαρίνα μας κάλεσε», την έκοψε ο Κωστής. «Και για να τηλεφωνήσει στις επτά το πρωί, σημαίνει ότι μας έχει ανάγκη!»

«Αυτό ακριβώς με ανησυχεί! Λογικά, χθες θα του είπε τα νέα. Γιατί πρωί πρωί να πάρει εμάς; Κάτι θα πήγε στραβά! Εσύ, Ελπίδα, δε μιλάς;»

«Είμαστε έξω από το σπίτι. Αν μπούμε μέσα, θα λύσουμε όλες τις απορίες μας! Γιατί πρέπει να κάνω υποθέσεις;»

«Για να είμαστε προετοιμασμένοι καλύτερα! Ο Νικήτας...»

«Τις απόψεις μου γι' αυτόν τις ξέρετε, άρα καταλαβαίνετε και τι ακριβώς νομίζω ότι έχει γίνει! Δεν μπορεί να χάρηκε και ιδιαίτερα που δε θα έχει πια τον πεθερό να τον συντηρεί!»

«Λες να...»

«Πολύ το φοβάμαι».

Όλοι τους σάστισαν όταν αντίκρισαν τη γυναίκα που τους άνοιξε την πόρτα. Η Μαρίνα στεκόταν και τους κοιτούσε χλομή, κουρασμένη, σίγουρα άυπνη και μ' ένα βλέμμα που αιμορραγούσε. Δεν τους μίλησε. Έκανε μεταβολή και προχώρησε στο εσωτερικό όπου την ακολούθησαν και οι υπόλοιποι. Κάθισε σε μια πολυθρόνα με κατεβασμένο το κεφάλι. Πήραν θέση απέναντί της και οι τρεις, αλλά μόνον ο Κωστής μίλησε.

«Τι χάλια είναι αυτά, κυρία μου; Δεν ντρέπεσαι; Έπεσες να πεθάνεις επειδή είχε μιαν ατυχία ο πατέρας σου; Συμβαίνουν αυτά! Τι λέγαμε χθες το βράδυ; Θα σταθεί ξανά στα πόδια του ο άνθρωπος! Άλλοι στη θέση του αυτοκτονούν!»

«Αυτό μας έλειπε!» Επιτέλους η κοπέλα είχε μιλήσει και ο Κωστής πήρε θάρρος.

«Τα βλέπεις; Ο πατέρας σου όμως, σαν δυνατός άνθρωπος που είναι, βρήκε ήδη τον τρόπο να παλέψει, να ξεκινήσει από την αρχή, και εσύ δεν του έμοιασες καθόλου απ' ό,τι φαίνεται!»

«Κωστή, δεν ξέρεις...»

«Τι να ξέρω; Εσύ έχεις τον άντρα σου που είναι ικανότατος και πετυχημένος! Για να μη σου πω ότι μπορεί να βοηθήσει και τον πεθερό του να ορθοποδήσει πιο γρήγορα! Θα δεις ότι όλα θα γίνουν όπως πριν! Είναι απλώς ζήτημα χρόνου!»

Το χαμόγελο στα χείλη της δεν είχε χαρά. Γεμάτο πίκρα, έφτασε μέχρι τους τρεις τους. Το ένιωσαν ακόμη και στη γεύση τους. Κοιτάχτηκαν.

Η Ναταλία γλίστρησε στα πόδια της Μαρίνας. Της έπιασε τα χέρια. «Μαρίνα, γιατί δε μιλάς; Τι συμβαίνει; Έγινε και κάτι άλλο; Μίλησες με τον Νικήτα;»

«Μόλις γύρισα, χθες το βράδυ».

«Και τι σου είπε;»

Η ερώτηση αιωρήθηκε για λίγα δευτερόλεπτα μα την επόμενη στιγμή ακούστηκε το κουδούνι. Η Μαρίνα σηκώθηκε, απομακρύνθηκε από τα ερευνητικά βλέμματα και πήγε ν' ανοίξει. Στο σπίτι μπήκαν οι γονείς της. Η ομοιότητά τους με τη Μαρίνα ήταν εκπληκτική. Η κοπέλα ήταν ίδια με τη μητέρα της αλλά είχε τα μάτια του πατέρα της.

Έκπληξη και απορία μόλις διαπίστωσαν ότι η κόρη τους δεν ήταν μόνη. Η Μαρίνα έκανε τις συστάσεις αλλά και πάλι δεν έλυσε το αίνιγμα τι δουλειά είχαν τρεις ξένοι στις οκτώμισι το πρωί στο σπίτι της. Ωστόσο, δεν είπαν τίποτε.

«Πού είναι ο Νικήτας;» ρώτησε ο πατέρας της.

«Τι τον θέλεις;»

«Θέλω να συνεννοηθούμε για κάποια θέματα, να τον ενημερώσω!»

«Μπορείς να τα πεις σ' εμένα. Κάνει το ίδιο!»

«Ναι, αλλά...» αντέδρασε εκείνος κι έριξε μια εύγλωττη ματιά στους παρευρισκόμενους.

«Μην κοιτάς τους φίλους μου, μπαμπά! Όπως ξέρεις δεν ανήκουν στον κύκλο μας! Είναι απλοί άνθρωποι, με αγαπάνε και τους αγαπώ. Το ότι βρίσκονται τέτοια ώρα εδώ αρκεί για να μην έχεις καμία αμφιβολία γι' αυτό! Ξέρουν τα πάντα από την πρώτη στιγμή. Μπορείς να μιλήσεις ελεύθερα μπροστά τους. Έτσι θα με βγάλεις από τον κόπο να τους τα μεταφέρω μετά!»

«Πολύ καλά. Ήρθα να ενημερώσω τον άντρα σου ότι το ενοίκιο του σπιτιού καλύπτει τη διαμονή σας μέχρι το τέλος αυτού του μήνα. Οι λογαριασμοί που αφορούν έξοδα που έγιναν μέχρι σήμερα θα πληρωθούν και αυτοί από εμένα, μόλις έρθουν. Δεν έχετε ν' ανησυχείτε λοιπόν γι' αυτούς. Από σήμερα όμως όλα τα έξοδα βαραίνουν τον Νικήτα. Δεν ξέρω πότε θα είμαι σε θέση βέβαια ν' αναλάβω πάλι, αλλά...»

«Κάθισε, μπαμπά! Κι εσύ, μαμά!»

Ο επιτακτικός τόνος της φωνής της διέκοψε κάθε κουβέντα. Την κοίταξαν με απορία, αλλά το βλέμμα της δεν έλεγε τίποτα. Κάθισαν όλοι. Η Μαρίνα στηρίχτηκε σε μια πολυθρόνα προτού μιλήσει.

«Αυτό που κανένας σας δεν ξέρει είναι ότι χθες το βράδυ, μόλις ο Νικήτας έμαθε τα νέα, μου ανακοίνωσε ότι δεν είχε νόημα να συνεχιστεί ο γάμος μας και έφυγε από το σπίτι. Χωρίζουμε! Το πρώτο πράγμα που θα γίνει τη Δευτέρα είναι να μπει μπροστά το διαζύγιο!»

Η μητέρα της ξέσπασε σε κλάματα σχεδόν αμέσως. Η Ελπίδα άναψε τσιγάρο, η Ναταλία δάγκωσε τα χείλη της. Οι δύο άντρες πετάχτηκαν επάνω, αλλά ακολούθησαν διαφορετική κατεύθυνση. Ο Κωστής φανερά εκνευρισμένος πήγε και στάθηκε μπροστά στο παράθυρο και έμεινε να κοιτάζει με ανεξιχνίαστο ύφος το δρόμο. Ο πατέρας της, από την άλλη, στάθηκε μπροστά της ζητώντας εξηγήσεις.

«Τι είναι αυτά που λες; Γιατί έφυγε στα καλά καθούμενα;»

«Ε, όχι κι έτσι, μπαμπά! Δεν καταλαβαίνεις ή κάνεις πως δεν καταλαβαίνεις; Το περίεργο δεν ήταν που έφυγε, το περίεργο θα ήταν αν έμενε τώρα που το χρυσωρυχείο στέρεψε! Τι νόημα θα είχε να συνεχίσει ένα γάμο με μια γυναίκα που είναι πια απένταρη;»

«Σου είπε τέτοια πράγματα;»

«Όχι τόσο διακριτικά! Μου τα είπε πολύ πιο ξεκάθαρα! Για να δούμε τι μπορώ να θυμηθώ!... Α, ναι! Μου εξήγησε με σαφήνεια ότι με παντρεύτηκε γιατί είχα λεφτά, γιατί ήμουν ανόητη και είχα και ανόητους γονείς, που προκειμένου να με φορτώσουν κάπου, πλήρωναν και μάλιστα χωρίς να έχουν καμία απαίτηση από τον ίδιο! Χάρη μάλιστα στην οικογενειακή ανοησία μας, αλλά και στο σεβαστό κεφάλαιο που του κατέβαλες προτού με πάρει και που δεν είχα ιδέα γι' αυτό, κατάφερε να κάνει μεγάλη περιουσία την οποία δε σκοπεύει να μοιραστεί με την... πώς την είπε;... Α! "Με την αποτυχημένη οικογένειά μου"!»

«Δεν πιστεύω αυτά που ακούω!»

«Ούτε κι εγώ τα πίστευα στην αρχή, αλλά μου είπε κι άλλα που δεν άφηναν περιθώρια να υποθέσω ότι δεν είχα καταλάβει καλά!»

«Τι άλλο σου είπε;»

«Δε θέλεις να ξέρεις! Θεωρεί τον εαυτό του, πάντως, ως ελάχιστα αποζημιωθέντα για τα τέσσερα χρόνια που ανέχτηκε εμένα και τις ιδιοτροπίες μου, καθώς επίσης κι εσάς! Δεν μπορώ να πω ότι έχει και την καλύτερη γνώμη γι' αυτή την οικογένεια!»

«Δεν μπορεί... δε γίνεται. Ο Νικήτας τα είπε όλ' αυτά;»

«Τι περίμενες, λοιπόν; Τι περιμένατε και οι δύο; Φτιάξατε μια κοσμική κουκλίτσα, ικανή μόνο να περιφέρεται στα σαλόνια του κύκλου σας, και καμαρώνατε γι' αυτό! Τη μάθατε να έχει ελάχιστα ενδιαφέροντα και αυτά μόνο γύρω από την κοσμική ζωή! Διατυμπανίζατε παντού την τεράστια προίκα μου! Δεν ήταν λογικό ότι θα τραβούσα σαν μαγνήτης έναν αλήτη, προικοθήρα σαν τον Νικήτα; Σας ρωτάω! Και αντί να με τραβήξετε από κοντά του, τον πληρώσατε για να πάρει τι; Τη σαβούρα! Καμαρώνατε για το γαμπρό σας, δεν του χαλούσατε χατίρι, δεν απαιτήσατε να προσφέρει ποτέ τίποτα, και το κυριότερο δε ζητήσατε να μάθετε τίποτα γι' αυτόν και το παρελθόν του! Ακριβώς όπως και με τον Χρήστου! Έχεις μια τάση, μπαμπά, να βρίσκεις ό,τι πιο καταστροφικό και να προσκολλάσαι επάνω του, μόνο που τις συνέπειες τις πληρώνουν και όλοι οι άλλοι γύρω σου! Καταλαβαίνεις ότι με καταστρέψατε; Είμαι τριάντα χρόνων, άχρηστη και ανίκανη να σταθώ μόνη μου και, επιπλέον, απένταρη! Δεν έχω ιδέα πώς θα ζήσω, δεν έχω πού να στηριχτώ, φοβάμαι το αύριο, φοβάμαι την αληθινή ζωή, φοβάμαι τα πάντα! Θαυμάστε, λοιπόν, το κατόρθωμα της ηλίθιας ανατροφής σας!»

Θα έλεγε κι άλλα, αν η Ελπίδα δεν τιναζόταν σαν ελατήριο από το κάθισμά της για να βρεθεί απέναντι στη λαχανιασμένη Μαρίνα και να τη σταματήσει από ένα μονόλογο που οδηγούσε στην υστερία· ήταν η σωστή στιγμή. Ο πατέρας της είχε γίνει κομμάτια. Έκλαιγε, αλλά η Μαρίνα μέσα από τα δικά της δάκρυα δεν έβλεπε κανέναν. Την Ελπίδα την ένιωσε μόνο σαν παρουσία και άκουσε τη φωνή της απότομη όπως πάντα.

«Αρκετά, Μαρίνα! Δε θα ωφελήσει κανέναν αυτό! Οι γονείς σου έκαναν αυτό που νόμιζαν καλύτερο!»

«Δεν ήταν όμως!» της απάντησε.

«Ίσως! Τους φορτώνεις όμως και τα δικά σου λάθη! Ήσουν αρκετά μεγάλη και αρνήθηκες να τραβήξεις τον δικό σου δρόμο! Σε βόλεψε η κοσμική ζωή! Τον Νικήτα μόνη σου τον βρήκες, δε σου τον έδωσαν με το ζόρι! Τώρα που έφυγε, κατηγορείς τους γονείς σου γιατί θέλησαν να σας προσφέρουν μια ζωή χωρίς κανένα πρόβλημα! Αυτό όμως κάνει κάθε γονιός, ανάλογα με τις δυνατότητές του! Και τώρα που έφυγε, πρέπει να χαίρεσαι! Βγήκε και κάτι καλό από την οικονομική καταστροφή! Ξεφορτώθηκες ένα χαμένο που χωρίς αυτόν θα είσαι καλύτερα!»

«Το πιστεύεις αυτό που λες;»

«Με ξέρεις! Λέω πάντα ό,τι πιστεύω όσο κι αν αυτό δεν αρέσει στους άλλους! Τι σου πρόσφερε δηλαδή αυτός; Ένα ανδρείκελο ήταν, και εσύ, όπως όλοι, έχουμε ανάγκη από ένα σωστό σύντροφο· και κάποια στιγμή θα τον έχεις!»

«Τώρα όμως δεν έχω τίποτα...»

Η Ναταλία βρέθηκε δίπλα της. «“Τίποτα” είμαστε εμείς, βρε κουτό; Οι τρεις σωματοφύλακες; Ένας για όλους και όλοι για έναν! Έτσι δεν είπαμε;»

«Φοβάμαι...»

Τώρα ήταν δίπλα της και ο Κωστής. Την αγκάλιασε σφιχτά. Της φίλησε τα μαλλιά και μετά την έπιασε από τους ώμους και την τράνταξε τρυφερά. «Μη φοβάσαι τίποτα όταν έχεις εμάς! Σε λίγο καιρό όλα θ' αλλάξουν προς το καλύτερο και θα χαίρεσαι που έφυγε! Θα σταθείς στα πόδια σου και θα σου αρέσει!»

«Είσαι σίγουρος ότι θα τα καταφέρω;»

«Αφού στάθηκα εγώ χάρη σ' εσάς, μπορείς κι εσύ! Λίγο έλειψε να γίνω αλκοολικός και όμως! Κοίτα τι κατάφερα! Έμαθα μέχρι και να μαγειρεύω! Θυμάσαι το κέικ σοκολάτας;»

Το χαμόγελο ξεκίνησε από τα χείλη της και απλώθηκε στα δικά τους. Η Ναταλία την άγγιξε στον ώμο και η Μαρίνα, ακολουθώντας το βλέμμα της, πρόσεξε τους γονείς της. Ήταν καθισμένοι δίπλα δίπλα, άψυχοι σαν κέρινες κούκλες. Είχε φερθεί με μια σκληρότητα που δεν τους άξιζε και τώρα ντρεπόταν για όσα είχε πει. Τι έφταιγαν κι εκείνοι; Τους πλησίασε και γονάτισε μπροστά τους.

«Συγγνώμη, μπαμπά... μαμά... Συγγνώμη, ήμουν πολύ σκληρή μαζί σας και η μόνη μου δικαιολογία ήταν η πίκρα για την προδοσία του Νικήτα... Δεν έπρεπε όμως να σας μιλήσω έτσι».

«Είχες κάθε δικαίωμα... έχεις και δίκιο... Εμείς φταίμε... εγώ...» ψέλλισε ο πατέρας της που μόλις και ακουγόταν.

«Όχι, δεν έχω. Όπως είπε και η Ελπίδα, κάνατε ό,τι νομίζατε καλύτερο κι εγώ έκανα τα περισσότερα λάθη. Ας μην κοιτάμε πίσω, όταν μας περιμένουν τόσα πολλά στο μέλλον...»

Τους αγκάλιασε σφιχτά και τους ένιωσε να τρέμουν. Για πρώτη φορά κατάλαβε πως εκείνη ήταν η δυνατή πια. Από εκείνη περίμεναν να πάρουν κουράγιο για να ξεκινήσουν. Η ερώτηση της μητέρας της επιβεβαίωσε το ένστικτό της.

«Τι θα κάνεις τώρα, παιδί μου;»

«Μη στενοχωριέσαι, μαμά, και σταμάτα να κλαις! Δεν ήρθε και η συντέλεια του κόσμου! Βέβαια, δεν έχω πάρει ακόμη καμία απόφαση, έγιναν όλα πολύ γρήγορα, αλλά όπως είδες, δεν είμαι μόνη μου! Έχω τους τρεις σωματοφύλακες!»

Προτού η μητέρα της μιλήσει, η Μαρίνα είδε τις τύψεις στο βλέμμα της και τη σταμάτησε.

«Μην πεις τίποτα, μανούλα! Δε χρειάζεται! Κατάλαβα!»

«Έπεσα τόσο έξω που...»

«Χρέωσε τη γνώμη που είχες κάποτε για την παρέα μου στα λάθη του παρελθόντος! Τελικά, ίσως ήταν και για καλό μας όλο αυτό. Ίσως ήρθε η ώρα να γίνουμε πιο ανθρώπινοι. Αυτό που θέλω από σας είναι να μη στενοχωριέστε για μένα. Κοιτάξτε τι θα κάνετε εσείς! Εγώ θα σταθώ στα πόδια μου. Καιρός είναι, νομίζω!»

«Θέλω να ξέρω τι θ' αποφασίσεις!» μίλησε ο πατέρας της.

«Μόλις πάρω τις αποφάσεις μου, μπαμπά, θα έρθω στο σπίτι της θείας Λέλας όπου θα μένετε και θα σας τις ανακοινώσω... με τον όρο ότι θα μ' ενημερώσεις κι εσύ! Τέρμα τα μυστικά! Θα πρέπει να κατάλαβες πια ότι δεν είμαι εντελώς ηλίθια!»

«Όσο γι' αυτό... αν και δε νομίζω ότι έχω πια περιθώρια ν' αρχίσω πάλι...»

«Γιατί; Τι άλλαξε; Όταν πουλήσεις το σπίτι...»

«Ξεχνάς ότι τώρα ο Νικήτας θα το πει παντού; Ποιος θα με αντιμετωπίσει σαν ίσο;»

«Μην ανησυχείς! Ο Νικήτας δε θα πει κουβέντα!»

«Πώς είσαι τόσο σίγουρη;»

«Ας πούμε ότι του το ζήτησα με τρόπο που δεν μπορούσε να αρνηθεί την εχεμύθειά του, όσο κι αν θα ήθελε να κάνει διαφορετικά!»

«Τι του είπες δηλαδή;»

«Δεν έχουν σημασία οι λεπτομέρειες! Σημασία έχει ότι του ξεκαθάρισα πως, αν θέλει να έχει μέλλον στον περιβόητο κύκλο μας, θα πρέπει να κρατήσει κλειστό το στόμα του γιατί διαφορετικά θ' ανοίξω κι εγώ το δικό μου και θα μάθουν όλοι πόσο εγωιστικό κάθαρμα είναι και ποιες είναι οι βλέψεις του. Κι έτσι θα κρατήσουν όλοι το πορτοφόλι τους μακριά του!»

«Τον απείλησες;»

«Όταν θέλω, μπορώ να γίνω πολύ πολύ κακιά!»

Ο πατέρας της την κοίταξε σαν να την έβλεπε για πρώτη φορά. Έπειτα της χάιδεψε τα μαλλιά και της χαμογέλασε. «Μόλις μπορέσεις, έλα να δούμε τι θα κάνουμε με τα κεφάλαια του σπιτιού», της είπε, και η Μαρίνα κατάλαβε πως αυτό ισοδυναμούσε με την ύστατη αναγνώριση.

Προτού φύγουν οι γονείς της και ενώ είχαν χαιρετήσει, ο πατέρας της στράφηκε και κοίταξε τους τρεις φίλους της. Έβαλε το χέρι στο στήθος του και τους έστειλε χωρίς να μιλήσει ένα «ευχαριστώ». Το μεγαλύτερο το φύλαξε για τον Θεό, που μια νύχτα με βροχή άνοιξε ένα παράθυρο στην Τύχη για το παιδί του.

Ο ήλιος πυρπολούσε την Αθήνα, μια πόλη που άδειαζε από τους κατοίκους της, καθώς οι περισσότεροι έφευγαν από την καθημερινότητα αναζητώντας μιαν ανάσα σε κάποιο τουριστικό θέρετρο· μιαν ανάσα που θα τους βοηθούσε να τα βγάλουν πέρα τους υπόλοιπους μήνες μέχρι την επόμενη άδεια, ενώ ακριβώς για τον ίδιο λόγο η Αθήνα έπαιρνε κι αυτή τη δική της ανάσα, απαλλαγμένη από τον υπεράριθμο πληθυσμό της.

Πλησίαζε μεσημέρι. Τα τζιτζίκια έξω από το σπίτι της Μαρίνας έδιναν τον δικό τους ρυθμό στην ατμόσφαιρα, δήλωναν σαν ζωντανά θερμόμετρα την αποπνικτική ζέστη του Ιουλίου. Μέσα στο σπίτι, όμως, επικρατούσε δροσιά και ησυχία. Δροσιά χάρη στα κλιματιστικά και ησυχία γιατί ύστερα από μεγάλη επιμονή είχαν στείλει τη Μαρίνα να κοιμηθεί. Η Ελπίδα χρειάστηκε να την απειλήσει με ηρεμιστική ένεση σαν τελευταίο επιχείρημα και την έστειλε στο κρεβάτι της. Η Ναταλία έμεινε μαζί της μέχρι που είδε τα βλέφαρά της να κλείνουν και μετά έφυγε χωρίς να σφαλίσει πίσω της την πόρτα. Κατέβηκε στο σαλόνι. Η Ελπίδα είχε φτιάξει καφέδες και με τον Κωστή κάπνιζαν αμίλητοι.

«Επιτέλους, κοιμήθηκε», τους είπε. «Άφησα ανοιχτή την πόρτα για να την ακούσουμε αν συμβεί κάτι. Δείχνει ήσυχη πάντως».

Κάθισε δίπλα στην Ελπίδα και κοίταξε τον Κωστή. Το πρόσωπό του ήταν σφιγμένο, τα μάτια του είχαν στενέψει. Κάπου ταξίδευε και ήταν φανερό ότι το ταξίδι του δεν ήταν ευχάριστο.

«Αν σκέφτεσαι τον Νικήτα και πόσο ξύλο χρειάζεται, σου λέω ότι υπάρχουν πολύ σοβαρότερα προβλήματα αυτή τη στιγμή!» Η Ελπίδα είχε μαντέψει σωστά και με τον απότομο τρόπο της τον επανέφερε στην πραγματικότητα.

«Δεν το χωράει το μυαλό μου αυτό που της έκανε!» αποκρίθηκε εκείνος και τσάκισε το μισοκαπνισμένο τσιγάρο του στο τασάκι με τέτοια μανία, που καμία από τις δύο γυναίκες απέναντί του δεν αμφέβαλε ότι κάτι παρόμοιο ήθελε να κάνει και στον ίδιο τον Νικήτα. Σηκώθηκε και άρχισε να πηγαινοέρχεται εκνευρισμένος με τα χέρια στις τσέπες.

«Όσο σκέφτομαι πόσο πολύ ήθελε ένα παιδί...» αναστέναξε η Ναταλία και δάγκωσε τα χείλη της. Σώπασε απότομα αλλά μετά, σαν κάτι να θυμήθηκε, συνέχισε: «Ήταν τόσο απλή, τόσο όμορφη η ζωή της...» πρόσθεσε και σώπασε πάλι, αλλά αυτή τη φορά ήταν το ύφος της Ελπίδας που τη σταμάτησε.

«Όμορφη;» επανέλαβε εκείνη. «Με συγχωρείς, αλλά εγώ δε βλέπω τίποτα όμορφο σε μιαν άδεια ζωή χωρίς προορισμό, δίπλα σ' έναν άντρα που σε κοιτάζει μόνο για να υπολογίζει το βάρος σου σε χρυσό!» Ήταν η σειρά της Ελπίδας να τσακίσει το τσιγάρο της δίπλα σε αυτό του Κωστή και να σηκωθεί εκνευρισμένη προτού συνεχίσει: «Τα χρήματα μπορεί να είναι σοβαρός παράγοντας ευτυχίας, αλλά από μόνα τους δεν την εξασφαλίζουν! Όταν είπα ότι η Μαρίνα θα είναι καλύτερα χωρίς αυτόν το εννοούσα! Αν για να τον ξεφορτωθεί χρειάστηκε μια καταστροφή, ας είναι! Δεν πειράζει! Ουδέν κακόν αμιγές καλού!»

«Για όποιο λόγο και αν βγει ένα διαζύγιο, έστω κι αν είσαι εσύ αυτός που φεύγει, η διαδικασία είναι επίπονη. Είναι σαν ν' ακυρώθηκε ένα κομμάτι της ζωής σου! Πολύ δε περισσότερο, όταν εσύ είσαι αυτός που τον παράτησαν! Αυτός ο αλήτης την πέταξε σαν άχρηστο κουρέλι και φρόντισε μάλιστα να την πείσει ότι είναι! Δεν της ακύρωσε μόνο τα τέσσερα χρόνια της ζωής της, ακύρωσε και την ίδια σαν άνθρωπο! Της πέταξε κατάμουτρα ότι δεν είχε καμία αξία, παρά μόνο αυτή που της έδιναν τα λεφτά της! Δεν την παράτησε απλώς! Θέλησε να την τσακίσει λες και του είχε κάνει κακό! Ο αλήτης!»

Ο Κωστής σώπασε απότομα. Η οργή του ξεχείλιζε. Ποτέ δεν τον είχαν δει έτσι. Ακόμη και η Ελπίδα δεν είπε λέξη και περιορίστηκε να κουνήσει το κεφάλι της συμφωνώντας μαζί του.

Η Ναταλία σηκώθηκε αποφασιστικά. «Νομίζω ότι πρέπει να σταματήσουμε. Οι φωνές μας μπορεί να την ξυπνήσουν και έχει ανάγκη από ύπνο», είπε ήρεμα. «Πάω να φτιάξω κάτι να φάμε. Πλησιάζει μεσημέρι και όταν ξυπνήσει η Μαρίνα θα πρέπει να βάλει κάτι στο στόμα της... έστω και με το ζόρι».

Κατευθύνθηκαν και οι τρεις προς την κουζίνα. Δε χρειαζόταν και ιδιαίτερη σκέψη για το τι θα έφτιαχναν. Ένα από τα πράγματα που ήξεραν καλά για τη φίλη τους ήταν η αδυναμία της για τα μακαρόνια, και τα ντουλάπια της κουζίνας περιείχαν κάθε είδος. Προσπάθησαν να δουλέψουν αθόρυβα. Κάθε λίγο σταματούσαν για να ακούσουν κάποιο θόρυβο που θα τους ειδοποιούσε ότι ίσως είχε ξυπνήσει, αλλά επικρατούσε απόλυτη ησυχία.

Ο Κωστής έστρωνε το τραπέζι, όταν μπήκε στην κουζίνα η Μαρίνα και τους αιφνιδίασε. Δεν είχαν ακούσει τίποτα. Είχε κάνει μπάνιο, τα μαλλιά της βρεγμένα όπως ήταν τα είχε πιάσει πρόχειρα με μια κορδέλα, και είχε φορέσει σορτς και μακό μπλουζάκι. Την κοίταξαν και οι τρεις. Ο λίγος ύπνος τής είχε κάνει καλό. Το βλέμμα της ήταν καθαρό αν και τα μάτια της, ελαφρώς πρησμένα και κοκκινισμένα, μαρτυρούσαν την ταλαιπωρία της ψυχής της. Τους κοίταξε απορημένη.

«Τι κάνετε εδώ;» ρώτησε.

Ο Κωστής ανέλαβε να της εξηγήσει. Με υπερβολική ευθυμία, την έπιασε από τους ώμους και την έβαλε να καθίσει μπροστά στο στρωμένο τραπέζι. «Αξιότιμη κυρία, η ώρα είναι δύο. Όλος ο κόσμος τέτοια ώρα τρώει! Αυτό θα κάνουμε κι εμείς! Ειδικά εσύ που δε θέλω να ξέρω πότε έφαγες τελευταία φορά! Είσαι βεβαίως τυχερή διότι έχεις μέσα στην κουζίνα σου τρεις καταπληκτικούς σεφ! Τα κορίτσια έφτιαξαν μια καταπληκτική μακαρονάδα, ενώ η σαλάτα είναι δικό μου δημιούργημα, μια καταπληκτική συνταγή που φτιάχνω σπάνια και μόνο για λίγους και εκλεκτούς! Μην επιτρέψεις να σε ξεγελάσει η όψη της που μοιάζει με απλή χωριάτικη! Οφθαλμαπάτη!»

Το χαμόγελό της έκανε την Ελπίδα και τη Ναταλία να κοιτάξουν μ' ευγνωμοσύνη εκείνον που είχε καταφέρει να το προξενήσει. Αμέσως μετά σέρβιραν το φαγητό και κάθισαν γύρω της. Κάρφωσαν τα μάτια τους πάνω της, μέχρι που εκείνη διαμαρτυρήθηκε.

«Εντάξει, παιδιά! Θα φάω! Καίει ακόμη!»

«Φύσα το!» της είπε η Ελπίδα απότομα κι εκείνη συμμορφώθηκε.

Ούτως ή άλλως το είχε ανάγκη. Από τις πρώτες πιρουνιές αισθάνθηκε καλύτερα και άδειασε όλο της το πιάτο. Δεν μπόρεσε να μη φάει ακόμη και σαλάτα, αφού ο Κωστής της έριχνε ενθαρρυντικές ματιές για να δοκιμάσει το δημιούργημά του.

Άφησε το πιρούνι της κάτω αμέσως μόλις τελείωσε και τους κοίταξε. «Ευχαριστημένοι;» ρώτησε.

«Απόλυτα!» απάντησε εκ μέρους όλων η Ναταλία.

«Ωραία! Τώρα μπορούμε να πάμε παρακάτω!» δήλωσε.

«Πού "παρακάτω";» απόρησε ο Κωστής. «Είπαμε ότι είμαστε καλοί σεφ, αλλά δεν είχαμε χρόνο και για τίποτε άλλο! Αυτό ήταν το κυρίως πιάτο!»

«Υποψιάζομαι ότι το κυρίως πιάτο είναι το σχέδιο δράσης! Δεν μπορεί εσείς οι τρεις, όση ώρα μαγειρεύατε, να μη... μαγειρέψατε και το τι θα κάνω από δω και πέρα!»

«Σου ορκίζομαι πως όχι!» βιάστηκε ν' απαντήσει ο Κωστής. «Άλλωστε, οι αποφάσεις πρέπει να παρθούν από σένα! Εμείς απλώς θα τις υλοποιήσουμε! Θα κάνουμε ό,τι μας πεις!»

«Μακάρι να ήξερα τι να σας πω! Πάντοτε αποφάσιζαν άλλοι για μένα, ειδικά αν η απόφαση αφορούσε κάποιο πρόβλημα πολύ σοβαρό όπως...»

«Μαρίνα, αυτά ανήκουν στο παρελθόν!» την έκοψε με φόρα η Ελπίδα. «Τώρα είσαι μόνη σου και έχεις τρεις φίλους να σε βοηθήσουν... αλλά μόνο να σε βοηθήσουν! Όχι ν' αποφασίσουν για σένα! Μπροστά σου έχεις τον

Κωστή, τη Ναταλία και την Ελπίδα, όχι τους γονείς σου!»

Η Μαρίνα, προς έκπληξη όλων, χαμογέλασε. «Καλή μου Ελπίδα», στράφηκε προς το μέρος της, «τι θα έκανα χωρίς εσένα να με επαναφέρεις κάθε φορά! Έχεις ταλέντο θηριοδαμαστή, τελικά! Το ξέρεις;»

«Χωρίς μαστίγιο όμως!»

«Και την τσουχτερή σου γλώσσα δεν την υπολογίζεις; Κάνει για δέκα μαστίγια! Τέλος πάντων, ως συνήθως έχεις δίκιο. Οι αποφάσεις πρέπει να είναι δικές μου. Μόνο που δεν ξέρω από πού ν' αρχίσω!»

«Μπορώ να προτείνω κάτι;» ζήτησε η Ναταλία την έγκριση από την Ελπίδα, και όταν δεν υπήρξε αντίρρηση από την πλευρά της, συνέχισε: «Νομίζω ότι πρέπει να αρχίσεις από το σπίτι. Δεν μπορείς να μένεις πια εδώ!»

«Αυτό είναι σίγουρο! Δε θα μπορούσα να το συντηρήσω. Ακούσατε τι είπε ο πατέρας μου. Μέχρι το τέλος του μήνα πρέπει να έχω φύγει. Τα πράγματα όμως, τα έπιπλα, τους πίνακες, τι θα τα κάνω;»

«Τα χρειάζεσαι;» ήρθε η ερώτηση από μια Ελπίδα προσηλωμένη στην καύτρα του τσιγάρου της.

«Τι εννοείς; Να τα πουλήσω;»

«Φυσικά! Κοστίζουν ένα σωρό λεφτά και είναι τόσα που κανένα φυσιολογικό διαμέρισμα δε θα τα χωρέσει!»

«Δεν έχεις άδικο! Τι να τα κάνω;... Κωστή, εσύ τι λες;»

«Με αναγκάζεις να συμφωνήσω με την Ελπίδα και ξέρεις ότι το σιχαίνομαι όταν συμβαίνει αυτό! Αυτή τη στιγμή έχεις ανάγκη από λεφτά για να κινηθείς και να οργανώσεις τη ζωή σου. Αν πουλήσεις, θα βρεθείς μ' ένα καλό κεφάλαιο. Πάντως, αν το αποφασίσεις, έχω ένα γνωστό που έχει γκαλερί... ή κάτι τέτοιο τέλος πάντων... και θα αναλάβει με απόλυτη εχεμύθεια να πουλήσει ό,τι του πούμε. Έχει πελάτες και στο εξωτερικό. Θ' αποφύγουμε έτσι κάθε σχόλιο από τον κύκλο σου... καταλαβαίνεις...»

«Δεκάρα δε δίνω για όλους αυτούς!»

«Αρχίζεις και ανεβαίνεις στην εκτίμησή μου!» της πέταξε η Ελπίδα.

«Όπως και να έχει, όμως, πρέπει να μη μαθευτεί τίποτα. Πρέπει να σεβαστώ την επιθυμία του πατέρα μου. Εγώ δε θέλω ούτε να ξαναδώ τον... περιβόητο κύκλο μας, εκείνοι όμως το αντιμετωπίζουν αλλιώς. Δε μου λες, Κωστή, αυτός ο φίλος σου θα μπορέσει να με βοηθήσει να ξεφορτωθώ τα κοσμήματά μου;»

«Έχεις πολλά;»

«Αρκετά, και ομολογώ ότι, από το λίγο που ξέρω, πρέπει να είναι και πανάκριβα!»

«Θα βρούμε κάποιον. Θέλεις να τα πουλήσεις;»

«Είναι όλα δώρα του... αφοσιωμένου συζύγου μου! Υποθέτω ότι, όταν μου τα δώριζε, έκλαιγε τα λεφτά του, αλλά κάτι έπρεπε να κάνει κι αυτός για να βλέπουν οι γονείς μου τι καλό άντρα είχα και να κομπάζει και στον κύκλο του! Δε θέλω να τα βλέπω, αλλά δε σκοπεύω και να του τα επιστρέψω! Θα τα πουλήσω και τα λεφτά αυτά θα τα θεωρήσω ως ελάχιστη αποζημίωση για τέσσερα χρόνια εγκληματικής κοροϊδίας! Δίκαιο μου φαίνεται!»

«Αρχίζουμε και δημιουργούμε ένα τέρας, μου φαίνεται!» μουρμούρισε χαμογελώντας η Ελπίδα, αλλά στα επόμενα λόγια της Μαρίνας σοβάρεψαν και πάλι.

«Θέλω όμως μια χάρη από σας. Δεν έχω άλλο να στραφώ. Θα σας δείξω ποια έπιπλα και ποια πράγματα θέλω να κρατήσω, αλλά δεν μπορώ ν' αναλάβω τη διάλυση του σπιτιού μου, δεν αντέχω να το δω να σκορπίζει κομμάτι κομμάτι. Θέλω να το θυμάμαι όπως ήταν. Πέρασα τέσσερα χρόνια εδώ μέσα, πίστευα ότι ήμουν ευτυχισμένη, άσχετα αν η ευτυχία μου αποδείχτηκε μια τεράστια απάτη. Λοιπόν, θα το κάνετε αυτό για μένα;»

«Ούτε να το συζητάς!» έσπευσε ν' απαντήσει ο Κωστής φοβούμενος αντίδραση από την Ελπίδα. «Εγώ θα το αναλάβω! Εσύ θα πάρεις μόνο τα προσωπικά σου είδη και θα μου πεις τι θέλεις να κρατήσεις, και τ' άλλα άφησέ τα επάνω μου! Όπως σου είπα, αφού πουληθούν όλα, θα βρεθείς με μια μικρή περιουσία στα χέρια σου!»

«Και με μια τεράστια αποτυχία στο ενεργητικό μου: ένα γάμος μ' έναν άντρα που το μόνο που αγάπησε από μένα ήταν τα λεφτά!» Η πίκρα στη φωνή της έφερε σιγή και αμηχανία. «Ακόμη δεν μπορώ να πιστέψω», συνέχισε εκείνη, «όσα άκουσα από αυτόν! Ακόμη αναρωτιέμαι πώς μπόρεσε και πώς στάθηκα εγώ τόσο ανόητη! Τελικά είχες δίκιο, Ελπίδα! Καλύτερα που ήρθαν έτσι τα πράγματα και έφυγε!»

«Και να έμενε εκείνος, θα έφευγες εσύ κάποια στιγμή! Πάντα πίστευα ότι μπορούμε να ζήσουμε με κάποιον που έχει αισθήματα διαφορετικά από τα δικά μας, όχι όμως και μ' εκείνον που έχει κατώτερα αισθήματα. Ο Νικήτας ήταν γεμάτος από τέτοια! Εγωιστής, εγωπαθής, αναίσθητος, κυνικός, και ο κατάλογος δεν έχει τέλος! Δε γινόταν να μείνετε μαζί για πάντα!»

«Τώρα πια το βλέπω, το καταλαβαίνω, αλλά κι έτσι ακόμη, πονάω. Το πιο περίεργο είναι ότι δε με πονάει που έφυγε, ούτε νομίζω ότι θα μου λείψει. Τον τελευταίο καιρό είχα αρχίσει να βλέπω κάποια πράγματα. Τελικά δεν τον αγάπησα ούτε κι εγώ».

«Τότε γιατί πονάς;» τη ρώτησε η Ναταλία.

«Πονάω για τα χρόνια που έχασα, πονάω που δεν είχα αξία γι' αυτόν. Είναι η προδοσία του, ο τρόπος που με κορόιδευε...»

Τα πιάτα μπήκαν στο πλυντήριο, η κουζίνα γύρισε στην κανονική της μορφή σαν ελάχιστο διάλειμμα μιας συζήτησης που συνεχίστηκε στη βεράντα με τον καφέ.

Τα τζιτζίκια τσίριζαν ενθουσιασμένα νιώθοντας ότι είχαν πια και ακροατήριο. Κάποιοι είχαν αφήσει το κλιματιστικό τους και προτίμησαν τη ζέστη του απομεσήμερου και το μονότονο τραγούδι τους σαν μουσική επένδυση στην κουβέντα τους. Η Μαρίνα όρθια, ομιλήτρια σε ολιγάριθμο ακροατήριο.

«Ωραία, ας πούμε ότι φεύγω από δω. Πού πάω και προπαντός τι κάνω;»

Τους κοίταξε έναν έναν, αλλά μόνο η Ελπίδα της απάντησε.

«Το πού θα πας θα το δούμε. Όσο για το τι θα κάνεις, είναι αυτονόητο! Θα βρεις μια δουλειά για να βγάζεις το ψωμί σου, όπως όλοι μας! Τα έτοιμα τελειώνουν εύκολα όσα κι αν είναι!»

«Να δουλέψω;» Η φρίκη στο πρόσωπο της Μαρίνας κινητοποίησε την οργή της Ελπίδας.

«Α, ναι! Σωστά! Τρομερό πράγμα η δουλειά για την πριγκιπέσα μας! Για σύνελθε, κορίτσι μου! Κατέβα επιτέλους στη γη! Δεν έχεις πια τα εκατομμύρια του μπαμπά σου να σου εξασφαλίζουν το μέλλον και την τεμπελιά! Τώρα θα είσαι σαν όλες τις γυναίκες που εργάζονται, που πλένουν, σιδερώνουν, σφουγγαρίζουν και συντηρούν το σπίτι και τον εαυτό τους, γιατί δεν έχουν άλλον να το κάνει, ούτε βέβαια τους φέρνει κανείς πρωινό στο κρεβάτι! Παρακάτω μάλιστα, γίνεται και χειρότερο το έργο! Όλες αυτές βάφουν μόνες τους τα νύχια τους, αν προλάβουν, κομμωτήριο πηγαίνουν μία φορά το μήνα στην καλύτερη, όσο για το ινστιτούτο που ξημεροβραδιαζόσουν κάποτε, μπορείς να το βλέπεις στον ύπνο σου! Καλώς ήρθες στην αληθινή ζωή που δεν έχουν θέση οι σουσουδισμοί του παρελθόντος! Κατάλαβες;»

Η Ελπίδα σώπασε λαχανιασμένη. Η Μαρίνα φαινόταν σαν να την έχει χτυπήσει κεραυνός. Η Ναταλία βρέθηκε δίπλα της και την κάθισε σε μια καρέκλα προτού στραφεί επιτιμητικά στην οργισμένη ακόμη φίλη της.

«Αχ, βρε Ελπίδα! Είναι ανάγκη πάντα να μαστιγώνεις;» της είπε.

«Για μιαν ακόμη φορά τα κατάφερες!» συνηγόρησε ο Κωστής και κοίταξε τη Μαρίνα. «Έλα, κούκλα μου, σύνελθε! Την ξέρεις τώρα την Ελπίδα μας! Απότομη όπως πάντα!»

«Ναι, αλλά όπως πάντα έχει δίκιο!»

Η λιτή δήλωση της Μαρίνας που κοίταζε κατάματα την Ελπίδα τους σόκαρε περισσότερο και από την προηγούμενη επίθεση. Η Ναταλία την κοίταξε σαν ν' αντιμετώπιζε παράφρονα.

«Μην ανησυχείς!» την καθησύχασε η ίδια η Μαρίνα. «Είμαι μια χαρά! Μου ήρθε βέβαια λίγο απότομα ο... εξάψαλμος, αλλά όπως πάντα τον χρειαζόμουν. Φυσικά και πρέπει να δουλέψω! Έχω ένα πτυχίο και σίγουρα θ' ανακαλύψω και ικανότητες αν ψάξω! Τα ινστιτούτα είναι για πλούσιες και εγώ δεν είμαι πια! Όσα λεφτά κι αν εξοικονομήσω από την πώληση, αν δε δουλέψω θα εξανεμιστούν και είναι η μόνη εξασφάλιση για το μέλλον μου. Τα λέω σωστά, Ελπίδα;»

«Τόσο που αναρωτιέμαι αν χρειάζεσαι ψυχίατρο! Διχασμένη προσωπικότητα είσαι, κορίτσι μου; Πριν από ένα λεπτό τσίριζες σαν ζεματισμένη γάτα για τη δουλειά και τώρα...»

«Μπορεί και να είμαι διχασμένη προσωπικότητα, αλλά έχω εσένα για να με συνεφέρεις! Έχετε τώρα καμία ιδέα για το τι δουλειά μπορεί να κάνει μια πρώην αργόσχολη πλούσια;»

Μέσα στη σιωπή που ακολούθησε ακούστηκε μόνο η Ναταλία. «Νομίζω ότι στον εκδοτικό που δουλεύω θα χρειαστούν μια μεταφράστρια. Δεν είναι μόνιμη δουλειά, οι μεταφραστές είναι εξωτερικοί συνεργάτες και πληρώνονται με το βιβλίο. Ίσως είναι λίγα τα λεφτά... μπορεί να μη σ' ενδιαφέρει...»

«Νομίζεις ότι θα τα καταφέρω;»

«Διαβάζεις ξένη λογοτεχνία, έχεις σωστό ένστικτο, άποψη και γνώσεις. Σίγουρα θα τα καταφέρεις!»

«Τότε μ' ενδιαφέρει!»

«Μπορείς να δουλέψεις και σε φροντιστήριο...»

Ήταν η Ελπίδα που είχε μιλήσει, αλλά η απλή παρατήρηση έμοιαζε με πρόκληση που περίμενε ένα ξέσπασμα, το οποίο όμως δεν ήρθε. Η Μαρίνα την κοίταξε ήρεμη.

«Πολύ σωστά!» συμφώνησε. «Αφού η δουλειά της μεταφράστριας δεν απαιτεί την παρουσία μου στον εκδοτικό οίκο, μπορώ να δουλέψω όχι μόνο σε φροντιστήριο, αλλά και σαν δασκάλα σε ιδιαίτερα».

Ο καπνός από το τσιγάρο της Ελπίδας απλώθηκε στο χώρο όπως το χαμόγελο στο πρόσωπό της. Τα βλέμματα των δύο γυναικών διασταυρώθηκαν σαν ξίφη σε αγώνα ξιφασκίας, αλλά η Ελπίδα αναγνώρισε την υπεροχή της αντιπάλου και το ξίφος μπήκε πάλι στο θηκάρι του. Ο Κωστής, που παρακολουθούσε, σηκώθηκε.

«Κυρίες μου, λυπάμαι που διακόπτω αυτήν τη... ζωηρή οφθαλμοσυζήτηση, από την οποία μου διέφυγαν οι λεπτομέρειες, αλλά υπάρχει ένα πρόβλημα ακόμη, που χρήζει άμεσης αντιμετώπισης! Μαρίνα, πρέπει κάπου να μείνεις μέχρι να βρεις δικό σου σπίτι. Θα σου πρότεινα να μείνεις στο σπίτι μου που είναι μεγαλύτερο, αλλά μέχρι να βγει το διαζύγιό σου, καλύτερα να είσαι προσεκτική, ειδικά αφού αυτός ο αλήτης απείλησε να σε κατηγορήσει για μοιχεία! Μπορεί να ήρθατε σε κάποια συμφωνία, αλλά δεν του έχω καμιά εμπιστοσύνη! Υποθέτω ότι τόσο η Ελπίδα όσο και η Ναταλία είναι πρόθυμες να σου προσφέρουν φιλοξενία, ώσπου ν' αποφασίσεις τι θα κάνεις!»

Η Μαρίνα κοίταξε τις δύο γυναίκες. Η Ναταλία της χαμογελούσε. Η Ελπίδα την κάρφωνε και πάλι. Τους χαμογέλασε κι αυτή προτού μιλήσει.

«Το ξέρω. Ξέρω πόσο τυχερή είμαι που σας έχω... και σας αγαπώ πάρα πολύ». Στράφηκε στην Ελπίδα. «Θα ήθελα να μπορώ να μείνω σ' εσένα, αλλά θα ήταν μια κίνηση... αυτομαστιγώματος! Αυτή την εποχή δεν μπορώ να τα βγάλω πέρα μαζί σου! Οι αλήθειες σου πονάνε υπερβολικά. Τις θέλω, τις χρειάζομαι για να διώξω εντελώς ό,τι κατάλοιπο υπάρχει από την παλιά Μαρίνα, αλλά σε καθημερινή βάση θα με τσάκιζαν...»

Η Μαρίνα σώπασε. Οι άλλοι δύο κράτησαν την αναπνοή όταν η Ελπίδα θέλησε ν' απαντήσει.

«Από την πρώτη μέρα που σε γνώρισα», άρχισε εκείνη να μιλάει, «υποψιάστηκα ότι δεν είσαι το ανεγκέφαλο και επιπόλαιο πλάσμα που έδειχνες! Τώρα ξέρω ότι οι υποψίες μου ήταν σωστές! Έχεις ψυχή, έχεις μυαλό... έχεις και δίκιο. Αλλά εγώ δεν μπορώ να είμαι αλλιώς. Πήγαινε στη Ναταλία. Ο προσωπικός σου... θηριοδαμαστής θα είναι πάντα δίπλα σου!»

Τέσσερα χαμόγελα ζωγραφίστηκαν. Μια γλυκιά πνοή αγκάλιασε την παρέα. Ίσως ήταν της θεάς Δήμητρας. Εκείνη μπορεί να μη χαμογελάει ποτέ, αλλά στους ανθρώπους φέρνει γέλιο και ελπίδα. Κι αν ο Ήφαιστος είχε φέρει τη φωτιά, εκείνη είχε προσφέρει την ασπίδα της φιλίας!

Η Ναταλία πηγαινοερχόταν στο μικρό διαμέρισμα έτοιμη να εκραγεί. Κανονικά έπρεπε να είχαν έρθει και οι δύο. Και καλά, η Ελπίδα δούλευε, θα ερχόταν αργότερα. Ο Κωστής που έμενε δίπλα; Γιατί αργούσε; Αυτό που συνέβαινε, δεν είχε λογική. Δεν ήξερε πώς να το αντιμετωπίσει.

Πάνω στην ώρα ακούστηκε το κουδούνι. Μαζί με τον Κωστή ήταν και η Ελπίδα, η οποία ξέσπασε αμέσως μόλις μπήκε.

«Τι έγινε επιτέλους; Αναγκάστηκα να φύγω νωρίτερα από τη δουλειά μου με όσα ασυνάρτητα μου είπες στο τηλέφωνο! Πού είναι η Μαρίνα;»

«Γύρισα από τη δουλειά και δεν ήταν εδώ. Ήρθε έπειτα από λίγο, σε κακό χάλι! Από εκείνη την ώρα είναι στο μπάνιο και κλαίει!»

«Δε σου είπε τίποτα;» ρώτησε ο Κωστής.

«Ούτε κουβέντα! Μόνο κλαίει! Δεν ήξερα τι να κάνω! Στην αρχή, την παρακάλεσα να βγει από κει μέσα, μετά τη μάλωσα... τίποτα! Ούτε μου απαντάει! Δέκα μέρες τώρα ήταν μια χαρά! Την είδατε! Τη ζήσατε! Τι έπαθε στα καλά καθούμενα;»

Η Ελπίδα παραμέρισε τη Ναταλία και προχώρησε. Χτύπησε δυνατά την πόρτα. Η απάντηση ήταν ένας λυγμός, αλλά δεν την πτόησε. «Μαρίνα!» της φώναξε. «Βγες αυτή τη στιγμή να μας πεις τι συμβαίνει, αλλιώς δε σου εγγυώμαι τίποτα για τη συνέχεια! Ήρθαμε όλοι άρον άρον και έχω την απαίτηση να μάθω για ποιο λόγο αναγκάστηκα να παρατήσω ανθρώπους που έχουν μεγάλα και άλυτα προβλήματα! Σταμάτα τις κλάψες και βγες! Αμέσως! Δε θα καθίσω να γεράσω έξω από το μπάνιο της Ναταλίας, μέχρι να σου στερέψουν τα δάκρυα!... Μαρίνα, δε θα το ξαναπώ!»

Χρειάστηκαν δύο λεπτά μέχρι να τη δουν να εμφανίζεται μπροστά τους, χλομή και με μάτια πρησμένα από το κλάμα. Η Ναταλία βιάστηκε να την αγκαλιάσει και να την παρασύρει στο σαλονάκι. Την έβαλε να καθίσει και πήγε να της φέρει νερό. Ο Κωστής πήρε θέση δίπλα της και η Ελπίδα είχε σταυρώσει τα χέρια στο στήθος και την παρατηρούσε.

«Μαρινάκι, τι έπαθες;» Η φωνή του Κωστή, ήρεμη και τρυφερή, της έφερε νέα δάκρυα στα μάτια, την ώρα που εκείνος συνέχιζε να της μιλάει. «Τι συμβαίνει; Γιατί αυτό το ξέσπασμα τώρα που αρχίζουν να στρώνουν όλα; Τα έπιπλα πωλούνται και σε καλές τιμές μάλιστα, δουλειά βρέθηκε, το διαζύγιο μπήκε μπρος, είμαστε όλοι δίπλα σου... Τι σ' έπιασε;»

Τα δόντια της κροτάλισαν στο ποτήρι που της έφερε η Ναταλία. Κοιτάχτηκαν οι τρεις μεταξύ τους. Το πράγμα γινόταν πράγματι περίεργο. Η Μαρίνα άνοιξε το στόμα της να μιλήσει, αλλά δεν μπόρεσε. Οι λυγμοί εμπόδισαν τις λέξεις να βγουν. Τώρα η Ελπίδα γονάτισε μπροστά της.

«Μαρίνα, μας κάνεις και ανησυχούμε! Δεν αντέδρασες έτσι σε ό,τι έγινε μέχρι τώρα. Τι ήταν αυτό που σε έφερε σ' αυτή την κατάσταση; Ό,τι κι αν είναι, μαζί θα το αντιμετωπίσουμε! Πρέπει όμως να μας μιλήσεις!»

Η Μαρίνα όρμησε στην αγκαλιά της. Την έσφιγγε με δύναμη και χωμένη εκεί βρήκε το θάρρος να μιλήσει. «Είμαι έγκυος! Περιμένω το παιδί του Νικήτα! Ποιος με καταράστηκε, Θεέ μου; Γιατί σ' εμένα;»

Πρώτη η Ελπίδα συνήλθε από την έκπληξη που είχε κατακεραυνώσει τους άλλους. Την τράβηξε από πάνω της, την έπιασε από τους ώμους και την ανάγκασε ν' αντιμετωπίσει το βλέμμα της. «Αυτές τις δύο ερωτήσεις», πρόφερε αργά, «τις ακούω κάθε μέρα, αλλά από ανθρώπους χτυπημένους με θανατική καταδίκη! Δεν ταιριάζουν σε μια γυναίκα, που μέσα της μεγαλώνει όχι μια αρρώστια αλλά ένα παιδί! Και ένα παιδί μόνο κατάρα δεν μπορεί να είναι!»

Η Ελπίδα σηκώθηκε και απομακρύνθηκε χωρίς να

προλάβει να δει την ενοχή στα μάτια της Μαρίνας. Την κατάλαβε όταν εκείνη άρχισε να μιλάει.

«Με συγχωρείς, έχεις δίκιο... είμαι υπερβολική, αλλά προσπάθησε να με καταλάβεις. Νιώθω ότι η μοίρα παίζει μαζί μου! Ήθελα ένα παιδί όταν ήμουν μαζί του... όταν ήμουν οικονομικά εξασφαλισμένη, και ήρθε πότε; Τώρα που χωρίζω και δεν έχω τίποτα!»

«Και πάλι δε βλέπω γιατί πρέπει να σε λυπηθώ! Ούτε η πρώτη είσαι ούτε η τελευταία που χωρίζει και που θα μεγαλώσει μόνη της ένα παιδί! Όσο για το ότι δεν έχεις τίποτα... είσαι και πάλι εκτός πραγματικότητας! Όταν τελειώσει η εκποίηση, θα βρεθείς με αρκετά εκατομμύρια στα χέρια σου, αντίθετα από εμάς που δουλεύουμε μια ζωή και δεν έχουμε μία! Ξύπνα και κοίτα γύρω σου! Σταμάτα να σε νοιάζει μόνον ο εαυτός σου! Χιλιάδες γυναίκες μεγαλώνουν μόνες τους όχι ένα αλλά και περισσότερα παιδιά, λιώνοντας σε εργοστάσια, σουπερμάρκετ· τις τρώει η ορθοστασία σαν πωλήτριες και δεν τις νοιάζει! Εσύ, κυρία μου, έχεις λεφτά, έχεις δουλειά και από το παιδί σου δε θα λείψει ποτέ τίποτα!»

«Μα τι λες τώρα; Και ποιος σου είπε ότι θα κρατήσω αυτό το παιδί; Γιατί νομίζεις ότι κλαίω;»

«Και αποφάσισες για τον τερματισμό μιας ζωής στη μία ώρα που έκλαιγες κλεισμένη στο μπάνιο της Ναταλίας; Τέτοια ωριμότητα! Μπράβο!»

«Κορίτσια!... Κορίτσια! Ένα διάλειμμα, παρακαλώ, να βάλουμε τα πράγματα στη θέση τους!» μπήκε στη μέση ο Κωστής. «Μαρίνα, είσαι σίγουρη για την εγκυμοσύνη;»

«Πήγα σήμερα στο γιατρό... είχα μια υποψία... καταλαβαίνεις... άργησα και να το καταλάβω... Απ' ό,τι μου είπε ο γιατρός, είχα μείνει έγκυος εδώ και καιρό αλλά ανήκα στις περιπτώσεις όπου η εγκυμοσύνη δε διατάραξε τους πρώτους μήνες τον κύκλο μου... είχα ξεχάσει κάτι χάπια... τέλος πάντων, μου ανακοίνωσε ότι μέχρι τα μέσα Γενάρη θα έχω γίνει μητέρα! Χριστέ μου! Εδώ δεν ξέρω τι θα κάνω με τον εαυτό μου, θα πρέπει να φροντίσω και ένα παιδί! Αδύνατον!»

Η Ναταλία της έπιασε τα χέρια που έτρεμαν. «Δεν είναι τόσο τρομερό. Ένα παιδί είναι χαρά και εσύ βιάστηκες ν' αποφασίσεις να τη στερηθείς!» της είπε ήρεμα.

«Μα είστε καλά; Τι θα γίνει αν το μάθει ο Νικήτας πάνω στο διαζύγιο;»

«Σιγά μη συγκινηθεί!» μπήκε πάλι στη συζήτηση η Ελπίδα. «Αμφιβάλλω αν δεχτεί ότι είναι δικό του! Σύνελθε, Μαρίνα! Το παιδί θα είναι μόνο δικό σου! Φτάνει να το... μπορείς! Φτάνει να μη δειλιάσεις! Εγώ δεν έχω να πω τίποτε άλλο... προς το παρόν!»

Έφυγε προτού προλάβει κανείς να τη σταματήσει...

Όλοι οι δρόμοι ήταν κλειστοί. Όλες οι πιθανότητες έδιναν την ίδια αρνητική απάντηση. Αυτό το παιδί ήταν απαγορευμένο. Ήξερε πως όσο κι αν κοιτούσε τη θάλασσα, δε θα ερχόταν καμία απάντηση από τις γαλάζιες πτυχές της. Πάλι εκεί είχε καταφύγει. Μόνη. Στην παραλία ο κόσμος ήταν ελάχιστος και η Μαρίνα είχε διαλέξει να πάει όσο το δυνατόν πιο μακριά τους.

Στεκόταν όρθια και αλύγιστη με τα πόδια ριζωμένα στην ακρογιαλιά, σαν ένα παράξενο δέντρο που είχε την ιδιοτροπία να φυτρώσει στα λεπτοδουλεμένα από τη θάλασσα βότσαλα. Το νερό έγλειφε τις γάμπες της, αλλά εκείνη δεν αισθανόταν τη γαλήνη των παιδικών της χρόνων. Η ψυχή της φουρτούνιαζε και η θάλασσα απορούσε που έβλεπε τα τεράστια κύματα. Νόμιζε πως μόνο εκείνη μπορούσε να γεννάει τόσο κακό.

Η Μαρίνα προσπαθούσε να φανταστεί τη ζωή της με

ένα παιδί. Προσπαθούσε ακόμη και να το δει. Πώς θα ήταν, σε ποιον θα έμοιαζε. Ωστόσο, ένα τεράστιο κύμα σταλμένο από τη λογική τής χάλασε την εικόνα. Όχι, ήταν αδύνατον. Εκείνη τώρα θα μάθαινε να περπατάει μόνη. Πώς θα στήριζε το παιδί της;

Το παιδί της... μαγικές λέξεις! Ακούμπησε τα χέρια στην επίπεδη ακόμη κοιλιά της, αλλά τα τράβηξε απότομα. Όχι! Ήταν λάθος κίνηση, επικίνδυνη. Δεν έπρεπε ν' αφήνεται σε συναισθηματισμούς που θα την εμπόδιζαν απ' αυτό που υπαγόρευε η λογική.

Έπειτα, ήταν και ο Νικήτας. Αυτό το παιδί θα την έδενε για πάντα μαζί του κι εκείνη δεν ήθελε τίποτα να τους ενώνει. Δεν ήθελε ποτέ να τον ξαναδεί, δεν ήθελε να τον σκέφτεται σαν πατέρα του παιδιού της. Όταν ήρθε να πάρει τα πράγματά του, εκείνη έφυγε. Έμειναν η Ελπίδα και η Ναταλία. Ούτε καν ο Κωστής για να μην ξεσπάσει καβγάς. Εξάλλου, η Ελπίδα ήταν προετοιμασμένη για κάθε ενδεχόμενο. Κατάφερε να συγκρατηθεί για το καλό της Μαρίνας, ακόμη κι όταν εκείνος, μαζί με τα ρούχα και τα άλλα προσωπικά του είδη, ζήτησε και τα κοσμήματα που της είχε κάνει δώρο.

Η Ελπίδα τον είχε κοιτάξει ψυχρά και του είχε απαντήσει ήρεμα, αλλά σε τόνο που δε σήκωνε αντίρρηση: «Περιμέναμε κι αυτή την απαίτηση! Από έναν κατ' επάγγελμα προικοθήρα, ήταν αναμενόμενη! Η Μαρίνα, όμως, μου έδωσε εντολή να σου ξεκαθαρίσω ότι τα κοσμήματα της ανήκουν. Δεν έχει βέβαια άλλη απαίτηση, αλλά τα κοσμήματα θα τα κρατήσει!»

«Για να με θυμάται;»

«Μην κολακεύεις τον εαυτό σου! Θα τα πουλήσει ως ελάχιστη αποζημίωση για τα χρόνια που έχασε!»

«Κι αν επιμείνω να τα πάρω;»

«Θα ήταν μάταιο! Η Μαρίνα μου είπε πως, αν επιμείνεις, θα πρέπει να σου θυμίσω πόσο φλύαρη μπορεί να γίνει και πόσο καλές σχέσεις εξακολουθεί να έχει αυτή και η οικογένειά της με τον... κύκλο σας!»

«Βλέπω ότι είσαι καλά ενημερωμένη γύρω από τη διάλυση της οικογένειάς μου!»

«Δε βλέπω καμιά οικογένεια, ούτε είδα και ποτέ! Μια εκμετάλλευση διαπίστωσα, αλλά ήθελα να πιστεύω ότι έκανα λάθος... Δε με διέψευσες! Κι αν υπάρχει έστω και ένα καλό από αυτή την πτώχευση, είναι ότι η Μαρίνα γλίτωσε από σένα!»

«Δε νομίζεις ότι λες πολλά;»

«Δεν ήθελα να πω τίποτα, αλλά εσύ με προκάλεσες!»

Ευτυχώς, ο Νικήτας είχε φύγει χωρίς να συνεχίσει μια συζήτηση που θα κατέληγε σε έντονη αντιπαράθεση.

Από εκείνη τη μέρα η Μαρίνα δεν είχε αναφέρει ούτε τ' όνομά του. Πώς θα μπορούσε όμως να τον αποφύγει αν κρατούσε το παιδί; Δεν ήταν δυνατόν να μην το μάθει. Τι θα έλεγε; Πώς θ' αντιδρούσε; Πώς θα γινόταν εκείνη σωστή μητέρα όταν δεν ήξερε ακόμη πώς να είναι ολοκληρωμένη προσωπικότητα; Έπειτα, ήταν να γίνουν τόσα πολλά... Δεν είχε νόημα. Το παιδί θα ήταν ένα μεγάλο λάθος.

Το δέντρο ξεριζώθηκε οικειοθελώς από την ακρογιαλιά με την απόφαση να κόψει το νέο του κλαδάκι.

Τέτοια έφοδο κανένας δεν την περίμενε. Η Ελπίδα όρμησε σαν σίφουνας στο σπίτι της Ναταλίας. Τις βρήκε να προσπαθούν να συνδέσουν το βίντεο που είχε φέρει η Μαρίνα από το σπίτι της.

«Τι έπαθες εσύ και είσαι έτσι;» τη ρώτησε η Ναταλία μόλις της άνοιξε.

Η Ελπίδα, όμως, την κοίταξε ανέκφραστη. «Ο Κωστής είναι σπίτι του και σε περιμένει», της είπε. «Πήγαινε κι εσύ εκεί. Θα έρθουμε σε λίγο με τη Μαρίνα».

«Μα προσπαθούμε να συνδέσουμε το βίντεο τώρα!» διαμαρτυρήθηκε η Ναταλία.

«Το βίντεο μπορεί να περιμένει, αλλά η συζήτηση που έχω να κάνω με την κυρία όχι! Πήγαινε, Ναταλία... σε παρακαλώ!»

Η Μαρίνα παρακολουθούσε αμέτοχη την κουβέντα. Όταν η Ναταλία υποτάχτηκε απρόθυμα στην απαίτηση της Ελπίδας και έφυγε ρίχνοντας πίσω της ένα ανήσυχο βλέμμα, εκείνη σηκώθηκε από το πάτωμα που καθόταν, άφησε τα καλώδια και στάθηκε όρθια απέναντι στη φίλη της με τα χέρια σταυρωμένα στο στήθος σε αμυντική στάση. Η Ελπίδα έδειχνε να μη βιάζεται πια. Κάθισε και άναψε τσιγάρο. Τράβηξε πρώτα δυο βαθιές ρουφηξιές και ύστερα κάρφωσε τη Μαρίνα στα μάτια.

«Πότε κανόνισες με το γιατρό σου για την έκτρωση;» τη ρώτησε.

«Μεθαύριο. Πώς ήξερες τι αποφάσισα; Σ' το είπε η Ναταλία;»

«Δε χρειαζόταν να μου το πει κανείς! Ήξερα τι θα αποφάσιζες από τα πρώτα δευτερόλεπτα που τόσο σπαραξικάρδια μας ανακοίνωσες αυτή την εγκυμοσύνη! Προτού καν το ξεστομίσεις εσύ η ίδια! Βλέπεις, η λίγη πρόοδος που έχεις καταφέρει, δεν είναι αρκετή για να σε κάνει λιγότερο ευθυνόφοβη!»

«Ήρθες για να με βρίσεις; Και προτού πεις οτιδήποτε άλλο, σε προειδοποιώ ότι τίποτα και κανένας δε θα με κάνει ν' αλλάξω την απόφασή μου! Το παιδί δε θα το κρατήσω!»

«Πες μου το γιατί! Ποιον φοβάσαι περισσότερο; Τον Νικήτα ή τον εαυτό σου;»

«Μα, στον Θεό που πιστεύεις, βρίσκεις ότι είναι κατάλληλη στιγμή για να κάνω παιδί; Εδώ δεν έχω καν σπίτι!»

«Σπίτι θα έχεις όποτε θελήσεις! Δεν είναι δικαιολογία! Ούτε τα οικονομικά σου είναι τόσο απελπιστικά που να αποτελούν εμπόδιο στο να κάνεις ένα παιδί!»

«Δε μίλησα καθόλου για λεφτά! Όμως, τι ξέρω εγώ από μωρά; Πώς θα το μεγαλώσω μόνη μου;»

«Δηλαδή, αν ήσουν με τον Νικήτα, θα ήξερε εκείνος από μωρά! Σύνελθε, Μαρίνα! Κανένας πατέρας δεν έχει άλλο ρόλο εκτός από... διακοσμητικό, στα πρώτα στάδια! Αντί για δύο πανικόβλητους γονείς, το παιδί σου θα έχει ν' αντιμετωπίσει μόνο έναν! Πού είναι το πρόβλημα;»

«Και ο Νικήτας; Τι θα πει για το παιδί;»

«Πρώτα πρέπει ν' αποφασίσεις αν θα το μάθει, και προσωπική μου άποψη είναι ότι δεν του αξίζει να το μάθει!»

«Μα είναι ο πατέρας!»

«Μια στιγμή ηδονής που συνοδεύεται από την εκτίναξη μικρής ποσότητα υγρού δεν κάνει κανέναν πατέρα, ειδικά όταν αυτός δεν υπήρξε σωστός σύζυγος για τη μητέρα! Άσε, δηλαδή, που καλό θα είναι το παιδί να μην έχει καμιά επιρροή από αυτόν! Αρκεί που θα κληρονομήσει τα γονίδιά του! Ας μην το επιβαρύνουμε κι άλλο!»

«Δηλαδή εσύ λες να μην του πω τίποτα; Κι αν το μάθει;»

«Πώς θ' αποδείξει ότι είναι δικό του;»

«Υπάρχουν και εξετάσεις, Ελπίδα!»

«Και πιστεύεις ότι αυτός θα μπει σε τέτοια διαδικασία; Και στο κάτω κάτω, αλλού είναι το θέμα μας! Εσύ, Μαρίνα! Εσύ θέλεις ένα παιδί; Πέρα από τον Νικήτα ή το φόβο του άγνωστου και των ευθυνών, το θέλεις; Αν δεν το κρατήσεις, αν κάνεις αυτή την έκτρωση τέλος πάντων, είναι κάτι που θα συγχωρήσεις στον εαυτό σου αργότερα;»

«Δεν ξέρω, δεν μπορώ τώρα να...»

«Μα τώρα πρέπει "να..."! Μεθαύριο θα είναι αργά! Το παιδί δε θα υπάρχει!»

«Μα τι σ' έπιασε; Πού είναι όλα αυτά που έλεγες κάποτε για τα παιδιά; Εσύ δε θέλησες ποτέ να κάνεις!»

«Άλλο εγώ και άλλο εσύ! Όπως είπες, εγώ δε θέλησα ποτέ. Ήταν επιλογή μου! Εσύ, όμως, πρόσφατα ακόμη εκδήλωσες έντονη επιθυμία! Να που εισακούστηκε!»

«Σε λάθος χρόνο όμως!»

«Δεν μπορείς να τα έχεις όλα όποτε τα θέλεις! Μαρίνα, θα ήταν λάθος να προχωρήσεις σ' αυτή την επέμβαση! Είμαι τόσο σίγουρη, που μου έρχεται να σε δέσω για να σ' εμποδίσω αφού δεν μπορώ να σε πείσω! Σου δίνεται μια ευκαιρία ν' αλλάξεις όλη σου τη ζωή. Η αρχή έγινε ήδη! Αυτό το παιδί θα είναι το εισιτήριό σου για ένα ταξίδι στον κόσμο των ενηλίκων, στον κόσμο της ουσίας της ζωής. Ο Τολστόι είπε κάποτε ότι από το μεγαλείο ως το γελοίο δεν υπάρχει παρά ένα βήμα, κι εσύ το έκανες αλλά ανάποδα! Από το γελοίο, που ήταν η ζωή σου και ο γάμος σου, προχώρησες και τώρα είναι η ώρα για το μεγαλείο: τη μητρότητα».

Σώπασε λαχανιασμένη. Η Μαρίνα δε μιλούσε. Δεν την κοίταζε καν.

«Γιατί δε μιλάς;»

«Σκέφτομαι...»

«Πες μου, μίλα μου! Ό,τι ενδοιασμούς κι αν έχεις θα τους συζητήσουμε! Όποιο πρόβλημα νομίζεις ότι θα βρεθεί μπροστά σου, πες το για να βρούμε μαζί τη λύση! Που να πάρει και να σηκώσει, πώς να σου δώσω να καταλάβεις ότι δε θα είσαι ποτέ μόνη σου μ' αυτό το παιδί! Θα είμαστε όλοι δίπλα σου για πάντα! Ό,τι κι αν συμβεί ανάμεσά μας, ακόμη και στην απίθανη περίπτωση που τσακωθούμε, που δεν ξαναμιλήσουμε, αυτό το παιδί θα είναι ευθύνη όλων! Κι αν δεν είναι αυτή τη στιγμή οι άλλοι εδώ, εγώ προσωπικά σου δίνω το λόγο μου ότι θα είμαι πάντα δίπλα σου! Πες μου, λοιπόν, τι σκέφτεσαι!»

«Θα το βαφτίσεις;» την αιφνιδίασε η Μαρίνα.

«Τι είπες;»

«Αν αυτό το παιδί έχει μια μητέρα ανεύθυνη, ανόητη και κυρίως φοβητσιάρα, ας έχει τουλάχιστον μια νονά που είναι το ακριβώς αντίθετο!»

«Μαρίνα... δεν ξέρω τι να πω... πρώτη φορά χάνω τα λόγια μου!»

«Κι εγώ πρώτη φορά το κατάφερα αυτό μ' εσένα και είμαι περήφανη! Λοιπόν, δέχεσαι; Στο κάτω κάτω... σε εσένα χρωστάει τη ζωή του!»

«Θα είναι χαρά μου και τιμή μου!... Με συγκίνησες, παλιοκόριτσο! Έλα εδώ!»

Την αγκάλιασε σφιχτά. Η Μαρίνα πρώτη φορά είδε δάκρυα στα μάτια της Ελπίδας και έβαλε τα κλάματα. Έτσι αγκαλιασμένες και κλαμένες τις βρήκαν ο Κωστής και η Ναταλία που μπήκαν λίγο αργότερα. Το σοκ τούς κράτησε ακίνητους στην είσοδο.

Πρώτη συνήλθε η Ελπίδα. Σκούπισε τα μάτια της και ξαναβρήκε κάτι που θύμιζε το συνηθισμένο αυστηρό της ύφος. «Νομίζω ότι σου ζήτησα να περιμένετε να έρθουμε εμείς!» είπε στη Ναταλία.

«Έτσι όπως μπήκες στο σπίτι πριν, το ότι έφυγα και έμεινα μακριά τόση ώρα, πολύ ήταν!» της απάντησε εκείνη.

«Τι έγινε εδώ, κορίτσια; Για βάλτε κι εμένα στο θέμα!» Ο Κωστής χαμογελούσε. Τίποτα κακό δεν προμηνούσε η όψη των δύο γυναικών. Ίσως μάλιστα συνέβαινε το αντίθετο. Κάτι μέσα του του έλεγε πως πολύ σύντομα θα ζούσε από κοντά την πατρότητα όπως δεν την έζησε με την κόρη του.

«Όλα είναι μια χαρά», εξηγούσε τώρα η Μαρίνα δικαιώνοντας τις σκέψεις του. «Εγώ θα κρατήσω το παιδί, εσείς θα με βοηθήσετε να το μεγαλώσω και η Ελπίδα εκτός όλων των άλλων θα το βαφτίσει!»

Ένα λεπτό σιγής και μετά ο ενθουσιασμός. Τόσο δυνατός που έσπρωξε μακριά το μαύρο σύννεφο· αυτό που πλανιόταν εδώ και βδομάδες πάνω από τα κεφάλια τους. Οι φωνούλες ενός μωρού, αγέννητου ακόμη, έφταναν ήδη στ' αυτιά τους και τους έσπρωχναν να κάνουν σχέδια για το μέλλον. Ένα μέλλον που διαγραφόταν φωτεινό, αλλά είχε προς το παρόν απροσδιόριστο χρώμα. Δεν ήξεραν αν θα ήταν γαλάζιο ή ροζ, αλλά δεν τους ένοιαζε κιόλας!

Την ίδια ώρα, ο Ποσειδώνας χτυπούσε με την τρίαινά του την πόρτα της παρέας, για να τους κάνει γνωστό ότι αυτός θα κυριαρχούσε τον επόμενο μήνα... Τον Αύγουστο...

# ΑΥΓΟΥΣΤΟΣ
## *Ο μήνας του Ποσειδώνα*

### ΠΟΣΕΙΔΩΝΑΣ

*Γιος του Κρόνου και της Ρέας. Εξουσιάζει τις θάλασσες και τα νερά. Αδίστακτος, γενναίος, αυθόρμητος και πιστός σε όσους αγαπάει. Όταν θυμώνει, αρπάζει την τρίαινά του και μ' αυτήν αναταράζει τα κύματα, ενώ ταυτόχρονα εξαπολύει όλους τους ανέμους και προκαλεί θύελλες και καταιγίδες. Δεν αφήνει, όμως, να τον παρασύρει η οργή. Ύστερα από λίγο γαληνεύει. Το χαμόγελο φωτίζει το πρόσωπό του. Η χαρά και η ομορφιά απλώνονται στο βασίλειό του. Εξαφανίζονται τα κύματα, σταματούν οι άνεμοι και τα δελφίνια παίζουν στα γαλανά νερά...*

*Ω έλα μαζί να ιδρύσουμε τα όνειρα,*
*έλα μαζί να δούμε τη γαλήνη.*
*[...]*
*Έλα λοιπόν απ' την αρχή να ζήσουμε τα χρώματα*
*[...]*
*Έλα λοιπόν να στρώσουμε το φως*
*Να κοιμηθούμε το γαλάζιο φως*
*στα πέτρινα σκαλιά του Αυγούστου*
*Ξέρεις, κάθε ταξίδι ανοίγεται στα περιστέρια...*

Οδυσσέας Ελύτης, *Προσανατολισμοί*

Η θάλασσα είχε ανοίξει την αγκαλιά της και ο ήλιος αφηνόταν σιγά σιγά. Της επέτρεπε να τον κλείσει, να τον απορροφήσει, αλλά για λίγο... Είχε ανάγκη τη δροσιά της, είχε ανάγκη να ξεκουράσει για λίγο τ' άλογα που οδηγούσαν το φλογάτο άρμα του. Η αδελφή του η Σελήνη είχε σειρά τώρα να διαφεντέψει στο αστροστόλιστο στερέωμα. Εκείνος θα έκανε παρέα στον Ποσειδώνα, που ήρεμος καθόταν στο θρόνο του, ενώ δίπλα του η πιστή Αμφιτρίτη τον διασκέδαζε με ιστορίες των υπηκόων του βασιλείου του. Απόψε θα του έλεγε κι εκείνος μια ιστορία· μια ιστορία για τέσσερις φίλους που εδώ και καιρό είχε ξεχωρίσει, και παρακολουθούσε τις ζωές τους που ενώθηκαν περίεργα και αναπάντεχα. Τι ρόλο είχε παίξει η μοίρα Κλωθώ, άραγε; Κάτι είχε ακούσει στον Όλυμπο πως σ' αυτήν τη γνωριμία είχε ανακατευτεί ο Άρης... Προτού βυθιστεί εντελώς, έριξε μια τελευταία ματιά σ' εκείνη τη βεράντα όπου ήταν καθισμένη η παρέα και παρακολουθούσε τη δύση του.

«Λοιπόν, τρεις μέρες εδώ, ακόμη δεν το πιστεύω ότι κάνουμε διακοπές και οι τέσσερις μαζί!» είπε η Ναταλία και τεντώθηκε τεμπέλικα στην πολυθρόνα της.

«Δεν είμαστε τέσσερις, αλλά πέντε!» τη διόρθωσε η Μαρίνα. «Ξεχνάς ότι έχουμε μαζί και το μωρό;»

Είχαν χαμογελάσει όλοι με την παρατήρηση. Μια γλυκιά θαλπωρή, μια μελαγχολική ηρεμία επικρατούσε στη φύση μετά το βύθισμα του ήλιου στο γαλάζιο. Το σκηνικό ήταν ιδεώδες. Το ξενοδοχείο στο Ναύπλιο ξεπερνούσε την τελειότητα· μια μεγάλη σουίτα και για τους τέσσερις, αφού αγνόησαν το γεμάτο υπονοούμενα βλέμμα του κυρίου στην υποδοχή. Ήξεραν ότι ήταν ασυνήθιστο, αλλά δεν τους ένοιαζαν τα σχόλια. Όποιος το επιθυμούσε, ας υπέθετε ό,τι ήθελε! Ούτε έδιναν σημασία στις καμαριέρες που κρυφογελούσαν στο πέρασμά τους. Κάθε φορά που ζητούσαν να τους φέρουν κάτι στο δωμάτιο, εκείνες κοιτούσαν γύρω τους σαν να προσπαθούσαν να ανακαλύψουν σημάδια από όργια. Ήταν σίγουροι πως αν οι κλειδαριές δεν ήταν σύγχρονες, αν υπήρχαν ακόμη κλειδαρότρυπες, εκεί θα έβγαζαν τη βάρδια τους, σκυμμένες να παρακολουθούν. Βέβαια, αν γινόταν αυτό, θα διαπίστωναν όλες ότι τίποτε ανορθόδοξο δε συνέβαινε στη σουίτα 445 του ξενοδοχείου τους. Ωστόσο, τίποτε απ' όλα αυτά δεν τους ένοιαζε. Εκείνοι περνούσαν τις διακοπές των ονείρων τους.

Το πρωί στο δωμάτιο με αμέτρητους καφέδες, εκτός

από τη Μαρίνα που προτιμούσε χυμό, στη συνέχεια τεμπελιά μ' εφημερίδες και περιοδικά στη σκιά μιας ομπρέλας στην παραλία, βόλτες αργά το απόγευμα στα δρομάκια της πόλης και το βράδυ ποικιλίες σε ουζερί με τη Μαρίνα να γκρινιάζει γιατί έπινε μόνο πορτοκαλάδα. Κι όλα αυτά μαζί... οι τέσσερις. Η αγαπημένη τους ώρα ήταν πριν από τη δύση του ήλιου, που την περίμεναν καθισμένοι στη βεράντα μ' ένα επιτραπέζιο παιχνίδι γνώσεων μπροστά τους, το οποίο έχανε την αποκλειστικότητα της προσοχής τους την ώρα που ο ήλιος βασίλευε.

Ο Κωστής για μιαν ακόμη φορά ήταν ο μεγάλος χαμένος εκείνου του απογεύματος, και μάζευε μουτρωμένος το παιχνίδι.

«Δεν ξαναπαίζω μαζί σας!» δήλωσε όπως κάθε απόγευμα, ενώ ήταν κοινό μυστικό πια ότι την άλλη μέρα, την ίδια ώρα, θ' αναιρούσε την απόφασή του και θα έφερνε ο ίδιος το αγαπημένο τους παιχνίδι. «Με κάνετε και χάνω επίτηδες για να μου τσακίσετε την αυτοπεποίθηση! Θέλετε να μου ρίξετε το ηθικό!»

Μπήκε στο δωμάτιο να τακτοποιήσει το παιχνίδι. Καμιά τους δεν του απάντησε ως συνήθως. Η Μαρίνα σηκώθηκε και πλησίασε τα κάγκελα της βεράντας. Πήρε βαθιά ανάσα γεμίζοντας ολόκληρη με τη μυρωδιά της θάλασσας και το χρώμα τ' ουρανού.

«Είναι όνειρο!» μονολόγησε και μετά στράφηκε στις δυο γυναίκες και στον Κωστή που είχε στο μεταξύ επιστρέψει. «Δεν ξέρω πόσο οξύμωρο θ' ακουστεί, αλλά είμαι απόλυτα ευτυχισμένη!» είπε δυνατά.

«Γιατί ν' ακουστεί οξύμωρο;» τη ρώτησε η Ναταλία. «Είσαι σε διακοπές και μάλιστα μαζί μας, σ' ένα ονειρεμένο ξενοδοχείο, με την αγαπημένη σου θάλασσα στα πόδια! Απόλυτα φυσιολογική η ευτυχία!»

«Εκτός όλων αυτών όμως, είμαι προσφάτως χωρισμένη και εγκαταλειμμένη, και μ' ένα παιδί στην κοιλιά...»

«Ναι, Μάρθα Βούρτση!» την κορόιδεψε η Ελπίδα.

Αλλά η Μαρίνα της έβγαλε τη γλώσσα σαν παιδί και συνέχισε σοβαρή: «Δεν έχω σπίτι, δεν έχω...»

«Στοπ!» την έκοψε ο Κωστής. «Λίγο ακόμη και θα μας πεις ότι δεν έχεις και λεφτά, ούτε οικογένεια ούτε φίλους! Για σύνελθε, γιατί έχει δίκιο η Ελπίδα! Το πας για μελόδραμα!»

«Μα δε μ' αφήνετε να μιλήσω! Δεν είπα τίποτα τέτοιο! Ίσα ίσα, που ακριβώς επειδή έχω όλα αυτά, δε στενοχωριέμαι για τίποτα! Μόλις γυρίσουμε, με περιμένει ένα βιβλίο τριακοσίων εβδομήντα έξι σελίδων να μεταφράσω για το οποίο θα πληρωθώ, το μωρό είναι μια χαρά, τι άλλο θέλω;»

«Ένα σπίτι ίσως!» πετάχτηκε η Ελπίδα.

Η Μαρίνα την κοίταξε, αλλά δεν πρόλαβε ν' απαντήσει καθώς μπήκε στη μέση η Ναταλία. «Ούτε να το συζητάμε αυτό! Η Μαρίνα θα μείνει μαζί μου μέχρι να γεννήσει! Έπειτα βλέπουμε!» Την κοίταξαν όλοι με απορία κι εκείνη βιάστηκε ν' απολογηθεί. «Ακούστηκα απότομη και απόλυτη. Συγγνώμη! Δε βλέπω το λόγο να βρει σπίτι τώρα. Είναι έγκυος, είναι καλύτερα να μην είναι μόνη και έχουμε δίπλα και τον Κωστή, αν χρειαστεί κάτι. Έπειτα, μ' αρέσει που την έχω μαζί μου», κατέληξε αμήχανη.

Ο Κωστής την έβγαλε από τη δύσκολη θέση. «Σωστά! Αφού δεν τσακώνεστε, αφού η μια δε βάζει στο μάτι τους... θαυμαστές της άλλης, αφού δεν μπερδεύεστε σε εκείνη τη φωλίτσα που έχετε για σπίτι, δε βλέπω το λόγο να χωρίσετε, αν και δεν ξέρω πώς θα χωράτε εκεί μέσα, όταν μεγαλώσει η κοιλιά της Μαρίνας! Εσύ, Μαρίνα, που είσαι και η άμεσα ενδιαφερόμενη, τι λες;»

Η απάντηση ήταν ένα εύγλωττο βλέμμα στην ίδια τη

Ναταλία και ένα ανεπαίσθητο κούνημα του κεφαλιού που έδειχνε ότι συμφωνεί. Στην πραγματικότητα, της είπε πολύ περισσότερα. Της είπε ότι ούτε εκείνη άντεχε τη μοναξιά, ότι θα φοβόταν μόνη τώρα που περίμενε παιδί, ότι της άρεσαν οι ώρες που περνούσαν οι δυο τους, ότι λάτρευε το μικροσκοπικό τους διαμέρισμα... Ήταν όλες της οι σκέψεις στη ματιά της και θα της έλεγε κι άλλα, αν δεν τις διέκοπτε η Ελπίδα.

«Κατάλαβα!» αναφώνησε. «Βρήκε ο Φίλιππος τον Ναθαναήλ!»

«Έχεις αντίρρηση σ' αυτό;» απόρησε ο Κωστής.

«Εγώ; Όχι βέβαια! Όπως είπες κι εσύ, αφού έχουν ξεπεράσει το... χωροταξικό πρόβλημα, ας κάνουν ό,τι θέλουν!»

«Και τώρα που πήραμε την έγκριση και από τον... τύραννο της παρέας, κορίτσια, πάμε παρακάτω!» Ο Κωστής, που είχε μιλήσει, εισέπραξε ένα άγριο βλέμμα από την Ελπίδα, αλλά της το ανταπέδωσε με χαμόγελο προτού συνεχίσει: «Δε μου λες, Μαρινάκι... στους γονείς σου το είπες; Για το παιδί εννοώ!»

«Α, βέβαια! Με τις ετοιμασίες για τις διακοπές, ξέχασα να σας τα πω!»

Μαζεύτηκαν όλοι γύρω της κι εκείνη άρχισε να τους τα αφηγείται χαμογελώντας.

Ο πατέρας της ήταν εκεί. Από μέρες είχαν εγκατασταθεί στο σπίτι της αδελφής του. Μια τεράστια μεζονέτα, σχεδόν δίπλα στο *Ekali Club*. Το σκηνικό ελάχιστα διέφερε από το πατρικό της που κόντευε ήδη να πουληθεί, καθώς το ενδιαφέρον ήταν έντονο και οι υποψήφιοι αγοραστές πολλοί. Όταν μπήκε, τον βρήκε σκυμμένο πάνω από κάτι χαρτιά στο γραφείο του σπιτιού, που ήταν συνέχεια του τεράστιου σαλονιού. Σε μια πολυθρόνα, δίπλα στο μεγάλο παράθυρο που έβλεπε στην πισίνα του πίσω κήπου, καθόταν η μητέρα της, έπινε τον καφέ της και ξεφύλλιζε αδιάφορα κάποιο περιοδικό. Η Μαρίνα χαμογέλασε. Λες και δεν είχε αλλάξει τίποτ' άλλο εκτός από το σκηνικό. Το έργο έμοιαζε ίδιο, οι ηθοποιοί έπαιζαν πάλι τους γνωστούς τους ρόλους.

Μόλις την είδαν να μπαίνει, σηκώθηκαν και οι δύο. Πρώτα την αγκάλιασε ο πατέρας της και στη συνέχεια η μητέρα της που αμέσως της είπε αυστηρά: «Μαρίνα, πήρες βάρος!»

«Ναι, έτσι νομίζω κι εγώ!» Η Μαρίνα χαμογελούσε ακόμη.

«Δε βλέπω το λόγο να είσαι τόσο ευδιάθετη επειδή πάχυνες!» τη μάλωσε.

«Είναι γιατί δεν ξέρεις, μαμά! Εγώ όμως που ξέρω...!»

«Φωτεινή, άρχισες πάλι να μιλάς για επουσιώδη θέματα, ενώ υπάρχουν σοβαρά προβλήματα!» την έκοψε ο άντρας της και κατόπιν στράφηκε στην κόρη του: «Κάθισε, παιδί μου, και πες μου τα νέα σου! Εξαφανίστηκες!»

«Η αλήθεια είναι ότι χάθηκα, αλλά είχα πολλά να κάνω! Πρώτα απ' όλα ξεκίνησα το διαζύγιο! Βάλαμε τις πρώτες υπογραφές με τον Νικήτα και τώρα περιμένουμε...» άρχισε να τους εξηγεί αλλά τη διέκοψε ένας λυγμός από τη μητέρα της. «Μαμά, αν αρχίσεις τα κλάματα, δε λέω τίποτα!»

«Φωτεινή!»

«Εντάξει, εντάξει! Μη με μαλώνετε και οι δύο... Είναι τόσα πολλά...»

«Παρακάτω, μαμά, έχει κι άλλα! Μη βιάζεσαι!» Το απορημένο βλέμμα τους την έκανε να συνεχίσει. «Λοιπόν, πρώτα τα δυσάρεστα. Έφυγα βεβαίως από το σπίτι και πούλησα όλα σχεδόν τα πράγματα, εκτός από μερικά τα οποία έχει ένας φίλος στην αποθήκη του για όποτε τα χρειαστώ. Μαζί με όλα τα έπιπλα, πούλησα και τα κοσμήματα που μου είχε χαρίσει ο αγαπημένος μου σύζυγος, και μάλιστα ξαφνιάστηκα για μερικά, γιατί ήταν μεγαλύτερης αξίας απ' ό,τι είχα υπολογίσει! Έτσι, το πρώτο ευχάριστο είναι ότι έχω συγκεντρώσει ένα μεγάλο ποσό στα χέρια μου. Αν το χρειαστείς, μπαμπά, για τις επενδύσεις που σκέφτεσαι να κάνεις, είναι στη διάθεσή σου!»

«Μα τι λες, παιδί μου; Κι εσύ πώς θα ζήσεις;»

«Εδώ είναι το δεύτερο ευχάριστο! Βρήκα δουλειά!» Μια φωνούλα από την ταραγμένη μητέρα της τη σταμάτησε. Στράφηκε προς το μέρος της. «Τι συμβαίνει, μαμά; Γιατί ταράχτηκες; Καιρός ήταν νομίζω να κάνω κάτι! Τριάντα χρόνων γυναίκα με πτυχίο και δεν έχω δουλέψει ποτέ στη ζωή μου! Ντροπή μου ήταν!»

«Τι δουλειά βρήκες δηλαδή;»

Στράφηκε στον πατέρα της που τη ρωτούσε. «Μην ανησυχείς, μπαμπά! Τίποτα που να μας εκθέτει, αν και δε θα το μάθει κανείς! Η Ναταλία δουλεύει όπως ξέρεις σ' έναν εκδοτικό οίκο και με πρότεινε για μεταφράστρια ξένων βιβλίων. Ήδη μου έδωσαν το πρώτο βιβλίο. Αργότερα βέβαια σκοπεύω να ψάξω και για καμιά θέση σε φροντιστήριο, να το ξέρετε!»

«Βλέπω εφιάλτη!» διέκοψε πάλι η μητέρα της.

«Δεν ξέρω για σένα, μαμά, αλλά εγώ ούτε όνειρα ούτε εφιάλτες έχω πια! Ζω στον πραγματικό κόσμο και μ' αρέσει! Μένω με τη Ναταλία στους Αμπελόκηπους, μαγειρεύω, σφουγγαρίζω, βάζω πλυντήριο, σιδερώνω...»

«Φτάνει! Δεν μπορώ ν' ακούσω άλλα! Η κόρη μου ζει σαν καμιά φτωχή φοιτήτρια! Γιατί δεν έρχεσαι να μείνεις εδώ τουλάχιστον;»

«Σε μεζονέτα στην Εκάλη, γειτόνισσα των Λάτσηδων, με υπηρεσία και σοφέρ; Όχι, ευχαριστώ! Προτιμώ το σπίτι της φίλης μου! Να συνεχίσω ή θα λιποθυμήσεις;»

«Έχει κι άλλα;»

«Πολύ φοβάμαι πως ναι! Πρώτον, μεθαύριο φεύγω με τα παιδιά για ολιγοήμερες διακοπές στο Ναύπλιο!»

«Αυτό είναι πολύ καλό!» δήλωσε ο πατέρας της. «Και διαφωνώντας με τη μητέρα σου, δεν άκουσα μέχρι στιγμής κάτι κακό! Βέβαια, δεν ήταν ευχάριστο ούτε το διαζύγιο ούτε η εκποίηση των υπαρχόντων σου, όμως ήταν απόλυτα λογικές κινήσεις κάτω από τις παρούσες συνθήκες! Όσο για τη δουλειά, μπράβο σου! Έφτασες να σκεφτείς μέχρι και το γεγονός ότι δεν πρέπει να μαθευτεί τίποτα και η δουλειά που βρήκες, όπως πολύ σωστά είπες, δε μας εκθέτει! Άλλωστε, πολλές κοπέλες του κύκλου μας εργάζονται από χόμπι! Αν λοιπόν μαθευτεί, το ίδιο θα ισχυριστούμε!»

«Χαίρομαι που όλα τα βρίσκεις ευχάριστα! Αυτό μου δίνει κουράγιο να σας πω και το τελευταίο!... Είμαι έγκυος τριών μηνών, το παιδί είναι φυσικά του Νικήτα, θα το κρατήσω, αλλά δε σκοπεύω να τον ενημερώσω, ούτε θέλω να το μάθει!»

Ο κεραυνός που έριξε ήταν τόσο δυνατός που δεν μπορούσε παρά να διχαστεί και να βρει στόχο και στους δύο γονείς. Άφωνοι κοιτούσαν τη μοναχοκόρη τους που χαμογελούσε. Η μητέρα της αφέθηκε στον καναπέ που ευτυχώς υπήρχε πίσω της. Ο πατέρας της κινήθηκε αργά προς το γραφείο του και κάθισε κι αυτός στη δερμάτινη πολυθρόνα.

«Δεν ξέρω τι να πω», ψιθύρισε.

«Συνήθως λένε "συγχαρητήρια"!» του απάντησε εύθυμα η Μαρίνα. «Εντάξει, το παραδέχομαι, ήταν αναπάντεχο, αλλά εσείς κάνετε σαν να μας βρήκε νέα συμφορά!»

«Και δεν είναι;» Η μητέρα της είχε ξαναβρεί τη φωνή της, αλλά όχι και την ψυχραιμία της. «Καταλαβαίνεις τι λες; Είσαι έγκυος τη στιγμή που χωρίζεις! Θα δεχτεί ο Νικήτας την πατρότητα;»

«Μου φαίνεται ότι από το σοκ δεν άκουσες όλα όσα είπα, μαμά! Ο Νικήτας δε θα έχει καμιά σχέση μ' αυτό το παιδί!»

«Μα πώς θα γίνει αυτό; Και γιατί να γίνει; Μπορεί αν μάθει ότι περιμένεις το παιδί του να γυρίσει!»

«Και ποιος σου είπε ότι το θέλω; Τι σχέση μπορώ να έχω εγώ ή το παιδί μου μ' αυτό τον χυδαίο προικοθήρα, που το μόνο που θα σκέφτεται πάντα είναι το χρήμα; Όχι! Δεν τον θέλω για πατέρα του παιδιού!»

«Μα είναι!»

«Και λοιπόν;»

«Πώς φαντάζεσαι ότι θα κρατηθεί μυστικό ένα τέτοιο πράγμα όπως η εγκυμοσύνη σου; Στην Ελλάδα ζούμε, όχι στην Αμερική!»

«Αχ, μαμά... ο περιβόητος κύκλος μας, σ' αυτόν που αποκλειστικά κινείται ο σνομπ σύζυγός μου, είναι τόσο μακριά από τον υπόλοιπο κόσμο όσο και η Αμερική, για να μη σου πω και πιο πέρα! Κι εγώ όπως ξέρεις έχω κόψει κάθε σχέση μ' αυτό τον κόσμο! Άρα, θεωρώ απίθανο να το μάθει, αλλά και να το μάθει, λίγο με νοιάζει! Και όσο και να σου φαίνεται αδιανόητο, ακόμη λιγότερο θα νοιάζει τον Νικήτα! Λες να είναι τόσο ευαίσθητος και να λυγίσει από το πατρικό φίλτρο; Ή μήπως θα τον κάνει ένα μωρό ν' αλλάξει χαρακτήρα; Ίσα ίσα που θα βρει τη βολικότερη για εκείνον απάντηση: ότι δεν είναι δικό του! Έτσι, θα γλιτώσει απ' αυτό που φοβάται περισσότερο σε αυτή τη ζωή: τις ευθύνες και... τα έξοδα φυσικά! Τον φαντάζεσαι να δίνει διατροφή; Γι' αυτό, το παιδί θα είναι μόνο δικό μου και στο όνομα και στην πράξη!»

«Δηλαδή αγνώστου πατρός! Δε θα το αντέξω αυτό!»

«Μαμά, αρχίζω να εκνευρίζομαι! Επιτέλους δε ζητώ

την έγκρισή σας! Έχω πάρει τις αποφάσεις μου και απλώς σας τις ανακοινώνω! Δεν έχετε να μου πείτε τίποτα που θα με κάνει ν' αλλάξω γνώμη! Το Γενάρη θα αποκτήσετε εγγόνι! Νόθο, αλλά πάντως εγγόνι!»

Μέχρι και η Ελπίδα είχε χαμογελάσει με τη διήγηση της Μαρίνας.

«Πώς τους τα είπες έτσι, βρε αθεόφοβη;» τη ρώτησε ο Κωστής γελώντας.

«Αυτά τα πράγματα δεν έχουν τρόπο! Απλώς τα λες!» του απάντησε.

«Όταν έφυγες, σε τι κατάσταση ήταν;» ενδιαφέρθηκε να μάθει η Ναταλία.

«Είχαν συνέλθει! Νομίζω μάλιστα ότι είχαν αρχίσει να διασκεδάζουν στην ιδέα ότι θ' αποκτήσουν εγγόνι!»

«Σκέφτηκες την πιθανότητα να δράσουν πίσω από την πλάτη σου και να ενημερώσουν τον Νικήτα;»

«Και βέβαια το σκέφτηκα, Ελπίδα! Γι' αυτόν ακριβώς το λόγο, τους όρκισα να μην πουν κουβέντα και προχώρησα στην απειλή ότι σε περίπτωση που ξεχάσουν την υπόσχεσή τους, να ξεχάσουν κι εμένα! Τους δήλωσα ότι δε θα τους το συγχωρούσα ποτέ!»

«Αρκετά δραστικό!» παρατήρησε η Ναταλία.

«Τι θα γίνει τώρα; Εδώ θα μείνουμε, κορίτσια; Εγώ πεινάω!» παραπονέθηκε ο Κωστής.

«Κι εγώ!» συμφώνησε η Μαρίνα.

Η βραδιά έκλεισε σ' ένα ταβερνάκι στα στενά του Ναυπλίου, μ' ένα φεγγάρι από πάνω τους να συναγωνίζεται στο χρώμα το κρασί στα ποτήρια τους. Γύρω τους παρέες με κέφι και δυο κιθάρες να σκορπούν νότες που έσμιγαν με τη μυρωδιά από τα λουλούδια στις γύρω γλάστρες, και έτσι ενωμένες αντάμωναν το φως του φεγγαριού και σκορπούσαν μαζί του στα λιθόστρωτα δρομάκια της παλιάς πόλης.

Από πάνω τους το κάστρο του Παλαμηδιού μετρούσε τους αιώνες του, και κοιτούσε με κατανόηση και αγάπη το παρόν και το μέλλον που διασκέδαζαν κάτω από τη σκιά του παρελθόντος.

Είχε επικρατήσει η επιθυμία της Ναταλίας το άλλο βράδυ. Ήθελε μια βόλτα στην πόλη με το τρενάκι. Οι διακοπές τους όλο και πλησίαζαν προς το τέλος και δεν υπήρχε περίπτωση να φύγει από το Ναύπλιο χωρίς να μπει στο τρενάκι. Υποχώρησαν όλοι πρόθυμα. Άλλωστε, το ήθελαν κι εκείνοι. Περίμεναν υπομονετικά την άφιξη του μικρού τρένου που έμοιαζε τόσο με παιδικό απωθημένο. Δίπλα τους πολύβουες παρέες και ανάμεσά τους η Αναστασία. Ψηλή, λεπτή, με κοντά μαλλιά, και εμφάνιση που άγγιζε την εκκεντρικότητα. Ο Κωστής τράβηξε την προσοχή της από την πρώτη στιγμή και έκανε το παν για να τον κάνει να την προσέξει, αγνοώντας τις τρεις γυναίκες που τον περιστοίχιζαν και που απολάμβαναν την απόλυτη προσοχή του. Στο τέλος, πλησίασε την παρέα μ' ένα τσιγάρο στο χέρι κοιτώντας τον κατάματα, του ζήτησε φωτιά και ο Κωστής επιτέλους την πρόσεξε. Η Αναστασία ξαναγύρισε στην παρέα της, αλλά από κείνη τη στιγμή τα μάτια ανέλαβαν να πουν όσα οι επιθυμίες πρόσταζαν να γίνουν πραγματικότητα. Το τρενάκι έφτασε, πήραν όλοι τις θέσεις τους και εκείνη φρόντισε να είναι μέσα στο οπτικό του πεδίο.

«Δε μου λες», άρχισε η Ελπίδα, «αυτή σου ρίχνεται ή με γελάνε τα μάτια μου;»

«Αν και έχουν να μου ριχτούν χρόνια και έχω ξεχάσει πώς γίνεται, οφείλω να παραδεχτώ ότι με κοιτάει συνεχώς!» ομολόγησε ο Κωστής και από καμιά δε διέφυγε η αμηχανία του.

«Νόστιμη είναι», δήλωσε η Μαρίνα για να εισπράξει ένα περίεργο βλέμμα από τη Ναταλία, που δεν μπόρεσε να εξηγήσει.

«Καλή είναι!» συμφώνησε ο Κωστής. «Αλλά ξέρω κι εγώ;... Τι θέλει από μένα;»

«Συμβουλές για την αγορά αυτοκινήτου!» τον ειρωνεύτηκε η Ελπίδα. «Τι θέλει μια γυναίκα από έναν άντρα; Μεγάλο αγόρι είσαι, πρέπει να καταλαβαίνεις!»

«΄Ετσι; Στα καλά καθούμενα;»

«Ε, αυτά τα πράγματα έρχονται απότομα, Κωστή μου!» του είπε η Μαρίνα τρυφερά, όπως θα μιλούσε σε παιδί. «Σε είδε η κοπέλα, της άρεσες...»

«Κι εμάς δε μας είδε;»

Στράφηκαν όλοι προς τη Ναταλία που είχε μιλήσει τόσο απότομα, αλλά τώρα εκείνη ούτε σώπασε αμήχανη, ούτε ζήτησε συγγνώμη. Αντίθετα συνέχισε ακόμη πιο απότομα: «Είδε έναν άντρα με όχι μία αλλά τρεις γυναίκες δίπλα του, και αντί να το σεβαστεί, του ρίχτηκε με τέτοιο απροκάλυπτο τρόπο που καταντά χυδαίος! Όχι ότι το παρουσιαστικό της δε δείχνει πόσο χυδαία είναι και η ίδια!»

Σιωπή και αμηχανία ακολούθησαν τις δηλώσεις της, οι οποίες διατυπώθηκαν με τρόπο που ίσως διάλεγε η Ελπίδα αλλά ποτέ η Ναταλία. Πάνω στην κατάλληλη στιγμή, ο οδηγός του τρένου και ξεναγός τους τους καλωσόρισε στην περιήγηση, ενώ το τρενάκι μ' ένα ελαφρό τράνταγμα ξεκινούσε. Το φωτισμένο Ναύπλιο τους άνοιγε τις πύλες του, η φωνή του οδηγού παρουσίαζε και εξηγούσε τ' αξιοθέατα. Αφοσιώθηκαν σ' αυτά που έβλεπαν και άκουγαν, αλλά ο Κωστής ένιωθε το βλέμμα της Αναστασίας πάνω του και της το ανταπέδωσε αρκετές φορές. Από τον καιρό που η γυναίκα του αποφάσισε και πραγματοποίησε την αποχώρησή του από το σπίτι, εκείνο το φοβερό βράδυ, είχε ξεχάσει πως ήταν άντρας και μάλιστα νέος. Τα καυτά βλέμματα αυτής της κοπέλας και τα όλο υπονοούμενα χαμόγελά της έκαναν απανωτές τονωτικές ενέσεις στην αυτοπεποίθησή του. Είχε ζήσει μήνες σαν μοναχός, καιρός ήταν να επανορθώσει.

Το τρενάκι προχωρούσε αργά, τα τοπία και τ' αξιοθέατα εναλλάσσονταν. Εκτός από τη φωνή του οδηγού, ακούγονταν από τα ηχεία μουσική και τραγούδια που θύμιζαν την εποχή που στα πλακιώτικα στενά, στην Αθήνα, οι κανταδόροι συντρόφευαν τα όνειρα των κοριτσιών, και τροφοδοτούσαν έρωτες καλά κρυμμένους ανάμεσα στις μυρωδάτες δαντέλες που κάλυπταν τα τρυφερά νιάτα. Από μπροστά τους περνούσαν τα αναπαλαιωμένα κτίρια της πρώτης πρωτεύουσας του ελληνικού κράτους, τ' αγάλματα των ηρώων της Ελληνικής Επανάστασης, αλλά και του Βαυαρού Όθωνα, που έφτασε ανήλικος βασιλιάς στην πολύπαθη χώρα και παρ' όλες τις ελπίδες του λαού αλλά και τις δικές του, δεν κατάφερε παρά να δημιουργήσει αντιπάθειες, απογοήτευση και νέα επανάσταση, αυτή τη φορά εναντίον του. Όλα ζωντάνεψαν στα μάτια τους, η Ιστορία πήρε για λίγο το μερίδιο που της αναλογούσε στο παρόν.

Ο Κωστής προσπαθούσε να μοιράσει δίκαια την προσοχή του ανάμεσα στην περιήγηση, στην παρέα του και στην Αναστασία που τώρα κάτι έγραφε σ' ένα χαρτάκι. Δε χρειαζόταν πολλή σκέψη για να καταλάβει ότι εκείνο το σημείωμα είχε προορισμό τον ίδιο. Ούτε ήταν απαραίτητες μαντικές ικανότητες για την ανακάλυψη του περιεχομένου. Σίγουρα ήταν ο αριθμός του κινητού της. Σαν παιδί που το έπιασαν να κάνει αταξία, γύρισε προς τις τρεις γυναίκες. Μόνο η Μαρίνα τον κοιτούσε, αλλά το βλέμμα της δεν είχε σχέση με την Αναστασία. Είδε ανάμεικτες την απορία, τη χαρά αλλά και την ταραχή στα μάτια της και του τράβηξαν την προσοχή.

«Μαρίνα, τι συμβαίνει;» τη ρώτησε ανήσυχος και αμέσως η Ναταλία και η Ελπίδα γύρισαν προς το μέρος της ρωτώντας το ίδιο ακριβώς.

Η Μαρίνα τους κοίταξε και μετά ακούμπησε το χέρι στην κοιλιά της χαμογελώντας. «Νομίζω πως το μωρό έδωσε το παρών για πρώτη φορά! Μόλις με χαιρέτησε με μια μικρή, ανεπαίσθητη κίνηση!»

Η Ναταλία που καθόταν δίπλα της την αγκάλιασε, ενώ η Ελπίδα και ο Κωστής της έπιασαν τα χέρια. Η Αναστασία ξεχάστηκε προς το παρόν. Ούτε καν είδαν το πέτρινο λιοντάρι του Ναυπλίου, ούτε άκουσαν την ιστορία του, ούτε εντυπωσιάστηκαν από το γεγονός ότι ήταν έργο τυφλού γλύπτη. Η καινούργια ζωή που δήλωσε την παρουσία της για πρώτη φορά είχε γίνει το κέντρο του κόσμου τους.

«Τι ένιωσες;» ρώτησε συγκινημένη η Ναταλία.

«Ένα απαλό άγγιγμα, ένα θρόισμα, σαν μια πεταλούδα να με άγγιξε με τα φτερά της· ήταν τόσο τρυφερό... τόσο...» Η Μαρίνα σώπασε βουρκωμένη. Τρία χέρια απλώθηκαν να τη χαϊδέψουν. Τους κοίταξε πάλι. «Ήταν τόσο όμορφο. Δε θα συγχωρήσω ποτέ τον εαυτό μου που τόσο επιπόλαια είχα αποφασίσει να...» Έκοψε πάλι τη φράση της στη μέση κι αν δεν ήταν η Ελπίδα, θα είχε αρχίσει να κλαίει.

«Κι εγώ δε θα σου το συγχωρήσω ποτέ, αν συνεχίσεις να στενοχωρείς το βαφτιστήρι μου με αρνητικές σκέψεις!» ψιθύρισε εκείνη. «Νιώθει ό,τι νιώθεις! Μείνε, λοιπόν, στα ευχάριστα!»

«Έχεις δίκιο. Πάντως, για πρώτη φορά έχω το προαίσθημα ότι το μωρό είναι κορίτσι!»

«Οχ! Τότε ν' αγοράσουμε γαλάζια!» ακούστηκε η φωνή του Κωστή.

«Μα τα κορίτσια φοράνε ροζ!» διαμαρτυρήθηκε η Ναταλία.

«Ξέρω τι λέω! Εννιά φορές στις δέκα, αυτά τα προαισθήματα είναι σαν τις σεισμολογικές προβλέψεις! Πέφτουν έξω! Η γυναίκα μου σε όλη την εγκυμοσύνη είχε το προαίσθημα ότι θα κάνει αγόρι και κοίτα την Ισμήνη για να καταλάβεις πόσο δίκιο είχε!»

«Δεν ξέρω για την Αντιγόνη, αλλά εγώ...»

Το τρένο σταμάτησε και διέκοψε την κουβέντα της Μαρίνας. Κοίταξαν γύρω τους. Χωρίς να το καταλάβουν, βρίσκονταν εκεί απ' όπου ξεκίνησαν. Η περιήγηση είχε τελειώσει. Τη στιγμή που κατέβαιναν, ο Κωστής, που είχε αφήσει τις γυναίκες να προηγηθούν, ένιωσε στην παλάμη του ένα διπλωμένο χαρτάκι. Γύρισε και κοίταξε την Αναστασία που ήταν πίσω του, του χαμογελούσε και του έκλεινε το μάτι. Έπειτα εξαφανίστηκε με την παρέα της ανάμεσα στον κόσμο που περπατούσε στην προκυμαία, χαζεύοντας τις αντανακλάσεις του φεγγαριού πάνω στη θάλασσα και στις στρατιωτικά παραταγμένες βάρκες.

Ο Κωστής κοίταξε σαν χαμένος την Ελπίδα που τον παρατηρούσε.

«Τι έπαθες εσύ και έχεις μείνει σαν στήλη άλατος;» τον ρώτησε και ακολουθώντας το βλέμμα του, είδε το χαρτάκι στο χέρι του και χαμογέλασε. «Μπα, μπα! Τι βλέπω; Η κυρία έκανε την πρώτη κίνηση;»

«Τι είναι αυτό;» ενδιαφέρθηκε να μάθει η Μαρίνα.

«Πληροφορίες τηλεφωνικού καταλόγου!» ειρωνεύτηκε η Ελπίδα. «Τι θέλεις να είναι; Το τηλέφωνό της σίγουρα! Άνοιξέ το, παλικάρι μου! Τι έπαθες;»

Ο Κωστής το άνοιξε και η Ελπίδα δικαιώθηκε. Με

στρωτή γραφή, αν και λίγο βιαστική όπως ήταν φυσικό, πάνω στο χαρτί είχε γράψει τον αριθμό του κινητού της.

«Πώς βρέθηκε στα χέρια σου;» ρώτησε ήρεμα η Ναταλία.

«Μου το έδωσε η ίδια την ώρα που βγαίναμε από το τρενάκι! Τι να κάνω;»

«Για άντρας τριάντα οκτώ χρόνων, πολύ αγαθός είσαι!» τον κορόιδεψε η Ελπίδα. «Είναι δυνατόν να ρωτάς εμάς;»

«Είτε το πιστεύεις είτε όχι, πραγματικά τα έχω χαμένα! Από τον καιρό που έμπλεξα με την Αντιγόνη, δεν κοίταξα καμιά άλλη, και από τον καιρό που χωρίσαμε ούτε που μου πέρασε από το μυαλό!»

«Ε, καιρός είναι να βγεις πάλι στην κυκλοφορία, εκτός αν σκέφτεσαι να μονάσεις! Έπειτα, τι φοβάσαι; Δε θα σε φάει η κοπέλα!»

«Έχω ξεχάσει όλα αυτά τα...»

«Ξέρεις τι λένε! Αυτά είναι σαν το ποδήλατο! Δεν το ξεχνάς ποτέ!»

«Δηλαδή λες να της τηλεφωνήσω;»

«Έπρεπε ήδη να το έχεις κάνει!»

«Α, όχι! Απόψε είμαι μαζί σας!»

«Και χθες ήσουν μαζί μας, και προχθές, και αύριο φαντάζομαι, και γενικά ήταν να μη μας αξιώσει ο Θεός να σε γνωρίσουμε! Άντε, λοιπόν! Άσε τις δικαιολογίες!»

«Μα είναι αργά!»

«Καλοκαίρι είναι, σε διακοπές είμαστε, τι σημασία έχει η ώρα; Άσε τις υπεκφυγές! Εμείς θα πάμε για παγωτό και μετά θα γυρίσουμε στο ξενοδοχείο!»

«Μόνες σας;»

Η Μαρίνα έβαλε τα γέλια και τον χτύπησε φιλικά στην πλάτη. «Γίνεσαι αστείος! Λες να μας κλέψουν;»

«Μα δεν είναι σωστό...»

«Άντε, παιδάκι μου, στο τυχερό σου, να μας αφήσεις κι εμάς μήπως βρούμε το δικό μας!» συνέχισε η Ελπίδα. «Ποιος να μας πλησιάσει όταν υπάρχεις εσύ;»

«Μα ίσως να μην μπορεί απόψε!»

«Αυτό θα το μάθεις, αφού της τηλεφωνήσεις!»

«Εσύ, Ναταλία, δε μιλάς;»

«Δε μου πέφτει λόγος. Πάντως, αν θέλεις να πας, όπως κατάλαβες από εμάς είσαι ελεύθερος».

Η Ελπίδα την κοίταξε, αλλά η Ναταλία απέφυγε το βλέμμα της. Ο Κωστής τελικά υποχώρησε.

«Πολύ καλά! Πού θα είστε για να έρθω μετά;»

«Όπου θέλουμε! Και ούτε θα έρθεις... *μετά*! Εξάλλου, μένουμε στο ίδιο ξενοδοχείο και στο ίδιο δωμάτιο! Λες να χαθούμε;»

Η Ελπίδα πήρε τις άλλες δύο και απομακρύνθηκαν, αφήνοντάς τον μόνο στην προκυμαία. Ένα ακόμη δρομολόγιο ξεκινούσε για το τουριστικό τρενάκι. Οι βάρκες, ακούραστες, το αποχαιρέτησαν μ' ένα ακόμη λίκνισμα. Ο Κωστής έβγαλε το κινητό του και το χρησιμοποίησε.

Τελικά δεν κάθισαν πουθενά. Προτίμησαν να κάνουν μια μεγάλη βόλτα χαζεύοντας τον κόσμο και τα φωτισμένα τουριστικά καταστήματα. Αγόρασαν παγωτά και επέστρεψαν στην ήσυχη βεράντα τους, αφήνοντας πίσω τους τα πολύβουα μαγαζιά που ξεχείλιζαν από κόσμο. Έφαγαν αμίλητες το παγωτό τους.

«Τι να κάνει τώρα ο Κωστής;» αναρωτήθηκε η Μαρίνα μόλις ξεμπέρδεψε με τα σιρόπια και τη σαντιγί που πάντα άφηνε τελευταία επειδή της άρεσε.

«Αυτή τη στιγμή, λογικά, πρέπει να βρίσκονται σε κάποιο μπαράκι και να τα ψήνουν σε χαμηλή φωτιά», της απάντησε η Ελπίδα ανάβοντας τσιγάρο.

«Πώς σας φάνηκε η κοπέλα;»

Η Ναταλία αγνόησε την ερώτηση της Μαρίνας, αλλά δεν έκανε το ίδιο και η Ελπίδα.

«Λίγο υπερβολική για τα γούστα μου», απάντησε, «αλλά ό,τι χρειάζεται για τον Κωστή! Καιρός ήταν πια!»

«Τι θέλεις να πεις;» ενδιαφέρθηκε ξαφνικά η Ναταλία.

«Μα τόσο δύσκολο είναι να καταλάβεις; Είναι άντρας, και μάλιστα νέος και εμφανίσιμος! Πάνε πέντε μήνες που χώρισε και βρίσκεται ή στη δουλειά, ή μαζί μας, ή με την κόρη του! Είναι φυσιολογικό αυτό για εκείνον; Δεν ήταν καιρός να κάνει κάτι για την προσωπική του ζωή;»

«Μα δεν έκανε αυτός! Εκείνη του ρίχτηκε!»

«Κι εσένα, Ναταλία, τι μύγα σε τσίμπησε και αντιδράς έτσι από την πρώτη στιγμή;»

«Δε... δε μ' αρέσουν τέτοιου είδους γυναίκες! Δε σεβάστηκε εμάς που ήμαστε μαζί του!»

«Πρώτα απ' όλα, εμείς είμαστε φίλες του και αυτό φαινόταν! Η κοπέλα είδε ότι ούτε αγκάλιαζε καμιά μας, ούτε κρατιόταν με καμιά μας, και όταν ο Κωστής ανταποκρίθηκε στα βλέμματά της, το προχώρησε!»

«Και θεωρείς ότι κάνει μια τέτοιου είδους γυναίκα για τον Κωστή;»

«Μα δεν του είπα να την παντρευτεί! Αλλά λίγος έρωτας στις διακοπές δε θα τον βλάψει! Και ευτυχώς που βρέθηκε μία –πώς το είπες;– "τέτοιου είδους γυναίκα"! Και γι' αυτό υποστήριξα πως είναι ό,τι πρέπει για εκείνον!»

«Επειδή τον προκάλεσε;»

«Ακριβώς! Αν δεν το έκανε κάποια, δε νομίζω ότι ο φιλαράκος μας θα τολμούσε! Δεν τον είδες πώς αντέδρασε; Σαν αμούστακο μαθητούδι!»

«Αλήθεια!...» συμφώνησε η Μαρίνα και χαμογέλασε τρυφερά. «Δεν περίμενα τέτοια αντίδραση από τον Κωστή! Αυτός, παιδάκι μου, δεν ήξερε τι να κάνει!»

«Είναι δύσκολο όταν είσαι επί χρόνια με τον ίδιο άνθρωπο, και μάλιστα παντρεμένος, να... ξαναμπείς στο παιχνίδι! Το ίδιο είχα πάθει κι εγώ όταν χώρισα! Την πρώτη φορά που με φλέρταραν δεν το κατάλαβα καν! Κάποια στιγμή, τον ανάγκασα τον άνθρωπο να μου το πει κατάμουτρα και νόμιζε ότι του έκανα καψόνι τόσο καιρό! Θα σου πω τι θα γίνει και μ' εσένα τώρα που ξεμπέρδεψες με τον Νικήτα!»

«Εγώ; Εγώ να κάνω δεσμό;»

«Γιατί; Το πας για καλόγρια;»

«Ξεχνάς ότι το διαζύγιο μόλις μπήκε μπροστά και είμαι και μητέρα;»

«Δεν είσαι ακόμη!»

«Είμαι όμως έγκυος και αυτό είναι εντελώς απαγορευτικό για τέτοιες ιστορίες!»

«Ναι, αλλά δε θα είσαι πάντοτε έγκυος! Κάποτε θα γεννήσεις!»

«Για την ώρα, δεν μπορώ ούτε να φανταστώ τον εαυτό μου με κάποιον! Εσείς όμως, κορίτσια, τι κάνετε;»

«Προς το παρόν, όπως καλά γνωρίζεις, τίποτα!»

Η Μαρίνα στράφηκε στη Ναταλία που σιωπούσε. «Εσύ, Ναταλία;»

«Μη με ρωτάς καθόλου! Αρκετές φορές απέτυχα, το πήρα απόφαση πια!»

«Πήρες απόφαση τη μοναξιά;»

«Δεν είμαι μόνη! Έχω εσάς!»

«Στη ζωή σου ναι, στο κρεβάτι σου όμως δεν έχεις κανέναν!»

Η Ελπίδα την κοίταζε και η Ναταλία ανακάθισε εκνευρισμένη. «Μα είναι συζήτηση τώρα αυτή που αρχίσαμε;» αντέδρασε. «Και στο κάτω κάτω τι θέλεις να κάνω δηλαδή; Βλέπεις να με κυνηγάει καμιά ουρά από άντρες κι εγώ να μη θέλω κανέναν; Φαίνεται είμαι αντιερωτικός τύπος!»

«Άσ' τα αυτά! Γιατί δεν κυνηγάς εσύ αυτόν που θέλεις;»

«Και ποιος σου είπε ότι θέλω οποιονδήποτε; Πάλι θα τα λέμε; Βαρέθηκα ν' αποτυγχάνω, βαρέθηκα να πληγώνομαι! Κοίτα λοιπόν τον εαυτό σου!»

«Εγώ, προς το παρόν, είμαι μια χαρά και μόνη μου!»

«Κατάλαβα!» παρενέβη κεφάτα η Μαρίνα. «Όλες οι ελπίδες για... αποκατάσταση πέφτουν στον Κωστή! Μόνο αυτός από την παρέα θα τακτοποιηθεί μου φαίνεται, αν και...» Έκοψε την κουβέντα της στη μέση και κοίταξε πονηρά τις άλλες.

«Τι πέρασε πάλι από το πονηρό μυαλό σου;» τη ρώτησε η Ελπίδα.

«Ε... να... μου φαίνεται λίγο περίεργο! Τόσο καιρό με τον Κωστή... τον έβλεπα αλλιώς. Μη γελάσετε, αλλά δεν τον έβλεπα σαν άντρα!»

«Και με τι σου έμοιαζε δηλαδή; Με κατοικίδιο;»

«Έλα, Ελπίδα! Καταλαβαίνεις τι λέω! Δε διαχώριζα το φύλο του, πώς να σ' το πω;... Μιλούσαμε για όλα μπροστά του, μαζί του, μέχρι και για τα πολύ γυναικεία θέματα. Δεν τον φαντάστηκα σαν άντρα που μπορεί να έχει κατακτήσεις!»

«Κακώς! Εγώ πολλές φορές, όλο αυτό το διάστημα, έχω προσέξει τα βλέμματα που του ρίχνουν οι άλλες γυναίκες! Με διασκεδάζει που προσπαθούν ν' ανακαλύψουν τη σχέση του μαζί μας για να δουν αν υπάρχουν τα περιθώρια να κάνουν την κίνησή τους!»

«Σοβαρά; Και γιατί δεν είπες τίποτα;»

«Σε ποιον; Στον Κωστή; Δε θα έδινε σημασία! Ακόμη και σήμερα που αυτή δεν ήταν διακριτική, ο φίλος μας δυσκολεύτηκε!»

«Εύχομαι να του πάνε όλα καλά! Είναι σπάνιο παιδί και χαίρομαι που τον γνώρισα!»

«Είναι γεγονός και πρέπει να του το αναγνωρίσω. Έχει σταθεί δίπλα μας με αξιοθαύμαστο τρόπο!»

Σώπασαν, βυθισμένη η καθεμία στις σκέψεις της· μια σύντομη αναδρομή σε αυτό που είχε δώσει στη συντροφιά τους ο μοναδικός άντρας της παρέας.

«Πεινάω!» έσπασε τη σιωπή η φωνή της Μαρίνας.

Η Ελπίδα την αγριοκοίταξε. «Είναι αδύνατον να πεινάς ύστερα από ένα κιλό παγωτό, που δίχως ίχνος ντροπής εξαφάνισες μόλις πριν από λίγο!» τη μάλωσε.

«Κι όμως πεινάω! Εξάλλου, το παγωτό δεν είναι φαγητό!»

«Και οι κουτσομούρες, που επίσης δεν άφησες ούτε λέπι τους πριν από τη βόλτα με το τρενάκι, δεν ήταν φαγητό;»

«Το ψάρι, ως γνωστόν, είναι φρούτο!»

«Και εσύ έχεις γίνει αναίσθητη! Μαρίνα, πρόσεχε! Θα γίνεις τετράπαχη σαν γουρουνάκι και μετά την εγκυμοσύνη που θα σου μείνουν του κόσμου τα κιλά, θα χτυπάς το κεφάλι σου!»

«Είσαι υπερβολική! Εγώ λίγα πατατάκια ήθελα μόνο!»

«Θα πάω να σου πάρω εγώ», πετάχτηκε πάνω η Ναταλία. «Το παγωτό με λίγωσε, θέλω κι εγώ κάτι αλμυρό», απολογήθηκε κι έφυγε.

Ντρεπόταν που δεν είπε την αλήθεια. Ήθελε να μείνει λίγο μόνη της και η Μαρίνα της έδωσε τη δικαιολογία. Βγήκε στο δρόμο σχεδόν τρέχοντας, αναζητώντας περίπτερο. Στο πρώτο που βρήκε, αγόρασε απ' όλα τα είδη. Στην επιστροφή της, προτίμησε τον παραλιακό δρόμο. Το κατακίτρινο φεγγάρι καθρεφτιζόταν φιλάρεσκα στην επιφάνεια της θάλασσας. Σκορπούσε δυνατό φως... Δεν έκανε λάθος, λοιπόν! Το ζευγάρι που λίγα μέτρα μακριά της φιλιόταν με πάθος ήταν ο Κωστής μ' εκείνη...

Για λίγα δευτερόλεπτα ένιωσε ανίκανη να κάνει έστω και ένα βήμα. Στο μυαλό της καταγράφηκαν λεπτομέρειες που δεν ήθελε... δεν άντεχε. Τα χέρια του Κωστή γύρω από τη μέση της γυναίκας, τα κορμιά ενωμένα κι όμως να προσπαθούν να έρθουν ακόμη πιο κοντά, τα χείλη να κατασπαράσσονται. Επιτέλους, τα πόδια ξεκόλλησαν από το έδαφος. Βρέθηκε να τρέχει με τα πατατάκια στο χέρι και σταμάτησε μόνον όταν έφτασε έξω από το ξενοδοχείο. Ακούμπησε λαχανιασμένη στον τοίχο. Προσπάθησε να ξαναβρεί την αναπνοή της και τη χαμένη ψυχραιμία της, ενώ κατάλαβε το μάταιο της προσπάθειας όταν ένιωσε τα μάγουλά της υγρά από τα δάκρυα. Κάθισε στο σκαλάκι και τ' άφησε να τρέξουν ελεύθερα. Κανένας δεν έπρεπε να μάθει, κανένας δεν έπρεπε να καταλάβει πόσο ανόητα είχε αφεθεί σ' ένα συναίσθημα καταδικασμένο γιατί ήταν μονόπλευρο. Ποτέ ο Κωστής δεν της είχε δώσει το παραμικρό δικαίωμα. Ήταν φίλος και για τις τρεις και έτσι θα παρέμενε, αν δεν ήθελε να τον χάσει εντελώς από τη ζωή της. Τουλάχιστον σαν φίλη την εκτιμούσε. Οι προηγούμενοι δεσμοί της είχαν χάσει εκτός από το ενδιαφέρον τους και την εκτίμησή τους για κείνη. Κάτι είχε λάθος επάνω της, δε θα το διακινδύνευε να το ανακαλύψει και αυτός.

Σκούπισε τα μάτια της. Ήξερε πως τόσο η Ελπίδα όσο και η Μαρίνα θα καταλάβαιναν ότι κάτι της συνέβαινε, αλλά μπορούσε να εμπιστεύεται τη διακριτικότητά τους. Όσο για την αιτία των δακρύων της... δε θα πήγαινε ποτέ το μυαλό τους!

Η Ελπίδα κοίταξε γύρω της ικανοποιημένη. Εκτός από ξαπλώστρες υπήρχαν καρέκλες και, το κυριότερο, τραπέζια. Αν κάτι την εκνεύριζε υπερβολικά, ήταν ν' ακουμπάει τον καφέ της στην άμμο, όπου εννιά φορές στις δέκα κατάφερνε να τον αναποδογυρίσει. Όταν, δε, κατάφερνε να τον κρατήσει όρθιο, άγνωστο πώς, αυτός γέμιζε με άμμο που έγδερνε το στόμα της και της προξενούσε ναυτία. Δεν είχε χειρότερο από άμμο μέσα στον καφέ! Έπειτα, είχαν και τη Μαρίνα που λόγω εγκυμοσύνης δεν κολυμπούσε και έπρεπε να μπορεί να καθίσει άνετα σε κάποια σκιά. Είχε γκρινιάξει το πρωί όταν ο Κωστής τους ανακοίνωσε ότι θα πήγαιναν για μπάνιο στην παραλία του Καραθώνα, έξω από το Ναύπλιο, αλλά είχε υποχωρήσει κάτω από την πίεση των υπολοίπων.

«Λοιπόν; Πώς σου φαίνεται;» τη ρώτησε η Ναταλία μόλις κάθισαν και παρήγγειλαν καφέδες.

«Οφείλω να παραδεχτώ ότι είναι... ικανοποιητική αυτή η παραλία. Ευτυχώς έχει καρέκλες και τραπέζια!»

«Για να μάθεις να γκρινιάζεις!» της πέταξε ο Κωστής που απολάμβανε τη νίκη του.

«Εσύ σταμάτα να φουσκώνεις σαν παγόνι και πες μας καλύτερα τι έγινε χθες με την ωραία του τρένου!» τον προκάλεσε.

«Αναστασία τη λένε!» την πληροφόρησε ο Κωστής που χαμογελούσε ολόκληρος.

«Α, τόσο καλή η χθεσινή βραδιά!» Η Ελπίδα τον κοιτούσε με το ένα φρύδι σηκωμένο και ένα πονηρό χαμόγελο να τρεμοπαίζει στα χείλη της.

«Εξαιρετική! Για να είμαι ειλικρινής δεν περίμενα τέτοια έκβαση, αλλά...»

«Τα απροσδόκητα είναι τα πιο ωραία!» συμπλήρωσε η Μαρίνα χαμογελώντας. «Πότε θα την ξαναδείς;»

«Εδώ είναι το πρόβλημα... Μου είπε γι' απόψε...»

«Και γιατί είναι πρόβλημα;»

«Γιατί κάνουμε μαζί διακοπές! Δεν είναι σωστό να σας παρατάω συνέχεια!»

«Α, δεν είσαι καλά!» διαμαρτυρήθηκε η Μαρίνα. Κοίταξε τη Ναταλία για βοήθεια, αλλά εκείνη φαινόταν αφηρημένη και στράφηκε στην Ελπίδα που δεν την απογοήτευσε.

«Άκουσε, αγόρι μου, για να βάλουμε τα πράγματα στη θέση τους!» άρχισε εκείνη να μιλάει. «Από τότε που χώρισες και σε γνωρίσαμε, διάγεις μοναστικό βίο κι αυτό δεν είναι καλό! Σου δόθηκε μια ευκαιρία να θυμηθείς ότι είσαι άντρας. Μην την αφήνεις! Εδώ που τα λέμε, λίγο ακόμη να μείνεις κολλημένος μ' εμάς και θ' αρχίσεις να κάνεις ανταύγειες! Όσο για μας... μη σκας και δε θα χαθούμε! Απόλαυσε λοιπόν αυτό που σου έτυχε χωρίς τύψεις! Και για να αισθανθείς καλύτερα, σου λέω ότι αν εμένα μου τύχαινε κάτι καλό, ένας παίδαρος ας πούμε, θα σας παρατούσα προτού το καταλάβετε καλά καλά! Κατάλαβες;»

«Έχει δίκιο η Ελπίδα», συνηγόρησε η Μαρίνα. «Δεν είσαι κηδεμόνας μας να μας προσέχεις! Φίλοι είμαστε και γι' αυτό ακριβώς έχουμε κατανόηση!»

Αναπάντεχα ο Κωστής στράφηκε στη Ναταλία που έδειχνε προσηλωμένη στα παγάκια του καφέ της. «Εσύ δε λες τίποτε;» τη ρώτησε.

Εκείνη τον κοίταξε. «Δεν έχω τι να πω. Νομίζω ότι με κάλυψαν οι προηγούμενες!» αποκρίθηκε λίγο ψυχρά.

«Πάντως, κάτι έχεις! Από χθες είσαι αφηρημένη, συνεχώς... άκεφη και μιλάς ελάχιστα. Τι συμβαίνει;»

Εντελώς ξαφνικά και ενώ δεν ήξερε τι να του πει για να μην του φωνάξει την αλήθεια, η βοήθεια ήρθε από την Ελπίδα: «Έλα τώρα που ρωτάς τη Ναταλία τι έχει! Πότε μας ξεκούφανε με τη φλυαρία της; Την ξέρεις πια.

Προτιμάει να είναι ακροατής! Άσε λοιπόν εκείνη στην ησυχία της και κανόνισε με την Αναστασία γι' απόψε! Και αυτό είναι διαταγή!»

Ο Κωστής χαμογέλασε και στράφηκε στο κινητό του την ίδια στιγμή που η Ναταλία άφησε το βλέμμα της να πλανηθεί στις αντανακλάσεις του ήλιου πάνω στη θάλασσα. Κάπου στο βάθος φαινόταν ένα καράβι, και τη στιγμή που τον άκουσε να γελάει με κάτι που του έλεγε η άλλη, ευχήθηκε να ήταν κι εκείνη πάνω στο καράβι και να έφευγε για κάπου μακριά. Αισθανόταν να έχει πολλά κοινά με την απεραντοσύνη που αντίκριζε. Μέσα στα βάθη της αναπαύονταν άπειρα ναυάγια, με τον ίδιο τρόπο που και η ζωή της ήταν γεμάτη από βυθισμένα καράβια. Σχέσεις που πίστευε ότι θα ταξίδευαν σε ήρεμη θάλασσα κι όμως βούλιαξαν ανεξήγητα, αφήνοντάς τη μεσοπέλαγα μόνη, χωρίς σχεδία, χωρίς σωσίβιο.

Και τώρα... Να την πάλι, έτοιμη για ένα ταξίδι με το πεπρωμένο της. Ένας έρωτας, έτσι όπως ποτέ πριν δεν τον είχε νιώσει. Το ήξερε ότι ήταν έρωτας, όπως ήξερε ότι έπρεπε, αυτή τη φορά, να τον στείλει μόνη της σε ναυάγιο. Έπρεπε να τον πνίξει στα βάθη της καρδιάς της προτού καν δοκιμάσει να ταξιδέψει.

Ο Κωστής έκλεισε το τηλέφωνο και στράφηκε στην Ελπίδα που τον κοιτούσε.

«Λοιπόν;» τον ρώτησε εκείνη ανυπόμονα.

«Εντάξει! Θα βρεθούμε στις δώδεκα!»

«Γιατί τόσο αργά;» ενδιαφέρθηκε να μάθει η Μαρίνα.

«Γιατί ούτε εκείνη μπορεί να παρατήσει την παρέα της! Μήπως θέλετε να με ξεφορτωθείτε, κορίτσια;»

«Φταίμε εμείς που δείχνουμε τόσο ενδιαφέρον για την αποκατάστασή σου!» τον μάλωσε.

«Και αφού το λύσαμε κι αυτό, πάω να κάνω μια βουτιά!» ανακοίνωσε ο Κωστής. «Θα έρθει καμιά σας;»

Πήγε μόνος του. Μετά τις πρώτες απλωτές όμως, τον είδαν να βγαίνει βιαστικός, κρατώντας το χέρι του και μορφάζοντας από πόνο. Έτρεξαν κοντά του ανήσυχες να δουν τι συμβαίνει.

«Τι έπαθες;» τον ρώτησε η Ναταλία.

«Κάτι με τσίμπησε», τους είπε και έδειξε το χέρι του.

«Τσούχτρα κατά πάσα πιθανότητα!» διέγνωσε η Μαρίνα.

Και οι τρεις τους τον συνόδευσαν στη θέση του και η Ελπίδα άρχισε να ψάχνει την τσάντα της ενώ ο Κωστής γκρίνιαζε.

«Αν είναι δυνατόν! Μέσα σε τόσο κόσμο, εμένα βρήκε;» παραπονιόταν.

«Μάλλον εσύ τη βρήκες κι έπεσες πάνω της! Λες να σε είχε βάλει στο σημάδι;» τον μάλωσε η Ελπίδα συνεχίζοντας το ψάξιμο.

Την ίδια στιγμή ένα παιδάκι βγήκε τσιρίζοντας από τη θάλασσα.

«Όπως βλέπεις, δυστυχώς τσίμπησε και το παιδάκι! Απ' ό,τι φαίνεται δεν είχε προσωπικά μαζί σου!» τον κορόιδεψε η Μαρίνα.

Ο κόσμος άρχισε να βγαίνει βιαστικός. Κάποιο ρεύμα είχε γεμίσει ξαφνικά την παραλία με αυτούς τους κατοίκους της θάλασσας που η συνάντηση μαζί τους ήταν τόσο επώδυνη. Η Ελπίδα επιτέλους είχε ανακαλύψει την αμμωνία που έψαχνε, ενώ στο χέρι του Κωστή ήταν πια ολοφάνερη η επίθεση που είχε δεχτεί.

«Τι είναι αυτό που ετοιμάζεσαι να μου βάλεις;» τη ρώτησε καχύποπτος.

«Αμμωνία είναι, παλικάρι μου!»

«Θα τσούξει;»

«Κακώς σε είπα "παλικάρι"!»

«Πειράζει που θέλω να ξέρω;»

«Πειράζει που έχεις ασπρίσει από το φόβο σου δυο μέτρα άντρας!»

«Και οι άντρες δεν πονάνε δηλαδή;»

«Μπορείς να κλείσεις το στόμα σου και να μου δώσεις το χέρι σου να τελειώνουμε;»

Τελικά η Ναταλία βρέθηκε να φυσάει το χέρι του που έτσουζε, η Μαρίνα να του κάνει αέρα μ' ένα περιοδικό και η Ελπίδα ν' απολαμβάνει το θέαμα μαζί με τον καφέ και το τσιγάρο της.

«Αυτό τσούζει περισσότερο και από την τσούχτρα!» συνέχισε την γκρίνια ο Κωστής. «Είσαι σίγουρη ότι μου έβαλες το σωστό φάρμακο;»

«Είναι το μοναδικό και απολύτως ενδεδειγμένο για τις τσούχτρες! Ηρέμησε! Σε λίγο θα είσαι μια χαρά! Κάτι ήξερα που το πήρα μαζί μου! Πρέπει να έχει μαζί του κανείς όλα τ' απαραίτητα, όταν συνοδεύει... ανήλικο!»

«Εμένα λες ανήλικο;»

«Γιατί; Η συμπεριφορά σου και η γκρίνια σου θυμίζουν μεγάλο άντρα που θέλει και ερωτικές περιπέτειες... τρομάρα του;»

«Κατ' αρχάς δεν τις ήθελα, μου τις επιβάλατε!»

«Ναι, πουλάκι μου, με το ζόρι σε στείλαμε στην κυρία! Αφού φαγωθήκατε με τα μάτια, αποφασίσατε να τα βγάλετε κιόλας και σου φταίμε εμείς!»

Θα συνέχιζαν με κέφι τον καβγά τους για ώρα, αν η Μαρίνα δεν άφηνε ένα βογκητό. Στράφηκαν και την είδαν να στέκεται κατάχλομη και να κοιτάζει προς το δρόμο, λίγα μέτρα μακριά. Επικράτησε πανικός. Ο Κωστής πετάχτηκε επάνω και την άρπαξε προτού σωριαστεί. Την κάθισε στη θέση του. Η Ναταλία της έδωσε λίγο νερό και η Ελπίδα της έκανε αέρα με το περιοδικό που πριν από λίγο έκανε την ίδια δουλειά για τον Κωστή.

«Εντάξει είμαι...» ψέλλισε λίγα λεπτά αργότερα. Το

χρώμα της είχε επανέλθει, τα μάτια της ζωντάνεψαν, αλλά κανένας δεν είχε ακόμη ηρεμήσει. Κάθισαν κοντά της.

«Μα τι έπαθες;» τη ρώτησε η Ελπίδα που τώρα εξέταζε το σφυγμό της. «Κανονικός είναι. Τι ένιωσες; Πονάς πουθενά;»

«Όχι, όχι... μην ανησυχείτε, είμαι μια χαρά. Δεν είχε σχέση με το μωρό... Ταράχτηκα λίγο...»

«Από τι; Μη μου πεις από τον καβγά της Ελπίδας και του Κωστή!» θέλησε να μάθει η Ναταλία.

«Όχι βέβαια!... Δεν ξέρω πώς να σας το πω...»

«Αρκεί να πεις γιατί μας έστειλες στον άλλο κόσμο από την αγωνία, και ειδικά εμένα, χτυπημένο άνθρωπο!»

Η Μαρίνα χαμογέλασε τρυφερά στον Κωστή που είχε μιλήσει. «Την ώρα που σου έκανα αέρα, κοίταζα αφηρημένη τ' αυτοκίνητα που περνούσαν. Μέσα σ' ένα από αυτά είδα... δηλαδή μου φάνηκε ότι είδα...»

«Ποιον, κορίτσι μου, και παρ' ολίγο να μας μείνεις στα χέρια;» την παρότρυνε η Ελπίδα να συνεχίσει ενώ ακόμη έλεγχε το σφυγμό της. «Μη μου πεις τον Νικήτα!»

«Θεός φυλάξοι! Τότε ήταν που θα σας έμενα στην κυριολεξία! Όχι... μου φάνηκε ότι είδα τον... Φίλιππο...!»

Ανακάθισαν όλοι και την κοίταξαν με απορία.

«Ξέρω ότι είναι τρελό, ότι ακούγεται παρανοϊκό, αλλά τον είδα!» πρόσθεσε εκείνη. «Δεν μπορεί να του έμοιαζε κάποιος τόσο πολύ! Όμως, τι δουλειά έχει στο Ναύπλιο;»

«Πρώτον, δεν είσαι βέβαιη αν ήταν αυτός!» άρχισε η Ελπίδα. «Μέσα σ' ένα αυτοκίνητο που τρέχει... πολλοί μπορεί να μοιάζουν! Έπειτα, μπορεί και να ήταν. Δεν είναι παράλογο ένας άνθρωπος από την Ξάνθη να έχει έρθει για διακοπές στο Ναύπλιο! Δεν έχεις ακούσει για εσωτερικό τουρισμό;»

«Αυτός που είδες... ήταν μόνος;»

«Όχι... ήταν μαζί με άλλους δύο».

«Εγώ λέω ότι σου φάνηκε!» μπήκε στη μέση ο Κωστής. «Εκείνος πιστεύεις ότι σε είδε;»

«Μάλλον...»

«Αν ήταν λοιπόν ο Φίλιππος, θα σταματούσε για να σου μιλήσει, έτσι δεν είναι;»

«Μπα! Δε νομίζω ότι θα ήθελε έστω και να με ξαναδεί στα μάτια του... Τον πλήγωσα πολύ τότε».

«Υπερβάλλεις! Πάνε τόσα χρόνια! Όπως εσύ, έτσι κι εκείνος θα συνέχισε τη ζωή του...» πήρε το λόγο η Ελπίδα, αλλά το βλέμμα της έψαχνε το δρόμο. «Να δεις που έκανες λάθος!» κατέληξε.

«Το πιο πιθανό... Συγγνώμη που σας τρόμαξα!»

«Ούτε να το σκέφτεσαι! Άντε, πάμε τώρα!»

«Φεύγουμε;» έκανε η Μαρίνα που έδειχνε απρόθυμη.

«Τι άλλο να κάνουμε εδώ;» απόρησε η Ελπίδα που είχε δώσει το σύνθημα της αναχώρησης. «Καφέ ήπιαμε, ταραχτήκαμε, τσούχτρες εμφανίστηκαν και πέτυχαν τον άντρα της παρέας...»

«Επιτέλους, το θυμηθήκατε!» Ο Κωστής πήρε πάλι το γνώριμο ύφος του.

«Μήπως και μας άφησες να το ξεχάσουμε;» τον κατακεραύνωσε η Ελπίδα.

Οι δυο τους ήταν έτοιμοι ν' αρχίσουν πάλι. Η Ναταλία έπιασε τη Μαρίνα από το χέρι. «Έλα και άσ' τους να φαγωθούν αυτούς τους δυο», της είπε προτού στραφεί προς το μέρος τους αυστηρά. «Η Μαρίνα πρέπει να ξαπλώσει λίγο! Αν δεν έρθετε σε δύο λεπτά στο αυτοκίνητο, το πήρα και φύγαμε, κι εσείς γυρίστε όπως μπορείτε!»

Την ακολούθησαν όλοι. Το μυαλό της Μαρίνας, όμως, ταξίδευε σ' εκείνο το μπλε τζιπ. Ήταν σχεδόν σίγουρη ότι είδε εκείνον.

Κομπολόγια όλων των ειδών. Κάποια φτιαγμένα από ορυκτά, άλλα χρωματιστά, με ήχο που αποσπούσε την προσοχή. Άστραφταν στις προθήκες των καταστημάτων προκαλώντας τους τουρίστες που δεν έμεναν αδιάφοροι στη γοητεία τους. Η Μαρίνα δεν ήξερε ποιο να διαλέξει για τον πατέρα της. Τελικά κατέληξε σ' ένα ολόλευκο από ελεφαντόδοντο, λίγο προτού εξαντληθεί η υπομονή του Κωστή και της Ελπίδας έπειτα από την ημίωρη παραμονή τους στο ίδιο κατάστημα. Η μόνη που έδειχνε να το απολαμβάνει ήταν η Ναταλία. Χάιδευε με αγάπη και θαυμασμό τις υπέροχες χρωματιστές χάντρες, κοιτούσε θαμπωμένη τα διάφορα μικροαντικείμενα και κοσμήματα, και τελικά διάλεξε για τον εαυτό της ένα μικρό αστεράκι για το λαιμό, φιλοτεχνημένο από κεχριμπάρι. Αυτό έδωσε την ιδέα στη Μαρίνα να βρει κάτι για τη μητέρα της και έτσι η παραμονή τους πήρε παράταση, πράγμα που οδήγησε στην απόγνωση την Ελπίδα και ειδικά τον Κωστή που άρχισε την γκρίνια.

«Αντί να γκρινιάζεις», τον μάλωσε η Ναταλία, «έλα να διαλέξεις κάτι για την κόρη σου! Πώς θα γυρίσεις πίσω με άδεια χέρια;»

Ο Κωστής ενθουσιάστηκε με την ιδέα της Ναταλίας. Έφτασε μάλιστα να τη φιλήσει δυνατά στα δύο μάγουλα, χωρίς ευτυχώς να προσέξει την ταραχή της. Ενώ διάλεγαν ανάμεσα σε δεκάδες κομψά βραχιολάκια, κατάλληλα για μια δεσποινίδα σαν την Ισμήνη, η Ελπίδα βρέθηκε δίπλα στη Μαρίνα, που μπροστά στη βιτρίνα του μαγαζιού είχε τα ίδια συμπτώματα με το πρωί στην παραλία. Αυτή τη φορά συνήλθε αμέσως και τους κοίταξε.

«Ήταν αυτός!» τους είπε. «Είμαι σίγουρη! Κοιτούσα ένα κολιέ για τη μητέρα μου και όπως σήκωσα τα μάτια, τον είδα να περνάει!»

«Είσαι σίγουρη; Ο δρόμος απ' έξω δεν έχει φώτα και

ίσως να έκανες λάθος!» προσπάθησε να την ηρεμήσει η Ναταλία και με τη βοήθεια των άλλων δύο τα κατάφερε.

Σχεδόν ξεχάστηκε το θέμα. Αγόρασαν ό,τι ήθελαν και αποφάσισαν να πάνε για παγωτό. Ο Κωστής σε λίγο θα έφευγε για το ραντεβού του, αλλά πρώτα δεν υπήρχε περίπτωση να μη φάει το αγαπημένο του παγωτό καϊμάκι με σιρόπι βύσσινο. Κάθισαν, αλλά πριν προλάβουν καλά καλά να παραγγείλουν, το τρενάκι πέρασε λίγα μέτρα μακριά τους και η Μαρίνα ταράχτηκε ξανά.

«Μη μου πεις ότι τον είδες πάλι!» υπέθεσε η Ελπίδα.

«Και όμως! Ήταν μέσα στο τρενάκι! Κι αν δεν ήταν αυτός, τότε το μυαλό μου δεν πάει καλά! Βλέπω οράματα!» απάντησε η Μαρίνα.

«Η αλήθεια είναι ότι αρχίζει να γίνεται περίεργο το πράγμα!» συμφώνησε ο Κωστής. «Στο κάτω κάτω, τόσο καιρό δε σου έχει ξανασυμβεί! Γιατί ειδικά τώρα να τον βλέπεις παντού μπροστά σου;»

«Άρα, για να τον βλέπω, σημαίνει ότι είναι αυτός και είναι εδώ!»

«Μη βιάζεσαι!» την προσγείωσε η Ελπίδα. «Και τις τρεις φορές τον είδες από μακριά! Δεν είσαι σίγουρη! Έπειτα, οι ορμόνες της εγκυμοσύνης σε κάνουν υπερευαίσθητη!»

«Μα έγκυος είμαι, δεν είμαι τρελή!»

«Δεν είπα ότι είσαι τρελή! Απλώς έχεις περάσει πολλά τον τελευταίο καιρό, είναι λογικό να επηρεάζεσαι. Το μυαλό καμιά φορά παίζει άσχημα παιχνίδια!»

«Ίσως έχεις δίκιο...»

Η συζήτηση σταμάτησε με το σερβιτόρο που ήρθε με την παραγγελία τους και άλλαξε θέμα μέχρι και την ώρα που έφυγε ο Κωστής. Ξαφνικά, όμως, την επανέφερε η Ναταλία σε μια προσπάθεια ν' αποσπάσει το μυαλό της από το ραντεβού που την πονούσε.

«Μαρίνα, αν είναι πράγματι ο Φίλιππος αυτός που βλέπεις... τι θα κάνεις;»

«Σαν τι μπορώ να κάνω δηλαδή;»

«Αν συναντηθείτε... αν εκείνος...»

«Μη συνεχίσεις, Ναταλία. Πέρασαν πολλά χρόνια και όπως πολύ σωστά είχε πει η Ελπίδα κάποτε, το πιθανότερο είναι να είναι παντρεμένος τώρα και με παιδιά... Του άρεσε η οικογένεια».

«Αυτό, όμως, δεν το ξέρεις!»

«Ξέρω όμως πόσο μπλεγμένη είναι η δική μου ζωή τώρα. Για να είμαι ειλικρινής, δε νομίζω ότι τον ξέχασα ποτέ, αλλά είναι αργά πια!»

«Κι αν εκείνος σε θέλει ακόμη;»

«Τότε, θα θέλει ίσως τη Μαρίνα τού τότε. Δεν είμαι πια η ίδια, όπως φαντάζομαι ότι δε θα είναι κι εκείνος. Μεγαλώσαμε... Αλλάξαμε...»

«Ωραία συζήτηση πιάσατε!» τις μάλωσε η Ελπίδα. «Τρελαθήκατε και οι δύο! Ένα τυχαίο περιστατικό και το στήσατε το σενάριο! Άντε πάμε να κοιμηθούμε προτού ξαναπέσουμε πάνω στον υποτιθέμενο Φίλιππο και μετά δε θα ξέρουμε τι να κάνουμε με την έγκυο που μας φόρτωσε ο Θεός! Σηκωθείτε!»

Έδωσε το πρόσταγμα και δε θέλησε καμιά να της εναντιωθεί. Σαν να βιάζονταν να βρεθούν στα κρεβάτια τους και να βυθιστεί η καθεμία στις σκέψεις της.

Οι μέρες κυλούσαν με απίστευτη ταχύτητα που κανένας δεν ήθελε να παραδεχτεί. Η επιθυμία να γυρίσουν στην καθημερινότητα απουσίαζε. Ο Αύγουστος πλησίαζε να τελειώσει, αλλά οι τέσσερις δεν ήθελαν να τελειώσει και η παραμονή τους σ' εκείνο το ξενοδοχείο που άγγιζε τόσο τρυφερά τη θάλασσα, την ώρα που το χάιδευε ο ήλιος.

Πού να ήταν ο ήλιος εκείνη τη μέρα; Ξύπνησαν χωρίς το άγγιγμά του. Ο ουρανός δεν είχε το συνηθισμένο του γαλάζιο. Ένα μουντό και μελαγχολικό γκρίζο το είχε αντικαταστήσει, αλλάζοντας και το χρώμα της θάλασσας. Η άμμος, αντί να χρυσίζει, απλωνόταν θαμπή και μόνη χωρίς παιδάκια να την αναστατώνουν, χωρίς λουόμενους να ξαπλώνουν πάνω και να παίζουν μαζί της αφήνοντας τους χρυσαφένιους κόκκους να γλιστρούν μέσα από τα δάχτυλά τους. Κάθισαν στη βεράντα τους για τον πρωινό καφέ.

«Τι κάνουμε σήμερα;» ρώτησε η Μαρίνα.

«Έτσι όπως μας τα έκανε ο καιρός...!» άφησε η Ελπίδα μισή την κουβέντα της, αλλά το νόημα ήταν ξεκάθαρο.

«Γιατί δεν πάμε μια βόλτα στην πόλη;» πρότεινε η Ναταλία.

«Πάλι ψώνια;» ετοιμάστηκε να της γκρινιάξει ο Κωστής.

«Για περιήγηση, γκρινιάρη!» τον κορόιδεψε εκείνη. «Το Ναύπλιο έχει πλούσια ιστορία, υπέροχα μουσεία και ένα σωρό αξιοθέατα! Προς το παρόν, έτσι όπως είναι ο καιρός, μας δίνεται η ευκαιρία να δούμε και κάτι! Αργότερα, που σίγουρα θα φτιάξει, πάμε και για μπάνιο! Τι λέτε, λοιπόν;»

Συμφώνησαν όλοι. Η ιδέα να εξερευνήσουν το Ναύπλιο τελικά τους ενθουσίασε.

Η βροχή τούς βρήκε στο δρόμο. Ξαφνικά, το γκρίζο του ουρανού έγινε μαύρο. Χοντρές ψιχάλες μούσκεψαν τα πλακόστρωτα και αμέσως μετά εξαφανίστηκαν, αφού όλα τα στενά γέμισαν νερό. Ο κόσμος άρχισε να τρέχει για να προφυλαχτεί όπως όπως κάτω από τα στέγαστρα των καταστημάτων.

Το δικό τους στέγαστρο ήταν ενός κοσμηματοπωλείου. Έτσι στριμώχτηκαν ανάμεσα στον υπόλοιπο κόσμο. Η Μαρίνα σήκωσε τα μάτια να κοιτάξει τον άντρα που κόντευε αναγκαστικά σχεδόν να την αγκαλιάσει, και η αναπνοή της σταμάτησε όταν αντίκρισε δύο γνώριμα μάτια να την κοιτάζουν. Χάθηκε στα βάθη δυο βαθυπράσινων λιμνών. Ο Φίλιππος της χαμογελούσε...

Ο χρόνος σταμάτησε απότομα, αλλά δεν του αρκούσε αυτό. Πήρε το δρόμο της επιστροφής σ' ένα παρελθόν τόσο ζωντανό που ένιωθε την καυτή του ανάσα να την πυρπολεί. Το σκηνικό του Ναυπλίου με τη βροχή να πέφτει τρομακτικά δυνατά έσπασε σε χιλιάδες κομμάτια. Σκόρπισε σαν άμμος που τη σπρώχνει δυνατός αέρας. Η Αλόννησος... Αυτή επέστρεψε... Η θάλασσα, ο ήλιος, τα μάτια του, τα φιλιά του, όλα άρχισαν να στροβιλίζονται. Θα έπεφτε αν δεν την κρατούσε εκείνος.

«Μαρίνα...» ακούστηκε η φωνή του. Αυτή η ήρεμη, γλυκιά φωνή, που νόμιζε ότι ποτέ πια δε θ' άκουγε, έφτασε στ' αυτιά της. Ήταν ίδια όπως τότε που της έλεγε ότι την αγαπούσε, ότι ήταν δική του, ότι θα ήταν πάντα μαζί.

Πήρε βαθιά αναπνοή και στάθηκε στα πόδια της, αλλά εκείνος συνέχιζε να την κρατάει και η Μαρίνα θα ήθελε τόσο να του πει να μην την αφήσει ποτέ ξανά. Τα μάτια της άφησαν τα δικά του και ακούμπησαν στα χείλη του. Θυμόταν κάθε πτυχή τους. Ακόμη κι εκείνη τη μικροσκοπική ουλή στο κάτω μέρος, αναμνηστικό της πρώτης προσπάθειας για ξύρισμα, όταν ήταν πέντε χρόνων. Είχε θελήσει να μιμηθεί τον πατέρα του σ' αυτό που θεωρούσε καθαρά αντρική δουλειά. Η απόπειρα είχε καταλήξει στο νοσοκομείο της Ξάνθης για δύο μικρά ράμματα. Η Μαρίνα τώρα ταξίδευε τα μάτια της σε όλο το γνώριμο πρόσωπο. Δεν είχε αλλάξει. Ούτε τα μαλλιά του είχε κόψει. Ήταν πολύ μακριά, όπως τότε, και τα είχε δεμένα πίσω. Ανάμεσά τους ξεχώριζαν ελάχιστες ασημμιές τρίχες, απομεινάρι σίγουρα κάποιας μεγάλης ταλαιπωρίας.

Συνήλθε απότομα. Τραβήχτηκε από την αγκαλιά του και κοίταξε γύρω της. Ήταν σαν να ξυπνούσε από λήθαργο. Η βροχή έδειχνε να τελειώνει με τ' αποθέματά της, αλλά πολλοί λίγοι είχαν αφήσει το καταφύγιό τους. Με έκπληξη διαπίστωσε ότι οι φίλοι της δεν ήταν πια δίπλα της. Τους εντόπισε στο απέναντι στέγαστρο και κατάλαβε ότι δεν ήταν τυχαίο. Είδε τον Κωστή να της κλείνει το μάτι. Είχαν κι εκείνοι αναγνωρίσει τον Φίλιππο και είχαν απομακρυνθεί για να την αφήσουν μαζί του. Στράφηκε στον Φίλιππο και ξέχασε πάλι τα πάντα γύρω της. Της χαμογελούσε.

«Βουνό με βουνό δε σμίγει! Έτσι δε λένε;» της είπε.

«Εμείς όμως...;»

«Εμείς δεν είμαστε βουνά!... Τι κάνεις, Μαρίνα;»

«Καλά... Δεν περίμενα... Θέλω να πω... τα έχω λίγο χαμένα!»

«Κι εγώ, στην αρχή, αλλά ύστερα από τόσες φορές που σε είδα, το συνήθισα!»

«Εσύ ήσουν, λοιπόν! Δεν έκανα λάθος! Και στην παραλία...»

«...και έξω από το κοσμηματοπωλείο και μετά στο τρενάκι!» συμπλήρωσε εκείνος.

«Νόμιζα ότι είχα τρελαθεί!» ψιθύρισε.

«Το ίδιο κι εγώ όταν σε πρωτοείδα μέσα από το αυτοκίνητο στον Καραθώνα».

«Γιατί δε σταμάτησες; Γιατί δε μου μίλησες;» ρώτησε η Μαρίνα.

«Δεν ήξερα αν ήθελες εσύ να μου μιλήσεις».

«Πώς φαντάστηκες ότι εγώ δε θα... τέλος πάντων... ήταν της μοίρας να συναντηθούμε τελικά. Τι κάνεις εδώ;»

«Διακοπές, όπως κι εσύ φαντάζομαι...»

Δεν τόλμησε να τον ρωτήσει αν ήταν μόνος. Ήξερε πως δε θ' άντεχε να μάθει από τον ίδιο ότι μοιραζόταν με άλλη αυτό που κάποτε μοιράστηκαν οι δυο τους. Τον πρώτο καιρό μετά το χωρισμό τους, η σκέψη μιας άλλης στην αγκαλιά του ήταν ικανή να την τρελάνει. Έκλαιγε τότε, όπως ήθελε να κλάψει και τώρα.

Ευτυχώς δεν έβρεχε το απόγευμα. Η Μαρίνα δεν ήθελε να βρεθεί μαζί του σ' ένα μαγαζί γεμάτο κόσμο. Προτιμούσε την παραλία και εκεί του πρότεινε να συναντηθούν όταν εκείνος της ζήτησε να ιδωθούν. Η βροχή είχε σταματήσει πια κι ένας θαμπός ήλιος πρόβαλλε εκεί απ' όπου του επέτρεπαν τα σύννεφα. Κάπου θα υπήρχε κι ένα ουράνιο τόξο μ' ένα θησαυρό ίσως στην άκρη του, όπως λένε τα παραμύθια, αλλά μήπως κι εκείνη στη σφαίρα του εξωπραγματικού δε βρισκόταν την τελευταία μισή ώρα;

Λίγες ώρες πριν, όταν έπρεπε να φύγουν από το στέγαστρο όπου πρωτοσυναντήθηκαν, κανένας από τους δυο τους δεν έδειχνε έτοιμος.

«Σταμάτησε...» της είχε πει μόλις έκλεισαν οι ουράνιοι κρουνοί το ίδιο απότομα όπως είχαν ανοίξει.

«Ναι, πρέπει να φύγω... με περιμένουν», είχε ψελλίσει εκείνη.

«Ξέρω... Θέλω να σε δω, Μαρίνα».

«Κι εγώ...»

Ήταν τώρα ο ένας απέναντι στον άλλο. Σε μια παραλία με υγρή ακόμη άμμο και ελάχιστο κόσμο μακριά τους. Ο Φίλιππος κρατούσε στα χέρια του ένα μεγάλο κοχύλι και της το έδωσε.

«Αν το βάλεις στο αυτί σου, θ' ακούσεις τη θάλασσα», της είπε και εκείνη υπάκουσε. «Το βρήκε ένας φίλος μου χθες. Κάνει καταδύσεις... Του το ζήτησα για να σου το δώσω».

Η Μαρίνα τράβηξε το κοχύλι από το αυτί της διακόπτοντας τους ήχους της θάλασσας που έρχονταν από τα βάθη του και τον κοίταξε με απορία. «Πώς ήξερες ότι θα με συναντούσες σήμερα το πρωί και θα ερχόμουν εδώ το απόγευμα;»

«Δεν ήξερα τίποτα. Αν δε γινόταν αυτή η τυχαία συνάντηση, θα σ' το έφερνα στο ξενοδοχείο σου...»

«Ξέρεις πού μένω;»

«Ναι...»

Δεν είχε νόημα να τον ρωτήσει τίποτε άλλο. Ο Φίλιππος δε σταματούσε ποτέ, όταν ήθελε κάτι. Μόνο η Μαρίνα είχε καταφέρει να τον σταματήσει τότε, όταν το μόνο που ήθελε ήταν εκείνη την ίδια.

«Λοιπόν;» τη ρώτησε διακόπτοντας τη ροή των αναμνήσεών της. «Δε θα μου πεις τα νέα σου; Τι έκανες όλα αυτά τα χρόνια;»

«Τίποτα το ιδιαίτερο...»

«Και ο γάμος σου; Δεν τον θεωρείς τόσο σημαντικό για να μου το πεις;»

«Το ξέρεις;»

«Ναι... το είχα μάθει. Παντρεύτηκες σχεδόν δύο χρόνια μετά που χωρίσαμε... Άφησες να μεσολαβήσει ένα εύλογο διάστημα...»

«Το είπες σαν να το είχα προσχεδιάσει! Έτυχε».

«Ναι, μόνο που ορκιζόσουν ότι ποτέ δε θα...»

«Έχει νόημα αυτή η συζήτηση;»

«Σωστά! Ας πούμε μόνο τα ευχάριστα! Είσαι ευτυχισμένη μαζί του;»

«Τι με ρωτάς τώρα;»

«Σε ρωτάω για να βεβαιωθώ ότι άξιζε να θυσιάσεις αυτό που είχαμε εμείς!»

«Φίλιππε, σε παρακαλώ!»

«Έχεις δίκιο. Αλήθεια, δε σε ρώτησε ποιος είμαι; Τι του είπες;»

«Ποιος να με ρωτήσει;»

«Ο άντρας σου φυσικά! Τον είδα που στεκόταν στο απέναντι στέγαστρο με τις άλλες δύο. Φίλες σου είναι;»

Τα χέρια της έσφιξαν το κοχύλι τόσο δυνατά που πόνεσε. Η λύση τής προσφέρθηκε έτοιμη. «Φυσικά και με ρώτησε!» απάντησε ψύχραιμα. «Του είπα ότι είσαι παλιός συμφοιτητής!»

«Δεν είπες και ψέματα!»

«Όχι... μόνο τη μισή αλήθεια...»

«Είναι καλός μαζί σου; Σ' αγαπάει;»

Ευτυχώς που ρωτούσε γι' αυτόν που νόμιζε άντρα της και όχι για τον Νικήτα. Τουλάχιστον, τώρα μπορούσε να μην κομπιάσει όταν του είπε: «Είναι πολύ καλός άνθρωπος. Τρυφερός, ζεστός, νοιάζεται για όλους και για μένα περισσότερο. Έχει χιούμορ, είναι ευγενικός. Ξέρει να είναι πάνω απ' όλα φίλος... και ναι... μ' αγαπάει».

«Όπως κι εσύ! Φαίνεται από τον τρόπο που μιλάς γι' αυτόν... από τα μάτια σου!»

«Θα ήμουν άδικη αν δεν τον αγαπούσα ύστερα από όσα έχουμε μοιραστεί μαζί. Ξέρεις... περιμένω παιδί».

Ήταν η χαριστική βολή και πονούσε πρώτα η ίδια που είχε τραβήξει τη σκανδάλη, αλλά δε γινόταν αλλιώς. Τον κοίταξε. Είχε κλονιστεί, αλλά έκανε γενναίες προσπάθειες να χαμογελάσει.

«Συγχαρητήρια! Το πρώτο σας είναι;» κατάφερε να ρωτήσει.

«Ναι... Πες μου τώρα κι εσύ τα νέα σου!» τον παρακίνησε η Μαρίνα. Η ευθυμία της, επιτυχημένα προσποιητή.

«Τι να σου πω για μένα;»

«Πρώτα απ' όλα αν παντρεύτηκες, αν έχεις παιδιά...»

«Η μόνη γυναίκα που θέλησα ποτέ να παντρευτώ και που τη νόμιζα δική μου ήσουν εσύ, Μαρίνα!»

«Φίλιππε... μη...»

«Δεν το είπα για να σε φέρω σε δύσκολη θέση, αλλά είναι η αλήθεια! Σ' αγάπησα, σ' αγαπώ και δε νομίζω ότι θ' αγαπήσω ποτέ καμιά άλλη... Τουλάχιστον όχι με τον τρόπο που αγάπησα εσένα!»

«Το "ποτέ" είναι μεγάλη κουβέντα!»

«Μπορεί, αλλά εγώ, έξι χρόνια τώρα που χωρίσαμε, έτσι νιώθω... Αντίθετα μ' εσένα, δεν τα κατάφερα να πάω παρακάτω τη ζωή μου».

«Μα εγώ...»

«Μην απολογείσαι λες κι έκανες έγκλημα. Χαίρομαι πραγματικά που είσαι ευτυχισμένη, γιατί σου αξίζει...»

Μια τοσηδά στιγμή έφτανε για να του πει την αλήθεια. Ένα τοσοδά βηματάκι και θ' αγκάλιαζε αυτόν και την πραγματική ευτυχία, μαζί με όλα τ' άλλα που αντιπροσώπευε. Δάγκωσε τα χείλη της για να μη μιλήσει. Έσφιξε πάλι το κοχύλι για να μην τον αγκαλιάσει. Δεν είχε το δικαίωμα να τον φέρει στον κυκεώνα που αντιμετώπιζε ούτε στο άγνωστο μέλλον της. Άλλαξε τη συζήτηση. Νόμισε ότι έτσι θα πήγαινε σε ανώδυνα μονοπάτια.

«Επαγγελματικά τι κάνεις; Το άνοιξες το φροντιστήριο που έλεγες;»

«Ναι...»

«Στην Ξάνθη;»

«Ναι... αλλά πρόσφατα το πούλησα μαζί με όλα τα άλλα...»

«Το πούλησες; Γιατί; Δεν πήγαινε καλά;»

«Πάρα πολύ καλά... Έγινε κάτι, όμως... Δεν μπορούσα να μείνω άλλο στην Ξάνθη».

«Δεν καταλαβαίνω...»

«Έχασα τους γονείς μου...»

«Πότε;»

«Πριν από τέσσερις μήνες».

«Μα πώς; Έτσι ξαφνικά; Τι έγινε;»

«Σκοτώθηκαν σε δυστύχημα... Είχαν πάει στη Θεσσαλονίκη και στο γυρισμό... Μια νταλίκα ήταν... κοιμήθηκε ο οδηγός... Ήταν ακαριαίος θάνατος και για τους δύο».

Έσκυψε το κεφάλι. Η φωνή του έσπασε. Τα χέρια της κινήθηκαν προτού προλάβει η λογική να τα σταματήσει και τον αγκάλιασαν. Την έσφιξε πάνω του με λαχτάρα και ένιωσε τα δάκρυά του να καίνε τον ώμο της. Προσπάθησε να τα σταματήσει στην αρχή με τα χέρια της και μετά με τα χείλη της. Σταμάτησαν όταν συναντήθηκαν τα χείλη τους, όπως σταμάτησε και ο χρόνος. Το κοχύλι με τον ήχο της θάλασσας κύλησε από τα χέρια της και η άμμος το αγκάλιασε, όπως ο Φίλιππος αγκάλιαζε εκείνη. Ρουφούσε από τα χείλη του όλη την αγάπη, όλα όσα στερήθηκε τόσα χρόνια από δειλία. Ξανάγινε είκοσι χρόνων, το είναι της πλημμύρισε πάλι ζωή και έρωτα. Ούτε ήξερε πού θα κατέληγε εκείνο το φιλί, αν το μωρό δε διάλεγε τη στιγμή να τη διακόψει μ' ένα ελαφρό πεταλούδισμα πάλι. Τραβήχτηκε ντροπιασμένη. Κούνησε το κεφάλι αρνητικά και του γύρισε την πλάτη. Έμεινε εκεί ν' ανασαίνει με δυσκολία.

Σχεδόν τρόμαξε όταν τον ένιωσε πάλι δίπλα της με το κοχύλι στα χέρια, να της το δίνει αμήχανος.

«Το κοχύλι σου...» της είπε ψιθυριστά. «Με συγχωρείς... ήμουν αδικαιολόγητος...»

«Φταίω κι εγώ».

«Ας πούμε ότι παρασυρθήκαμε λοιπόν... Όμως θέλω να ξέρεις...»

«Όχι, Φίλιππε! Μην πεις τίποτα! Είμαι παντρεμένη, περιμένω παιδί, δεν έχω το δικαίωμα».

«Έχεις δίκιο... Όμως εγώ σ' αγαπάω, θέλω να σε βλέπω... Τώρα που θα είμαι στην Αθήνα μόνιμα...»

«Πού θα είσαι;»

«Στην Αθήνα. Δε σου είπα; Τα πούλησα όλα στην Ξάνθη. Ανοίγω φροντιστήριο στο Γαλάτσι. Μπορούμε λοιπόν να...»

«Όχι, Φίλιππε! Δεν μπορούμε!»

«Μα γιατί; Σαν φίλοι! Σου ορκίζομαι ότι ποτέ δε θα ζητήσω τίποτα!»

«Αυτό που έγινε πριν από λίγο θα πρέπει να σε σταματάει από όρκους και υποσχέσεις που ίσως δεν μπορέσουμε να κρατήσουμε ούτε εγώ ούτε εσύ. Θα ήταν άδικο... θέλω να πω, ο άντρας μου...»

«Δηλαδή...;»

«Νομίζω ότι κατάλαβες».

«Πάλι θα μου πεις αντίο;»

«Δε γίνεται διαφορετικά. Εύχομαι καλή επιτυχία στο φροντιστήριό σου... Καλή τύχη και σ' εσένα...»

Του άπλωσε το χέρι. Εκείνος το πήρε και το κράτησε. Την κοιτούσε στα μάτια τη στιγμή που εκείνη προσπαθούσε να συγκρατήσει τα δάκρυα να μην κυλήσουν. Όταν ο Φίλιππος έσκυψε και άφησε ένα φιλί στο χέρι της, έχασε τη μάχη. Έφυγε σαν να την κυνηγούσαν με το κοχύλι σφιγμένο πάνω της, κλαίγοντας. Για μιαν ακόμη φορά τον είχε χάσει κι αυτή τη φορά πονούσε πιο πολύ. Τότε είχε φύγει επειδή φοβήθηκε την αληθινή ζωή. Τώρα η αληθινή ζωή είχε κάνει έφοδο· είχε απαγορεύσει κάθε άλλη επιλογή εκτός από το χωρισμό.

Περίμεναν με αγωνία την επιστροφή της. Ακόμη και η συνήθως ήρεμη Ελπίδα κάπνιζε το ένα τσιγάρο πάνω στ' άλλο. Τρεις φορές βρέθηκε ν' ανάβει νέο τσιγάρο, ενώ το προηγούμενο ήταν ήδη ανάμεσα στα δάχτυλά της και καιγόταν ακάπνιστο. Ο Κωστής σαν θηρίο σε κλουβί πηγαινοερχόταν, ενώ η Ναταλία είχε διπλωθεί στα δύο καθισμένη σε μια πολυθρόνα. Και για τους τρεις ήταν ευχάριστη έκπληξη η πρωινή συνάντηση. Είχαν περάσει στο απέναντι στέγαστρο και παρακολουθούσαν συγκινημένοι την επανένωση. Όταν η Μαρίνα τους ανακοίνωσε ότι είχαν δώσει ραντεβού, ενθουσιάστηκαν αλλά δεν κατάφεραν να της πάρουν λέξη από εκείνη τη στιγμή μέχρι που έφυγε για να τον συναντήσει· και τώρα η ώρα έδειχνε κολλημένη στη θέση της.

Δεν περίμεναν να τη δουν να επιστρέφει σε κακό χάλι, σφίγγοντας ένα κοχύλι στα χέρια της, ούτε πίστευαν αυτά που τους διηγήθηκε μόλις κατάφερε να συνέλθει αρκετά για να μιλήσει.

Ο Κωστής πετάχτηκε όρθιος σ' έξαλλη κατάσταση. «Τι έκανες, λέει;» της φώναξε. «Τρελάθηκες; Γιατί του είπες τέτοιο τερατώδες ψέμα για μας;»

«Δεν του το είπα εγώ! Δε θα το σκεφτόμουν καν! Εκείνος πίστεψε ότι ήσουν ο άντρας μου!»

«Κι εσύ τον άφησες στην πλάνη του!»

«Έτσι είναι καλύτερα...»

«Δε μας το εξηγείς αυτό γιατί δυσκολευόμαστε;»

«Μα είναι τόσο απλό! Αν του έλεγα την αλήθεια και αφού όπως είπε μ' αγαπάει ακόμη...»

«...θα ζούσατε εσείς καλά, εμείς καλύτερα και το πιτσιρίκι σου ακόμη καλύτερα μ' ένα σωστό πατέρα, που θα το έκανε δικό του έτσι όπως λατρεύει τη μαμά του! Και μη μου πεις καμιά τερατολογία, γιατί όλοι τον είδαμε πώς σε κοίταζε! Είσαι ολόκληρος ο κόσμος γι' αυτόν, αν και δεν καταλαβαίνω τι σου βρίσκει! Ανόητη!» Ο Κωστής ήταν έξαλλος και δεν έκανε καμιά προσπάθεια να το κρύψει.

Η Ναταλία τον πλησίασε. «Κωστή, σε παρακαλώ, ηρέμησε και άφησέ τη να μας πει... να μας εξηγήσει!»

«Μα τι άλλο να μας πει; Τον έστειλε τον άνθρωπο, καταλαβαίνεις;»

«*Δεν είναι γνωστό αν αγαπά περισσότερο η γυναίκα ή ο άντρας. Είναι όμως βέβαιο ότι η γυναίκα ξέρει πώς πρέπει ν' αγαπά...*» μίλησε τώρα με ήρεμη φωνή η Μαρίνα κοιτώντας τον Κωστή.

«Τι είναι αυτό τώρα;»

«Τα λόγια ενός Γάλλου συνθέτη που δε θυμάμαι αυτή τη στιγμή τ' όνομά του!»

«Και τι θέλει να μας πει;»

«Δεν ξέρω για εκείνον, αλλά εγώ ξέρω τι θέλω να πω... Τον αγαπάω! Τώρα πια ξέρω ότι ποτέ δεν τον ξέχασα... δεν τον ξεπέρασα. Τώρα που το ξανασκέφτομαι, ο γάμος μου με τον Νικήτα ήταν σαν νάρκη. Κοίμισα τον εαυτό μου και τα αισθήματά μου. Ίσως γι' αυτό όλα αυτά τα χρόνια ξαναζούσα τις στιγμές που έζησα με τον Φίλιππο. Ξέρω θετικά πια τι μου συμβαίνει... Τον αγαπάω... αλλά δε γίνεται να είμαστε μαζί. Είμαι στην αρχή ενός διαζυγίου και, το κυριότερο, περιμένω παιδί. Θα ήταν άδικο για εκείνον να τον μπλέξω σε μια περιπέτεια που δεν ξέρω πόσο άσχημη μπορεί να γίνει».

«Και αποφασίζεις εσύ για εκείνον! Με ποιο δικαίωμα;»

«Επειδή αισθάνομαι για εκείνον ό,τι αισθάνομαι. Ακριβώς γι' αυτό και θέλω να τον προστατέψω!»

«Μα δεν είναι μωρό! Πες του την αλήθεια και άφησέ τον να διαλέξει αν θέλει να μπλέξει ή όχι!» Ο Κωστής σταμάτησε και κοίταξε την Ελπίδα και τη Ναταλία. «Συγγνώμη... μόνος μου είμαι σ' αυτό το θέμα; Εσείς δεν έχετε άποψη;» τις ρώτησε.

Η Ελπίδα έσβησε το τσιγάρο της και τον κοίταξε.

«*Εκείνοι που μας έμαθαν να μιλούμε, λησμόνησαν να μας μάθουν και να σιωπούμε*», του είπε.

«Τι είναι αυτό;»

«Γκαίτε!»

«Πάτε να με τρελάνετε; Εδώ αντιμετωπίζουμε κρίση και εσείς το ρίξατε σε λόγια μεγάλων ανδρών;»

«Αφού στην παρέα μας δεν υπάρχει... μεγάλος άνδρας, στραφήκαμε στους κλασικούς!»

«Με κατηγορείς για μικρότητα, Ελπίδα; Πες το μου κι αυτό να τρελαθώ!»

«Ηρέμησε, Κωστή! Δε σε κατηγορώ για τίποτε, αλλά κάνεις ένα λάθος. Κατηγορείς τη Μαρίνα που θέλησε να προστατέψει τον Φίλιππο σαν να είναι μικρό παιδί και τόση ώρα τής φέρεσαι και εσύ ο ίδιος σαν να είναι καμιά επιπόλαιη έφηβη! Είναι όμως μεγάλη γυναίκα και έκανε...»

«...μεγάλη γκάφα!» την έκοψε ο Κωστής. «Και μη μου πεις ότι συμφωνείς μαζί της!»

«Η αλήθεια είναι ότι... όχι! Δε συμφωνώ καθόλου! Μόλις είδα τον Φίλιππο, μόλις είδα τον τρόπο που την κοίταζε... δε μου έμεινε καμία αμφιβολία. Αυτοί οι δύο είναι πλασμένοι ο ένας για τον άλλο, και αυτό το λέω πρώτη φορά για ένα ζευγάρι!»

«Επιτέλους δεν είμαι μόνος μου!»

«Αλλά...»

«Α, μη μου τα στρίβεις τώρα!»

«Άφησε και κανέναν άλλον να μιλήσει, παλικάρι μου!» αντέδρασε η Ελπίδα. «Η Μαρίνα, σωστό ή λάθος, αυτό αποφάσισε κι εμείς πρέπει να το δεχτούμε! Γι' αυτό είναι οι φίλοι!»

«Και δεν είναι για να προλαβαίνουν τις βλακείες;»

«Αυτό που για σένα είναι βλακεία, για εκείνη είναι η μόνη σωστή λύση!»

«Ευχαριστώ για την κατανόηση!» ακούστηκε η Μαρίνα που έδειχνε πιο ήρεμη τώρα.

Η Ναταλία την πλησίασε. Κάθισε δίπλα της και της έπιασε το χέρι. «Μαρίνα, είσαι σίγουρη; Θέλω να πω, σου είπε ότι σ' αγαπάει ακόμη, και όπως μας ομολόγησες, κι εσύ τον αγαπάς. Μιαν αγάπη που επέζησε ύστερα από έξι χρόνια και κάτω από τέτοιες συνθήκες δεν την πετάς έτσι εύκολα!»

«Ποιος σου είπε ότι ήταν εύκολο;» αντέδρασε η Μαρίνα.

«Εύκολο ίσως όχι, αλλά πάντως βιαστικό», παρατήρησε η Ναταλία.

«Ο Φίλιππος θα ζει στην Αθήνα, έπρεπε να του το ξεκόψω για να μη ζητήσει να με ξαναδεί. Ούτε ο Κωστής μπορεί να παίζει το ρόλο του στοργικού συζύγου, ούτε εγώ να προσποιούμαι. Το διαζύγιο μόλις ξεκίνησε και δεν έχω καμιά εμπιστοσύνη στον Νικήτα. Δεν είχα χρόνο λοιπόν...»

«Ναι, αλλά θυμάσαι και με το παιδί; Θυμάσαι πόσο βιαστικά αποφάσισες να μην το κρατήσεις; Αν δε σε είχαμε εμποδίσει, τώρα θα ήσουν πικρά μετανιωμένη!»

«Δεν είναι το ίδιο! Ακριβώς επειδή υπάρχει αυτό το παιδί, δεν έχω το δικαίωμα να συνεχίσω με τον Φίλιππο σαν να μην έγινε τίποτα! Είναι καλύτερα έτσι. Είχα την ευκαιρία μου κάποτε μαζί του και την έχασα. Δεν μπορώ να ελπίζω σε μια δεύτερη ευκαιρία. Σας παρακαλώ, δεχτείτε την απόφασή μου και μη μου ξαναπείτε λέξη γι' αυτό το θέμα! Μεθαύριο φεύγουμε και η Αθήνα ευτυχώς είναι τεράστια πόλη! Δε θα τον ξαναδώ!»

Η εικόνα της αντανάκλασης του φεγγαριού πάνω στην ακύμαντη θάλασσα ήταν αυτό που ήθελε να πάρει μαζί της σαν τελευταία εικόνα από το Ναύπλιο. Αύριο το πρωί γύριζαν πίσω, ό,τι κι αν σήμαινε αυτό... Η Ελπίδα στεκόταν ακίνητη στην άκρη της βεράντας. Οι καλύτερες διακοπές της ζωής της τέλειωναν και το φινάλε του φεγγαριού ήταν το απολύτως ενδεδειγμένο για όσα όμορφα έζησε αυτές τις δέκα μέρες. Μπορεί να μην τους το είπε όσο καιρό ήταν μαζί, αλλά αυτούς τους τρεις τούς αγαπούσε πάρα πολύ. Από τον καιρό που τους γνώρισε, η ζωή της στροβιλίστηκε σ' έναν αναπάντεχα όμορφο... τυφώνα. Δεν ένιωθε μόνη, δεν είχε ανάγκη τις διάσημες ασπίδες της άμυνάς της, μπορούσε να είναι ο εαυτός της και ακριβώς γι' αυτό να είναι αποδεχτή. Ήταν στιγμές που ήθελε να γίνει ολόκληρη μια μεγάλη αγκαλιά και να κλείσει μέσα και τους τρεις!

Πρώτα ένιωσε την παρουσία του Κωστή πίσω της και κατόπιν άκουσε τη φωνή του.

«Δεν κοιμάσαι ούτε εσύ...»

«Δε νυστάζω... Οι άλλες;»

«Βλέπουν όνειρα. Η Μαρίνα πότε πότε βογκάει στον ύπνο της».

Σώπασαν μέσα στη νύχτα, μέσα στην απόλυτη απουσία κάθε ήχου. Ο Κωστής άναψε δύο τσιγάρα και της έδωσε το ένα. Κάπνισαν για λίγο αμίλητοι, ο ένας δίπλα στον άλλο.

«Με μελαγχολεί το ότι αύριο φεύγουμε», είπε η Ελπίδα και ο Κωστής κούνησε το κεφάλι συμφωνώντας.

«Κι εγώ λυπάμαι, ήταν πολύ όμορφα... Αν και το τέλος αυτών των διακοπών θα μπορούσε να είναι ευτυχέστερο... αν η Μαρίνα...»

«Ξέρω, Κωστή, αλλά δεν μπορούμε να κάνουμε τίποτα, μόνο να περιμένουμε».

«Τι να περιμένουμε;»

«Δεν ξέρω σε τι πιστεύεις, σε Θεό, σε μοίρα ή πεπρωμένο, αλλά ό,τι κι αν ήταν αυτό που τους έφερε να συναντηθούν, αποκλείεται να το έκανε μόνο για να χαθούν ξανά... τώρα που θα ζουν στην ίδια πόλη».

«Δε σε ήξερα για τόσο μοιρολάτρισσα!»

«Οι Ανατολίτες μιλούν για κισμέτ. Αν το καλοσκεφτείς, οι τελευταίοι μήνες όλων μας από αυτό κατευθύνονται. Θυμάσαι το περίφημο τρακάρισμα;»

«Πώς θα μπορούσα να το ξεχάσω;»

«Ε, λοιπόν, από εκεί δεν άρχισαν όλα; Για σκέψου λίγο! Οι άνθρωποι, όταν τρακάρουν, τσακώνονται, δε γίνονται φίλοι όσο γίναμε εμείς· δεν αγαπάει και δεν πονάει ο ένας τον άλλο μέσα σε τόσο σύντομο διάστημα. Ποιος το περίμενε;»

«Ελπίδα, είσαι πολύ διαφορετική απόψε και με τρομάζεις. Σου συμβαίνει κάτι;»

Τον κοίταξε και μέσα στο σκοτάδι τα μάτια της γυάλιζαν περίεργα. Αυθόρμητα ο Κωστής την τράβηξε επάνω του και την αγκάλιασε τρυφερά.

«Τι έγινε, κοριτσάκι; Πέσαμε σε στιγμή αδυναμίας;»

Δεν του απάντησε. Ένιωθε τόσο καλά στην αγκαλιά του, που δεν ήθελε να χαλάσει τη στιγμή.

Τραβήχτηκε μόνη της όταν πια είχε συνέλθει. Τον κοίταξε. «Ευχαριστώ, το είχα ανάγκη», του είπε απλά.

«Γι' αυτό είναι οι φίλοι, Ελπίδα!»

«Για μένα δεν είσαι φίλος, Κωστή. Είσαι ο αδελφός που πάντα ήθελα να είχα. Θα 'θελα να το ξέρεις αυτό».

Της χάιδεψε τρυφερά το μάγουλο και εκείνη του χαμογέλασε όπως δεν είχε χαμογελάσει ποτέ.

«Είσαι καλός άνθρωπος», συμπλήρωσε.

«Εσείς με κάνατε, Ελπίδα. Κοντά σας, κατάλαβα πολλά και έμαθα περισσότερα».

Κοιτάχτηκαν και χαμογέλασαν ξανά καθώς οι κοινές μνήμες τούς πλημμύρισαν.

«Αν μάθουν γι' αυτή τη συζήτηση οι άλλες δύο», σχολίασε κεφάτα ο Κωστής, «θα μας πάνε σε ψυχίατρο!»

«Γι' αυτό και θα μείνει μεταξύ μας!» του θύμισε αυστηρά και εκείνος της χαμογέλασε.

«Δόξα τω Θεώ, σε ξαναβρίσκω! Έτσι γλυκά που μου μιλούσες τόση ώρα, δεν ήξερα τι να υποθέσω. Λοιπόν, ξέρεις κάτι; Ίσως σου φανεί τρελό, αλλά ώρες ώρες αναρωτιέμαι αν θα βρω μια γυναίκα που να έχει ό,τι έχετε και οι τρεις σας!»

«Ορίστε;»

«Είναι απλό! Θέλω μια γυναίκα που να είναι όμορφη, έξυπνη, γλυκιά και τρυφερή όπως η Μαρίνα και η Ναταλία μαζί, αλλά να μπορεί να με κεντρίζει και να με προκαλεί όσο εσύ!»

«Άσ' το! Πιο εύκολο είναι να σου πέσει το λαχείο!»

«Αυτό φοβάμαι!»

«Και η Αναστασία;»

«Η Αναστασία ήταν μια χαρά, αλλά...»

«Τέλειωσε;»

«Ας το πούμε κι έτσι. Η Αναστασία είναι μια σύγχρονη κοπέλα, θέλει να κάνει καριέρα και δε θέλει καμιά δέσμευση. Συμφωνήσαμε ότι μπορεί να βρεθούμε καμιά φορά και στην Αθήνα, όχι όμως για τίποτα σοβαρό... καταλαβαίνεις...»

«Για ένα ξεπεταγματάκι! Κατάλαβα!»

«Μόνο εσύ θα μπορούσες να καταλάβεις!»

«Κι εσένα δε σου αρέσει αυτό απ' ό,τι επίσης καταλαβαίνω!» σχολίασε η Ελπίδα.

«Είμαι τριάντα οκτώ χρόνων, Ελπίδα, και θέλω να ξαναφτιάξω τη ζωή μου. Το κατάλαβα έπειτα από τη σύντομη περιπέτεια με την Αναστασία. Δε θέλω εφήμερους δεσμούς. Υποθέτω ότι είμαι από τους άντρες που... παντρεύονται!»

«Θα το μοσχοπουλήσω το τηλέφωνό σου στις νοσοκόμες έτσι και τους ανακοινώσω ότι γνωρίζω έναν τέτοιο τύπο!» Του χαμογέλασε προτού συνεχίσει, σοβαρή πια: «Θα το βρεις αυτό που ψάχνεις, Κωστή! Κι αν δε βρεις εσύ την ιδανική γυναίκα, ίσως σε βρει εκείνη! Πού ξέρεις;»

Ήταν η σειρά του να της χαμογελάσει.

Άναψαν κι άλλο τσιγάρο. Το ξημέρωμα τους βρήκε να συζητούν στη βεράντα. Η ανατολή τούς έκοψε την ανάσα με το μεγαλείο της. Ο ήλιος έβαλε τα δυνατά του να τους θαμπώσει. Σε λίγες ώρες θ' αποχαιρετούσαν το Ναύπλιο και όσα τους έδωσε «τ' ωραίο ταξίδι»... Και τους είχε δώσει πολλά. Για τον καθένα τους, αυτό το ταξίδι ήταν η προσωπική του διαδρομή στη δική του Ιθάκη. Έφευγαν σοφότεροι.

Ή μήπως δεν ήταν έτσι; Ίσως το ταξίδι για τ' όμορφο και μυστηριώδες νησί μόλις άρχιζε...

# ΣΕΠΤΕΜΒΡΙΟΣ
## *Ο μήνας της Αθηνάς*

### ΑΘΗΝΑ

*Κόρη του Δία. Πανέμορφη, πανέξυπνη και πάνσοφη, τούτη η θεά ήξερε την πολεμική τέχνη καλύτερα από τον Άρη. Είχε για ιερό δέντρο την ελιά και για ιερό πουλί την κουκουβάγια. Στη σοφία της χρωστάνε οι άνθρωποι πολλά καλά, γι' αυτό και τη λατρεύουν οι θνητοί...*

*...Μερικοί από σας λέγουν: «Η χαρά είναι ανώτερη από τη λύπη», κι άλλοι λένε: «Όχι, η λύπη είναι ανώτερη». Αλλά εγώ σας λέγω, τα δυο αυτά είναι αχώριστα. Έρχονται πάντα μαζί, κι όταν το ένα κάθεται μόνο του δίπλα σου στο τραπέζι, θυμήσου ότι το άλλο κοιμάται στο κρεβάτι σου.*

Χαλίλ Γκιμπράν, *Ο Προφήτης*

Ο Κωστής τράβηξε βαθιά ρουφηξιά από το τσιγάρο του και κοίταξε γύρω του. Ήταν μόνος στο γραφείο του. Είχε έρθει και σήμερα πρώτος. Το κτίριο, άδειο από το ανθρώπινο δυναμικό του, είχε άλλη όψη. Τα βήματά του ηχούσαν περίεργα. Τις πρώτες μέρες, οι καθαρίστριες τον κοίταζαν παραξενεμένες, τώρα τον είχαν συνηθίσει και του χαμογελούσαν. Από τη μέρα που γύρισαν από το Ναύπλιο κοιμόταν ελάχιστα. Ένιωθε το σπίτι να τον πνίγει. Οι τοίχοι στένευαν, το κρεβάτι τού φαινόταν άβολο, τα σεντόνια βαριά. Προτιμούσε να δουλεύει για να μην είναι μόνος. Δεν έβλεπε την ώρα για να συναντηθεί η παρέα τ' απογεύματα και δυσκολευόταν να την αποχωριστεί όταν νύχτωνε.

Πήρε τον καφέ του και έπαιξε με τα παγάκια αφηρημένος. Το προηγούμενο βράδυ, είχαν μαζευτεί σπίτι του να δουν μια ταινία. Λάθος επιλογή ταινίας, όμως. Μελαγχόλησαν και οι τέσσερις. Η Ναταλία έκλαιγε στα τρία τέταρτα του έργου. Ποτέ δεν είχε δει γυναίκα ύστερα από τόσο κλάμα να συνεχίζει να είναι όμορφη και γλυκιά και όχι φρικτά παραμορφωμένη, με κόκκινα μάτια και πρησμένα τα χείλη και τη μύτη. Αυτή που του είχε κάνει εντύπωση, όμως, ήταν η Ελπίδα. Δεν ήπιε καφέ, κάπνισε ελάχιστα και δεν έβαλε μπουκιά στο στόμα της από τις πίτσες που είχαν παραγγείλει. Τώρα που το σκεφτόταν, εδώ και δυο βδομάδες που είχαν γυρίσει από τις διακοπές τους, η Ελπίδα είχε αλλάξει. Δεν έτρωγε σχεδόν τίποτα και το τσιγάρο, ο αιώνιος σύντροφός της, φαινόταν να την ενοχλεί.

Σηκώθηκε από τη θέση του και στάθηκε μπροστά στο παράθυρο. Ο κόσμος όλο και πύκνωνε στους δρόμους. Οι διακοπές είχαν τελειώσει για τους περισσότερους. Το σύντομο διάλειμμα της ξενοιασιάς είχε αντικατασταθεί από τον καθημερινό αγώνα της επιβίωσης. Όλοι αυτοί που για λίγες μέρες είχαν σπάσει τα δεσμά της καθημερινότητας, είχαν βρει τον αληθινό εαυτό τους, είχαν ασχοληθεί με την οικογένειά τους, είχαν ηρεμήσει από τα χίλια και ένα άγχη της ζωής τους, γύρισαν πίσω. Έσκυψαν καρτερικά το κεφάλι και δέχτηκαν πάλι να ζευτούν στο προσωπικό τους μαγκανοπήγαδο. Οι σκέψεις του θα τον πήγαιναν ακόμη πιο μακριά, αλλά τις διέκοψε η είσοδος της Ευγενίας στο γραφείο. Πρόσεξε τον μισοτελειωμένο καφέ που κρατούσε στα χέρια του προτού κοιτάξει και τον ίδιο με απορία.

«Πάλι ήρθες από τα χαράματα;» τον ρώτησε.

«Αυτός δεν είναι ο κανόνας για κάθε ευσυνείδητο διευθυντή; Να έρχεται πρώτος και να φεύγει τελευταίος;»

«Αυτό ισχύει για εκείνους που δουλεύουν! Όχι γι' αυτούς που περνούν την ώρα τους χαζεύοντας από το παράθυρο! Τι συμβαίνει, αφεντικό; Δυο βδομάδες τώρα, έρχεσαι αξημέρωτα στο γραφείο, πίνεις αμέτρητους καφέδες, τα τασάκια ξεχειλίζουν και δε βιάζεσαι να γυρίσεις σπίτι σου!»

«Στο άδειο σπίτι μου εννοείς!»

«Κατάλαβα! Για όλα φταίει η μοναξιά! Και οι φίλες σου;»

«Βρισκόμαστε κάθε βράδυ, αλλά μέχρι να έρθει εκείνη η ώρα... Δεν ξέρω τι λέει ο Πάριος για τη μοναξιά, αλλά εγώ δεν την αντέχω! Τι θα έκανα αν δεν είχα κι αυτές τις τρεις γυναίκες στη ζωή μου;»

«Ίσως αυτό που σου χρειάζεται είναι η ύπαρξη της μίας γυναίκας στη ζωή σου. Καταλαβαίνεις τι εννοώ!»

«Ναι, αλλά είναι δύσκολο. Τόσους μήνες χωρισμένος ξέρεις τι έχω διαπιστώσει; Έχουν αλλάξει τα πράγματα ανάμεσα στους άντρες και στις γυναίκες, διαφοροποιήθηκε ο κώδικας επικοινωνίας μάλλον, τι να πω! Νιώθω σαν αναλφάβητος που μου έχουν δώσει ένα ενδιαφέρον βιβλίο κι εγώ δεν μπορώ να το διαβάσω!»

«Εγώ, πάλι, νομίζω ότι δειλιάζεις! Μπορεί να γκρινιάζεις για τη μοναξιά, αλλά φοβάσαι να κάνεις κάτι για να τη διώξεις!»

«Τι να κάνω δηλαδή; Να πάρω με τη σειρά τα μπαράκια;»

«Γιατί όχι; Εκεί δε θα χρειαστεί να κάνεις εσύ το πρώτο βήμα. Οι γυναίκες, ξέρεις, έχουν γίνει λίγο πιο επιθετικές απ' ό,τι τις θυμάσαι!»

«Κι αυτό δε μ' αρέσει. Εγώ έχω συνηθίσει να κάνει ο άντρας το πρώτο βήμα!»

«Αν όλοι οι άντρες διστάζουν σαν εσένα, καλά κάνουν οι γυναίκες και παίρνουν την πρωτοβουλία! Κι έπειτα, τι πρόβλημα έχεις; Εσύ τη μοναξιά δεν αντέχεις! Έχει σημασία ποιος θα κάνει την πρώτη κίνηση για να τη διώξει;»

«Κι εσύ, Ευγενία; Τι κάνεις δηλαδή για να μην είσαι μόνη;»

«Παράξενο που το ρωτάς αυτό... ειδικά τώρα!»

«Γιατί "ειδικά τώρα";»

«Πέρασα πολλά χρόνια μόνη μου, γνωρίζοντας την αιτία! Είμαι άσχημη, το ξέρω και το έχω αποδεχτεί. Οι άνθρωποι, όσο ωραίο ψυχικό κόσμο και αν διαθέτεις, πρώτα ελκύονται από την εμφάνιση. Και εγώ δεν είχα αυτό το προσόν».

«Κάτι άλλαξε όμως. Κατάλαβα σωστά;»

«Ναι, βρέθηκε κάποιος... εντελώς τυχαία... από το Διαδίκτυο. Μήνες μιλούσαμε μέσω του υπολογιστή... μετά τηλεφωνιόμασταν και μόλις πριν από δύο μήνες τόλμησα να δεχτώ αυτό που με παρακαλούσε τόσο καιρό: να συναντηθούμε. Είχα προετοιμάσει τον εαυτό μου μάλιστα ότι θα φύγει τρέχοντας μόλις με δει...»

«Τώρα είσαι υπερβολική!»

«Απλώς ρεαλίστρια!»

«Και τι έγινε;»

«Δεν έφυγε...»

«Δηλαδή, θέλεις να πεις ότι τα φτιάξατε;»

«Αυτή είναι έκφραση τουλάχιστον μαθητή του δημοτικού, αλλά... ναι! Μπορείς να το πεις κι έτσι! Είναι σαράντα πέντε χρόνων, ασχημούλης κι αυτός, αλλά έχει τα πιο γλυκά μάτια που έχω δει! Είμαι ευτυχισμένη, Κωστή, για πρώτη φορά στη ζωή μου!»

Ο Κωστής την πλησίασε και την αγκάλιασε. «Χαίρομαι για σένα, Ευγενία! Είσαι ένας θαυμάσιος άνθρωπος και σου άξιζε να βρεθεί κάποιος που να τον ενδιαφέρει και κάτι άλλο εκτός από το προφανές! Μπράβο!»

«Κάνε κι εσύ το ίδιο, αφεντικό».

«Τι να κάνω δηλαδή;»

«Βρες κάποια! Μην ξεχνάς πως έχεις τρεις γυναίκες δίπλα σου!»

«Μα είναι φίλες!»

«Αυτό είναι το... προφανές που λέγαμε! Έπειτα, το δύσκολο σε μια σχέση είναι να μπορείς να είσαι πρώτα φίλος με αυτόν που αγαπάς! Εσείς είστε ήδη! Ίσως, λοιπόν, κάποια από τις τρεις να μπορεί να γίνει και κάτι παραπάνω!»

«Κι αν το πρόβλημα είναι ότι θέλω μία, που να έχει ό,τι έχουν και οι τρεις μαζί;»

«Για να είναι φίλες, σημαίνει ότι καθεμία έχει στοιχεία της άλλης! Διάλεξε λοιπόν εσύ και ίσως διαπιστώσεις ότι βρήκες αυτό που ήθελες! Δεν τις ξέρω βέβαια...»

«Κακώς! Όταν τις γνωρίσεις, θα καταλάβεις πόσο ανέφικτο είναι αυτό που σκέφτηκες! Αλήθεια, τι θα έλεγες αν σου πρότεινα να βγούμε ένα βράδυ όλοι μαζί; Να φέρεις και τον... πώς τον λένε τον άνθρωπο;»

«Αλέκο».

«Να φέρεις και τον Αλέκο! Τι λες;»

«Το θεωρείς σωστό;»

«Γιατί όχι;»

«Είναι πρόβλημα όταν μέσα στη δουλειά μπλέκονται τα προσωπικά!»

«Αντίθετα, εγώ πιστεύω ότι βελτιώνεται η εργασιακή σχέση!»

«Το ελπίζω!» αναστέναξε εκείνη και κοίταξε το ρολόι της. «Τώρα τι λες; Ήρθε η ώρα να δουλέψουμε;»

Οι επόμενες δύο ώρες πέρασαν για τον Κωστή μέσα σ' έναν κυκεώνα δουλειάς· αλληλογραφία, τηλέφωνα και μια σύσκεψη στις δέκα. Επέστρεψε στις δώδεκα και βρήκε την Ευγενία στο γραφείο της να βασανίζει τον υπολογιστή της με τη γνωστή ταχύτητα. Του έριξε ένα βλέμμα γεμάτο κατανόηση.

«Καημενούλη! Είσαι σαν να σε βομβάρδισαν!» του είπε.

«Το κεφάλι μου είναι χειρότερα! Βρες μου ένα παυσίπονο και κράτα όλα τα τηλέφωνα για μισή ώρα ακόμη! Θέλω να ηρεμήσω!»

«Δύσκολο το βλέπω! Έχεις μια επίσκεψη στο γραφείο σου!»

«Οχ! Ποιος είναι;»

«Η πρώην σύζυγός σου!»

«Η Αντιγόνη; Τι θέλει εδώ;»

«Δε μου είπε, αλλά δε φαίνεται για καλό! Είναι ταραγμένη, έδειχνε κλαμένη και μάλλον τόση ώρα που σε περιμένει θα είναι και εκνευρισμένη!»

«Δύο τα παυσίπονα, Ευγενία, και αν υπάρχει και κανένα ηρεμιστικό...»

Όταν αντίκρισε την Αντιγόνη, κατάλαβε ότι κάτι σοβαρό συνέβαινε. Στο βλέμμα της δεν υπήρχε παρά πανικός και απελπισία.

«Επιτέλους!» του φώναξε και ο Κωστής διέκρινε έναν υστερικό τόνο στη φωνή της. «Σε περιμένω πάνω από μία ώρα!»

«Είχαμε μήπως ραντεβού και το ξέχασα;» — *Ήρεμα Κωστή!* διέταξε τον εαυτό του. Είχε ακόμη νωπές τις μνήμες για το πού μπορούσε να καταλήξει και η πιο απλή συζήτηση με την Αντιγόνη.

Η αντίδρασή της, όμως, τον βρήκε απροετοίμαστο. Σωριάστηκε στην πολυθρόνα και άρχισε να κλαίει δυνατά. Για ένα δευτερόλεπτο έμεινε μετέωρος μην ξέροντας τι να κάνει, αλλά στη συνέχεια την πλησίασε ανήσυχος. Τα πράγματα ήταν μάλλον σοβαρά, δεν είχαν να κάνουν με τις συνηθισμένες υστερικές αντιδράσεις της.

«Αντιγόνη, τι συμβαίνει; Τρέχει τίποτα με το παιδί; Είναι καλά;»

«Μια χαρά είναι! Εμένα θα πεθάνει!» του απάντησε κλαίγοντας.

Αισθάνθηκε καλύτερα. Αυτή και μόνο η κουβέντα της έδειχνε πως δεν επρόκειτο για κάτι ανεπανόρθωτο. Άρχισε όμως να εκνευρίζεται με το αδιάκοπο κλάμα που δεν άφηνε περιθώρια για συζήτηση.

«Αντιγόνη, μπορείς να σταματήσεις το κλάμα και να προχωρήσεις σ' αυτό για το οποίο ήρθες; Υποθέτω ότι θέλεις να μου μιλήσεις! Αν ήθελες να κλάψεις, ας καθόσουν σπίτι σου!»

Είχε χάσει την ψυχραιμία του, είχε μιλήσει απότομα και τώρα αναρωτιόταν τι είδους καταιγίδα τον περίμενε! Σχεδόν έχασε τα λόγια του, όταν η Αντιγόνη σταμάτησε να κλαίει, σκούπισε τα μάτια της και τον κοίταξε απολογητικά.

«Έχεις δίκιο», του είπε, «σου ζητώ συγγνώμη. Δε φτάνει που σ' ενοχλώ την ώρα της δουλειάς σου, δε σου εξηγώ και τίποτα. Παρασύρθηκα... Ήρθα, γιατί χρειάζομαι τη βοήθειά σου».

«Για ποιο λόγο;»

«Να... τώρα που πλησιάζει να βγει το διαζύγιο, ο Βασίλης... Ξέρεις ποιος είναι ο Βασίλης...;»

«Και βέβαια ξέρω! Είχα τη χαρά και την τιμή να με πετάξει αρκετές φορές έξω από το ίδιο μου το σπίτι, την εποχή που παρακαλούσα να μη διαλυθεί η οικογένειά μου, χωρίς να ξέρω βέβαια ότι είχα ήδη αντικατασταθεί απ' αυτόν!»

«Κωστή, σε παρακαλώ... Έχεις δίκιο ό,τι και να πεις! Έκανα λάθος τότε και το έχω παραδεχτεί. Νόμιζα ότι εμείς οι δύο είχαμε κάνει πολύ δρόμο από εκείνες τις άσχημες μέρες».

«Τέλος πάντων, τι έκανε αυτός ο κύριος;»

«Μου ζήτησε να παντρευτούμε».

«Δε χάνει τον καιρό του βλέπω! Κι από μένα τι θέλεις; Την ευλογία μου; Την έχεις!»

«Δεν είσαι εσύ το πρόβλημα, αλλά η Ισμήνη! Μόλις της το είπα, έγινε έξω φρενών!»

«Της το είπες;»

«Μα, φυσικά! Ο Βασίλης θέλει να κάνουμε το γάμο αμέσως μόλις βγει το διαζύγιο!»

«Α, τόσο βιαστικός! Και δε σκεφτήκατε ότι ίσως το παιδί να μην είναι ακόμη έτοιμο να περάσει τόσο γρήγορα από τη διάλυση της οικογένειάς του στη δημιουργία μιας άλλης, μ' έναν ξένο στο σπίτι του;»

«Μα τον ξέρει τον Βασίλη!»

«Σαν οικογενειακό φίλο, όχι σαν πατριό!... Και τι έγινε;»

«Μου είπε φοβερά πράγματα, Κωστή! Με κατηγόρησε ότι εγώ φταίω που χωρίσαμε».

«Πράγμα που δεν απέχει και πολύ από την αλήθεια!... Παρακάτω!»

«Μου είπε ότι δεν πρόκειται να δεχτεί αυτόν το γάμο, ότι δε θέλει να ξαναδεί τον Βασίλη μέσα στο σπίτι και το χειρότερο... μου δήλωσε ότι αν τον παντρευτώ, θα φύγει από το σπίτι και θα έρθει να μείνει μαζί σου!»

«Και αυτό είναι το χειρότερο;»

«Μα δεν καταλαβαίνεις; Μου είπε κατάμουτρα ότι, αν παντρευτώ, δε θέλει να με ξαναδεί ποτέ!»

Η Αντιγόνη άρχισε πάλι να κλαίει, αλλά ο Κωστής δεν την άφησε να συνεχίσει.

«Με τα κλάματα δε βγάζουμε άκρη. Σταμάτα, σε παρακαλώ, να δούμε τι θα κάνουμε!» της είπε κοφτά κι εκείνη συμμορφώθηκε. «Πρώτα απ' όλα χρειάζεται ψυχραιμία!»

«Ποτέ το παιδί δε μου έχει μιλήσει έτσι! Η Ισμήνη ήταν πάντα ήρεμη, ευγενική... Φοβάμαι, Κωστή!»

«Και δεν καταλαβαίνεις ότι εκείνη φοβάται περισσότερο από σένα και γι' αυτό αντιδρά έτσι;»

«Φοβάται; Γιατί;»

«Γιατί είναι παιδάκι, Αντιγόνη! Ένα παιδάκι που ένιωσε το έδαφος να φεύγει κάτω από τα πόδια του όταν χωρίσαμε! Μπορεί να μην άξιζα πολλά σαν πατέρας τότε, αλλά ένιωθε ασφάλεια! Το ανατρέψαμε το σκηνικό, και απ' ό,τι πρέπει να θυμάσαι, δεν ήσουν και πολύ πρόθυμη να συνεργαστείς τον πρώτο καιρό για να φτιάξω μια σχέση της προκοπής με το παιδί μου! Το ξεπεράσαμε κι αυτό, και προτού προλάβει να προσαρμοστεί στη νέα πραγματικότητα, βιαστικά και εντελώς αψυχολόγητα της πετάς στο κεφάλι έναν πατριό! Φοβήθηκε! Και τα παιδιά όταν φοβούνται, γίνονται επιθετικά!»

Τον κοίταξε εξεταστικά με μισόκλειστα μάτια. Για λίγο ξέχασε τον πανικό της. «Πότε πρόλαβες και έμαθες τόσα για την παιδική ψυχολογία;» τον ρώτησε.

«Έκανα ιδιαίτερα! Αυτό είναι το θέμα μας τώρα;»

«Ωραία και τι να κάνω δηλαδή;»

«Κατ' αρχάς, εσύ και ο άντρας των ονείρων σου θα κάνετε υπομονή και θα ξεχάσετε τα περί γάμου!»

«Ως πότε;»

«Ώσπου να το δεχτεί το παιδί! Εκτός αν προτιμάς να την πάρω εγώ!»

«Αυτό βγάλ' το απ' το μυαλό σου! Αν νομίζεις ότι θα επιτρέψω να...»

«Ηρέμησε, Αντιγόνη! Δεν υπονομεύω τα μητρικά σου δικαιώματα! Θα μιλήσω κι εγώ στη μικρή! Και για να σου αποδείξω ότι θέλω να σε βοηθήσω, θα προσπαθήσω ν' αποδεχτώ αυτό τον κύριο και να το δείξω έμπρακτα στο παιδί!»

«Πώς;»

«Αν συμφωνείτε κι εσύ και αυτός, θα βγούμε μερικές φορές όλοι μαζί, θα έρθω σπίτι, θα με κεράσετε καφέ, θα έρθετε στο δικό μου να σας κεράσω γλυκό του κουταλιού...»

«Με κοροϊδεύεις;»

«Όχι, Αντιγόνη! Δε σε κοροϊδεύω καθόλου! Είναι όμως ο μόνος τρόπος που μπορώ να σκεφτώ για να ηρεμήσει η Ισμήνη! Αν μας δει όλους μαζί, αγαπημένους, αν νιώσει ασφάλεια και αν φυσικά αυτός ο κύριος είναι εντάξει μαζί της...»

«Σε βεβαιώνω ότι την αγαπάει πάρα πολύ και τα πήγαιναν μια χαρά μέχρι που...»

«...που βιάστηκες να ντυθείς πάλι νύφη! Τέλος πάντων, νομίζω ότι άδικα ανησυχείς! Μ' αυτό τον τρόπο, όλα θα πάνε καλά. Όπως σου είπα, θα της μιλήσω κι εγώ!»

«Δεν ξέρω πώς να σ' ευχαριστήσω!»

«Έχω πληρωθεί από σένα προκαταβολικά! Ξεχνάς το διαζύγιο;»

«Μου κρατάς κακία, Κωστή;»

«Για να είμαι ειλικρινής, όχι! Όχι πια! Ο τρόπος όμως που με πέταξες...»

«Ήμουν κακιά και σκληρή, το παραδέχομαι. Όμως κι εσύ...»

«Αντιγόνη, δεν έχει νόημα να μιλάμε γι' αυτά! Έκανα λάθη, έκανες λάθη, κάναμε λάθη και γενικά αναρωτιέμαι αν κάναμε και κάτι σωστό μαζί, εκτός από την Ισμήνη βέβαια...»

«Έχεις δίκιο. Δε βγαίνει τίποτα με το να κατηγορήσουμε γι' άλλη μια φορά ο ένας τον άλλο. Πότε λες να αρχίσουμε;»

«Το ημέρωμα της μικρής μας στρίγκλας; Από σήμερα! Θα έρθω το απόγευμα για καφέ, αν συμφωνείς κι εσύ βέβαια!»

«Και το ρωτάς; Σ' ευχαριστώ!»

Όταν έφυγε η Αντιγόνη και η πόρτα έκλεισε πίσω της, ο Κωστής συνεχάρη τον εαυτό του με πέντε ορθάνοιχτα δάχτυλα και χαμογέλασε. Αν πριν από έξι μήνες τού έλεγε κάποιος ότι θα συνέβαιναν όλα αυτά, θα του έδινε το τηλέφωνο ενός καλού ψυχίατρου.

Πόσο εύκολα μπορούν ν' αλλάξουν τα δεδομένα!

Το βιβλιοπωλείο είχε πολλούς πελάτες και οι υπάλληλοι δεν ήταν αρκετοί για να τους εξυπηρετήσουν. Η Μαρίνα, στην αρχή, προσπάθησε να βρει μόνη της το λεξικό που έψαχνε, ανάμεσα στα εκατοντάδες βιβλία, αλλά γρήγορα κατάλαβε ότι ματαιοπονούσε. Παραιτήθηκε από την προσπάθεια και οπλίστηκε με υπομονή. Η μετάφραση του βιβλίου προχωρούσε κανονικά. Ευτυχώς, ο Κωστής τής είχε προμηθεύσει ένα φορητό υπολογιστή και δεν έχανε χρόνο. Ξαφνιάστηκε όταν διαπίστωσε την ευκολία με την οποία είχε θυμηθεί πώς δακτυλογραφούν, χωρίς ν' αποφύγει τον γλυκόπικρο πόνο των αναμνήσεων... Ο Φίλιππος είχε επιμείνει πολύ τότε να μάθουν δακτυλογράφηση. Ξεκίνησαν με μια παλιά γραφομηχανή που στα σκληρά της πλήκτρα τσάκιζαν τα δάχτυλά τους, αλλά τελικά, ύστερα από πολλά κατεστραμμένα νύχια, η Μαρίνα ήταν περήφανη. Τα είχε καταφέρει, και να που τώρα, τόσα χρόνια μετά, της είχε φανεί τόσο χρήσιμη εκείνη η γνώση που νόμιζε ξεχασμένη.

Η ουρά άρχισε να μειώνεται. Ίσως τελικά να μην καθυστερούσε όσο νόμιζε. Είχε υποσχεθεί στη Ναταλία ότι θα μαγείρευε εκείνη σήμερα και στα χέρια της κρατούσε όλα όσα τής ήταν απαραίτητα για μιαν αξιοπρεπή μακαρονάδα με κιμά. Είχε κάνει μεγάλες προόδους στη μαγειρική, αλλά ακόμη δεν τολμούσε περίπλοκα φαγητά. Εξάλλου, περνούσε πολλές ώρες δουλεύοντας σκληρά όχι μόνο για τη σωστή μετάφραση του βιβλίου, αλλά και για τη λογοτεχνική απόδοσή του. Το λεξικό θα τη βοηθούσε σε κάποιους ιδιωματισμούς και ευτυχώς είχε φυλάξει και τα βιβλία του πανεπιστημίου.

Πέρασε τη σακούλα με τα τρόφιμα από το ένα χέρι στο άλλο και κοίταξε γύρω της τον κόσμο. Όταν τα μάτια της συναντήθηκαν με του Νικήτα, που στεκόταν λίγα μέτρα μακριά, χρειάστηκε όλο της το θάρρος για να μην το βάλει στα πόδια. Την εξέταζε από πάνω μέχρι κάτω και ήταν φανερό ότι δεν του είχε ξεφύγει ούτε η σακούλα από το μανάβη που κρατούσε και από την οποία ξεχείλιζε ο μαϊντανός και τα φρέσκα κρεμμυδάκια. Μακάρισε την τύχη της που εκείνη τη ζεστή μέρα είχε διαλέξει να φορέσει μια παντελόνα με μια φαρδιά πουκαμίσα, που κάλυπταν εντελώς την κοιλιά της, η οποία είχε αρχίσει να φανερώνει αυτό που έπρεπε να παραμείνει μυστικό. Ειδικά για τον Νικήτα που τώρα την πλησίαζε.

«Γεια σου, Μαρίνα!» τη χαιρέτησε εγκάρδια.

Αυτό το ύφος του παγονιού που την ενοχλούσε τόσο ήταν διάχυτο στο πρόσωπό του. Χαμογελούσε αυτάρεσκα όπως πάντα.

«Καλημέρα», του απάντησε ξερά.

«Πώς από δω;»

«Για μένα δεν είναι περίεργο να βρίσκομαι σε βιβλιοπωλείο! Για σένα όμως είναι μάλλον αδιανόητο! Δε διάβασες ποτέ τίποτε άλλο πέρα από οικονομικές εφημερίδες! Άρχισε τώρα να σε ενδιαφέρει η φιλολογία;»

«Όχι, βέβαια! Ήρθα για γραφική ύλη!»

«Είπα κι εγώ!»

«Τι κάνεις;»

«Όπως βλέπεις, περιμένω να έρθει η σειρά μου να εξυπηρετηθώ!»

«Εννοώ γενικά τι κάνεις! Πώς περνάς;»

«Αν και δε βλέπω γιατί να σ' ενδιαφέρει, είμαι μια χαρά!»

«Για να το λες εσύ...»

«Έχεις αντίθετη άποψη;»

«Άλλαξες αρκετά. Τόσο πολύ σε πείραξε που χωρίσαμε;»

«Από πού έβγαλες αυτό το συμπέρασμα;»

«Ε, να... πάχυνες, είσαι πρόχειρα ντυμένη, σχεδόν άβαφη...»

«Και όλα αυτά σε οδήγησαν στο συμπέρασμα ότι είμαι χάλια και μάλιστα επειδή χωρίσαμε!»

«Πάντως, δεν είσαι η Μαρίνα που ήξερα!»

«Ευτυχώς! Έχω κάνει μεγάλη προσπάθεια για να μη θυμίζω σε τίποτα τη Μαρίνα που εσύ ήξερες, αν υποθέσουμε ότι μ' έμαθες ποτέ! Και, για να τελειώνουμε, είμαι πολύ καλά, κυρίως γιατί δεν είμαστε πια μαζί, περνάω θαυμάσια κι αν δε σ' έβλεπα σήμερα, κατά κακή μου τύχη, δε θα θυμόμουν καν ότι υπάρχεις!»

«Πάντως, όταν υπήρχα εγώ στη ζωή σου, δεν κυκλοφορούσες σαν γυναικούλα, κουβαλώντας... αυτά που κουβαλάς τέλος πάντων!»

«Αυτά που κουβαλάω και που τα ειρωνεύεσαι είναι μαϊντανός, κρεμμυδάκια και ντομάτες! Έχεις κάτι εναντίον τους; Γιατί δε θυμάμαι να σ' ενοχλούσαν όταν τα έτρωγες!»

«Δεν είναι το ίδιο!»

«Σωστά! Τότε σ' τα κουβαλούσαν άλλοι, τα έβρισκες έτοιμα, όπως άλλωστε και τα χρήματα του πατέρα μου! Ε, λοιπόν, τώρα τ' αγοράζω μόνη μου και τα μαγειρεύω επίσης μόνη μου, πράγμα που απολαμβάνω αφάνταστα! Τίποτε άλλο;»

«Δεν υπάρχει λόγος να θυμώνεις. Ήθελα να μάθω... οικονομικώς πώς τα βολεύεις;»

«Γιατί; Θέλεις να με βοηθήσεις μήπως;»

«Είναι κακό που ρωτάω;»

«Ναι, γιατί δεν είναι από ενδιαφέρον! Πάντως, ούτε πεινάω, ούτε βέβαια ζητιανεύω, αλλά ούτε και έχω πλέον την ηλιθιότητα να συντηρώ έναν επιβήτορα και μάλιστα κακό!»

«Γιατί είσαι τόσο επιθετική; Από την ώρα που συναντηθήκαμε, ό,τι και να σου πω, είσαι έτοιμη για καβγά, για να μην αναφέρω τις προσβολές που αγνόησα!»

«Και δε βλέπεις το λόγο, ε;»

«Μα πολιτισμένοι άνθρωποι είμαστε! Επειδή χωρίσαμε δεν μπορούμε ούτε να...»

«Κατ' αρχάς, δεν είμαστε πολιτισμένοι, τουλάχιστον εγώ! Και δε χωρίσαμε! Έφυγες τρέχοντας, μόλις καταστράφηκε ο πατέρας μου, αφού μου πέταξες κατάμουτρα ότι με παντρεύτηκες γιατί ήμουν ηλίθια και πλούσια! Ίσως και να είχες δίκιο βέβαια, γιατί πώς αλλιώς να εξηγήσω ότι έμεινα τέσσερα ολόκληρα χρόνια με έναν άνθρωπο κούφιο, αναίσθητο και γεμάτο κακία! Πάντως, σου δηλώνω ότι έπαψα να είμαι ηλίθια σε αντίθεση μ' εσένα που είσαι και ηλίθιος και πλούσιος πια, χάρη σ' εμένα και στον πατέρα μου!»

Η ένταση της φωνής της άρχισε να υψώνεται επικίνδυνα. Δυο-τρεις είχαν γυρίσει και τους είχαν κοιτάξει με έκδηλη περιέργεια. Ο Νικήτας έριξε γύρω του μια ματιά ανήσυχος.

«Μαρίνα, ηρέμησε... γινόμαστε θέαμα!» της είπε.

«Λίγο με νοιάζει! Και επειδή τελικά ξεχνάς ότι δε σε βολεύει, σου υπενθυμίζω αυτό που σου είπα την τελευταία φορά! Δε θέλω να σε ξαναδώ στα μάτια μου! Αν λοιπόν συναντηθούν πάλι οι δρόμοι μας, κάνε τη χάρη στον εαυτό σου και μη μου μιλήσεις! Κάνε πως δε με είδες! Ίσως έτσι, γλιτώσεις το ρεζιλίκι! Έτσι όπως νιώθω για σένα, δεν ξέρω τι είμαι ικανή να πω ή να κάνω! Και τώρα εξαφανίσου!»

Το τελευταίο το είπε αρκετά δυνατά. Πολλά κεφάλια στράφηκαν πια προς το μέρος τους και ακόμη περισσότερα μάτια έμειναν να τους παρακολουθούν. Ο Νικήτας δεν έχασε καθόλου χρόνο. Κατάπιε όποια απάντηση σκόπευε να δώσει και, κάνοντας μεταβολή, έφυγε βιαστικός. Η Μαρίνα πήρε βαθιά αναπνοή για να ηρεμήσει. Μια κυρία, λίγο πιο πέρα, εξέταζε κάποιο βιβλίο. Την κοίταξε πάνω από τα γυαλιά της και της έκλεισε το μάτι σαν να την επικροτούσε. Είχε καταλάβει. Η Μαρίνα της χαμογέλασε και στράφηκε στον υπάλληλο που τη ρωτούσε τι ήθελε. Επιτέλους, είχε έρθει η σειρά της.

Η Ελπίδα κοίταξε συνοφρυωμένη τα χαρτιά που είχε μπροστά της. Η πληρότητα των θαλάμων ήταν ανησυχητική, ενώ πουθενά δεν υπήρχε η αίσια προοπτική ενός εξιτηρίου που θα δήλωνε θεραπεία ασθενούς. Τον τελευταίο καιρό, το θηρίο έδειχνε αχόρταγο. Μηχανικά αναζήτησε τα τσιγάρα της, αλλά τράβηξε το χέρι της. Δεν πήγαινε κάτω ο καπνός τελευταία και όφειλε να παραδεχτεί ότι η γενική κατάσταση της υγείας της δεν ήταν καλή. Ξαναγύρισε στα χαρτιά της, αλλά δεν πρόλαβε να αφοσιωθεί σ' αυτά. Ο γιατρός Καλιβωκάς μπήκε στο γραφείο της ύστερα από ένα ανεπαίσθητο χτύπημα στην πόρτα. Στο ένα του χέρι κρατούσε τη μόνιμη κούπα με καφέ και στο άλλο ένα μάτσο χαρτιά, τα οποία παρέδωσε στην Ελπίδα.

«Έλεος, γιατρέ!» διαμαρτυρήθηκε εκείνη. «Όχι άλλα χαρτιά! Και μ' αυτά που ήδη έχω, μπορώ να μείνω κλεισμένη και να δουλεύω για τον επόμενο μήνα!»

Ο γιατρός τής χαμογέλασε και κάθισε στην πολυθρόνα απέναντί της. «Μήπως προτιμάς να έρθεις στο δικό μου γραφείο;» τη ρώτησε. «Έχει πολύ περισσότερα! Επίσης, μόλις βγήκα από ένα τετράωρο χειρουργείο, και σε μία ώρα έχω άλλο ένα, που δεν ξέρω πόσες ώρες θα διαρκέσει!»

«Κατάλαβα! Έπεσε δουλειά! Το θηρίο βρυχάται πάλι!»

«Είναι λίγος ο καιρός που του απέμεινε, Ελπίδα!»

«Τι εννοείτε;»

«Τα ιατρικά νέα είναι ευχάριστα! Δεν απέχουμε πολύ από την ανακάλυψη εμβολίου κατά του καρκίνου! Σε μερικά χρόνια, θα είναι κι αυτή η αρρώστια σαν όλες τις άλλες που θεραπεύονται! Γρήγορα και απλά σαν παιδική ασθένεια!»

«Δυσκολεύομαι να εξομοιώσω την ιλαρά με τον αχόρταγο μπάσταρδο, που πολεμάει δεκαετίες η επιστήμη και χάνει!»

«Επιμένεις να προσωποποιείς αυτή την αρρώστια! Ανεπίτρεπτο για μια έξυπνη και μορφωμένη γυναίκα όπως εσύ! Ο καρκίνος είναι κι αυτός μια νόσος, προϊσταμένη! Πολυμορφική βέβαια, αλλά πάντως δεν είναι ούτε θηρίο ούτε ανίκητος Τιτάνας!»

«Γιατρέ, με όλο το σεβασμό, αυτό να το πείτε στους ασθενείς, και ειδικά του 123, που δεν είναι βέβαιο αν θα βγάλουν αυτή τη νύχτα!»

«Δεν έχεις πίστη, Ελπίδα;»

«Η αλήθεια είναι ότι δε μου απέμεινε και πολλή, ούτε στον Θεό ούτε στην επιστήμη, ύστερα από τόσα χρόνια εδώ μέσα. Ίσως δεν είμαι και καλά τελευταία...»

Ο γιατρός ανακάθισε ανήσυχος. «Τι εννοείς; Ψυχολογικά δεν είσαι καλά ή οργανικά;»

«Και τα δύο μάλλον».

«Πότε έκανες εξετάσεις τελευταία;»

«Δε με βοηθάει η μνήμη μου».

«Κατάλαβα! Έχεις παραμελήσει την υγεία σου! Πόσες φορές σού έχω πει ότι η πρόληψη είναι η καλύτερη θεραπεία;»

«Ελάτε τώρα, γιατρέ! Έχετε διάθεση για κήρυγμα, έπειτα από τόσες ώρες χειρουργείου;»

«Άσε τις εξυπνάδες, προϊσταμένη, και πες μου τι αισθάνεσαι!»

«Τίποτα σοβαρό! Πονάει το στομάχι μου, ό,τι και αν φάω έχω τρομερή δυσπεψία, ο καφές και ειδικά το τσιγάρο μού προκαλούν αποστροφή, και αυτά τα δύο τελευταία ήταν ό,τι δεν αποχωριζόμουν ποτέ!»

«Έχεις χάσει και βάρος, τώρα που σε προσέχω, ή μου φαίνεται;»

«Αρκετό...»

«Εμετούς;»

«Όχι, αν και πολλές φορές έχω έντονη τάση...»

«Ελπίδα, θέλω να κάνεις εξετάσεις και μάλιστα αμέσως!»

«Ακούγεστε ανήσυχος ή είναι η ιδέα μου;»

«Κάθε ανωμαλία που εμφανίζεται στον οργανισμό είναι σημάδι ότι κάτι δεν πάει καλά, άρα πρέπει να εξεταστούμε για να μάθουμε τι δεν πηγαίνει καλά και να το θεραπεύσουμε!»

«Εκτός εάν δε θεραπεύεται!»

«Προσπαθείς να εκμαιεύσεις διάγνωση με τρία συμπτώματα που μου είπες;»

«Όχι, βέβαια! Αλλά πρέπει να παραδεχτείτε ότι υπάρχουν και ανίατες ασθένειες ή, τέλος πάντων, ασθένειες που δε δίνουν σημάδια, και όταν δώσουν είναι πολύ αργά!»

«Πάλι για τον καρκίνο θα μου μιλήσεις; Μα κι αυτός ακόμη, αν διαγνωστεί έγκαιρα...»

«Ο καρκίνος στο στομάχι όμως, γιατρέ;»

«Μα τι σ' έπιασε; Γιατί μου φέρνεις αυτό το παράδειγμα τώρα;»

«Γιατί ξέρετε και ξέρω ότι ειδικά αυτός ο καρκίνος δίνει συμπτώματα όταν είναι πολύ αργά! Έτσι δεν είναι;»

«Η αλήθεια είναι... δηλαδή... πράγματι... Μα τι συζητάμε τώρα; Πού πήγε το μυαλό σου;»

«Πουθενά! Γενικά μιλούσα!»

«Άσε τη φιλολογία και πήγαινε για εξετάσεις! Δουλεύεις σ' ένα νοσοκομείο με τα τελειότερα μηχανήματα! Δεν επιτρέπεται να...»

Η κουβέντα διακόπηκε απότομα. Ένα φωτάκι στον πίνακα αναβόσβηνε σαν τρελό και ο βομβητής τσίριζε. Κάποιος στο 123 είχε πρόβλημα, πολύ νωρίτερα απ' ό,τι περίμεναν τελικά.

Η Ναταλία προχωρούσε στο δρόμο με γρήγορα βήματα. Είχε απόλυτη ανάγκη από λίγη εκτόνωση μετά το τελευταίο δίωρο στο σπίτι της Νάσας Αγραφιώτου. Η φήμη ότι η εκκεντρικότητα συμβαδίζει με την ιδιοφυΐα έβρισκε την ενσάρκωσή της στο πρόσωπο αυτής της γυναίκας. Τα τελευταία δέκα χρόνια συνεργαζόταν αποκλειστικά με τον εκδοτικό τους οίκο και καμία οικονομική κρίση δεν μπόρεσε ποτέ ν' αγγίξει τις πωλήσεις των βιβλίων της, που γίνονταν ανάρπαστα μόλις κυκλοφορούσαν. Ήταν το φαβορί τους, γι' αυτό είχε προνομιακή μεταχείριση, παρόλο που οι απαιτήσεις της έσπαγαν εκτός από το κατεστημένο στο χώρο των εκδόσεων και τα νεύρα όσων είχαν έρθει σ' επαφή μαζί της.

Δεν πατούσε ποτέ το πόδι της στα γραφεία τους. Ακόμη και τα χρήματα από τις πωλήσεις των βιβλίων έπρεπε να της τα πηγαίνουν σπίτι, και όχι άλλος εκτός από τη Ναταλία. Ήταν η μόνη με την οποία ήθελε να συνεργάζεται. Όποιος προσπάθησε να έρθει σ' επαφή μαζί της του έκλεινε το τηλέφωνο. Δε δίσταζε να κάνει το ίδιο και στον εκδότη.

Η ίδια η Ναταλία δεν καταλάβαινε το λόγο αυτής της προτίμησης. Η Νάσα δεν ήταν ποτέ ιδιαίτερα ευγενική μαζί της. Το αντίθετο. Περνούσε δύσκολες ώρες κοντά στην εκκεντρική συγγραφέα. Ψηλή, πολύ αδύνατη, απροσδιόριστης ηλικίας αλλά πάντως πάνω από σαράντα πέντε, παράξενα όμορφη, μ' ένα μαλλί τόσο κοντό που πλησίαζε να μοιάζει με χνούδι, έντονα βαμμένη και πάντα αγέλαστη. Ποτέ δεν είχε δει κανένας ούτε μια γκριμάτσα που να μοιάζει με χαμόγελο. Αυτό το τελευταίο ήταν εξαιρετικά παράδοξο και ερχόταν σε πλήρη αντίθεση με το ύφος της γραφής της. Τα βιβλία της είχαν έντονο χιούμορ και απέπνεαν έναν αέρα αισιοδοξίας, ενώ η χαρά της ζωής ξεπηδούσε από κάθε αράδα, από κάθε σελίδα.

Η Ναταλία, προτού τη γνωρίσει προσωπικά έχοντας διαβάσει μόνο το πρώτο της βιβλίο, είχε εντελώς διαφορετική εικόνα. Ενθουσιάστηκε όταν της ανέθεσαν την επιμέλεια του δεύτερου βιβλίου της, αλλά η χαρά της μετατράπηκε σε ισχυρό σοκ όταν πήγε την πρώτη φορά σπίτι της για να εγκρίνει τις ελάχιστες διορθώσεις. Η Νάσα μόνο που δεν την έβρισε, της μίλησε πολύ προσβλητικά, απέρριψε όλες τις διορθώσεις και την έδιωξε κακήν κακώς. Η Ναταλία πίστεψε ότι θα της έπαιρναν το βιβλίο, έφτασε να φοβηθεί ότι θα χάσει ακόμη και τη δουλειά της, μετέφερε τρέμοντας στον εκδότη ό,τι είχε γίνει και ξαφνιάστηκε όταν τον άκουσε να γελάει. Το ξάφνιασμα μεταβλήθηκε σε πραγματική έκπληξη για την κοπέλα, όταν την ίδια μέρα η συγγραφέας τηλεφώνησε και απαίτησε σε όλες τις επαφές της πλέον με τον εκδοτικό οίκο να είναι υπεύθυνη μόνο η Ναταλία και κανένας άλλος. Διέταξε μάλιστα να πάει πάλι σπίτι της την άλλη μέρα.

Έμενε σ' ένα καταπληκτικό διαμέρισμα, σε μιαν αναπαλαιωμένη πολυκατοικία στο Κολωνάκι, μόνη, και κανένας δε γνώριζε τίποτα για την προσωπική της ζωή. Έβγαινε σπάνια, αλλά ταξίδευε συχνά. Δέκα χρόνια τώρα τα βιβλία της πουλούσαν χιλιάδες αντίτυπα, είχαν μεταφραστεί και στο εξωτερικό και είχαν κι εκεί την ίδια επιτυχία. Δύο είχαν μεταφερθεί στη μικρή οθόνη, ενώ το δεύτερο είχε την τύχη να κάνει καριέρα στον ευρωπαϊκό κινηματογράφο και ν' αποσπάσει κριτικές που είχαν χρόνια να διατυπωθούν για βιβλίο.

Για όλα αυτά η ίδια η Νάσα έδειχνε ν' αδιαφορεί. Όταν μάλιστα της πρότειναν να διασκευάσει η ίδια τα βιβλία της σε σενάριο, το πήρε σαν προσβολή και πέταξε έξω τους μεσολαβητές, δηλώνοντας ότι δεν ήταν τόσο ηλίθια να μετατραπεί από συγγραφέα σε χασάπη και να πετσοκόψει το έργο της, κατά τις προτιμήσεις ενός επίσης ηλίθιου σκηνοθέτη που το μόνο που τον ενδιέφερε ήταν τα εισιτήρια ή η τηλεθέαση.

Η Ναταλία παρακολουθούσε την πορεία αυτής της γυναίκας και ενδόμυχα τη θαύμαζε, όσο κι αν θεωρούσε μαρτύριο τις ώρες που έπρεπε να περνάει μαζί της. Πολύ συχνά η Νάσα την καλούσε με κάποια πρόφαση στο σπίτι της. Έδειχνε να έχει ανάγκη την παρουσία της, αλλά ποτέ δεν τόλμησε να της το πει. Ειδικά τώρα που είχε την επιμέλεια του τελευταίου της βιβλίου. Αυτό ήταν διαφορετικό. Ίσως το καλύτερό της. Η Ναταλία το είχε διαβάσει δυο φορές, προτού καταπιαστεί μαζί του για να κάνει τη δουλειά της, και παρ' όλα αυτά, έβαζε όλη της τη δύναμη για να ελέγχει το κείμενο, αντί ν' αφεθεί στη γοητεία του και να το διαβάσει πάλι σαν αναγνώστρια και όχι σαν επιμελήτρια. Η ηρωίδα είχε τόσες ομοιότητες με τη Ναταλία, παρόλο που η ιστορία εκτυλισσόταν στα τέλη του προηγούμενου αιώνα, ώστε ταυτίστηκε απόλυτα μαζί της και δεν ήταν λίγες οι φορές που δάκρυσε παρακολουθώντας την πολυτάραχη ζωή μιας γυναίκας που θα μπορούσε να ήταν αυτή η ίδια. Μόνο το τέλος δεν την έβρισκε σύμφωνη, αλλά δεν τόλμησε να το πει στη Νάσα.

Δύσκολη μέρα ήταν και η σημερινή και περίεργη, όπως περίεργη ήταν και η διάθεση της Αγραφιώτου. Η Ναταλία το κατάλαβε από το πρώτο λεπτό. Της άνοιξε η ίδια, όπως πάντα, αλλά κάτι στο βλέμμα της ήταν διαφορετικό. Την πέρασε στο σαλόνι αντί στο κατασκότεινο γραφείο της. Η Νάσα έγραφε πάντα εκεί με κλειστά παραθυρόφυλλα μέρα και νύχτα, μόνο με το φως μιας λάμπας. Κρατούσε πεισματικά τον ήλιο έξω από το χώρο της. Η καταθλιπτική ατμόσφαιρα δεν την επηρέαζε, αντίθετα, όπως έλεγε και η ίδια, την ενέπνεε, ενώ το φως του ήλιου τής αποσπούσε την προσοχή. Το σαλόνι της, πάντως, ήταν μια έκπληξη. Ολόφωτο, με μια μεγάλη τζαμαρία που έβλεπε σ' όλη την Αθήνα, αν και τη θέα την έκρυβαν τα δεκάδες φυτά, ακόμη και δέντρα, που υπήρχαν στη μεγάλη βεράντα.

Η Ναταλία βρισκόταν για πρώτη φορά σ' αυτόν το χώρο. Κοίταξε γύρω της μαγεμένη τα φωτεινά χρώματα που επικρατούσαν και τα όμορφα έπιπλα, που δεν είχαν βέβαια σχέση με τις ετοιμόρροπες καρέκλες του γραφείου. Τόσα χρόνια και το μόνο δωμάτιο που της είχε επιτρέψει η Νάσα να δει ήταν εκείνο το σκοτεινό γραφείο με την παλιά γραφομηχανή, στην οποία επέμενε να γράφει η παράξενη συγγραφέας.

Την προσοχή της τράβηξαν αμέσως οι φωτογραφίες που κοσμούσαν ένα από τα πολλά τραπεζάκια. Η γυναίκα με τα πυκνά μακριά μαλλιά, το ξένοιαστο βλέμμα και το λαμπερό χαμόγελο θα μπορούσε να ήταν η Νάσα Αγραφιώτου, αν η Ναταλία πίστευε ότι ήξερε να χαμογελάει η αγέλαστη γυναίκα που είχε απέναντί της και που τώρα την κοιτούσε ειρωνικά.

Εκείνη σαν να κατάλαβε τη βουβή απορία της, της απάντησε: «Εγώ είμαι... σε μιαν άλλη ζωή. Τότε που είχα λόγους να χαμογελάω!»

«Και τώρα δεν έχετε; Θέλω να πω όλη αυτή η επιτυχία, η δόξα, τα χρήματα...»

«Κανένα απ' όλα αυτά δεν είναι παράγοντας ευτυχίας. Έπειτα, ήρθαν όταν σταμάτησα να είμαι αφελής! Όταν σταμάτησα να είμαι το καλό παιδί, που όλοι νόμιζαν ότι μπορούσαν να εκμεταλλεύονται! Όταν έγινα αυτό που λένε... εκκεντρική, τότε ανακάλυψαν και το ταλέντο μου! Ξέρεις πόσων χρόνων είμαι; Σήμερα κλείνω τα πενήντα!»

«Δεν το ήξερα ότι έχετε γενέθλια! Χρόνια πολλά!»

«Λίγα και καλά προτιμώ εγώ! Λοιπόν, ξέρεις από πόσων χρόνων γράφω; Από τότε που θυμάμαι τον εαυτό μου! Το πρώτο μου βιβλίο εκδόθηκε όταν ήμουν είκοσι πέντε!»

«Αλήθεια; Ποιο είναι; Δεν το ξέρω και έχω διαβάσει όλα σας τα βιβλία!»

«Είναι αυτό που έγινε ταινία!»

«Μα... δεν καταλαβαίνω... Αυτό εκδόθηκε από εμάς πριν από λίγα χρόνια!»

«Δεν είναι κανένα φοβερό μυστήριο. Το πρώτο μου

αυτό βιβλίο τόλμησα και το έτρεξα σε διάφορους εκδοτικούς οίκους, αλλά κανένας δεν ενδιαφέρθηκε· κάποιοι μάλιστα δεν μπήκαν καν στον κόπο να το διαβάσουν! Βρέθηκε κάποιος και το εξέδωσε, αλλά δεν του έδωσε καμιά σημασία, ούτε το προώθησε, παρόλο που κινιόταν καλά. Εγώ, δειλή και ανόητη τότε, δε ζήτησα τίποτε. Ακόμη και στα ποσοστά μ' έκλεψαν. Τότε ήξερα μόνο να χαμογελώ και να είμαι ευτυχισμένη, γιατί είχε εκδοθεί το πρώτο μου βιβλίο! Η ανόητη!»

«Και τι έγινε;»

«Η πολιτική που ακολουθούσε ο εκδότης είχε ως αποτέλεσμα το βιβλίο να μη σημειώσει για εκείνον τις επιθυμητές πωλήσεις. Έτσι, το έστειλε για πολτοποίηση τέσσερα χρόνια αργότερα, χωρίς να έχω καταφέρει να εκδοθεί δεύτερο. Σταμάτησα να γράφω. Απογοητεύτηκα. Για οκτώ χρόνια δούλεψα παντού. Παντρεύτηκα... Εντελώς αναπάντεχα, ήρθε μια κληρονομιά... μεγάλη... Ξέρεις, οι χαρές δεν έρχονται ποτέ μόνες τους! Κάπου καραδοκεί και μια μεγάλη λύπη. Μαζί με τη χαρά της κληρονομιάς ήρθε και ένα τραγικό διαζύγιο. Τότε πρέπει να ήταν που άλλαξα τα πάντα στη ζωή μου! Αγόρασα αυτό το σπίτι, το έφτιαξα όπως ήθελα, άλλαξα εμφάνιση και έγραψα ξανά. Στον μοναδικό που αποτάθηκα ήταν ο εκδότης σου. Διάβαζα τα βιβλία του εκδοτικού του οίκου και μου άρεσαν. Πίστεψε σ' εμένα από την αρχή. Μετά την επιτυχία του πρώτου βιβλίου μου μαζί του, του έδωσα και το πρώτο μου, το άτυχο. Ζήτησε να το εκδώσει κι αυτός... Τα υπόλοιπα τα ξέρεις, νομίζω! Αν και αναρωτιέμαι γιατί σ' τα είπα όλ' αυτά!»

Ήταν η μόνη που ήξερε πια την ιστορία της, αν και φυσικά η Νάσα είχε κρατήσει για τον εαυτό της όλες τις λεπτομέρειες. Είχε απαιτήσει εχεμύθεια και η Ναταλία σχεδόν της ορκίστηκε ότι ποτέ κανένας δε θα μάθαινε από εκείνη το παραμικρό. Όχι, αυτή η ελάχιστη στιγμή αδυναμίας δεν άλλαξε τίποτα στις σχέσεις τους. Αμέσως μετά η Νάσα πήρε πάλι το γνώριμο ύφος της. Διέλυσε επί δύο ώρες το νευρικό σύστημα της Ναταλίας, απέρριψε όλες τις διορθωτικές προτάσεις της και κατακερμάτισε την αντοχή της, προτού τη διώξει γιατί ήθελε να γράψει.

Λίγο αργότερα, η κοπέλα σταμάτησε λαχανιασμένη από το περπάτημα μπροστά σε μια βιτρίνα. Σε λίγο θα έφτανε στο γραφείο και ακόμη δεν είχε ηρεμήσει. Τι θα έλεγε πάλι στον εκδότη για το βιβλίο που έπρεπε να κυκλοφορήσει πριν από τα Χριστούγεννα και δεν έλεγε να φύγει από το στάδιο της επιμέλειας; Ήξερε βέβαια ότι κανένας δε θα έριχνε πάνω της το βάρος της ευθύνης, αλλά καταλάβαινε και πόσο στένευαν τα χρονικά περιθώρια.

Ανοιγόκλεισε τα μάτια της για να βεβαιωθεί ότι δεν ονειρευόταν. Από το κατάστημα, του οποίου κοιτούσε χωρίς όμως να βλέπει τη βιτρίνα, έβγαινε ο μεγάλος της αδελφός, ο Κοσμάς. Με το ίδιο έκπληκτο βλέμμα την κοιτούσε τώρα κι αυτός.

«Κοσμά;»

Είχε την παιδιάστικη αφέλεια να πιστέψει προς στιγμήν ότι ίσως είχε πέσει θύμα τερατώδους ομοιότητας. Είχε χρόνια να δει κάποιον από τους δικούς της, και τα τηλεφωνήματα όλο και αραίωναν. Της ήταν όμως αδιανόητο να έχει έρθει κάποιος από την οικογένειά της στην Αθήνα και να μη ζητήσει να τη δει! Ωστόσο, το βλέμμα του άντρα που είχε γεμίσει αμηχανία και ενοχή δεν την άφησε σε αμφιβολία.

«Καλημέρα, Ναταλία...»

«Τι κάνεις εδώ;»

«Ήρθα για κάτι δουλειές... Εσύ;»

«Εγώ μένω στην Αθήνα! Το θυμάσαι;»

«Ναι... φυσικά:..»

«Τότε ίσως μπορείς να μου εξηγήσεις γιατί ο αδελφός μου δε με ειδοποίησε ότι θα έρθει! Ή γιατί δεν πήρε ένα τηλέφωνο για να ζητήσει να με δει!»

«Ξέρεις, ήμουν λίγο πνιγμένος... Θα σου τηλεφωνούσα όμως... Δηλαδή, μόλις...»

«Ας το αφήσουμε καλύτερα, Κοσμά! Κατάλαβα! Και δεν περίμενα βέβαια τώρα για να καταλάβω!»

«Τι θέλεις να πεις;»

«Θα μου κάνεις και το βλάκα τώρα ή θα προσποιηθείς ότι έτσι είναι οι φυσιολογικές οικογένειες; Από τη μέρα που γεννήθηκα, με κάνατε να αισθάνομαι περιττή αν όχι... διάφανη! Με αγνοήσατε, με περιφρονήσατε και, στο τέλος, με διώξατε!»

«Α, για στάσου ένα λεπτό και πήρες φόρα! Μόνη σου έφυγες!»

«Γιατί δεν άντεχα άλλο να μην υπάρχω! Ξέρεις πόσα χρόνια είμαι στην Αθήνα, Κοσμά; Δεκατέσσερα! Δεν ξέρει κανένας σας πού μένω, γιατί κανένας ποτέ δεν μπήκε στον κόπο να έρθει να με δει ούτε τότε που ήμουν φοιτήτρια! Δε σας ένοιαζε όμως ούτε τι κάνω, ούτε πώς ζω! Δεν πήρατε ποτέ ένα τηλέφωνο να δείτε αν υπάρχω! Πλήρωσες τις σπουδές μου, όχι για το καλό μου, αλλά όπως θα πλήρωνες για να ξεφορτωθείς κάτι ενοχλητικό! Και τώρα, αν δεν αποφάσιζε η τύχη να συναντηθούμε, ούτε που θα έμπαινες στον κόπο να ζητήσεις να με δεις! Έχω σταματήσει εδώ και χρόνια να αναρωτιέμαι τι σας έχω κάνει και με απορρίψατε, και νομίζω ότι ήρθε η σειρά μου να σας απορρίψω, μόνο που εγώ δε θα μείνω εκεί αλλά θα το πάω και πιο κάτω! Θα σας διαγράψω εντελώς!»

«Μπορείς να σταματήσει λίγο και να με ακούσεις;»

«Δεν έχεις να μου πεις κάτι που να μ' ενδιαφέρει! Τελειώσαμε, Κοσμά! Δεν υπάρχω πια για σας όπως δεν υπάρχετε κι εσείς για μένα, γεγονός που θ' αλλάξει ελάχιστα τα καθιερωμένα! Μόνο που τώρα θα σταματήσω και αυτά τα λίγα τηλεφωνήματα που χρέωνα στο λογαριασμό μου! Θα σταματήσω να προσποιούμαι ότι έχω οικογένεια! Δε θέλω να δω και ν' ακούσω κανέναν σας! Πεθάνατε και πέθανα!»

Τον άφησε εμβρόντητο στο πεζοδρόμιο και απομακρύνθηκε με μεγάλα βήματα, σχεδόν τρέχοντας. Τα γυαλιά ηλίου έκρυβαν τα δάκρυα που έτρεχαν και θόλωναν την εικόνα. Τρεις φορές σώθηκε από αυτοκίνητα, των οποίων οι οδηγοί είχαν καλά ανακλαστικά. Δε γύρισε στο γραφείο. Πήγε σπίτι και από κει τους τηλεφώνησε ότι ήταν άρρωστη, και δεν έλεγε ψέματα. Αισθανόταν άρρωστη. Άπειρες φορές στη ζωή της είχε νιώσει περιττή και είχε αναρωτηθεί για την αιτία. Τι ήταν αυτό που έκανε τους άλλους να την αγνοούν; Η συνάντηση με τον αδελφό της δεν της φανέρωσε κανένα μεγάλο μυστικό, αλλά έξυσε μια παλιά πληγή. Μέσα από μια ακραία αυτοκριτική, έφτασε ν' απορεί αν οι μοναδικοί της φίλοι, οι τόσο πρόσφατοι στη ζωή της, την ήθελαν πραγματικά ή απλώς την ανέχονταν. Αν γι' αυτούς ήταν απαραίτητη ή απλώς δεν τους ενοχλούσε. Έψαξε να βρει στη συμπεριφορά τους σημάδια που θα της βεβαίωναν ότι τόσο η Ελπίδα όσο και η Μαρίνα ήταν έτοιμες να της πετάξουν καταπρόσωπο την ασημαντότητά της. Όσο για τον Κωστή... Δεν είχε καμιά ελπίδα. Ενώ με τις άλλες δύο έδειχνε πιο δεμένος, με την ίδια η σχέση του ήταν ουδέτερη.

Καινούργια δάκρυα ήρθαν στα μάτια της. Τον αγαπούσε. Ήταν στιγμές που ήθελε να του το φωνάξει, αλλά δεν ήταν σίγουρη ότι θα την άκουγε καν, κι αυτό στην καλύτερη περίπτωση· γιατί στη χειρότερη... θα γελούσε με το θράσος της να πιστέψει ότι ένας άντρας σαν κι αυτόν θα πρόσεχε ποτέ μιαν ασήμαντη... πολύ δε περισσότερο θα της χάριζε την αγάπη του.

Η είσοδος της Μαρίνας στο σπίτι σταμάτησε κάθε άλλη σκέψη. Αμέσως κατάλαβε ότι κάτι είχε συμβεί στη φίλη της. Ήταν χλομή και ταραγμένη. Σχεδόν τρόμαξε όταν την είδε στο σπίτι. Αλλά έπειτα πρόσεξε τα δάκρυα. Έτσι άφησε τα ψώνια και την πλησίασε ανήσυχη.

«Ναταλία... κλαις; Τι συμβαίνει; Γιατί είσαι τέτοια ώρα σπίτι;»

Τις πήρε η νύχτα να συζητούν. Τα κρεμμυδάκια και ο μαϊντανός μαράθηκαν περιμένοντας. Τα κεριά, που άναψαν, έλιωσαν, κι εκείνες ακόμη μιλούσαν. Έβγαλαν από μέσα τους όλη την πίκρα και τον πόνο, για όλα εκείνα που είχαν συμβεί και που τους θύμισαν τα λάθη της ζωής τους. Μόνο τ' όνομα του Κωστή δεν αναφέρθηκε. Όσο κι αν η Ναταλία αγαπούσε τη Μαρίνα, δεν τόλμησε να της πει τίποτα για έναν έρωτα απολύτως καταδικασμένο.

Η ψυχή της όμως γαλήνεψε και ντράπηκε για τις προηγούμενες σκέψεις της, όταν η Μαρίνα της έπιασε τα χέρια και της είπε: «Σ' αγαπάω πάρα πολύ. Όλους σας αγαπάω και συνήθως δεν μπορώ να σας ξεχωρίσω, αλλά απόψε ξέρω ότι εσένα σ' αγαπάω λίγο πιο πολύ... από τον καιρό που μένω σπίτι σου, που σε γνώρισα ακόμη περισσότερο. Είσαι ωραίος άνθρωπος, Ναταλία, και μην αφήσεις κανένα να σε πείσει για το αντίθετο».

Έφαγαν κάτι πρόχειρο και πέρασαν το υπόλοιπο βράδυ τους βλέποντας μια ταινία στην τηλεόραση. Ήταν μια ελληνική κωμωδία, από τις παλιές εκείνες αγαπημένες, που γνώριζαν κάθε ατάκα, γελούσαν προτού ακόμη ειπωθεί και περίμεναν την επόμενη. Η Βλαχοπούλου, ο Βουτσάς, ο Ηλιόπουλος και οι άλλοι της παρέας του Δαλιανίδη έδιωξαν τα φαντάσματα του παρελθόντος και οι δύο γυναίκες ξέχασαν για λίγο ό,τι τις πόνεσε.

Πήγαν για ύπνο κουρασμένες, αλλά τουλάχιστον πιο ήρεμες. Μόνο η Ναταλία, λίγο προτού κλείσει τα μάτια της, άφησε να κυλήσουν λίγα δάκρυα. Η ρυθμική αναπνοή της Μαρίνας, που κοιμόταν δίπλα της, θα ήθελε όσο τίποτα στον κόσμο να ήταν του Κωστή!

Ο Κωστής πήρε βαθιά ανάσα προτού χτυπήσει το κουδούνι του σπιτιού που κάποτε θεωρούσε σπίτι του. Πιστός στην υπόσχεση που είχε δώσει το πρωί στην Αντιγόνη, έβαζε μπρος το σχέδιο... «Βασίλης». Αμέσως μετά το κουδούνισμα, άκουσε τρεχαλητό. Κατάλαβε ότι θα άνοιγε η κόρη του και φόρεσε το πιο πειστικό, εύθυμο ύφος που διέθετε. Η σκέψη και μόνο τού πόσες φορές τον είχαν διώξει σαν ενοχλητικό απ' αυτό το κατώφλι, καθώς και η ανάμνηση της βραδιάς που ο Βασίλης τον είχε πετάξει στο πεζοδρόμιο, ήταν αρκετές για να θέλει να φύγει, στην καλύτερη περίπτωση. Γιατί στη χειρότερη, ήθελε να σπάσει τα μούτρα αυτού που θεωρούσε εν μέρει υπεύθυνο για το κατάντημα της οικογένειάς του. Το παιδί, όμως, δεν έφταιγε σε τίποτα.

Η Ισμήνη ξαφνιάστηκε όταν τον είδε μπροστά της.

«Μπαμπά!» φώναξε ενθουσιασμένη και κρεμάστηκε στο λαιμό του γεμίζοντάς τον φιλιά. «Ήρθες να με πάρεις;»

«Όχι, βέβαια! Δεν είναι σαββατοκύριακο, πριγκίπισσα! Περνούσα όμως και είπα να δω το κορίτσι μου! Μα... τι; Εδώ στην πόρτα θα με αφήσεις;»

«Ξέρεις, είναι μέσα και... αυτός...»

Η Ισμήνη δαγκώθηκε έτοιμη να κλάψει και αυτό τον διαβεβαίωσε ότι το σχέδιό του ήταν σωστό. Αφού η Αντιγόνη θα έμενε μαζί με αυτό τον άνθρωπο, έπρεπε να συμφιλιωθεί η Ισμήνη μαζί του, για το καλό της. Φτάνει τα πράγματα να ήταν όπως του είχε πει η πρώην σύζυγός του και ο κύριος αυτός ν' αγαπούσε και να πρόσεχε το παιδί. Ένας τρόπος υπήρχε για να το διαπιστώσει... Πίεσε και πάλι τον εαυτό του να χαμογελάσει.

«Ποιος... αυτός; Ο Βασίλης; Ωραία! Ευκαιρία να τον γνωρίσω!»

Μπροστά από τα έκπληκτα μάτια της κόρης του, ο Κωστής πέρασε στο παλιό του σπίτι. Μέσα σε δευτερόλεπτα διαπίστωσε ότι τίποτα δεν είχε αλλάξει. Μόνο που στην πολυθρόνα που εκείνος προτιμούσε τότε, καθόταν τώρα ο Βασίλης.

Μόλις τον είδαν, το ζευγάρι πετάχτηκε όρθιο. Η Ισμήνη μπήκε μπροστά από τον πατέρα της, σαν να ήθελε να τον προστατέψει. Εκείνος όμως την παραμέρισε τρυφερά και προχώρησε με απλωμένο χέρι προς τον άλλο άντρα, που η αμηχανία του ήταν τέτοια ώστε τον έκανε σχεδόν συμπαθητικό.

«Γεια σου, Βασίλη! Τι κάνεις, Αντιγόνη;» χαιρέτησε με άνεση.

Οι δυο άντρες έσφιξαν τα χέρια, ενώ η Ισμήνη κοιτούσε μαρμαρωμένη. Μόλις κάθισαν, η μικρή πήγε κοντά στον πατέρα της και κάθισε στο μπράτσο της πολυθρόνας του. Την αγκάλιασε από τη μέση κι εκείνη τον φίλησε. Η σιωπή ήταν φορτωμένη αμηχανία. Ο Βασίλης και η Αντιγόνη κοιτάζονταν μην ξέροντας τι να πουν ή τι να κάνουν.

«Τι γίνεται τώρα;» ρώτησε χαμογελώντας ο Κωστής. «Δεν κερνάτε καφέ σ' αυτό το σπίτι;»

Η Αντιγόνη πετάχτηκε σαν ελατήριο. «Συγγνώμη...

να σου φτιάξω... είμαι ασυγχώρητη. Μήπως προτιμάς κάτι άλλο; Ποτό, αναψυκτικό; Έρχεσαι από τη δουλειά, μήπως θέλεις κάτι να τσιμπήσεις;»

«Δε θέλω τίποτε άλλο παρά έναν καφέ, αλλά προτιμώ να μου τον φτιάξει η Ισμήνη, όπως κάνει και στο σπίτι μου! Τι λες, μικρή; Θα περιποιηθείς εσύ τον μπαμπά σου;»

«Αμέσως, μπαμπά!»

Έφυγε ενθουσιασμένη και ο Κωστής στράφηκε στο ζευγάρι. «Ηρεμήστε λίγο και οι δύο. Είστε έτοιμοι να διαλυθείτε από το άγχος και τα πράγματα, όπως βλέπετε, πάνε μια χαρά!»

«Λίγο πριν έρθεις», του είπε σιγανά η Αντιγόνη, «δε μας μιλούσε καν!»

«Είπαμε... θέλει υπομονή!»

«Κωστή, θέλω να σου ζητήσω συγγνώμη...» Ο άντρας απέναντί του τον κοιτούσε με ειλικρίνεια. «Δε σου φέρθηκα καλά... δεν είχα το δικαίωμα... κι εσύ τώρα μας βοηθάς... Τότε όμως...»

«Τότε ήμουν ενοχλητικός!» τον έκοψε ο Κωστής. «Η αλήθεια είναι, για να τελειώνουμε, ότι μπήκες ανάμεσα σ' εμένα και στην Αντιγόνη! Ξέρω τα λάθη μου, αλλά αν δεν υπήρχες, ίσως η γυναίκα μου να προσπαθούσε να σώσει το γάμο μας! Χάρη σ' εσένα, όμως, παραιτήθηκε μια ώρα αρχύτερα! Τίποτα δεν αλλάζει· ό,τι έγινε, έγινε! Τώρα θέλετε να ζήσετε μαζί και πρέπει να το δεχτεί και το παιδί! Για εκείνη προσπαθώ! Να έχεις όμως υπόψη σου ότι θα σε παρακολουθώ! Αν δε φερθείς καλά στην Ισμήνη, αν ακούσω παράπονα από το παιδί...» Άφησε τη φράση του μισή, αλλά το νόημα ήταν ξεκάθαρο.

Η Ισμήνη μπήκε φέρνοντας πάνω σε δίσκο, με ιερή προσοχή, τον καφέ του πατέρα της. Όταν τον άφησε δίπλα του, κοίταξε εξεταστικά έναν έναν ψάχνοντας για σημάδια έντασης, αλλά δεν μπόρεσε να βρει τίποτα και κάθισε πάλι δίπλα του.

Ο Κωστής έμεινε σχεδόν μία ώρα. Η συζήτηση κατάφερε να γίνει ευχάριστη. Όφειλε να παραδεχτεί ότι ο τύπος είχε χιούμορ καλής ποιότητας. Ήταν έξυπνος και καλός συζητητής, καλλιεργημένος και όταν απευθυνόταν στην Ισμήνη, που κάποιες στιγμές συμμετείχε, της μιλούσε τρυφερά χωρίς δουλικότητα, χωρίς ν' αποζητά την εύνοιά της.

Ωστόσο, αυτό που τον σόκαρε ήταν ο έρωτας που έβλεπε στα μάτια της Αντιγόνης. Τον αγαπούσε αυτό τον άνθρωπο, όπως δεν είχε αγαπήσει ποτέ τον ίδιο.

Η Μαρίνα μπήκε στο σπίτι της θείας της και κατευθύνθηκε στο σαλόνι, όπου βρίσκονταν οι γονείς της. Βιαζόταν να καθίσει. Τα πόδια της είχαν πρηστεί τελευταία και ο γιατρός τής είχε συστήσει να περιορίσει το αλάτι. Το πρώτο που έκανε ήταν να σωριαστεί σε μια πολυθρόνα.

«Καλησπέρα!» τους χαιρέτησε κεφάτα. «Συγγνώμη, αλλά θα βγάλω τα παπούτσια μου! Με πεθαίνουν τα πόδια μου!» είπε και χωρίς δεύτερη σκέψη πέταξε μακριά τ' άνετα μοκασίνια της.

«Είναι πρησμένα τα πόδια σου!» διαπίστωσε η μητέρα της.

«Έγκυος είμαι, μαμά, είναι φυσιολογικό! Μην ανησυχείς, έκανα πρόσφατα εξετάσεις! Εσείς τι κάνετε; Τι νέα;»

«Τίποτα το ιδιαίτερο», απάντησε ο πατέρας της. «Το σπίτι πουλήθηκε βέβαια...»

«Σοβαρά; Μα αυτό είναι καταπληκτικό! Τι θα κάνεις τώρα;»

«Προς το παρόν εξετάζω τις πιθανότητες! Είναι καλή εποχή για επενδύσεις!»

«Συμφωνώ, αν και απ' ό,τι άκουσα προχθές, οι μετοχές δυο-τριών μεγάλων εταιρειών παρουσιάζουν ενδιαφέρον».

«Παρακολουθείς το χρηματιστήριο;»

Η απορία του πατέρα της την έκανε να χαμογελάσει.

«Όχι σε συστηματική βάση, μπαμπά! Αλλά μιλούσαμε με τον Κωστή και...»

«Αλήθεια, τι κάνει αυτό το καλό παιδί;» ενδιαφέρθηκε να μάθει η μητέρα της και κάτι στο ύφος της έκανε τη Μαρίνα να την κοιτάξει με απορία.

«Καλά είναι...» απάντησε με επιφύλαξη.

«Γιατί δεν τον φέρνεις καμιά μέρα μαζί σου να τον δούμε κι εμείς;»

«Γιατί να τον δείτε;»

«Ε... φίλος σου είναι, σε βοήθησε τόσο με το σπίτι και την πώληση των πραγμάτων, να τον περιποιηθούμε, να...»

«Φίλες μου είναι η Ναταλία και η Ελπίδα, επίσης! Με βοήθησαν κι εκείνες άλλο τόσο και ποτέ δεν εκδήλωσες ενδιαφέρον να τις δεις και να τις περιποιηθείς!»

«Ναι... δε λέω, αλλά ο Κωστής είναι...»

«Μαμά, τι έβαλες στο μυαλό σου και προσπαθείς να μου το πεις με τρόπο;»

«Τίποτα κακό, παιδί μου, αλλά ο άντρας αυτός είναι εμφανίσιμος, σοβαρός, έχει μια καλή θέση...»

«Προξενιό μού κάνεις; Μαμά, για σύνελθε, σε παρακαλώ! Ο Κωστής είναι ένας καλός φίλος και τίποτα παραπάνω! Επιπλέον, σου θυμίζω ότι είμαι έγκυος!»

«Μα ακριβώς γι' αυτό! Πρέπει να βρεις έναν πατέρα για το παιδί αφού ο Νικήτας...»

«Η συζήτηση γίνεται γελοία! Τις αποφάσεις μου τις

ξέρετε και νόμιζα ότι τις έχετε δεχτεί! Όσο για τον Κωστή είναι σαν αδελφός! Δε θα δεχτώ άλλη κουβέντα τέτοιου είδους, γιατί θα τσακωθούμε άσχημα! Πρέπει να το πάρετε απόφαση. Είμαι αρκετά μεγάλη για να κανονίζω τη ζωή μου μόνη μου!»

Η μητέρα της σώπασε στενοχωρημένη. Η Μαρίνα έμεινε λίγο ακόμη μαζί τους, μιλώντας με τον πατέρα της για οικονομικά κυρίως θέματα, και έφυγε προτού νυχτώσει.

Απόψε θα έβγαιναν οι τέσσερις. Ο Κωστής είχε προτείνει βόλτα στη θάλασσα και είχαν δεχτεί. Ήταν ένας δύσκολος μήνας αυτός που είχαν περάσει. Πολλά νέα δεδομένα είχαν προστεθεί και μαζί είχε έρθει γνώση και επίγνωση. Ο Σεπτέμβρης, παρ' όλη τη ζέστη που έφερνε μαζί του, ήταν αδύνατον να κρύψει πως πίσω του κουβαλούσε και το φθινόπωρο.

# ΟΚΤΩΒΡΙΟΣ
## *Ο μήνας του Απόλλωνα*

### ΑΠΟΛΛΩΝΑΣ

*Ρωμαλέος, καλοφτιαγμένος και γεμάτος θάρρος ο θεός αυτός. Σαν τον πατέρα του τον Δία, φυλάει τους όρκους και προστατεύει εκείνους που κρατούν τις συμφωνίες που έκαναν. Ο Απόλλωνας είχε όμως και μιαν ακόμη εξουσία. Ήταν ο θεός της μαντικής...*

*...πως πολύ πιο πάνω*
*απ' όλ' αξίζει να 'χει γεννηθεί*
*κανείς μ' όλη του κόσμου τη σοφία·*
*μα αφού δεν συνηθά ένα τέτοιο πράμα*
*να γίνεται, καλό είναι και να θέλει*
*ν' ακούει εκείνους που σωστά μιλούνε.*

Σοφοκλής, *Αντιγόνη*
*(Μτφρ.: Ι. Γρυπάρης)*

Ήταν ξαφνικό. Μπορεί ο Οκτώβρης να είχε κιόλας προχωρήσει τις μέρες του, μπορεί η γη, έστω και καλυμμένη από τσιμέντο και άσφαλτο, να ικέτευε για λίγη δροσιά, μπορεί σύμφωνα με το ημερολόγιο να βρίσκονταν στην καρδιά του φθινοπώρου, κανένας όμως δεν ήταν έτοιμος να γυρίσει την πλάτη στο καλοκαίρι, ειδικά ύστερα από τις τελευταίες θερμές μέρες που τους είχε χαρίσει ο Σεπτέμβρης. Απόδειξη πως τα χειμωνιάτικα παρέμεναν κλεισμένα στις ντουλάπες και ο κόσμος φορούσε ακόμη τα καλοκαιρινά του.

Κι όμως, το πρωί, το μήνυμα ήταν ξεκάθαρο. Θα έβρεχε και μάλιστα πάρα πολύ. Ο ουρανός ήταν βαρύς, ο ήλιος άφαντος και κάπου κάπου ακούγονταν βροντές, σημάδι πως η βροχή είχε δώσει προτεραιότητα σε κάποια άλλη περιοχή και τώρα ερχόταν. Η Μαρίνα, καθισμένη στο αυτοκίνητο δίπλα στην Ελπίδα που οδηγούσε, κοίταζε τις πρώτες χοντρές σταγόνες που έβρισκαν στόχο το τζάμι. Στο πίσω κάθισμα η Ναταλία παρακολουθούσε κι αυτή τον κόσμο. Οι πιο προνοητικοί είχαν μαζί τους ομπρέλες που σαν πολύχρωμα μανιτάρια έκαναν τώρα την εμφάνισή τους. Κάποιοι άλλοι χρησιμοποιούσαν τσάντες και σακούλες, ενώ οι υπόλοιποι στριμώχνονταν σε υπόστεγα, στάσεις και περίπτερα, περιμένοντας να ξεθυμάνει η φύση, που όμως έκανε ακριβώς το αντίθετο. Η βροχή όλο και δυνάμωνε. Η Ελπίδα βλαστήμησε μέσα απ' τα δόντια της για έναν πεζό που πετάχτηκε ξαφνικά μπροστά της. Το ραντεβού με το γιατρό ήταν στις δέκα. Ωστόσο, κατά τα φαινόμενα, έξω από το μαιευτήριο δεν υπήρχε περίπτωση να παρκάρουν.

«Θα γίνουμε μούσκεμα!» ανακοίνωσε, αλλά την ίδια στιγμή κάποιος άφηνε τη θέση του ακριβώς μπροστά από την είσοδο και η κοπέλα μ' έναν επιδέξιο ελιγμό εκμεταλλεύτηκε την ευκαιρία.

Μπήκαν στο μαιευτήριο και ζήτησαν το γιατρό της Μαρίνας. Ώσπου να έρθει, κάθισαν στην αίθουσα αναμονής. Η Ναταλία κοίταζε γύρω της μ' ενδιαφέρον. Κόσμος πολύς, άνθρωποι που ο καθένας είχε τον δικό του λόγο να βρίσκεται εκεί. Ανάμεσά τους και άλλες γυναίκες, που σαν τη Μαρίνα κουβαλούσαν μέσα τους το θαύμα της ζωής. Ο γιατρός εμφανίστηκε λίγα λεπτά αργότερα. Το παρουσιαστικό του ήταν η απάντηση στις προσευχές κάθε γυναίκας για το γυναικολόγο της. Ψηλός, αδύνατος, γύρω στα πενήντα, και μ' ένα πρόσωπο τόσο γλυκό και ήρεμο, που μόνο να το κοιτούσες κι ένιωθες γαλήνη και κανένα φόβο. Ο Κίμωνας Χαρισιάδης χαμογέλασε μόλις είδε τις άλλες δύο γυναίκες.

«Μαρίνα, έφερες και ενισχύσεις σήμερα μαζί σου;» τη ρώτησε.

«Είναι φίλες μου, η μία θα γίνει και νονά του μωρού, και τις ήθελα δίπλα μου. Ελπίζω να μη σε πειράζει», απάντησε εκείνη.

«Κάθε άλλο! Άλλωστε, σήμερα είναι μια μεγάλη μέρα. Αν το επιθυμείς, εκτός απ' όλα τ' άλλα, φεύγοντας από δω θα ξέρεις με ακρίβεια και το φύλο του μωρού σου!»

«Αλήθεια; Τότε γιατί καθυστερούμε; Πάμε! Πάμε γρήγορα!»

Ακολούθησαν το γιατρό σε μια δαιδαλώδη διαδρομή μέχρι το τμήμα υπερήχων. Η προετοιμασία ήταν σύντομη. Η διαδικασία, όμως, φάνηκε στη Μαρίνα ότι κράτησε έναν αιώνα. Καταλάβαινε ελάχιστα από τις κουβέντες που αντάλλασσε ο γιατρός της με τον άλλο γιατρό ο οποίος χειριζόταν το μηχάνημα.

«Λοιπόν, Κίμωνα;» ρώτησε μην αντέχοντας άλλο την αναμονή. «Είναι όλα καλά; Το μωρό είναι γερό;»

«Το μωρό είναι μια χαρά! Και είναι μπέμπα! Θα κάνεις κοριτσάκι!»

Λίγα δευτερόλεπτα σιγής προτού τα δάκρυα της χαράς πλημμυρίσουν όχι ένα αλλά τρία ζευγάρια μάτια. Η Ναταλία και η Ελπίδα, που στέκονταν δεξιά και αριστερά της, έσκυψαν και τη φίλησαν. Ο γιατρός, όμως, είχε τα μάτια του καρφωμένα στην οθόνη με ύφος αυστηρό. Η Μαρίνα τον κοίταξε και το χαμόγελο μαράθηκε στα χείλη της.

«Τι συμβαίνει, Κίμωνα; Υπάρχει πρόβλημα με το μωρό;»

«Το μωρό είναι γερό, αρτιμελές και γενικά μια χαρά, αλλά θα μπορούσε να είναι και καλύτερα!»

«Τι εννοείς;»

«Ντύσου και ελάτε στο γραφείο μου να πούμε δυο κουβέντες!»

Δε χρειάστηκε να της το ξαναπεί. Σε χρόνο ρεκόρ, βρέθηκαν και οι τρεις να κάθονται απέναντί του, κρεμασμένες από τα χείλη του.

«Λοιπόν, κυρία μου, όπως σου είπα, η μικρή είναι μια χαρά, αλλά παραείναι μικρή! Για κάποιο λόγο, απέχει αρκετά από το ιδανικό βάρος! Δεδομένου ότι την προηγούμενη φορά δεν ήταν έτσι τα πράγματα και ότι είναι απολύτως βέβαιο πως δεν υπάρχει κανενός είδους δυσπλασία σε πλακούντα και ομφάλιο λώρο, οι ευθύνες πέφτουν επάνω σου! Προφανώς η διατροφή σου δεν είναι αυτή που πρέπει! Είπαμε να μην πάρεις περιττό βάρος, αλλά όχι κι έτσι!»

Δυο ζευγάρια μάτια γεμάτα επιτίμηση έριξαν το βλέμμα τους στη Μαρίνα, που κατέβασε το κεφάλι.

«Η αλήθεια είναι ότι τελευταία δεν έχω καθόλου όρεξη», απολογήθηκε.

«Ναι, αλλά προέχει η υγεία του μωρού σου, έτσι δεν είναι;» Το ύφος του Κίμωνα Χαρισιάδη είχε τώρα μαλακώσει. «Σε στενοχωρεί το διαζύγιο μήπως;» Ο Κίμωνας ήξερε τι είχε συμβεί και τώρα την κοίταζε με κατανόηση. «Μαρίνα, ξέρω κι άλλες γυναίκες στη θέση σου. Είναι μόνες στην εγκυμοσύνη και για αρκετές απ' αυτές οφείλεται σε κάτι πιο τραγικό από ένα διαζύγιο, που τους στέρησε το σύντροφό τους! Καταλαβαίνεις τι εννοώ...» είπε και περίμενε να τη δει να κουνάει καταφατικά το κεφάλι της προτού συνεχίσει: «Όλες όμως, ανεξαιρέτως αιτίας, έκαναν κουράγιο, φάνηκαν δυνατές και αυτό για χάρη του μωρού τους. Ξέρω πως ένα διαζύγιο δεν είναι καθόλου εύκολη υπόθεση, πολύ δε περισσότερο σε μια τέτοια χρονική στιγμή. Αφού όμως εσύ επέλεξες, και κατά τη γνώμη μου πολύ καλά έκανες, να κρατήσεις το παιδί παρά τη δυσάρεστη κατάληξη του γάμου σου, έχεις ιερή υποχρέωση να το φέρεις γερό και δυνατό στον κόσμο».

«Έχεις δίκιο. Ήταν κουταμάρα μου, αν και δεν περίμενα ότι η ανορεξία μου θα είχε συνέπειες και στο παιδί. Σου υπόσχομαι ότι από δω και πέρα θα είμαι υπόδειγμα μέλλουσας μητέρας!»

«Μπράβο! Θυμάσαι τι είπαμε την άλλη φορά για τη διατροφή σου; Γερό πρωινό, απαραιτήτως γάλα και φρούτα, όχι πολλές σάλτσες και λάδια, μέτριο αλάτι, άφθονο νερό και να φροντίζεις τουλάχιστον μία ώρα τη μέρα να περπατάς! Επίσης...»

«Γιατρέ, μην κουράζεστε!» τον έκοψε η Ελπίδα. «Η κυρία θα κάνει ό,τι ακριβώς πρέπει, γιατί από δω και πέρα θα έχει να κάνει και μαζί μας!»

Βγήκαν από το μαιευτήριο με την ίδια βροχή που μπήκαν. Μόνο το ύφος της Ελπίδας ήταν διαφορετικό, και η Μαρίνα γνώριζε πια πως την περίμενε γερή κατσάδα όταν θα έφταναν στο σπίτι. Η Ναταλία σιωπούσε κι αυτή, βυθισμένη στις δικές της σκέψεις.

Ο γιατρός είχε δίκιο. Από τη μέρα που επέστρεψαν από το Ναύπλιο, η Μαρίνα είχε αλλάξει, ήταν μελαγχολική. Δούλευε βέβαια ασταμάτητα, δίνοντας τον καλύτερο εαυτό της στη μετάφραση του βιβλίου, αλλά όταν έκλεινε τον υπολογιστή της, ήταν σαν να έκλεινε μαζί και τον δικό της γενικό διακόπτη. Μπορούσε να κάθεται ώρες, χωρίς να κάνει απολύτως τίποτα, ή να κοιτάζει αφηρημένη έναν άδειο τοίχο. Η Ναταλία την είχε δει πολλές φορές κλαμένη, και κατάλαβε την αιτία όταν βρήκε μια φωτογραφία του Φίλιππου κάτω από το μαξιλάρι της φίλης της. Δεν της είχε πει κουβέντα. Εκείνη, περισσότερο απ' όλους, κατανοούσε πόσο πόνο προκαλεί ένας έρωτας χωρίς μέλλον. Μόνο που θα ήθελε να μπορούσε κάποιος να πείσει τη φίλη της ότι βασανιζόταν άδικα. Ο Φίλιππος την αγαπούσε και μια της λέξη θα τον έφερνε τρέχοντας κοντά της, ενώ για την ίδια, δεν ήταν τόσο απλά τα πράγματα.

Μπήκαν στο σπίτι αμίλητες, αλλά προτού προλάβει η Ελπίδα ν' ανοίξει το στόμα της όπως ετοιμαζόταν, την πρόλαβε η Μαρίνα.

«Πριν πεις οτιδήποτε, σου δηλώνω προκαταβολικά ότι κατάλαβα τη βλακεία μου και θα προσέχω από δω και πέρα!»

«Α, όχι, κυρία μου! Δε θα γλιτώσεις έτσι εύκολα από μένα! Και δεν ήταν μόνο βλακεία αυτό που έκανες, ήταν και ανευθυνότητα! Γιατί, παρακαλώ, δεν τρως; Να σου πω εγώ! Γιατί αντί να τρως, τρώγεσαι! Πάλι από το κεφάλι σου! Γιατί μπορεί ο γιατρός να τα φορτώνει όλα στο διαζύγιο, αλλά εγώ ξέρω την αλήθεια, που έχει ένα όνομα: Φίλιππος!»

«Ελπίδα, δε νομίζω ότι...»

«Άσε αυτό το ύφος και δεν περνάει σ' εμένα! Από τον καιρό του Ναυπλίου, είσαι και πάλι ερωτευμένη μαζί του και ίσως πιο δυνατά από τότε, αλλά από μεγαλειώδη βλακεία τον έδιωξες τον άνθρωπο, αραδιάζοντας ένα τσουβάλι ψέματα! Και τώρα βασανίζεσαι και είδες τι επιπτώσεις είχε αυτό στο μωρό!»

Η Ελπίδα σώπασε, την ώρα που η Μαρίνα άρχισε να κλαίει. Η Ναταλία βρέθηκε αμέσως δίπλα της και την αγκάλιασε.

«Μην κλαις», την παρακάλεσε, «ταράζεσαι και δεν κάνει! Η μπέμπα μας θα βγει κλαψιάρα έτσι όπως το πας! Η Ελπίδα σ' αγαπάει, νοιάζεται για σένα και για το μωρό, γι' αυτό σ' τα λέει όλ' αυτά!»

«Λες να μην το ξέρω;» απάντησε εκείνη μέσα από τα αναφιλητά της, «αλλά δεν το θέλω. Ούτε ήθελα να πάθει κάτι το παιδί. Είναι στιγμές, όμως, που βάζω όλη μου τη δύναμη για να μην ψάξω να τον βρω και του πω όλη την αλήθεια!»

«Τότε γιατί δεν το κάνεις;» μπήκε πάλι στη συζήτηση η Ελπίδα, αλλά πιο ήρεμα αυτή τη φορά. «Γιατί τόσο ανόητα διώχνεις έναν άντρα που αγαπάς και σ' αγαπάει, αντί να τον φέρεις κοντά σου και να γίνεις ευτυχισμένη;»

«Γιατί ίσως γίνει εκείνος δυστυχισμένος, αν του φορτώσω το παιδί ενός άλλου! Κι αν δε γίνει τώρα, ίσως γίνει αργότερα και αυτό δε θα το αντέξω!» εξήγησε η Μαρίνα σκουπίζοντας τα τελευταία δάκρυά της.

«Μιλάς πάντα υποθετικά και έχοντας αποκλείσει από τις αποφάσεις τον ίδιο τον ενδιαφερόμενο, που έχει πλήρη άγνοια των δεδομένων! Πες του την αλήθεια και δώσ' του την ευκαιρία ν' αποφασίσει!»

«Όχι! Ο Φίλιππος, ακριβώς επειδή μ' αγαπάει, μπορεί να δεχτεί τώρα, υπό το κράτος πίεσης!»

«Ώρες είναι να μας πεις ότι θ' αναλάβει εσένα και το παιδί από ευγένεια ή γιατί θα ντραπεί ν' αρνηθεί!»

«Το αποκλείεις;»

«Ε, δεν είσαι καλά! Μα το Θεό, δεν είσαι καλά! Σύνελθε, κορίτσι μου, και σκέψου λογικά, προτού είναι αργά!»

Ο ήχος ενός κεραυνού, που έπεσε πολύ κοντά, υπογράμμισε τα λόγια της.

Αισθανόταν αμήχανα μόνη μαζί του, ίσως γιατί είχε καιρό να συμβεί κάτι τέτοιο· από την εποχή που τον βοηθούσε να στήσει το σπιτικό του. Η Ναταλία του έριξε μια κλεφτή ματιά την ώρα που έπαιζε με το καινούργιο του απόκτημα. Μια πανάκριβη μηχανή εσπρέσο, που σύμφωνα με τον ίδιο τον Κωστή έκανε επαγγελματικό καφέ. Είχαν όλοι ραντεβού σπίτι του, ως συνήθως, αλλά η Μαρίνα θα περνούσε πρώτα από τους γονείς της και η Ελπίδα είχε τηλεφωνήσει ότι θ' αργούσε.

Ο Κωστής είχε μιλήσει μαζί της πριν από λίγο.

«Γιατί θ' αργήσεις;» τη ρώτησε. «Παρουσιάστηκε πρόβλημα σε ασθενή;»

«Όχι, ευτυχώς. Αλλά θέλω να κάνω κάποιες εξετάσεις».

«Τι εξετάσεις; Δεν είσαι καλά; Τι έχεις;»

«Μία μία τις ερωτήσεις, παλικάρι μου, για να τις προλαβαίνω! Τίποτα δεν έχω! Απλώς όλο το προσωπικό κάνει τσεκάπ μια φορά το χρόνο και το δικό μου προγραμματίστηκε για σήμερα το απόγευμα! Αυτό είναι όλο! Εξάλλου δε θ' αργήσω παρά καμιά ωρίτσα μόνο!»

«Σήμερα βρήκες που βιάζομαι να δεις το νέο μου απόκτημα; Αγόρασα μηχανή που φτιάχνει εσπρέσο!»

«Να τη χαίρεσαι! Εγώ νεροζούμια δεν πίνω!»

Του είχε κλείσει το τηλέφωνο, αλλά ο Κωστής χαμογελούσε. Αυτή η γυναίκα δεν είχε ταίρι!

Η Ελπίδα δεν είχε τύψεις που του είχε πει ψέματα. Κάτι συνέβαινε στον οργανισμό της, είχε έρθει η ώρα να το μάθει, αλλά δε χρειαζόταν να κάνει άνω-κάτω τον κόσμο. Η γαστροσκόπηση ήταν προγραμματισμένη σε μισή ώρα και στη συνέχεια είχαν σειρά κάποιες άλλες εξετάσεις που είχε ζητήσει ο Καλιβωκάς. Δεν ήθελε να ανησυχήσει κανείς και ιδιαίτερα η Μαρίνα, που έδειχνε να έχει πάρει πια πολύ σοβαρά τις οδηγίες του γιατρού. Μια βδομάδα τώρα είχε ισορροπημένη διατροφή, ξεκουραζόταν ικανοποιητικά και περπατούσε καθημερινά μία ώρα. Η Ναταλία ήταν ακοίμητος φρουρός και άγρυπνο μάτι δίπλα της. Η Ελπίδα μάζεψε τα χαρτιά της και ετοιμάστηκε να πάει στα εργαστήρια. Μια περίεργη ηρεμία την πλημμύριζε, κανένας φόβος, κανένα άγχος. Στη σκέψη της κυριαρχούσαν οι αγαπημένοι της. Είχε αρκετές εκκρεμότητες μαζί τους.

Η Ναταλία τώρα κοίταζε τον Κωστή που είχε επιστρέψει στην ενασχόλησή του με την καφετιέρα. Λίγο αργότερα τοποθέτησε μπροστά της το πρώτο φλιτζάνι αρωματικού καφέ. Χαμογελούσε περήφανος σαν παιδί που κατόρθωσε να συναρμολογήσει το τρενάκι του. Τον κοίταξε τρυφερά, μη μπορώντας να εγκλωβίσει τα συναισθήματα που την κατέκλυζαν γι' αυτό τον άντρα. Ο Κωστής, όταν πρόσεξε το βλέμμα της, για λίγα δευτερόλεπτα μαγνητίστηκε από τα ερωτευμένα μάτια της. Το χαμόγελο σταμάτησε στα χείλη του και την κοίταξε, χωρίς όμως να μπορεί να προσδιορίσει τι ήταν αυτό που έβλεπε στα βάθη εκείνων των ματιών. *Τα μάτια είναι τα παράθυρα της ψυχής*, σκέφτηκε, χωρίς να θυμάται πού το είχε ακούσει αυτό, και η Ναταλία για λίγες στιγμές τα είχε ανοίξει αυτά τα παράθυρα και τον άφηνε να κοιτάξει στο εσωτερικό της ψυχής της. Για λίγο, όμως. Ύστερα τα παράθυρα έκλεισαν, καθώς η Ναταλία κατέβασε τα μάτια στο φλιτζάνι της. Η ένταση διαλύθηκε με τον ανάλαφρο τόνο της φωνής της.

«Λες να το δοκιμάσω τώρα αυτό;» τον ρώτησε.

«Και βέβαια!»

Έβαλε ζάχαρη και έφερε το φλιτζάνι στα χείλη της. Μόρφασε μόλις κατάπιε την πρώτη γουλιά.

«Τι; Δεν είναι καλός;» ανησύχησε ο Κωστής.

«Είναι πολύ δυνατός! Βάλθηκες να μου κάνεις τα νεύρα κόμπο; Αυτός κάνει για τέσσερις καφέδες! Πόσο καφέ έβαλες;»

Πήρε το φλιτζάνι από τα χέρια της και δοκίμασε μορφάζοντας κι αυτός. «Έχεις δίκιο! Μάλλον το παράκανα!» ψέλλισε.

«Μπορώ τώρα να έχω ένα αναψυκτικό; Γιατί τη δόση της καφεΐνης την πήρα για σήμερα, έστω και με μια γουλιά!»

«Μα θα σου φτιάξω άλλον, πιο ελαφρύ!»

«Να μου λείπει! Έχεις αναρωτηθεί πόσες φορές με έχεις κάνει πειραματόζωο των δοκιμών σου;»

Η συντροφικότητα είχε ξαναγυρίσει ανάμεσά τους, αλλά η στιγμή της έντασης φυλάχτηκε επιμελώς στο μυαλό του Κωστή, χωρίς να ξέρει καν το λόγο. Κατέληξαν στο καθιστικό μ' ένα αναψυκτικό στο χέρι.

«Πώς είσαι;» τη ρώτησε μ' ενδιαφέρον.

«Ακόμη προσπαθώ να συνέλθω από τον καφέ σου!» τον πείραξε εκείνη.

«Γενικά ρωτάω!» τη μάλωσε. «Μην κάνεις την κουτή! Είχες κανένα νέο από τους δικούς σου;»

«Εννοείς μετά τη συνάντηση; Ο Κοσμάς προσπάθησε να μου τηλεφωνήσει δυο-τρεις φορές, αλλά του το έκλεισα, λέγοντάς του πως κάνει λάθος και πως καμία Ναταλία δεν υπήρχε σ' αυτό τον αριθμό!»

«Μήπως είσαι πολύ αυστηρή; Τώρα που προσπάθησε, ίσως έπρεπε να του δώσεις μια ευκαιρία...»

«Δε νομίζω ότι η προσπάθειά του είχε σχέση με τίποτε άλλο εκτός από εγωισμό! Τόσα χρόνια με απέρριπταν εκείνοι. Τώρα που τους απέρριψα εγώ, θυμήθηκαν ότι υπάρχω! Μα τι σ' έπιασε τώρα και ανασκαλεύεις αυτή την τελειωμένη ιστορία;»

«Είναι τελειωμένη για σένα ή προσπαθείς να πείσεις τον εαυτό σου γι' αυτό;»

«Άκουσε, Κωστή, δεν μπορείς να κάνεις τους ανθρώπους να σ' αγαπήσουν με το ζόρι και οι δικοί μου, όσο παράξενο κι αν ακούγεται αυτό, δε μ' αγάπησαν ποτέ... Ούτε και κανένας άλλος, εδώ που τα λέμε!»

«Τώρα θα θυμώσω! Κι εμείς; Εμάς, τους φίλους σου, μας ξεχνάς;»

«Είστε οι μόνοι! Μην τα λέμε πάλι! Τη ζωή μου την ξέρεις! Μετράω τόσες αποτυχίες, που φτάνουν για δυο ζωές! Το πήρα απόφαση ότι θα μείνω μόνη μου, όσο κι αν θα ήθελα να ήταν διαφορετικά τα πράγματα!»

«Πώς δηλαδή; Ποτέ δε μου έχεις μιλήσει για τα όνειρά σου!»

«Ίσως γιατί δεν είναι όνειρα! Με την ατυχία που με διακρίνει, είναι ουτοπίες!»

«Έστω! Ποιες είναι οι... ουτοπίες σου;»

Το βλέμμα της έφυγε από πάνω του. Γλύκανε, γέμισε ονειροπόληση, η φωνή της χαμήλωσε και μια αύρα γεμάτη γοητεία την κύκλωσε. «Από μικρή ένα πράγμα ζητούσα και ήταν αόριστο: την αγάπη... Δεν ήξερα πώς ήταν ή τι ήταν, ή πώς εκδηλώνεται κάτι τέτοιο. Έβλεπα γύρω μου ευτυχισμένα παιδιά, που οι γονείς τους καμάρωναν γι' αυτά, που η αγκαλιά τους ήταν πάντα ανοιχτή γι' αυτά, που τα χάδια και τα φιλιά περίσσευαν και γέμιζαν την ψυχή τους. Με τα χρόνια, αυτό το αόριστο συναίσθημα πήρε σχήμα και μορφή. Είχα μεγαλώσει, ήμουν κοπέλα και κατέληξα πως την αγάπη την ήθελα από έναν άντρα· έναν άντρα που να μ' αγαπάει, που να μπορεί να μου αφοσιωθεί με την ψυχή, το σώμα, το μυαλό... ολοκληρωτικά... Καταλαβαίνεις; Που να με θέλει έτσι όπως είμαι, που να μην τον νοιάζουν οι αδυναμίες μου, που να μην τον ενοχλούν τα ελαττώματά μου. Είμαι τριάντα δύο χρόνων και τώρα πια θέλω και κάτι ακόμη, που είναι τουλάχιστον ανεδαφικό, αφού δεν κατέκτησα τίποτε από τα προηγούμενα· αλλά δικά μου είναι τα όνειρα, τα κάνω ό,τι θέλω... Ένα σπίτι, γεμάτο από την παρουσία αυτού του ενός... του ιδανικού για μένα συντρόφου, γεμάτο λουλούδια και... παιδιά!»

Η τελευταία λέξη έστειλε ρόδινο χρώμα στα μάγουλά της και η ονειροπόληση σταμάτησε. Τα μάτια της καρφώθηκαν στο πάτωμα. Ο Κωστής την κοιτούσε σαν μαγνητισμένος. Ήταν απίστευτα όμορφη εκείνη τη στιγμή. Θα ήθελε να την αγκαλιάσει, αλλά δεν το έκανε, απορώντας την ίδια στιγμή για το τι τον εμπόδιζε. Δε θα ήταν η πρώτη φορά που αγκάλιαζε τις φίλες του, και όμως, για κάποιο ανεξήγητο λόγο ένιωθε πως δεν ήταν το ίδιο. Μπερδεύτηκε και ένιωσε ευγνωμοσύνη για τη Ναταλία που πήρε πάλι την πρωτοβουλία να διώξει την ένταση.

«Μην ξαναπάρεις αυτό το αναψυκτικό!» τον συμβούλεψε ανάλαφρα. «Έχει σοβαρές παρενέργειες, τουλάχιστον επάνω μου! Με κάνει και λέω κουταμάρες! Εδώ ο κόσμος καίγεται κι εγώ ονειροπολώ!»

«Ήταν ωραίο όνειρο όμως!»

«Για γλυκανάλατο σίριαλ ίσως· αλλά για την αληθινή ζωή, αμφιβάλλω!... Θυμάσαι το *Μικρό σπίτι στο λιβάδι*;»

«Και ποιος δεν το θυμάται;»

«Ήταν το αγαπημένο μου!» πρόσθεσε η Ναταλία.

«Παρ' όλες τις επαναλήψεις;»

«Ειδικά μ' αυτές! Απέξω το είχα μάθει, και πάλι το απολάμβανα...!» Δαγκώθηκε ντροπιασμένη. «Έχασες κάθε ιδέα για μένα, ε;»

«Κρατάς μυστικό;»

«Μέχρι τον τάφο!»

«Κι εγώ το έβλεπα!»

Γέλασαν χαρούμενα, αλλά αμέσως σώπασαν.

«Πώς πάει το σχέδιό σου με την Ισμήνη;» τον παρακίνησε να μιλήσει η Ναταλία, διακόπτοντας μια σιωπή που ίσως έφερνε πάλι ένταση.

Ο Κωστής πήρε βαθιά ανάσα και άναψε τσιγάρο προτού απαντήσει. «Υποθέτω καλά, αν και δε μου έχει μιλήσει. Στην αρχή, η μικρή ξαφνιάστηκε με τις επισκέψεις μου. Ύστερα, η έκπληξη έγινε επιφύλαξη...»

«Και τώρα; Σε ποιο στάδιο είστε;»

«Της αναμονής υποθέτω. Όπως σου είπα, δε μου έχει πει τίποτα, δεν έχει ρωτήσει τίποτα... Δε θέλω ν' ανοίξω εγώ συζήτηση γιατί θα γίνει καχύποπτη. Είμαι σίγουρος όμως ότι κάποια στιγμή δε θα κρατηθεί και θα μου μιλήσει εκείνη πρώτη».

«Εσύ πώς αισθάνεσαι με αυτή την κατάσταση;»

«Στην αρχή ήταν δύσκολα, το ομολογώ. Έκανα μεγάλη προσπάθεια για να είμαι φιλικός μαζί τους και ειδικά μ' αυτόν...»

«Πώς είναι;»

«Από εμφάνιση, καλός· σαν χαρακτήρας, εύθυμος, με χιούμορ και γενικά καλλιεργημένος άνθρωπος. Με την Αντιγόνη ταιριάζουν και τώρα που τους ζω, βλέπω ότι μαζί του είναι άλλος άνθρωπος. Είναι περίεργο να βλέπεις τη γυναίκα σου, έστω και πρώην, ερωτευμένη με έναν άλλο!»

«Σ' ενοχλεί;»

«Δεν ξέρω. Δε νομίζω τώρα πια... Άλλωστε, έχω δεχτεί πως αυτός ο γάμος ήταν λάθος. Δεν ταιριάζαμε με την Αντιγόνη κι αν δεν ήταν η εγκυμοσύνη, δε θα είχαμε παντρευτεί ποτέ! Αλλά με τον Βασίλη είναι διαφορετικά και αυτό είναι φανερό. Ξέρεις, πιστεύω πως η Αντιγόνη κι εγώ καταφέρναμε, όσο καιρό ήμαστε μαζί, να βγάζει ο ένας τον χειρότερο εαυτό του άλλου!»

«Και με την Ισμήνη πώς τα πάει αυτός;»

«Όσο κι αν δεν ήθελα να το παραδεχτώ, νοιάζεται για το παιδί και προσπαθεί ο καημένος, αλλά η πριγκιπέσα μου του κάνει δύσκολη τη ζωή! Ξέρεις τι τερατάκια μπορούν να γίνουν; Και να σκεφτείς ότι τα πήγαιναν μια χαρά προτού μάθει για το γάμο! Σαν φίλο τον είχε δεχτεί, σαν πατριό δε θέλει να τον ξέρει! Ξέρεις... είδα πράγματα στο σπίτι... πράγματα που είχαν φτιάξει μαζί. Ένα μεγάλο παζλ κορνιζαρισμένο για το δωμάτιό της, ένα συναρμολογούμενο καράβι...»

«Τότε μη φοβάσαι! Πρόλαβαν, έφτιαξαν μια σχέση, και τώρα απλώς περνάει μια κρίση αυτή η σχέση, που θα ξεπεραστεί!»

«Λες;»

«Είμαι σίγουρη! Χρόνο θέλει και αυτό που κάνεις είναι το πιο σωστό!»

«Είχα μεγάλες αμφιβολίες για το περιβόητο σχέδιό μου!»

«Κακώς! Εξάλλου, υπάρχει και μια άλλη πιθανότητα. Ίσως η Ισμήνη να σκέφτηκε πως, αν αποδεχτεί τον Βασίλη σαν άντρα της μητέρας της, θα είναι σαν να απορρίπτει εσένα και αυτό δεν το θέλει φυσικά! Αφού όμως εσύ πρώτος τον αποδέχεσαι, θα καταλάβει πως δεν έχει λόγο να αντιδρά εκείνη!»

«Αυτό δεν το σκέφτηκα!»

«Έπειτα, ίσως είχε κάποιες ελπίδες για επανένωση των γονιών της!»

«Έχεις δίκιο...»

«Γι' αυτό σου λέω! Κάνεις το σωστό!»

«Είσαι βάλσαμο, Ναταλία, ειδικά έπειτα από αυτά που άκουσα από την Ελπίδα στην αρχή! Θυμάσαι την κατσάδα περί "τερατώδους αφέλειας που αγγίζει τα όρια της κακοήθους βλακείας"; Αυτή η γυναίκα, όταν θέλει να σε κατσαδιάσει, διευρύνει το λεξιλόγιό της!»

Χαμογέλασαν και οι δύο στη θύμηση της φίλης τους. Λίγο αργότερα, όμως, όταν την είδαν να μπαίνει στο σπίτι χλομή και καταπονημένη, δεν υπήρχε χώρος για χαμόγελα παρά μόνο για ανησυχία. Οι δικαιολογίες της ότι είχε ταλαιπωρηθεί στο δρόμο, ότι ήταν κουρασμένη από τη βάρδια, ότι δεν είχε φάει καλά όλη μέρα, φάνηκαν να τους έπεισαν, αλλά δεν ήταν έτσι. Ο Κωστής και η Ναταλία αντάλλαξαν ένα βλέμμα, που αν το είχε δει η Ελπίδα, ίσως να καταλάβαινε ότι την επόμενη φορά έπρεπε να βρει κάτι καλύτερο... ή να πει την αλήθεια.

Δεν είχε την πολυτέλεια του χρόνου να μάχεται στο πλευρό της και έπρεπε να ειπωθούν οι αλήθειες. Η Ελπίδα κοίταζε συνοφρυωμένη το τηλέφωνο. Αν περίμενε να της δοθεί η ευκαιρία να μιλήσει με τη Ναταλία, ίσως να ήταν αργά. Έπρεπε ν' ασχοληθεί μαζί της τώρα. Την είχε παραμελήσει και σ' αυτό υπήρξε σύμμαχος η γαλήνια ιδιοσυγκρασία αυτής της γυναίκας, που έδειχνε πάντα να μη θέλει τίποτα για τον εαυτό της. Ήσυχη, συνήθως σιωπηλή, ποτέ διεκδικήτρια· μια ήρεμη δύναμη όμως για όποιον τη χρειαζόταν.

Ναι, την είχε παραμελήσει. Από το Ναύπλιο είχε καταλάβει. Τα κομμάτια του παζλ είχαν συμπληρωθεί και δεν υπήρχε περίπτωση λάθους. Η φίλη της ήταν ερωτευμένη με τον Κωστή. Όταν τους είδε μαζί, την προηγούμενη βδομάδα στο σπίτι του, άσχετα με το πόσο ταλαιπωρημένη ήταν από τις εξετάσεις, είχε βεβαιωθεί. Κι αν έπρεπε να μιλήσει πρώτα σε κάποιον, αυτή ήταν η Ναταλία. Ύστερα θα είχε σειρά ο άλλος. Κάτι έπρεπε να γίνει και με τη Μαρίνα. Πίστευε πως με τον καιρό θα καταλάβαινε το λάθος της και θα υποχωρούσε στο θέμα του Φίλιππου, αλλά χρειαζόταν κάτι πιο δραστικό. Ήταν να γίνουν τόσα πολλά και τόσο σύντομα... Με αυτή την τελευταία συνειδητοποίηση της έλλειψης χρόνου, σήκωσε αποφασιστικά το ακουστικό, σχημάτισε τον αριθμό του εκδοτικού οίκου και ζήτησε τη Ναταλία.

Τώρα που την είχε απέναντί της όμως, δεν ήταν και τόσο εύκολο. Εκείνη την κοιτούσε όπως πάντα με το καθάριο βλέμμα της, αν και δεν έκρυβε την απορία της γι' αυτή τη συνάντηση κατ' ιδίαν, αφού σε λίγες ώρες η παρέα θα συγκεντρωνόταν όπως κάθε βράδυ. Η Ελπίδα άναψε τσιγάρο και για πρώτη φορά εδώ και καιρό ο καπνός δεν της προκάλεσε αποστροφή. Τον είχε ανάγκη. Μπορεί να ήταν γνωστή για τον απότομο τρόπο της, αλλά δε συνήθιζε ν' ανακατεύεται σε ξένες υποθέσεις και μάλιστα τέτοιου είδους, χωρίς να της ζητηθεί. Από τον περασμένο Μάρτη, όμως, είχε ούτως ή άλλως αναθεωρήσει πολλές απόψεις της και είχε αλλάξει συμπεριφορά.

Κοίταξε πάλι τη φίλη της που ανακάτευε αφηρημένα το τσάι της. Η Ελπίδα το είχε αγοράσει ειδικά για εκείνη, με άρωμα βανίλιας, όπως το προτιμούσε.

«Λοιπόν; Γιατί με κάλεσες σπίτι σου;» ζήτησε να μάθει η Ναταλία μετά την πρώτη γουλιά.

«Ήθελα να μιλήσουμε για λίγο οι δυο μας και δε μας δίνεται η ευκαιρία!»

«Ναι, αλλά τόση ώρα δε μιλάμε!»

«Έχεις δίκιο, συγκέντρωνα τις σκέψεις μου!»

«Εσύ συνήθως δεν έχεις ανάγκη από τέτοια εσωτερική διεργασία! Μας πετάς κατακέφαλα ό,τι σου περάσει από το μυαλό!»

«Ωραία, λοιπόν. Το ίδιο θα κάνω και τώρα! Τι σκοπεύεις να κάνεις με τον Κωστή;»

Το αποτέλεσμα ήταν επώδυνο. Το χρώμα χάθηκε από το πρόσωπο της Ναταλίας, τα μάτια πάγωσαν, το χαμόγελο που τρεμόπαιζε στα χείλη έσβησε κι αυτό. Ένα άγαλμα με πυκνά σγουρά μαλλιά, τα μόνα που έδειχναν να έχουν ζωή πάνω της, βρέθηκε καθισμένο στην κουζίνα της Ελπίδας, που τώρα είχε ένα βλέμμα γεμάτο κατανόηση.

«Σου ήρθε απότομα, ε; Συγγνώμη, αλλά εσύ επέμενες να μπω άμεσα στο θέμα!» της είπε μαλακά.

Το άγαλμα ζωντάνεψε, έγινε πάλι η Ναταλία που ανακάθισε. «Δεν καταλαβαίνω τι εννοείς! Γιατί πρέπει να κάνω κάτι με τον Κωστή;»

«Κοίτα, κοριτσάκι, δε σε φώναξα εδώ για να με γεμίσεις παραμύθια, που δε θα πίστευε ούτε μωρό! Ξέρω θετικά τι σου συμβαίνει! Στο Ναύπλιο μου έδωσες όλες τις αποδείξεις που χρειαζόμουν! Τον αγαπάς σαν τρελή και καλά κάνεις γιατί του αξίζει!»

Αυτή τη φορά η Ναταλία παρέμεινε σιωπηλή και η Ελπίδα συνέχισε.

«Το πρόβλημα βέβαια είναι ότι το κατάλαβα εγώ και όχι εκείνος!»

«Αυτό είναι το μόνο πρόβλημα που βλέπεις;» Η φωνή της Ναταλίας είχε γεμίσει πίκρα.

«Γιατί; Υπάρχει κι άλλο;»

«Μα αυτό που εσύ χαρακτηρίζεις πρόβλημα, εγώ το λέω τύχη! Αλίμονο αν ο Κωστής καταλάβει τι νιώθω!»

«Γιατί;»

«Μα είναι να ρωτάς; Με τον Κωστή είμαστε φίλοι! Έτσι τουλάχιστον αισθάνεται εκείνος!»

«Και τι σας εμποδίζει να γίνετε κάτι παραπάνω;»

«Δεν υπάρχει τίποτα πιο πάνω από τη φιλία, Ελπίδα! Ένας φίλος είναι για πάντα, ενώ ένας δεσμός διαλύεται, κι εγώ ειδικά έχω πτυχίο σε αποτυχημένες σχέσεις! Δε θα διακινδυνεύσω λοιπόν να τον χάσω εντελώς από τη ζωή μου, προκαλώντας τον να με δει ως γυναίκα... έναν τομέα όπου η πείρα μού έχει αποδείξει ότι δεν έχω και πολλά να προσφέρω».

«Ε, λοιπόν, ποτέ μου δεν άκουσα τόσες ασυναρτησίες μαζεμένες και μάλιστα από άτομο που πίστευα λογικό!»

«Πες μου τι ήταν ασυνάρτητο; Τη ζωή μου την ξέρεις! Πότε κατάφερα να κάνω δεσμό της προκοπής; Πότε με είδε κάποιος όπως είμαι και με αγάπησε γι' αυτό;»

«Μα ο Κωστής ήδη σε αγαπάει!»

«Σαν φίλη! Όπως αγαπάει εσένα και τη Μαρίνα!»

«Αν τον βοηθήσεις όμως να σε δει με άλλα μάτια...»

«Ωραία! Και πες ότι το έκανα! Και ας υποθέσουμε ότι με πρόσεξε σαν γυναίκα...»

«Σαν ωραία γυναίκα!»

«Τώρα το ρίξαμε στη σαχλαμάρα μού φαίνεται!»

Η Ελπίδα την κοίταξε. Εντελώς απροσδόκητα, την άρπαξε από το χέρι και με το ζόρι την τράβηξε στην κρεβατοκάμαρα. Την έστησε μπροστά στον καθρέφτη.

«Ξεστραβώσου!» της φώναξε.

«Δεν καταλαβαίνω! Τι σ' έπιασε;»

«Θέλω να κοιτάξεις τον εαυτό σου στον καθρέφτη, χωρίς παρωπίδες, χωρίς αναστολές, χωρίς το σύνδρομο κατωτερότητας που σε φόρτωσαν ένα μάτσο ηλίθιοι απ' αυτούς που βρέθηκαν στο δρόμο σου! Μην κοιτάς εμένα! Τον εαυτό σου κοίτα! Δες τον, όμως, όπως είναι στην πραγματικότητα! Κοίτα πόσο όμορφη είσαι, πόσο ωραία μάτια έχεις, πόσο εκφραστικά χείλη! Κοίταξε το σώμα σου! Είναι λαχταριστό! Κάθε άντρας θα σε ήθελε στο κρεβάτι του. Γιατί ο Κωστής ν' αποτελεί εξαίρεση;»

«Μα εκεί είναι το πρόβλημα! Στο κρεβάτι! Ακόμη κι εκεί, φαίνεται πως είμαι καταστροφή!»

«Αυτό σου είπαν όσοι πέρασαν;»

«Πάνω-κάτω...»

«Όταν μια γυναίκα είναι καταστροφή στο κρεβάτι, φταίει μόνο και πάντα ο άντρας! Και αυτό σου το λέει μια βετεράνος του αθλήματος! Λοιπόν, ποτέ δεν το περίμενα ότι είχα δίπλα μου όχι μία Ωραία Κοιμωμένη, αλλά δύο! Πρώτα η Μαρίνα και μετά εσύ! Ξύπνα, Ναταλία! Αγάπησε τον εαυτό σου πρώτα εσύ και ύστερα απαίτησε το ίδιο και από τους άλλους! Όταν εσύ η ίδια έχεις τόσο λίγη αυτοεκτίμηση, τι να σου κάνει και ο απέναντι;»

«Και μου ζητάς να πω στον Κωστή...;»

«Να του δείξεις, όχι να του πεις! Μια γυναίκα μπορεί να κάνει το πρώτο βήμα, αλλά διακριτικά, όχι με κατά μέτωπο επίθεση! Κατάλαβες;»

«Ναι, αλλά δεν πείστηκα!»

Η Ναταλία κάθισε στο κρεβάτι σαν να μην είχε άλλη δύναμη μέσα της. Δίπλα της βρέθηκε η Ελπίδα.

«Σκέψου, Ναταλία... Σκέψου όπως ποτέ άλλοτε! Η ζωή είναι μικρή, δε χωράει όλα εκείνα τα μεγάλα που ονειρευόμαστε να κάνουμε. Περνάει και φεύγει χωρίς να το καταλάβουμε, και τ' ανεκπλήρωτα όνειρα στοιχειώνουν και μας κυνηγούν, όταν δυστυχώς είναι πολύ αργά για να τα κυνηγήσουμε εμείς! Χριστέ μου, με κάνεις και μιλάω σαν φιλόσοφος της κακιάς συμφοράς! Αυτό που προσπαθώ να πω είναι ότι, αν τον αγαπάς, μη φοβηθείς να ζήσεις μαζί του τ' όνειρο! Αξίζει να ρισκάρεις να χάσεις έναν καλό φίλο, για να κερδίσεις τον ιδανικό σύντροφο για όλη σου τη ζωή! Για μια φορά μη μένεις αμέτοχη! Διεκδίκησε αυτό που θέλεις!»

«Και πιστεύεις ότι έχω ελπίδες;»

«Πιστεύω ότι μπορείς να έχεις οτιδήποτε θελήσεις! Πιστεύω σ' εσένα την ίδια!»

Αυτό της έλειπε από τη σημερινή μέρα. Μόλις την προηγουμένη είχε περάσει το μαρτύριο της συζήτησης με την Ελπίδα, που την είχε αφήσει άγρυπνη ολόκληρο το βράδυ, και σήμερα είχε ζητήσει να τη δει η Αγραφιώτου. Της είχε δηλώσει, μάλιστα, ότι σήμερα θα τέλειωναν με τις διορθώσεις του βιβλίου. Αυτό σήμαινε ότι η ώρα επιστροφής θα ήταν άγνωστη. Στο γραφείο μόνο που δεν τη σταύρωσαν όταν άρχισε να μαζεύει τα χαρτιά της για να φύγει. Ο εκδότης, όταν του το είπε, της έριξε ένα βλέμμα όλο ενθάρρυνση. Προς στιγμήν σκέφτηκε να της προμηθεύσει και φυλαχτό, αλλά απέρριψε μόνος του την υπερβολή. Απλώς της είπε: «Ξέρω σε τι δύσκολη θέση είσαι και έχεις την αμέριστη συμπάθειά μου! Θέλω επίσης να σου επισημάνω ότι κανένας εδώ δε σε θεωρεί υπεύθυνη για την καθυστέρηση. Ξέρουμε ότι έχεις να κάνεις με τη Νάσα και τι ακριβώς σημαίνει αυτό! Μακάρι να μπορούσα να σε απαλλάξω, αλλά εκείνη δε δέχεται κανέναν άλλο! Πήγαινε, Ναταλία, και καλή τύχη!»

Θα τη χρειαζόταν. Το κατάλαβε μόλις μπήκε στο σπίτι. Η Νάσα φαινόταν ότι ήταν στις μεγάλες της αναποδιές. Η Ναταλία την είχε μάθει πια. Το φρύδι που ήταν ανασηκωμένο, τα χείλη που ήταν σφιγμένα... Τα ήξερε αυτά. Τα είχε αντιμετωπίσει κι άλλες φορές, μόνο που τότε δεν ήταν και η ίδια σε τόσο άσχημη ψυχολογική κατάσταση.

«Δε βιάστηκες και πολύ να έρθεις, βλέπω!» την ειρωνεύτηκε μόλις έκλεισε πίσω της την πόρτα.

Η Ναταλία έκρινε σκόπιμο να μην απαντήσει, αλλά η Νάσα για πρώτη φορά είδε αντίδραση στο βλέμμα της και ξαφνιάστηκε. Τόσα χρόνια, είχε συνηθίσει να μην αντιδρά η νέα γυναίκα με την οποία συνεργαζόταν, αν και πολλές φορές την είχε προκαλέσει, ξεσπώντας πάνω της άδικα. Μάλιστα, όφειλε να ομολογήσει ότι συχνά την προκαλούσε εσκεμμένα, ζητώντας επιτέλους μια διαφορετική στάση απ' αυτό το ήρεμο πλάσμα, αλλά μάταια. Σήμερα, όμως, κάτι επάνω της ήταν διαφορετικό.

Πέρασαν στο γραφείο, η Ναταλία πήρε τη θέση της και άνοιξε τα χαρτιά της. Ελάχιστα λεπτά αργότερα, η Νάσα κατάλαβε ότι συνέβαινε το σπάνιο, το αδιανόητο... Η πλέον αυτοσυγκεντρωμένη μέχρι στιγμής συνεργάτιδά της ήταν... αφηρημένη! Την κοίταξε με απορία. Κατόπιν, πέταξε το χιλιοδαγκωμένο μολύβι της πάνω στο γραφείο και αυτό τράβηξε αμέσως την προσοχή της Ναταλίας.

«Επιτέλους! Ξύπνησες!» είπε σαρκαστικά. «Πού τρέχει σήμερα το μυαλό σου; Γιατί εδώ, πάντως, δεν είναι!»

«Με συγχωρείτε... Κάτι σκεφτόμουν...»

«Σίγουρα πιο ενδιαφέρον από τη ζωή της ηρωίδας μου!»

«Όχι πιο ενδιαφέρον, απλώς διαφορετικό!»

«Όπως;»

«Καλύτερα να συνεχίσουμε τη δουλειά μας, κυρία Αγραφιώτου!»

«Αυτό θα το πω εγώ, όχι εσύ!»

«Ναι αλλά ο εκδοτικός οίκος ανυπομονεί να τελειώσουμε με τις διορθώσεις, γιατί έχουμε καθυστερήσει!»

Αναμετρήθηκαν για λίγο με τα μάτια. Πάλι αυτό το περίεργο ύφος...

«Ναταλία, τι σου συμβαίνει;» τη ρώτησε η Νάσα απλά, γι' αυτό και τα έχασε με το ξέσπασμα που αντιμετώπισε.

«Τίποτα δε μου συμβαίνει! Γιατί πρέπει να συμβαίνει κάτι δηλαδή; Αλλά κι έτσι να είναι, εσάς τι σας νοιάζει; Στο κάτω κάτω, άνθρωπος δεν είμαι κι εγώ; Δεν έχω το δικαίωμα να μην είμαι καλά μια μέρα; Και γιατί να είμαι καλά, όταν με τις ιδιοτροπίες σας με ταλαιπωρείτε μήνες τώρα και καθυστερείτε την έκδοση ενός, κατά τ' άλλα, καταπληκτικού βιβλίου, που έπρεπε ήδη να βρίσκεται στις προθήκες των βιβλιοπωλείων; Ξέρετε ότι οι διορθώσεις μου είναι σωστές και τεκμηριωμένες, και όμως τις απορρίπτετε από εγωισμό και διάθεση να γίνετε, άγνωστο γιατί, δυσάρεστη!» Σώπασε λαχανιασμένη και ταυτόχρονα συνειδητοποίησε πόσα είχε πει, αλλά και σε ποια απευθυνόταν τόση ώρα. Έβαλε το χέρι μπροστά στο στόμα της, αλλά σε λάθος χρόνο. Αν το είχε κάνει νωρίτερα, ίσως εμπόδιζε να βγουν όλα αυτά τα τρομερά που είχε ξεστομίσει. Η Νάσα την κοιτούσε έκπληκτη, χωρίς ίχνος θυμού όμως, και αυτό της έδωσε κουράγιο να ψιθυρίσει: «Με συγχωρείτε, κυρία Αγραφιώτου! Είμαι ασυγχώρητη!... Δεν είχα κανένα δικαίωμα να μιλήσω έτσι... Ντρέπομαι...»

«Α, όχι! Μη μου το χαλάς με συγγνώμες και δικαιολογίες!»

Ήταν η σειρά της Ναταλίας να την κοιτάξει έκπληκτη.

«Για πρώτη φορά στα τόσα χρόνια που σε γνωρίζω, αντέδρασες σαν φυσιολογικός άνθρωπος!» της εξήγησε η Νάσα. «Σ' έχω ταλαιπωρήσει, σ' έχω προσβάλει και ποτέ δε μου αντιμίλησες! Καταντούσε ανιαρό! Είχα αρχίσει να πιστεύω ότι δεν κυκλοφορεί αίμα στις φλέβες σου!»

«Δηλαδή τόσο καιρό αυτό που ζητούσατε ήταν να φέρομαι άπρεπα και χωρίς σεβασμό;»

«Ζητούσα να φέρεσαι σαν άνθρωπος με νεύρα και όχι να υποχωρείς στις ιδιοτροπίες μου!»

«Συγγνώμη, αλλά δεν καταλαβαίνω! Είστε η Νάσα Αγραφιώτου, μια καταξιωμένη συγγραφέας, και είμαι μια ασήμαντη επιμελήτρια!»

«Και λοιπόν; Ούτε εσύ μπορείς να κάνεις ό,τι εγώ, αλλά ούτε εγώ μπορώ να κάνω τη δουλειά σου! Ο καθένας μπορεί να είναι αυθεντία στον τομέα του, άρα να έχει και αξία! Δεν μπορούσα να φανταστώ ότι είσαι τόσο ανασφαλής! Ποιος το κατάφερε αυτό; Ένας λάθος έρωτας μήπως;»

Η Ναταλία κατέβασε το κεφάλι και η φωνή της γέμισε παράπονο όταν ψιθύρισε: «Πολλοί λάθος άνθρωποι, κυρία Αγραφιώτου... πάρα πολλοί... Όσο για τον έρωτα...» Σταμάτησε απότομα. Είχε χτυπηθεί εκεί που πονούσε.

Το πρόσωπο της Νάσας φωτίστηκε. «Κατάλαβα! Τώρα κατάλαβα την αιτία της αφηρημάδας! Είσαι ερωτευμένη! Πες το, κορίτσι μου! Κι εκείνος;»

«Εκείνος δεν το ξέρει καν... είναι ένας καλός φίλος... Κυρία Αγραφιώτου, δεν καταλαβαίνω πώς φτάσαμε σε μια τέτοια συζήτηση... ελάτε... σας παρακαλώ! Ας γυρίσουμε πάλι στη *Ματωμένη Θάλασσα*... στο βιβλίο σας...»

«Το βιβλίο μπορεί να περιμένει! Πες μου πώς γίνεται μια σημερινή γυναίκα, όμορφη, καλλιεργημένη σαν κι εσένα, να μην έχει τον άντρα που θέλει! Προσπάθησες; Όχι!»

«Σας είπα ότι είναι καλός φίλος!»

«Αυτό δεν είναι δικαιολογία για ν' αποφύγεις, αλλά κίνητρο για να σε κάνει να δοκιμάσεις! Ξέρεις ποιο είναι το πιο δύσκολο σε μια σχέση; Να μπορείς να είσαι φίλος με τον άνθρωπό σου! Εσύ αυτό το στάδιο το έχεις κιόλας κατακτήσει! Τι μένει; Να ταιριάζετε και στο κρεβάτι, και αυτό μόνο ένας τρόπος υπάρχει να το διαπιστώσεις! Να τον ρίξεις ακριβώς εκεί!»

«Σας σέβομαι, σας εκτιμώ, αλλά τα λόγια, κυρία Αγραφιώτου, είναι τα πιο εύκολα! Ακόμη πιο εύκολο να δίνεις συμβουλές! Κι αν το πείραμα αποδειχτεί φιάσκο; Τότε θα 'χεις θυσιάσει μια φιλία!»

«Ναι, αλλά αν δεν το κάνεις, μπορεί να θυσιάσεις μια ευτυχία! Ε, λοιπόν, δεν το περίμενα! Τελικά είσαι και δειλή!»

«Δειλή εγώ;» Ο θυμός ξαναγύρισε πιο δυνατός. «Τολμάτε να λέτε εσείς εμένα δειλή; Μα, κυρία Αγραφιώτου, γιατί δεν το λέτε και για τον εαυτό σας αυτό;»

«Τι εννοείς;»

«Μένετε κλεισμένη εδώ μέσα, αποφεύγετε τις ανθρώπινες σχέσεις από φόβο μην αποτύχετε, γιατί κάποτε οι άνθρωποι σας απογοήτευσαν! Και σαν να μην έφτανε αυτό, για να ξαναγυρίσουμε στο θέμα μας που είναι το βιβλίο, κοιτάξτε τι κάνατε και στην ηρωίδα σας! Εντελώς αψυχολόγητα, την οδηγήσατε σε μιαν αυτοκτονία που δεν της ταίριαζε και σίγουρα δεν της άξιζε!» Σώπασε πάλι τρομαγμένη. Μα τι είχε πάθει σήμερα και δεν μπορούσε να κρατήσει κλειστό το στόμα της;

Η Νάσα την κοιτούσε με μισόκλειστα μάτια, αλλά πάλι ήρεμη. Άναψε τσιγάρο και φυσώντας τον καπνό τη ρώτησε: «Μπορείς να μου το εξηγήσεις λίγο αυτό, μικρή;»

«Επιμένετε; Ίσως δε σας αρέσουν αυτά που θα πω... αν και απ' ό,τι φαίνεται, σήμερα δεν έχω να πω και κάτι που να σας αρέσει!»

«Όπως βλέπεις, αντέχω! Λέγε!»

«Η Κλημεντίνη, κυρία Αγραφιώτου, η ηρωίδα σας, είναι η πιο ολοκληρωμένη προσωπικότητα που σκιαγραφήθηκε ποτέ σε βιβλίο. Ο χαρακτήρας της είναι τόσο ανάγλυφος που ο αναγνώστης δεν έχει να κάνει κανένα κόπο προκειμένου να τον ανακαλύψει. Δυναμική, δε διστάζει μπροστά σε τίποτα, φτάνει ακόμη και στα άκρα για να υπερασπίσει την ίδια αλλά και αυτούς που αγαπάει. Τα βάζει με όλους και με όλα και νικάει. Πάντα. Έχει ηθικούς φραγμούς, αλλά όχι αναστολές! Παρ' όλους τους δαίμονες που αντιμετωπίζει στην πολυτάραχη ζωή της, καταφέρνει να μη χάσει το χιούμορ και την αισιοδοξία της. Είναι μια Σκάρλετ Ο'Χάρα, στην άλλη άκρη του Ατλαντικού, αλλά πιο ανθρώπινη... Σωστά;»

«Ανέλυσες το χαρακτήρα της με τρόπο που δείχνει να τον έχεις μελετήσει!»

«Είναι από τις πολλές φορές που το διάβασα! Ήταν τόσο συναρπαστικό, που αν δεν το διάβαζα πρώτα, θα ήταν αδύνατο ν' ασχοληθώ με την επιμέλεια αντικειμενικά, όπως του άξιζε. Δεν μπορεί όμως μια τέτοια γυναίκα, που την τρόμαξε η ίδια η ζωή, να δραπετεύσει έτσι από αυτήν! Είναι εντελώς αψυχολόγητο και δεν τεκμηριώνεται από τη δομή του χαρακτήρα αυτής της γυναίκας! Επιπλέον, ο αναγνώστης, που έχει παρακολουθήσει και ταυτιστεί μ' αυτό το μαγικό πλάσμα, που το έχει θαυμάσει, που έχει, αν θέλετε, παραδειγματιστεί από την αντοχή και την εξυπνάδα του, θα αισθανθεί προδομένος, όταν του στερήσετε τη δικαίωση ενός αξιοπρεπούς τέλους και όχι μια δειλής φυγής!»

Έπεσε σιωπή· βαριά και ηλεκτρισμένη. Η Νάσα σηκώθηκε και άρχισε να πηγαινοέρχεται. Η Ναταλία κρατούσε και την αναπνοή της ακόμη. Η σημερινή συνάντηση είχε αποδειχτεί καταστροφική. Είχαν ανοιχτεί πολλές πληγές και τώρα είχε κάθε λόγο να φοβάται τις αντιδράσεις της περίεργης αυτής γυναίκας. Αν έπαιρνε το βιβλίο της από τον εκδοτικό οίκο και το πήγαινε αλλού, ώστε να την εκδικηθεί για το θράσος της να κρίνει τη δουλειά της, τότε πόση κατανόηση θα έδειχνε ο εργοδότης της;

Δάγκωσε νευρικά τα χείλη της περιμένοντας το ξέσπασμα της Αγραφιώτου. Προσπάθησε να τη μαλακώσει: «Κυρία Αγραφιώτου, σας παρακαλώ να με συγχωρήσετε και πάλι. Δεν ξέρω τι έπαθα σήμερα και δεν μπορώ να κρατήσω το στόμα μου κλειστό για πράγματα που δεν είναι της αρμοδιότητάς μου! Δεν είχα κανένα δικαίωμα να μιλήσω έτσι για το έργο σας και να εκφέρω γνώμη για τη δομή του! Ξεχάστε, αν μπορείτε, όσα είπα...»

«Όχι, αυτό δεν μπορώ να το κάνω!» της απάντησε και το ανεπαίσθητο τρεμούλιασμα στις άκρες των χειλιών της, που θύμιζε χαμόγελο, τρόμαξε τη Ναταλία περισσότερο κι από ένα αυστηρό βλέμμα.

Η Νάσα έβγαλε από το συρτάρι του γραφείου της μερικές δακτυλογραφημένες σελίδες και τις έδωσε στην έκπληκτη γυναίκα απέναντί της.

«Τι είναι αυτά;» τόλμησε να ρωτήσει η Ναταλία.

«Το τελευταίο κεφάλαιο. Γιατί νομίζεις ότι καθυστερώ τόσο καιρό να εγκρίνω το βιβλίο; Ούτε εγώ ήμουν ικανοποιημένη... Ξανάγραψα το τελευταίο κεφάλαιο, αλλάζοντας το τέλος, αλλά και πάλι δεν ήμουν σίγουρη μέχρι που άκουσα εσένα! Τότε κατάλαβα ακριβώς γιατί δε μου άρεσε το τέλος! Πάρ' τα, Ναταλία, κάνε ό,τι διορθώσεις νομίζεις και προχωρήστε!»

«Κυρία Αγραφιώτου... δεν ξέρω τι να πω...»

«Από δω και πέρα να με λες Νάσα! Και όταν ξαναδώ αυτό το βιβλίο, θα είναι στα βιβλιοπωλεία!»

«Μα δε θα εγκρίνετε τις διορθώσεις μου;»

«Εγκρίνω εσένα την ίδια, κορίτσι μου! Είναι αρκετό! Και έχω πολλά χρόνια να εγκρίνω κάποιον!»

Όταν έφυγε από το σπίτι της Νάσας, σφίγγοντας στο στήθος τα χαρτιά με το νέο τέλος και με την έγκριση της Αγραφιώτου για τη συνέχεια, νόμιζε ότι ονειρευόταν. Είχε κερδίσει μια μάχη που νόμιζε χαμένη, μαζί με μια καινούργια φίλη, εντελώς ουρανοκατέβατη· και επιπλέον, αυτό που χρειαζόταν περισσότερο, η αυτοπεποίθησή της είχε δεχτεί μια τονωτική ένεση μεγάλης δόσης.

Η Ευγενία δεν μπορούσε ν' αποφασίσει ποια από τις τρεις γυναίκες τής άρεσε πιο πολύ. Βέβαια, η εγκυμοσύνη της Μαρίνας την εξέπληξε και τη διέγραψε από πιθανή υποψήφια για τη διεκδίκηση της καρδιάς του Κωστή, αλλά οι άλλες δύο... Ειδικά η Ναταλία, με το ήρεμο βλέμμα και τη γλυκιά φωνή, ήταν ό,τι έπρεπε. Το σύνδρομο της... προξενήτρας ξυπνούσε μέσα της. Ήταν ευτυχισμένη, γι' αυτό ήθελε την ευτυχία και για τους άλλους γύρω της.

Κοίταξε τον Αλέκο που χαμογελούσε με κάτι που

του έλεγε ο Κωστής. Ήταν ολοφάνερο ότι το αφεντικό της είχε εγκρίνει την εκλογή της, όπως ήταν επίσης ολοφάνερο ότι ο ίδιος ο Αλέκος είχε ξετρελαθεί με την παρέα. Κάθισαν μέχρι αργά. Ο Κωστής επέμενε να μείνουν κι άλλο και μαζί με τη Ναταλία έφτιαξαν μακαρονάδα για όλους. Βλέποντάς τους να δουλεύουν δίπλα δίπλα στην κουζίνα, ένα προαίσθημα, μια διαίσθηση την κυρίευσε. Αυτοί οι δύο ήταν προορισμένοι για να είναι μαζί και αν δεν το έβλεπαν γρήγορα, θα ήταν κρίμα, αν και... Κάτι στο βλέμμα της Ναταλίας, όταν κοιτούσε τον Κωστή, της έδωσε ξεκάθαρο το μήνυμα: ο τυφλός στην προκείμενη περίπτωση, αυτός που δεν μπορούσε να δει το μέλλον αυτής της σχέσης, ήταν μόνο εκείνος. Με το ένστικτο της ερωτευμένης γυναίκας, μπόρεσε να καταλάβει ότι εκείνη τον αγαπούσε.

Την ώρα που τον αποχαιρετούσε στην είσοδο, αποφάσισε ν' αφήσει μια υποψία να αιωρείται: «Αφεντικό, ευχαριστώ πολύ για όλα. Προτού φύγω όμως, θέλω να σου πω κάτι... Θυμάσαι τη συζήτηση που κάναμε στο γραφείο γι' αυτές τις τρεις γυναίκες;»

«Τη θυμάμαι! Σου είχα πει μάλιστα πως, όταν τις γνωρίσεις, θα καταλάβεις πόσο ανεδαφικές ήταν οι προτάσεις σου για μία από αυτές!»

«Ακριβώς!»

«Και τώρα που τις γνώρισες, τι έχεις να πεις;»

«Πως είχα δίκιο και είχες άδικο! Καληνύχτα!»

Έφυγε αφήνοντάς τον εμβρόντητο.

Ήταν φανερό πως η Ισμήνη ήταν όχι μόνο έτοιμη αλλά και ανυπόμονη να μιλήσει με τον πατέρα της. Η νέα σχέση των τριών, αλλά και η σταθερά τρυφερή και γεμάτη κατανόηση στάση του Βασίλη, την είχαν κλονίσει.

Ο Κωστής είχε καταλάβει τη διάθεση της κόρης του, μόλις την πήρε από το σπίτι της, την Παρασκευή το απόγευμα, για να περάσει το σαββατοκύριακο μαζί του. Το βράδυ που είχε μαζευτεί όλη η παρέα, το ενδιαφέρον της είχε μονοπωλήσει η φουσκωμένη πια κοιλίτσα της Μαρίνας και την είχε τρελάνει στις ερωτήσεις. Η Μαρίνα απαντούσε σε όλες υπομονετικά. Όταν η Ισμήνη πληροφορήθηκε και το φύλο του παιδιού, είχε χτυπήσει τα χέρια της ενθουσιασμένη και είχε φιλήσει με ορμή τη Μαρίνα που καμάρωνε.

Ο Κωστής την παρατηρούσε τώρα, καθώς τον κοιτούσε αφηρημένη να ετοιμάζει το μεσημεριανό τους. Ήταν φανερό ότι την άφηναν παντελώς αδιάφορη οι πατάτες που ροδοκοκκίνιζαν στο τηγάνι και που θα συνόδευαν το κοτόπουλο της κατσαρόλας. Κάθισαν να φάνε αμίλητοι. Ο Κωστής προσπάθησε να μη χαμογελάσει με το συνοφρυωμένο ύφος της κόρης του, που προμηνούσε όλη την εσωτερική της διεργασία για μια σοβαρή συζήτηση. Μια ρυτίδα ανάμεσα στα φρύδια της, το κατσουφιασμένο της προσωπάκι και η αδιαφορία της για το αγαπημένο της φαγητό μαρτυρούσαν αυτό που ερχόταν...

«Μπαμπά, θέλω να μιλήσουμε!»

Η δήλωση ήρθε ταυτόχρονα με το τέλος του φαγητού, τη στιγμή που ο Κωστής άναψε τσιγάρο. Η ανυπομονησία στη φωνή της έδειχνε ότι η μικρή περίμενε αυτή την κίνηση, θεωρώντας ότι έτσι έβρισκε τον πατέρα της ήρεμο και χαλαρωμένο.

«Είναι κάτι σοβαρό;» ρώτησε εκείνος.

«Πάρα πολύ!»

«Τότε σε ακούω! Τι συμβαίνει;»

«Η μαμά θέλει να παντρευτεί τον Βασίλη!» ανακοίνωσε η Ισμήνη με στόμφο.

«Ναι, αυτό το ξέρω!»

«Το ξέρεις;» Τα μάτια της κόρης του είχαν ανοίξει διάπλατα, μην περιμένοντας μια τέτοια απάντηση.

«Φυσικά! Μου το είπε η μητέρα σου εδώ και καιρό!»

«Και συμφωνείς;»

«Πρώτα απ' όλα, δε μου πέφτει λόγος! Η μητέρα σου είναι αρκετά μεγάλη για να παίρνει μόνη της αποφάσεις για όσα την αφορούν!»

«Κι εγώ;»

«Τι θέλεις να πεις; Έχεις αντίρρηση;»

«Δε θέλω!»

«Τι πράγμα δε θέλεις; Να παντρευτεί η μητέρα σου ή τον ίδιο τον Βασίλη; Έχεις κάτι εναντίον του; Απ' ό,τι είδα και κατάλαβα, είναι ένας πολύ καλός άνθρωπος, που αγαπάει τη μαμά σου και ενδιαφέρεται πάρα πολύ για σένα!»

«Δηλαδή σου αρέσει;»

«Το θέμα δεν είναι αν αρέσει σ' εμένα, που όπως σου είπα τον συμπαθώ, αλλά τι νιώθεις εσύ!»

«Ε... τι να νιώθω; Δε λέω ότι είναι κακός... είναι καλός και... παίζει μαζί μου...»

«Τότε;»

«Δεν ξέρω, μπαμπά! Θα είναι πάντα έτσι; Κι αν χωρίσει και μ' αυτόν;»

«Έλα, τώρα! Αδικείς τη μητέρα σου! Δεν είναι από τις γυναίκες που αλλάζουν συνέχεια άντρες!»

«Ναι, αλλά εσένα σε άλλαξε και είσαι ο μπαμπάς μου!»

«Αυτό δε θα μεταβληθεί ποτέ, είτε παντρευτεί η μαμά σου είτε όχι! Θα είμαι πάντα ο μπαμπάς σου που σε λατρεύει και πάντα θα περνάμε όσο χρόνο θέλουμε μαζί! Με τη μητέρα σου δεν ταιριάζαμε και από το να κάνουμε ο ένας τον άλλο δυστυχισμένο, χωρίσαμε! Δεν έχει καμία σχέση μαζί σου!»

«Ναι, αλλά τώρα τα πάτε μια χαρά! Αν θέλει λοιπόν η μαμά να ξαναπαντρευτεί οπωσδήποτε, γιατί δεν παντρεύεται εσένα πάλι για να είμαστε όλοι μαζί;»

«Εδώ τα μπερδεύεις τα πράγματα, πριγκίπισσα! Με τη μητέρα σου τα πάμε καλά τώρα, ακριβώς επειδή δεν είμαστε παντρεμένοι!»

«Πώς γίνεται αυτό;»

«Θα το καταλάβεις, όταν μεγαλώσεις!»

«Μπαμπά, δεν την αγαπάς πια τη μαμά;»

«Με τον τρόπο που πρέπει ν' αγαπάει ένας άντρας τη γυναίκα του, όχι! Τη νοιάζομαι όμως και θέλω να είναι ευτυχισμένη! Εσύ;»

«Κι εγώ, αλλά...»

«Ισμήνη, πρέπει να καταλάβεις και να δεχτείς ότι η μαμά κι εγώ δε θα είμαστε ποτέ ξανά μαζί. Από την άλλη, η μαμά είναι πολύ νέα και όμορφη για να μείνει μόνη της. Με τον Βασίλη αγαπιούνται! Αν δεν ήταν καλός, θα είχες όλο το δίκιο με το μέρος σου, κι εγώ θα επέμενα να το ξανασκεφτεί! Όμως, όπως είπες κι εσύ η ίδια και όπως διαπίστωσα κι εγώ, ο Βασίλης σ' αγαπάει! Ασχολείται μαζί σου περισσότερο απ' όσο έκανα εγώ κάποτε! Κάνω λάθος;»

«Όχι...»

«Ύστερα, είναι και το άλλο. Χθες, ξετρελάθηκες με το μωρό της Μαρίνας. Σκέψου, λοιπόν, ότι, όταν παντρευτεί η μαμά σου με τον Βασίλη, ίσως σου χαρίσουν κι εσένα ένα αδελφάκι!»

Τον κοίταξε δύσπιστα.

«Λες;» τον ρώτησε.

«Γιατί όχι;»

«Κι εσύ, μπαμπά;»

«Τι είναι πάλι μ' εμένα;»

«Πότε θα παντρευτείς;»

«Αυτό δεν το ξέρω! Προς το παρόν είμαι μια χαρά κι έτσι!»

«Ναι, αλλά κι εσύ είσαι νέος, όπως και η μαμά!»

«Και λοιπόν;»

«Δε θέλεις να παντρευτείς κάποια;»

«Έχεις καμιά στο μυαλό σου;»

«Ε... είναι και οι τρεις τόσο καλές...!»

«Για ποιες μιλάς; Γιατί αυτές που εννοείς είναι μόνο φίλες μου!»

«Μα κι ο Βασίλης ήταν φίλος με τη μαμά και τώρα θέλουν να παντρευτούν! Μήπως εσύ δεν μπορείς να διαλέξεις, μπαμπά;»

«Πριγκίπισσα, η λογική σου με τρελαίνει!»

«Πάντως, εγώ στη θέση σου θα διάλεγα τη Ναταλία!»

«Γιατί αυτή η προτίμηση;»

«Γιατί είναι η πιο όμορφη, έχει τα πιο ωραία μαλλιά, της αρέσουν οι κούκλες και μ' αφήνει να κερδίζω σε όλα τα επιτραπέζια!»

«Απ' ό,τι καταλαβαίνω έχεις σοβαρά επιχειρήματα και σου υπόσχομαι να τα σκεφτώ πολύ σοβαρά! Στο μεταξύ, μικρό μου τερατάκι, θα σταματήσεις να κάνεις δύσκολη τη ζωή της μητέρας σου και του Βασίλη;»

Η Ισμήνη γέλασε χαρούμενα και όρμησε στην αγκαλιά του. Έσφιξε τα χέρια της γύρω από το λαιμό του και τον φίλησε.

«Αυτό σημαίνει "ναι";» τη ρώτησε και η Ισμήνη κούνησε καταφατικά το κεφάλι.

Ο Κωστής την αγκάλιασε τρυφερά. Το μυαλό του έτρεξε στη συζήτηση με τη Ναταλία, η οποία με τόση διαύγεια είχε δει στην ψυχή της κόρης του όσα την απασχολούσαν. Αν εκείνος σαν πατέρας είχε υποχρέωση να μαντέψει σωστά την αρχή του κακού, εκείνη είχε απλά την ευαισθησία να προβλέψει τα υπόλοιπα.

Το ίδιο απόγευμα, η Ισμήνη δήλωσε στη Μαρίνα: «Η μαμά μου, τώρα που θα παντρευτεί τον Βασίλη, θα κάνει κι εκείνη μωρό! Λες να είναι κοριτσάκι;»

Η Μαρίνα αντάλλαξε ένα βλέμμα με τον ικανοποιημένο Κωστή.

«Διόλου απίθανο», της απάντησε, «αν και νομίζω ότι δεν πρέπει να σε πολυνοιάζει! Ένα αδελφάκι είναι μεγάλη χαρά, είτε είναι αγόρι είτε είναι κορίτσι!»

Η Ισμήνη κοίταξε τον πατέρα της και του είπε σοβαρή: «Πάντως, μπαμπά, πρέπει να προσέξετε εσύ και η μαμά!»

«Τι πράγμα, καρδιά μου;»

«Ε, να... αν η μαμά κάνει αγοράκι, όταν παντρευτείς εσύ, να κάνεις κοριτσάκι! Μην έχω δύο ίδια αδελφάκια!»

Χαμογέλασαν όλοι με την αφέλεια του παιδιού και η Ελπίδα κοίταξε έντονα τη Ναταλία, που κοκκίνισε και χαμήλωσε το κεφάλι.

Ο γιατρός Καλιβωκάς ήταν τόσο συνοφρυωμένος που δεν έπαιρνε άλλο. Στο γραφείο, μπροστά του, είχε ένα σωρό χαρτιά και απέναντί του καθισμένη την Ελπίδα, εξοργιστικά ήρεμη.

«Λοιπόν, Ελπίδα;»

«Τι... "λοιπόν", γιατρέ;»

«Έχω τ' αποτελέσματα όλων των εξετάσεων που έκανες!»

«Άρα ξέρετε και τη διάγνωση, όπως την ξέρω κι εγώ, αν και την υποψιαζόμουν πολύ πριν βγουν τ' αποτελέσματα!»

«Αυτό έχεις μόνο να πεις;»

«Τι άλλο θα θέλατε να σας πω;»

«Το πότε ξεκινάμε!»

«Τι πράγμα;»

«Σε ρωτάω πότε θα κάνεις εισαγωγή!»

«Μμμ... ποτέ υποθέτω!»

«Δεν κατάλαβα! Βέβαια, είναι δικαίωμά σου να πας σε άλλο νοσοκομείο, αλλά η σύμβαση που έχεις με το *Κέντρο* μας σου επιτρέπει να νοσηλευθείς εδώ δωρεάν!»

«Πραγματικά δεν καταλάβατε, γιατρέ! Δεν έχω σκοπό να νοσηλευθώ ούτε εδώ αλλά ούτε και πουθενά αλλού!»

«Τρελάθηκες, Ελπίδα; Δεν ξέρεις πόσο σοβαρή είναι η κατάστασή σου και πόσο ανάγκη έχεις τη θεραπεία; Δεν παίζουν μ' αυτά τα θέματα!»

«Όλα τα ξέρω, αλλά όπως είπατε κι εσείς, είναι δικαίωμά μου να διαλέξω, και διάλεξα! Δε θα κάνω απολύτως τίποτα!»

«Μα πρέπει να χειρουργηθείς και μάλιστα άμεσα!»

«Δεν υπάρχει τέτοια περίπτωση!»

«Ελπίδα, αρχίζω να πιστεύω πως κάτι δεν πάει καλά και με το μυαλό σου! Από τη θέση σου γνωρίζεις... Θέλω να πω δεν είσαι άσχετη με το πρόβλημα!»

«Μα ακριβώς γι' αυτό αποφάσισα πως το μόνο που θα δεχτώ είναι μερικά παυσίπονα για όταν και όποτε πονάω!»

«Δεν ξέρω τι να πω! Δεν είσαι ανίδεη, ξέρεις τη διάγνωση, όπως ξέρεις και την πορεία και την εξέλιξη...»

«Επίσης ξέρω και τα προγνωστικά! Είναι τόσο δυσοίωνα, που δεν έχει νόημα να ταλαιπωρήσω επιπλέον τον εαυτό μου με μιαν ανώφελη θεραπεία!»

«Αυτό δεν το ξέρεις!»

Η Ελπίδα τον κοίταξε έντονα. «Γιατρέ, μαζί μου μιλάτε τώρα και δεν είμαι μια οποιαδήποτε ασθενής για να πιστεύω σε θαύματα! Δουλεύω χρόνια εδώ μέσα και είδα αρκετές παρόμοιες περιπτώσεις!»

«Ναι, αλλά όλοι το πάλεψαν! Δεν παραιτήθηκαν!»

«Ξέρετε τι λένε; Οι εξυπνότεροι υποχωρούν! Όσο γι' αυτούς που το... πάλεψαν όπως είπατε... δεν είδα να κερδίζουν στο τέλος!»

«Έπειτα, είναι κι αυτή η σκανδαλώδης ηρεμία σου!»

«Τι θα προτιμούσατε; Μια υστερική προϊσταμένη που να κλαίει και να χτυπιέται για ό,τι της έτυχε, ανίκανη πια να προσφέρει τις υπηρεσίες της; Ελάτε τώρα! Με ξέρετε χρόνια!»

Η Ελπίδα σηκώθηκε απότομα, βάζοντας τέρμα στη συζήτηση. Λίγο προτού βγει από το γραφείο, κοντοστάθηκε και στράφηκε στον Καλιβωκά.

«Γιατρέ, σας ευχαριστώ για όλα. Είστε σπάνιος άνθρωπος κι αυτό το προσόν δε συμβαδίζει με την ιατρική στις μέρες μας».

«Πώς να σε πείσω να μην αφήσεις τον εαυτό σου στην τύχη;»

«Θα ήταν μάταιο να προσπαθήσετε. Θα ήθελα μάλιστα να μην ξαναμιλήσουμε γι' αυτό το θέμα».

«Είναι λάθος, όμως...»

«Δικό μου... όπως δική μου είναι και η ζωή. Έχω δικαίωμα να τη ζήσω όπως θέλω και να την τερματίσω όποτε θέλω».

«Καταλαβαίνεις ότι έπειτα από δω δεν έχει γυρισμό; Ότι όσο περνάει ο καιρός δε θα μπορείς ν' αλλάξεις γνώμη;»

«Τα γνωρίζω αυτά...»

«Και επιμένεις;»

«Ναι!»

«Θέλεις τουλάχιστον να σκεφτείς την πιθανότητα να φύγεις, να πας σ' ένα γιατρό στην Αγγλία; Είναι φίλος μου, θα σε προσέξει... Όσο για τα έξοδα...»

«Σας παρακαλώ, γιατρέ! Η συζήτηση έχει λήξει!»

«Και τι θα κάνεις;»

«Μα σας είπα! Θα συνεχίσω κανονικά τη δουλειά μου και τη ζωή μου!»

«Ως πότε;»

«Μέχρι τότε που θα μπορώ! Έπειτα θα πρέπει να βρείτε αντικαταστάτρια! Καλημέρα σας! Αν με χρειαστείτε, θα είμαι στο γραφείο μου!»

Έκλεισε πίσω της την πόρτα μαλακά. Ο Καλιβωκάς έβγαλε τα γυαλιά του και έτριψε τα μάτια του κουρασμένος. Σηκώθηκε και κοίταξε από το παράθυρο. Σε κάποια μπαλκόνια ανέμιζε η ελληνική σημαία, για να θυμίζει πως λίγες μέρες πριν, το έθνος είχε γιορτάσει το ιστορικό ΟΧΙ ενός λαού.

Το «όχι» όμως που είχε ακούσει ο ίδιος από την προϊσταμένη πριν από λίγο, ούτε ιστορικό ήταν, ούτε μπορούσε να το επικροτήσει. Ήταν ένα τραγικό λάθος...

# ΝΟΕΜΒΡΙΟΣ
## *Ο μήνας της Αφροδίτης*

### ΑΦΡΟΔΙΤΗ

*Η Αφροδίτη ήταν η Ολύμπια Θεά που εκπροσωπούσε την ομορφιά και τον έρωτα. Θεά της γονιμότητας και της βλάστησης, σύμβολο της άνθησης και του μαρασμού, της ζωής και του θανάτου. Είναι η θεά που πηγαινοέρχεται περισσότερο ανάμεσα στον Ουρανό και στη Γη. Οι θνητοί την αναζητούν γιατί ξέρουν ότι όπου εμφανιστεί η Αφροδίτη, τα λουλούδια φυτρώνουν, οι καταιγίδες ηρεμούν και η πλάση ολόκληρη χαμογελά στο πέρασμά της...*

*Αθάνατη Αφροδίτη, που σε θρόνο στολισμένο κάθεσαι,*
*[...] σε θερμοπαρακαλώ, δέσποινα*
*μη μου βασανίζεις την καρδιά*
*[...]*
*έλα σε μένα και τώρα, και λύτρωσέ με απ' το βαρύ μαράζι*
*κι όσα η καρδιά μου ποθεί να γίνουν,*
*κάνε να γίνουν, κι εσύ η ίδια*
*γίνε σύμμαχός μου.*

Σαπφώ

Η Μαρίνα πήρε στα χέρια της τα χρήματα και τα κοίταξε συγκινημένη. Αμέτρητες φορές στο παρελθόν είχε κρατήσει αναρίθμητα ποσά, αλλά ποτέ δεν ήταν κερδισμένα από προσωπική εργασία. Είχε μόλις παραδώσει το μεταφρασμένο βιβλίο και είχε πληρωθεί. Της είχαν δώσει μάλιστα και το επόμενο. Με τα λεφτά σχημάτισε μια βεντάλια και στάθηκε στην είσοδο του γραφείου της Ναταλίας.

«Καλημέρα σας!» είπε και ανέμισε τα κολλαριστά χαρτονομίσματα.

Η Ναταλία σήκωσε το κεφάλι, την είδε και χαμογέλασε. «Ζεσταθήκαμε;» τη ρώτησε κοιτάζοντας με νόημα τη βεντάλια.

Η Μαρίνα πλησίασε και κάθισε απέναντί της. «Είμαι πολύ χαρούμενη, Ναταλία! Πρώτη φορά πιάνω χρήματα για τα οποία δούλεψα! Είναι υπέροχο συναίσθημα!»

«Επειδή είναι η πρώτη φορά. Μετά συνηθίζεις!»

«Θα το γιορτάσουμε;»

«Πώς να το γιορτάσουμε δηλαδή;»

«Θα πάμε όλοι μαζί σ' εκείνο το ταβερνάκι στο Χαλάνδρι! Θυμάσαι; Μας είχε πάει και ο Κωστής! Κερνάω εγώ!»

«Άρχισες τις σπατάλες;»

«Δε θέλω να σκέφτομαι πού θα βρισκόμουν αν δεν είχα εσάς! Εσείς με βοηθήσατε, εσείς με στηρίξατε, εσείς με μάθατε να ζω!»

«Εντάξει, εντάξει! Κατάλαβα! Θα παραγγείλω ό,τι πιο ακριβό το βράδυ!» την προειδοποίησε γελώντας η Ναταλία.

«Δε με τρομάζεις! Εξάλλου, υπάρχει και καλύτερο! Μου έδωσαν κι άλλο βιβλίο για μετάφραση! Καταλαβαίνεις; Πετάω, φιλενάδα! Είμαι τόσο χαρούμενη που αισθάνομαι ότι δεν πατάω στη γη!»

Γύρισε σπίτι με την ίδια διάθεση. Τηλεφώνησε στην Ελπίδα και στον Κωστή, και τους κάλεσε για το βράδυ. Έβαλε μουσική, έκανε μπάνιο, έφτιαξε τα μαλλιά της. Το μωρό είχε το ίδιο κέφι με τη μητέρα του. Χόρευε φαίνεται και κάθε λίγο τη χαιρετούσε με μια δυνατή κλοτσιά. Η Μαρίνα χάιδευε την κοιλιά της και του μιλούσε τρυφερά: «Ήρεμα, κουκλίτσα μου, άσε τις χορευτικές φιγούρες για όταν θα βγεις από κει μέσα! Φρόνιμα, αγαπούλα μου, αλλιώς η μανούλα θα γεμίσει ραγάδες. Μην τεντώνεσαι τόσο... Ξέρω, δεν είναι και πολύ άνετα εκεί, αλλά σε δύο μήνες θα μπορείς να κάνεις ό,τι θέλεις!»

Το μεσημέρι ξάπλωσε για να ξεκουραστεί και το μωρό ηρέμησε. Έκλεισε τα μάτια και σε λίγο αποκοιμήθηκε. Πρώτα ένιωσε τη γλυκιά παρουσία του Φίλιππου και μετά τον είδε. Μέσα από ένα σύννεφο, χωρίς γύρω του να διακρίνεται απολύτως τίποτα, σαν να ερχόταν από το πουθενά, την κοιτούσε με παράπονο. «Γιατί, αγάπη μου;» τη ρώτησε. «Γιατί μ' έδιωξες; Δεν κατάλαβες πόσο σ' αγάπησα και σ' αγαπώ; Τι σημασία έχει που το παιδί δεν είναι δικό μου; Θα το έκανα δικό μου. Έπρεπε να μου πεις την αλήθεια, Μαρίνα... Την αλήθεια. Είχα δικαίωμα να ξέρω...»

Πετάχτηκε ιδρωμένη και κοίταξε γύρω της, σίγουρη πως θα τον έβλεπε κάπου δίπλα της. Ήταν όμως μόνον όνειρο κι εκείνη αναστέναξε και σηκώθηκε από το κρεβάτι. Δεν αντιστάθηκε στην επιθυμία να πάρει τη φωτογραφία του στα χέρια της. Κάρφωσε τα μάτια της στα μάτια του που την κοιτούσαν και ήταν ίδια όπως στο όνειρο.

Θυμήθηκε το πληγωμένο βλέμμα του στο Ναύπλιο, όταν του είπε ότι περιμένει παιδί, όταν του παρουσίασε τη μοναξιά της σαν ευτυχία, στο μεγαλύτερο ψέμα που είχε ποτέ τολμήσει να πει. Τα χείλη του της χαμογελούσαν τόσο ζωντανά όσο άψυχο ήταν το χαρτί απ' όπου η μορφή του την έκανε να πονάει. Η ψυχή της φώναξε την ανάγκη να βρεθεί μέσα στην αγκαλιά του, που ήταν όλος ο κόσμος για εκείνη.

Έκρυψε τη φωτογραφία όταν άκουσε το κλειδί στην πόρτα να την ειδοποιεί για την άφιξη της Ναταλίας...

Ήταν ολοφάνερο ότι η βροχή βαριόταν. Τεμπέλικα, χωρίς βιασύνη έπεφταν οι σταγόνες της στη γη και δε φαινόταν να έχει κέφι για κάτι πιο δυνατό. Ο Κωστής οδηγούσε πολύ προσεκτικά. Σιχαινόταν το σιγοψιχάλισμα που έκανε επικίνδυνους τους δρόμους και εκνεύριζε τους άλλους οδηγούς όπως και τον ίδιο. Δίπλα του η Ελπίδα, σιωπηλή, δε συμμετείχε στην κουβέντα των άλλων δύο γυναικών στο πίσω κάθισμα. Εκείνες έδειχναν απορροφημένες από τα όσα συζητούσαν γύρω από τις εκδόσεις.

«Τι έχεις εσύ και δε μιλάς;» ρώτησε ο Κωστής την Ελπίδα χαμηλόφωνα.

«Το συνηθίζω όταν δεν έχω τι να πω!» του απάντησε απότομα εκείνη.

«Άσε αυτό το ύφος μαζί μου... Κάποτε περνούσε, αλλά τώρα... λέγε τι έχεις!» επέμεινε εκείνος. «Προβλήματα στη δουλειά;»

«Τα συνηθισμένα...»

«Κάτι ενδιαφέρον στον ορίζοντα μήπως;»

«Για άντρα μιλάς;»

«Φυσικά, εκτός αν άλλαξαν οι ερωτικές σου προτιμήσεις και δε μ' έχεις ενημερώσει!»

«Σοβαρέψου!»

«Λοιπόν; Άντρας είναι η αιτία;»

«Καμία σχέση με άντρα!»

«Τότε τι συμβαίνει;»

«Πονάει λίγο το στομάχι μου...»

«Τελευταία πονάει συχνά το στομάχι σου. Πήγες σε γιατρό;»

«Δουλεύω ανάμεσα σε γιατρούς, αν το θυμάσαι!»

«Και πρόσφατα μάλιστα έκανες εξετάσεις! Τι έδειξαν λοιπόν;»

«Τίποτα σοβαρό... Κάποιο έλκος...»

«Και δεν είναι σοβαρό αυτό; Γιατί δε μας είπες τίποτα;»

«Γιατί δεν είναι τίποτα!»

«Πρέπει να χειρουργηθείς;»

«Δεν μπαίνω σε χειρουργείο στα καλά καθούμενα! Έλκος έχει ο μισός πλανήτης!»

«Και τι κάνει ο μισός πλανήτης που έχει έλκος;»

«Προσέχει τη διατροφή του και παίρνει χάπια! Αυτό κάνω κι εγώ! Κοίτα, λοιπόν, τη δουλειά σου και άσε με ήσυχη!»

«Η πρώτη και σοβαρότερη δουλειά μου είστε εσείς οι τρεις και το παιδί μου, φυσικά! Άσε, λοιπόν, τις αγριάδες! Τα χάπια σε βοηθούν όταν πονάς;»

«Πάρα πολύ. Ευτυχώς!»

«Τότε γιατί δεν παίρνεις τώρα, αφού πονάς;»

«Με τι να το πάρω το χάπι, άνθρωπέ μου; Πώς να το καταπιώ χωρίς νερό; Ν' ανοίξω το στόμα και να περιμένω την ψιχάλα να μου το γεμίσει; Τώρα που θα πάμε στην ταβέρνα, θα έχει, φαντάζομαι, νερό και θα το πάρω το ρημάδι το χάπι! Μ' έσκασες πια!»

Ο Κωστής την κοίταξε αυστηρά. Η εκνευρισμένη φωνή της Ελπίδας διέκοψε τη συζήτηση στο πίσω κάθισμα, και η Ναταλία με τη Μαρίνα ζήτησαν να μάθουν τι συμβαίνει, αλλά είχαν ήδη φτάσει στον προορισμό τους.

Το ταβερνάκι ήταν γεμάτο. Ευτυχώς, η προνοητικότητα του Κωστή να κλείσει τραπέζι τούς είχε εξασφαλίσει μια θέση ανάμεσα στον κόσμο, που απολάμβανε εκτός από τη νόστιμη κουζίνα μιαν ατμόσφαιρα γεμάτη από τη ζεστασιά που έδινε το τζάκι και οι δυο κιθαρίστες που σιγομουρμούριζαν γνωστά τραγούδια. Ο Κωστής πρόσεξε πως, μόλις μπήκαν, η Ελπίδα εξαφανίστηκε στην τουαλέτα και όταν ξαναγύρισε, έπειτα από αρκετή ώρα, ήταν πιο ήρεμη και τα χαρακτηριστικά της λιγότερο αλλοιωμένα.

Οι πρώτοι μεζέδες και το κρασί έφτασαν. Ύψωσαν όλοι τα ποτήρια να ευχηθούν στη Μαρίνα, αλλά κατέβηκαν χωρίς να γίνει καμιά ευχή. Η ίδια η Μαρίνα είχε μαρμαρώσει, κοιτάζοντας κάτι στην άλλη άκρη της αίθουσας. Οι υπόλοιποι ακολούθησαν το ταραγμένο βλέμμα της. Σ' ένα τραπέζι απέναντί τους, μαζί με άλλους τέσσερις, καθόταν ο Φίλιππος. Χαμογελούσε με κάτι που του έλεγαν, μέχρι που ο μαγνήτης των ματιών της εγκλώβισε και το δικό του βλέμμα. Το χαμόγελο ατόνησε, οι ματιές πυρπόλησαν και πυρπολήθηκαν. Πρώτη κατέβασε τα μάτια η Μαρίνα...

«Έχεις γίνει κάτασπρη σαν το τραπεζομάντιλο! Σύνελθε!» τη μάλωσε ο Κωστής.

«Τι να κάνω τώρα;» τον ρώτησε και η απελπισία έκανε τη φωνή της να σπάσει και τα χέρια της να τρέμουν δυνατά.

«Για αρχή, άσε κάτω το ποτήρι, θα χύσεις όλο το κρασί επάνω σου!» τη συμβούλεψε αυστηρά η Ελπίδα. «Αφού ούτως ή άλλως δε θα πιεις μια και είσαι έγκυος, τι το κρατάς;»

Η Ναταλία που καθόταν ακριβώς απέναντί της, βιάστηκε να της πάρει το ποτήρι από τα χέρια. «Πιες λίγο νερό, Μαρινάκι!» της είπε μαλακά και η Μαρίνα συμμορφώθηκε.

Δεν τολμούσε να κοιτάξει πάλι κατά το μέρος του Φίλιππου.

«Τι κάνει;» ρώτησε τον Κωστή που καθόταν δίπλα της. «Κοιτάει;»

«Όχι, τώρα έρχεται στο τραπέζι μας. Συγκεντρώσου!» της απάντησε εκείνος φορώντας το καλό του χαμόγελο, και η Μαρίνα σήκωσε τα μάτια για ν' αντικρίσει τον Φίλιππο, που τώρα είχε σταθεί όρθιος μπροστά τους, χαμογελούσε και έδινε το χέρι στον Κωστή.

«Καλησπέρα σας!» χαιρέτησε κεφάτα αλλά ήταν κι εκείνος ταραγμένος. «Δεν ξέρω αν με θυμάστε... συναντηθήκαμε στο Ναύπλιο, αλλά δε συστηθήκαμε. Είμαι ο

Φίλιππος... Με τη γυναίκα σας ήμαστε συμφοιτητές στο πανεπιστήμιο...»

«Με τη γυναίκα μου;» Ο Κωστής για λίγο φάνηκε να τα χάνει, αλλά μια υπόγεια κλοτσιά από την Ελπίδα που καθόταν απέναντί του τον συνέφερε. «Α! Με τη Μαρίνα; Βέβαια! Μας τα είπε η... γυναίκα μου!»

Ο Κωστής σηκώθηκε, έδωσε το χέρι του, είπε τ' όνομά του, αλλά ήταν σίγουρος ότι ο Φίλιππος ούτε που το άκουσε. Η προσοχή του είχε στραφεί εκεί όπου τον ενδιέφερε.

«Τι κάνεις, Μαρίνα;»

Η τρυφερότητα στη φωνή του, τα μάτια του που τη χάιδευαν δεν μπορούσαν να παραπλανήσουν κανέναν. Μόνον ο ίδιος ο Φίλιππος νόμιζε στεγανό το καμουφλάζ του παλιού συμφοιτητή.

«Καλά...» ακούστηκε σαν ψίθυρος η φωνή της Μαρίνας.

«Μα καθίστε λίγο μαζί μας!» πρότεινε ευγενικά ο Κωστής. «Να γνωρίσετε και τις φίλες μας... Η Ελπίδα... Η Ναταλία...»

Έγιναν οι συστάσεις και χάρηκαν όλοι πολύ. Η Μαρίνα είχε καρφώσει τα μάτια στο μπουκάλι με το αναψυκτικό μπροστά της. Οι μικροσκοπικές φυσαλίδες έμοιαζαν ανεξάντλητες και υπερκινητικές. Μόνο εκείνη ήταν αδύνατον να κινηθεί. Το μόνο που μπορούσε να κάνει ήταν να παρακολουθεί τη συζήτηση που γινόταν στο τραπέζι. Ο Κωστής έπαιζε με επιτυχία το ρόλο που του είχε φορτώσει. Οι άλλες δύο ήταν απλοί θεατές σε μια παράσταση που η ίδια είχε στήσει από το Ναύπλιο. Και να ήθελε ν' αλλάξει κάτι, τώρα ήταν αργά. Το έργο είχε ανέβει κανονικά.

«Λοιπόν;» Ο Κωστής έδειχνε υπερβολικά εύθυμος, ενώ ο Φίλιππος άρχισε ν' αλλάζει διάθεση, σαν να είχε μετανιώσει για την τολμηρή του πρωτοβουλία. Όταν μάλιστα ο Κωστής εντελώς τυχαία έβαλε το χέρι του στην πλάτη του καθίσματος της Μαρίνας, τα μάτια του σκοτείνιασαν. Ο πόνος ήταν φανερός, το σαράκι της ζήλιας τον ροκάνιζε, και ο Κωστής με τρόπο τράβηξε το χέρι του και άναψε τσιγάρο. «Η... γυναίκα μου μας είπε ότι ήρθες από την Ξάνθη για ν' ανοίξεις ένα φροντιστήριο ξένων γλωσσών... Τι έγινε;»

«Το φροντιστήριο λειτουργεί κανονικά και μ' επιτυχία θα έλεγα... Εσύ τι δουλειά κάνεις;»

«Είμαι γενικός διευθυντής σε μιαν αντιπροσωπεία αυτοκινήτων...»

«Αλήθεια... δε ρώτησα... αν και βλέπω...» ψέλλισε. Η αμηχανία τον έκανε να μπερδεύει τα λόγια του. «Θέλω να πω για το μωρό...»

«Α, ναι! Είναι κοριτσάκι και την περιμένουμε στις αρχές του νέου χρόνου!»

Η κατάσταση άρχισε να ξεφεύγει από κάθε έλεγχο. Ο Φίλιππος σηκώθηκε τη στιγμή που αντιλήφθηκε τις αντοχές του να τον εγκαταλείπουν. Ο Κωστής τον καταλάβαινε. Μπορούσε να νιώσει τον πόνο του γι' αυτή τη γυναίκα που ήθελε και αγαπούσε, και που τη νόμιζε παντρεμένη και ευτυχισμένη δίπλα στον ίδιο.

«Φεύγεις;» τον ρώτησε.

«Ναι... η παρέα μου με περιμένει. Σας εύχομαι ό,τι καλύτερο!»

«Χάρηκαν» όλοι και πάλι. Η Μαρίνα σήκωσε τα μάτια της για να κοιτάξει τα δικά του που αιμορραγούσαν καθώς την αποχαιρετούσε.

Απόλυτη σιωπή έπεσε στο τραπέζι μετά την αποχώρηση του Φίλιππου. Ο Κωστής ήπιε το κρασί του μονορούφι και γύρισε στη Μαρίνα θυμωμένος.

«Είσαι ευχαριστημένη;» τη ρώτησε. «Έπαιξα καλά

το ρόλο του καλού συζύγου και ευτυχισμένου μέλλοντα πατέρα;»

«Υπερβολικά πειστικά θα έλεγα εγώ!» απάντησε η Ελπίδα.

«Ε, τότε, μπράβο μου! Μόνο που δε νιώθω καθόλου περήφανος για το θεατράκι που παίξαμε στον άνθρωπο! Μαρίνα, ακούς ή είσαι σε άλλο πλανήτη;»

Τους κοίταξε πληγωμένη. Τα μάτια της ήταν έτοιμα να δακρύσουν. Στράφηκε στη Ναταλία για βοήθεια κι εκείνη δεν την πρόδωσε.

«Κωστή, ζήτησε το λογαριασμό αμέσως!» διέταξε, και ασυνήθιστοι όλοι στον αυταρχικό της τόνο ξαφνιάστηκαν.

«Θα φύγουμε;» απόρησε ο Κωστής.

«Φυσικά! Αν είναι να την πετάξετε στα λιοντάρια εσύ και η Ελπίδα, όπως σκοπεύετε, ας μη γίνει σε δημόσιο χώρο! Σε ταβέρνα ήρθαμε όχι στο Κολοσσαίο!» τον αποπήρε.

«Μα...»

«Το λογαριασμό!» τον έκοψε κι εκείνος συμμορφώθηκε.

Ο Κωστής έριξε μια κλεφτή ματιά σ' αυτή την άλλη Ναταλία που αντίκριζε και αναρωτήθηκε πόσες πλευρές μπορούσε να έχει αυτή η γυναίκα. Ένα τρυφερό πλάσμα, που μέσα σε ελάχιστα δευτερόλεπτα έγινε ίδια η Ελπίδα για να υπερασπίσει και να προστατέψει κάποιον που αγαπά πολύ.

Μπήκαν στο αυτοκίνητο. Η Ναταλία είχε ξαναγίνει η τρυφερή αγκαλιά που ήξεραν και είχε δεχτεί στους κόλπους της τη Μαρίνα που έκλαιγε σιωπηλά.

«Μαρίνα...» Ο Κωστής ένιωθε ένοχος και μετανιωμένος, έτσι που την άκουγε να κλαίει. «Συγγνώμη, αν σου μίλησα απότομα. Για να είμαι ειλικρινής όμως, το πόνεσα το παλικάρι, έτσι όπως το κατάντησα άθελά μου... Δε μου πάει, Μαρινάκι, να καμαρώνω δήθεν για πατέρας και να του πετάω στο κεφάλι μια ευτυχία που δε μου ανήκει, ξέροντας πως τον πονάω, ενώ με μια κουβέντα μου θα μπορούσα να του χαρίσω τον Παράδεισο! Σ' αγαπάει, κορίτσι μου, δεν το καταλαβαίνεις;»

«Κι εγώ τον αγαπώ...» ψιθύρισε μέσα από τα δάκρυά της η Μαρίνα.

«Τότε γιατί το μπερδεύουμε το θέμα; Πες του την αλήθεια, κούκλα μου, και δε θα το μετανιώσεις!»

«Τα είπαμε αυτά, Κωστή. Φοβάμαι ότι θα μετανιώσει εκείνος... Θα το βάλει στα πόδια και τότε δε θα το αντέξω εγώ. Καλύτερα έτσι...»

Η Ναταλία μ' ένα βλέμμα μέσα από τον καθρέφτη του αυτοκινήτου τον προειδοποίησε να μη συνεχίσει τη συζήτηση. Ένιωθε τη Μαρίνα να τρέμει στα χέρια της και φοβόταν για το μωρό.

Έφτασαν σπίτι μέσα σε βαριά σιωπή. Την έβαλαν να ξαπλώσει αν και δεν περίμεναν να κοιμηθεί ύστερα από τέτοια ταραχή. Σχεδόν ξαφνιάστηκαν όταν άκουσαν τη ρυθμική της αναπνοή να μαρτυράει ότι ο ύπνος είχε τελικά νικήσει. Ο Κωστής έφυγε. Αισθανόταν άρρωστος. Το κεφάλι του το σφυροκοπούσε ένα δυνατός πονοκέφαλος, το στόμα του ήταν πικρό σαν να έπινε δηλητήριο και όχι κρασί. Ήθελε να μείνει μόνος.

Η Ναταλία έκλεισε απαλά πίσω του την πόρτα και στράφηκε στην Ελπίδα που καθόταν κουλουριασμένη στη φλοκάτη.

«Τι βραδιά κι αυτή!» της είπε.

«Τουλάχιστον ανόητη!» Η Ελπίδα ανακάθισε, προσπαθώντας να πνίξει το μορφασμό του πόνου. Το στομάχι της ήταν χειρότερα απόψε.

«Η βραδιά “ανόητη”;»

«Όχι! Η Μαρίνα! Πού θα πάει αυτή η κατάσταση, μου λες;»

«Δεν ξέρω! Τι μπορούμε να κάνουμε αφού εκείνη δε θέλει να του πει τίποτα;»

«Αρχίζω να πιστεύω ότι οι ορμόνες της εγκυμοσύνης την έχουν τρελάνει! Δεν ξέρει πια τι της γίνεται! Και καλά εκείνη, ας πούμε ότι έχει δικαιολογία! Εσύ;»

«Εγώ; Τι να κάνω δηλαδή; Να πω στον Φίλιππο...»

«Δε μιλάω για τον Φίλιππο τώρα! Για τον Κωστή μιλάω!»

«Πάλι δε βλέπω τι μπορώ να κάνω! Και μη φωνάζεις γιατί θα την ξυπνήσεις!»

«Τέτοια δειλία πια! Είστε ερωτευμένες! Τους αγαπάτε και δεν τολμάτε, ενώ ξέρετε ότι χάνετε το τρένο!»

«Μπορείς να μου πεις τι έπαθες απόψε; Είσαι έξαλλη και δεν καταλαβαίνω το λόγο! Τι θέλεις;»

«Να πάρετε την τύχη στα χέρια σας! Να κινηθείτε! Θα τους χάσετε, δεν το καταλαβαίνεις; Θυμάσαι στο Ναύπλιο την Αναστασία; Ε, λοιπόν, ο κόσμος είναι γεμάτος Αναστασίες! Κάποια θα βρεθεί, και τότε... αντίο! Τον έχασες!»

«Βλέπεις ότι είσαι εσύ αυτή που δεν καταλαβαίνει; Εγώ τον έχω! Σαν φίλο! Ακριβό και πολύτιμο και δε σκοπεύω να το διακινδυνεύσω!»

«Και σου φτάνει αυτό; Όταν λαχταράς τον έρωτά του, τα χάδια του και τα φιλιά του, μπορείς να αρκεστείς σε μια χλιαρή φιλία; Μπορείς αργότερα να γίνεις μάρτυρας ενός δεσμού με μιαν άλλη, και ίσως κι ενός γάμου;»

«Σταμάτα, Ελπίδα! Αυτό που κάνεις δεν είναι σωστό! Ξέρεις ότι με πονάς και νομίζω ότι το απολαμβάνεις!»

«Εγώ; Θα έπρεπε να με ξέρεις καλύτερα! Δε θέλω να σε πονέσω, αλλά να σε ξυπνήσω!»

«Δεν κοιμάμαι! Ξέρω ακριβώς τι κάνω... Όσο για τη Μαρίνα, συμφωνώ μαζί σου! Αυτοί οι δυο αγαπιούνται πολύ! Είναι κρίμα να μένουν χωριστά, αλλά όσες προσπάθειες κι αν έκανα ν' αλλάξει γνώμη, έπεσα πάνω στην πεισματική της άρνηση!» Η Ναταλία την κοίταξε διερευνητικά προτού συνεχίσει: «Και τώρα που φτάσαμε πάλι σε αδιέξοδο μ' εμάς, θα μου πεις τι συμβαίνει σ' εσένα;»

«Σ' εμένα; Ώρες είναι να μου πεις ότι είμαι κι εγώ ερωτευμένη!»

«Όχι... δεν είπα κάτι τέτοιο, αλλά... Ελπίδα, κάτι δεν πάει καλά... Δεν είμαι τυφλή!»

«Δεν καταλαβαίνω τι εννοείς!»

«Έλα τώρα! Έχεις αδυνατίσει πολύ, δεν τρως σχεδόν τίποτα, δεν καπνίζεις πια. Τι συμβαίνει; Ώρες ώρες είσαι απίστευτα χλομή...»

«Παιδικό το κολπάκι για ν' αλλάξεις τη συζήτηση!»

«Ελπίδα, δεν είναι αυτό και το ξέρεις! Ανησυχώ για σένα!»

«Κακώς! Είμαι πολύ καλά στην υγεία μου, εκτός από ένα ασήμαντο πρόβλημα στο στομάχι, γι' αυτό και μείωσα το φαγητό και το τσιγάρο!»

«Πόσο ασήμαντο είναι αυτό το πρόβλημα δηλαδή;»

«Είπαμε: ασήμαντο! Μ' εσάς όμως που έμπλεξα, το κάνετε χειρότερο! Ναταλία, θέλω να δοθεί μια λύση και μάλιστα άμεσα! Ο χρόνος πιέζει!»

«Και γιατί μας πιέζει ο χρόνος;»

«Ε... να... η Μαρίνα σε λίγο θα γεννήσει!»

Έπρεπε να είναι πιο προσεκτική στις εκφράσεις της. Ήταν το μόνο που μπορούσε να κάνει... Ίσως κι ένα πιο προσεκτικό μακιγιάζ.

Η Ελπίδα κοιμήθηκε ελάχιστα εκείνο το βράδυ. Τελικά, η βροχή ήρθε ως όφειλε· πολύ δυνατή, σχεδόν θυμωμένη. Μαστίγωσε δρόμους και αυτοκίνητα, κύλησε σε παράθυρα, σχημάτισε ρυάκια στις άκρες των πεζοδρομίων... Την κοιτούσε και μαζί θέλησε να κάνει έναν απολογισμό της μέχρι τώρα ζωής της. Όσο όμως κι αν προσπάθησε, οι αναμνήσεις της άρχιζαν και σταματούσαν σ' αυτούς τους τελευταίους μήνες. Μπορούσε ν' ανασύρει με κάθε λεπτομέρεια κάθε λεπτό, κάθε κουβέντα και κάθε χαμόγελο, αλλά ήταν αδύνατο να θυμηθεί οτιδήποτε από την υπόλοιπη ζωή της. Κανένα πρόσωπο, καμιά στιγμή.

Όλα ήταν αυτοί οι τρεις... Όλα ήταν αυτή η φιλία... Εκεί θα σταματούσαν όλα...

Ο Κωστής δε θέλησε ν' ανάψει φως μπαίνοντας στο σπίτι του. Πήγε κατευθείαν στο μπαρ και έβαλε ουίσκι σε ένα ποτήρι. Για πρώτη φορά από τότε που τις γνώρισε, ένιωσε την ανάγκη να πιει μόνος και αιτία ήταν ακριβώς αυτές, που για χάρη τους δεν έγινε κάποτε αλκοολικός! Κάθισε σε μια πολυθρόνα απέναντι από τη μεγάλη τζαμαρία. Επιτέλους η βροχή είχε βαρεθεί να παίζει και έκανε σοβαρά και υπεύθυνα τη δουλειά της. Άκουγε τον ήχο της στα πλακάκια της βεράντας και το μυαλό του ταξίδευε. Συντρόφεψε τις σκέψεις του μ' ένα τσιγάρο.

Τα πράγματα είχαν αρχίσει να μπερδεύονται πια. Η κατάσταση με τη Μαρίνα ήταν απαράδεκτη και δεν έβλεπε καμιά λύση. Το πείσμα της ήταν αδικαιολόγητο. Ο Φίλιππος την αγαπούσε πάρα πολύ, ήταν άδικο και για τους δύο. Δε θα τολμούσε ποτέ όμως να πάρει την πρωτοβουλία να τον βρει και να του πει την αλήθεια. Ένιωθε ότι έτσι θα την πρόδιδε κι αυτό δε θα το συγχωρούσε στον εαυτό του. Ούτε όμως και τώρα είχε ήσυχη τη συνείδησή του. Αυτοί οι δύο έπρεπε να είναι μαζί.

Δεύτερο τσιγάρο βρέθηκε ανάμεσα στα δάχτυλά του, καθώς η σκέψη του πήρε το δρόμο για την Ελπίδα... Τίποτα συγκεκριμένο, καμιά απόδειξη, μόνο ενδείξεις ότι κάτι δεν πήγαινε καλά. Είχε αλλάξει πολύ αυτή η γυναίκα, αλλά... ποιος απ' όλους τους δεν είχε αλλάξει τους τελευταίους μήνες; Η αλήθεια ήταν ότι είχαν αγχωθεί όλοι με την περίπτωση της Μαρίνας, και το γεγονός ότι πλησίαζε η γέννηση του μωρού δε βοηθούσε. Στράγγιξε την τελευταία γουλιά από το ουίσκι του, αλλά έβαλε κι άλλο. Το επόμενο πρόβλημα ήταν το σοβαρότερο απ' όλα και είχε το πρόσωπο της Ναταλίας. Ούτε εδώ κάτι συγκεκριμένο. Εκείνος όμως ανακάλυπτε πτυχές που δεν είχε προσέξει. Αυτή η γυναίκα ήταν τελείως διαφορετική απ' ό,τι νόμιζε. Στην αρχή έδειχνε τόσο αδύναμη, τόσο άτονη· γλυκιά αλλά σχεδόν... διάφανη. Εύκολα ξεχνούσες την ύπαρξή της, εκτός βέβαια αν παρουσιαζόταν πρόβλημα. Τότε η Ναταλία ξεδίπλωνε την άλλη της πλευρά, η αγκαλιά της άνοιγε διάπλατα σε όποιον χρειαζόταν ένα λιμάνι για ν' αράξει τον πόνο του. Απόψε ωστόσο είχε δει ότι μπορούσε να γίνει από δυναμική έως αυταρχική, μπορούσε να ειρωνευτεί με την ίδια δόση κακίας που διέθετε η Ελπίδα. Είχε τη δύναμη να πάρει πρωτοβουλία και να την εφαρμόσει με αποφασιστικότητα. Το μεγαλύτερο προσόν της, όμως, ήταν το ένστικτο. Είχε αποδειχθεί αλάνθαστο. Μυστηριώδεις αισθητήρες την έκαναν να ξέρει και να προλαβαίνει προβλήματα. Το παράδειγμα με την Ισμήνη τού ήταν αρκετό.

Θυμήθηκε την παρατήρηση της κόρης του για τα όμορφα μαλλιά της Ναταλίας και χαμογέλασε. Ταυτόχρονα με την αστραπή που φώτισε το σκοτεινό δωμάτιο και μια εικόνα εισέβαλε στο μυαλό του: η Ναταλία... ημίγυμνη... ξαπλωμένη... με τα μαλλιά απλωμένα στο μαξιλάρι... με τα μάτια να κοιτάζουν το άπειρο και τα χείλη μισάνοιχτα να προσμένουν ένα φιλί... Τινάχθηκε όρθιος, θυμωμένος με τον ίδιο του τον εαυτό. Αυτές οι σκέψεις ήταν ιεροσυλία.

Έσβησε απότομα το τσιγάρο του και πήγε να ξαπλώσει, χωρίς να είναι σίγουρος αν θα μπορούσε να κοιμηθεί.

Αν δεν ήταν η Μαρίνα να την ξυπνήσει, θα είχε αργήσει στη δουλειά της. Το ξυπνητήρι ούτε που 'χε καταφέρει να αποσπάσει τη Ναταλία από τον βαθύ ύπνο μόλις τριών ωρών. Είχε δυσκολευτεί πολύ να κοιμηθεί το προηγούμενο βράδυ μετά την αποχώρηση της Ελπίδας. Από τη μια το πρόβλημα της Μαρίνας και η σκηνή στο ταβερνάκι, από την άλλη η κατσάδα της Ελπίδας αλλά και η ίδια η φίλη της, που ήταν φανερό ότι κάτι της συνέβαινε, κι ο ύπνος δεν μπορούσε να την πάρει με τίποτα. Έπειτα, ήρθε και ο Κωστής και οι σκέψεις έγιναν λαχτάρα. Τον αποζητούσε η ψυχή της, η καρδιά της, το κορμί της. Πρώτη φορά, συναισθήματα για έναν άντρα ορμούσαν και τη διέλυαν. Πρώτη φορά ένιωθε τόση λαχτάρα και τόση απελπισία... Ο ύπνος είχε γίνει η καλύτερη ώρα της, γιατί εκεί και μόνο εκεί, στα όνειρά της, τον είχε δικό της. Τον αγκάλιαζε και τον φιλούσε, της έλεγε πόσο την αγαπούσε και πόσο την ήθελε... Το ξύπνημα ήταν πάντα οδυνηρό γιατί είχε τον πόνο του αποχωρισμού.

Με ένα φλιτζάνι καφέ στο χέρι, όρθια μπροστά στο παράθυρο της κουζίνας, κοιτούσε τον βαρύ ουρανό. Δεν είχε όρεξη για δουλειά σήμερα, αλλά δεν έβλεπε πώς θα μπορούσε να την αποφύγει. Πρωί πρωί είχε δύο ραντεβού με συγγραφείς και το μεσημέρι την περίμενε η Νάσα στο σπίτι της. Θα της πήγαινε και το τελικό δοκίμιο του βιβλίου της για να το εγκρίνει. Η Ναταλία φαινόταν τελείως απορροφημένη από τις σκέψεις της και δεν αντιλήφθηκε τη Μαρίνα που την κοιτούσε, παρά μόνον όταν της μίλησε.

«Να πάρεις ομπρέλα», της είπε, «μάλλον θα βρέξει».

«Ε; Ναι...»

«Ναταλία, θέλω να σ' ευχαριστήσω που πήρες το μέρος μου χθες το βράδυ... στο θέμα με τον Φίλιππο εννοώ».

«Α, όχι, φιλενάδα!» ζωήρεψε η Ναταλία. «Δεν κατάλαβες καλά! Δεν πήρα το μέρος σου γιατί δε συμφωνώ μαζί σου! Απλώς εμπόδισα τους άλλους δύο να σε κάνουν κομματάκια, γιατί στην κατάστασή σου δεν κάνει να ταράζεσαι! Δε συμφωνώ όμως με όλα αυτά και πιστεύω ότι κάνεις λάθος! Απορώ μάλιστα με την επιμονή σου! Θα σε συμβούλευα επίσης, για χιλιοστή ίσως φορά, να το σκεφτείς ψύχραιμα και να πας να βρεις τον άνθρωπο που βασανίζεται το ίδιο, για να μην πω περισσότερο από σένα!»

«Μα εγώ...»

«Στοπ! Δε θα μπω πάλι σε αντιπαράθεση μαζί σου! Τις απόψεις όλων μας τις ξέρεις! Τρεις άνθρωποι, και μάλιστα φίλοι, που σ' αγαπούν, σου λένε ότι κάνεις λάθος. Εσύ δεν εννοείς να το καταλάβεις, ούτε θέλεις να σκεφτείς πού θα σε βγάλει αυτή η τρέλα! Και τώρα, φεύγω γιατί άργησα!»

Έφυγε, ξεχνώντας και την ομπρέλα της...

Το γραφείο τον έπνιγε. Ο καφές δεν είχε άρωμα, το τσιγάρο δεν είχε γεύση. Η Ευγενία χρειάστηκε τρεις φορές να τον επαναφέρει στην πραγματικότητα, όταν διαπίστωσε ότι κοιτούσε χωρίς να βλέπει τα χαρτιά που έπρεπε να υπογράψει. Στο τέλος έκλεισε το φάκελο επιδεικτικά.

«Τέλος!» του είπε. «Δεν είσαι σε θέση σήμερα ούτε τ' όνομά σου να θυμηθείς, αφεντικό, πολύ δε περισσότερο να το γράψεις!»

«Συγγνώμη, Ευγενία, αλλά χθες το βράδυ δεν κοιμήθηκα καθόλου!»

«Γιατί;»

«Μην τα ρωτάς! Αντί για μυαλό, έχω ένα μπερδεμένο κουβάρι!»

«Μπορώ να βοηθήσω στο ξεμπέρδεμα;»

«Ειλικρινά δεν ξέρω. Δεν είναι ένα το πρόβλημα, αλλά... Δε μου λες, Ευγενία, αν ένας φίλος σου κάνει λάθος, αν εσύ βλέπεις το λάθος, το ξέρεις και μπορείς να το διορθώσεις, αλλά για να το διορθώσεις πρέπει και να προδώσεις την εμπιστοσύνη αυτού του φίλου... τι κάνεις;»

«Με ελλιπή στοιχεία δε δίνω ποτέ συμβουλές!»

«Σωστά! Είναι παρακινδυνευμένο!... Πάω μια βόλτα! Έχω ανάγκη να περπατήσω!»

«Μα έξω χαλάει ο κόσμος! Βρέχει!»

«Ακόμη καλύτερα!» αποκρίθηκε ο Κωστής. *Η ζωή δίνει προβλήματα αλλά καμιά φορά φέρνει και τη λύση στα πόδια σου...* σκέφτηκε κι έφυγε αφήνοντας την Ευγενία να τον κοιτάζει με απορία.

Δεν ήξερε γιατί, αλλά αντί να βγει από τη συνηθισμένη έξοδο, διάλεξε να κατέβει στο ισόγειο, στην αντιπροσωπεία. Ποτέ δεν το έκανε αυτό. Σχεδόν δεν πίστευε στα μάτια του, όταν αντίκρισε τον Φίλιππο να στέκεται μουσκεμένος μπροστά στη βιτρίνα τους και να κοιτάζει το τζιπ-θηρίο, που είχαν λανσάρει στην αγορά μόλις πριν από ένα μήνα.

Ένας εσωτερικός συναγερμός χτύπησε μέσα του... Δεν ήταν τυχαίο... δεν μπορεί να ήταν τυχαίο. Η Μοίρα είχε φέρει στα πόδια του την απάντηση και σίγουρα θα είχε την ελπίδα ότι η ευκαιρία δε θα πήγαινε χαμένη. Ο Κωστής πήρε γρήγορα την απόφαση, σπρώχνοντας με τη βία κάθε αναστολή στην άκρη του μυαλού του. Αμέσως έτρεξε και άνοιξε την πόρτα. Ο Φίλιππος στράφηκε και τα βλέμματα συναντήθηκαν. Ο Κωστής σχεδόν τον τράβηξε στο εσωτερικό του καταστήματος.

«Κατακλυσμός, ε;» τον ρώτησε χαμογελώντας. Τώρα που είχε πάρει την απόφαση, τη μόνη σωστή όπως του φαινόταν, τώρα δεν τον ενοχλούσαν τα μάτια του Φίλιππου που τον κοιτούσαν επιφυλακτικά και κάπου στο βάθος εχθρικά.

«Να κεράσω καφεδάκι;» πρότεινε ο Κωστής αγνοώντας το ότι ο Φίλιππος δεν έδειχνε πρόθυμος να μιλήσει.

«Είμαι λιγάκι βιαστικός...» άνοιξε επιτέλους το στόμα του.

«Κι αν σου πω ότι πρόκειται για τη Μαρίνα, θα σου περάσει η βιασύνη;»

«Τι συμβαίνει με τη Μαρίνα; Έπαθε τίποτα;» Τα μάτια του καρφώθηκαν με ένταση πάνω στον Κωστή.

«Μην ανησυχείς! Η Μαρίνα είναι μια χαρά, εγώ κινδυνεύω ύστερα απ' αυτό, αλλά δεν είναι της παρούσης... Όσο για το Μαρινάκι θα μπορούσε να είναι και καλύτερα, αλλά αυτό είναι δική σου δουλειά!»

«Δε σας καταλαβαίνω, κύριε...»

«Άσε τον πληθυντικό και τις τυπικότητες, Φίλιππε, και έλα μαζί μου! Έχουμε πολλά να πούμε εμείς οι δύο!»

Τον ακολούθησε χωρίς άλλη αντίδραση. Η Ευγενία τα έχασε όταν είδε τον Κωστή να επιστρέφει τόσο σύντομα, τόσο ευδιάθετος και τόσο... στεγνός σε αντίθεση με τον άλλον που ήταν μούσκεμα. Τα έχασε ακόμη περισσότερο με την εντολή που της δόθηκε: «Και φωτιά να πιάσει το κτίριο, να μη μας ενοχλήσει κανείς!»

Κλείστηκαν στο γραφείο κι εκείνη χρειάστηκε όλη

της την αυτοπειθαρχία και την καλή της ανατροφή για να μην κολλήσει το αυτί της στην πόρτα. Ποιος ήταν αυτός ο άντρας που κατάφερε να φτιάξει το κέφι του Κωστή τόσο απότομα; Τι σχέση μπορεί να είχε αυτός με τα πρωινά χάλια του προϊσταμένου της; Καταπιάστηκε μ' ένα μπερδεμένο έγγραφο για ν' απασχολήσει το μυαλό της και να μη σκέφτεται τι γινόταν πίσω από την κλειστή πόρτα.

Τα παγάκια κροτάλισαν στα ποτήρια. Το ουίσκι χύθηκε πάνω τους και τα έκανε να ραγίσουν μ' έναν ξερό ήχο, τον μοναδικό που έσπασε την απόλυτη ησυχία που επικρατούσε. Ο Φίλιππος είχε ελάχιστα προχωρήσει στο εσωτερικό του γραφείου κι ούτε είχε απαλλαγεί από το βρεγμένο πανωφόρι του, που έσταζε στη μοκέτα.

Ο Κωστής, κρατώντας τα ποτήρια στο χέρι, τον κοίταξε χαμογελώντας. Η ματιά του Φίλιππου ήταν καθαρά αμυντική.

«Έλα, έλα!» του είπε. «Άσε αυτό το ύφος μαζί μου! Βγάλε από πάνω σου αυτό το πράγμα που στάζει και κρέμασέ το, μαζί με την αμφιβολία σου για μένα! Έλα να καθίσουμε να πιούμε ένα ποτό σαν φίλοι!»

«Μα δεν είμαστε φίλοι!»

«Όταν τελειώσω μαζί σου, θα είμαστε οι καλύτεροι φίλοι! Πίστεψέ με και κάνε ό,τι σου είπα!»

Χωρίς να σταματήσει να τον κοιτάζει, ο Φίλιππος υπάκουσε αλλά μόνο το βρεγμένο πανωφόρι έφυγε από πάνω του. Κράτησε την αμφιβολία και τις απορίες του. Πήρε το ποτήρι από τα χέρια του Κωστή, ήπιε μια γουλιά και τον μιμήθηκε όταν εκείνος κάθισε σε μια πολυθρόνα.

«Ορίστε, λοιπόν! Και κάθισα και ήπια μαζί σου!» Ο Φίλιππος έδειχνε να θέλει να περάσει στην επίθεση. «Τι ήταν αυτό που είπες για τη Μαρίνα πριν; Η γυναίκα σου...»

«Άσε τη γυναίκα μου στην ησυχία της και δεν έχει σχέση με την κουβέντα μας!»

«Μα εσύ μου είπες ότι πρόκειται για τη Μαρίνα!»

«Για τη Μαρίνα, ναι! Αλλά η γυναίκα μου και η Μαρίνα δεν είναι το ίδιο πρόσωπο!»

«Μα τι λες τώρα; Τι είδους αστείο είναι αυτό;»

«Θα μπορούσε να είναι, φίλε μου, αλλά έχεις ακούσει αστείο να καταστρέφει όχι μία αλλά τρεις ζωές;»

«Τρεις;»

«Τη δική σου, τη δική της και του μωρού!»

«Πρέπει να με πείραξε το ποτό! Δεν καταλαβαίνω τίποτα!»

«Είναι απλό! Δεν είμαι ο άντρας της Μαρίνας αλλά μόνο ένας φίλος, που αυτή τη στιγμή δεν ξέρω αν είμαι καλός αφού προδίδω την εμπιστοσύνη της!»

«Μα τι λες τώρα; Αφού στο Ναύπλιο μου είπε...»

«Λάθος! Εσύ υπέθεσες ότι είμαι ο άντρας της κι εκείνη απλώς δε σε διόρθωσε ως όφειλε κατά τη γνώμη μου! Όπως βλέπεις, ξέρω ακριβώς τι έχει γίνει!»

«Και το παιδί; Δικό σου είναι;»

«Έχεις μια εμμονή να με συνδέεις με τη Μαρίνα! Σου είπα ότι η κοπέλα είναι φίλη και την αγαπάω πάρα πολύ! Ο πατέρας του παιδιού είναι ο νόμιμος σύζυγός της, με τον οποίο όμως αυτή τη στιγμή βρίσκεται στο στάδιο του διαζυγίου!»

Ο Φίλιππος έμοιαζε με ναυαγό που πάλευε με τεράστια κύματα. Το νερό τού έκλεινε κάθε δίοδο για αέρα και πνιγόταν. Έψαχνε στεριά, χωρίς να μπορεί να τη βρει, και ο Κωστής του έδωσε τουλάχιστον ένα σωσίβιο για να πιαστεί. Άρχισε την ιστορία από την αρχή...

Ύστερα από τρία ουίσκι και αμέτρητα τσιγάρα, ο Φίλιππος ήξερε τα πάντα. Ήταν απίστευτο το πόσα συναισθήματα πέρασαν από τα μάτια του κατά τη διάρκεια της διήγησης. Ο θυμός και η αγανάκτηση, όταν έφτασαν στον Νικήτα, ήταν αυτό που περίμενε να δει ο Κωστής, ενώ ο πόνος υπήρχε πάντα, μαζί με την απορία για το ψέμα που τόσο του είχε κοστίσει.

«Τώρα είσαι γνώστης όλης της ιστορίας!» τέλειωσε ο Κωστής. «Δεν έχεις να πεις τίποτα;» τον ρώτησε.

Ωστόσο ο Φίλιππος σιωπούσε. Ο Κωστής είχε αρχίσει ν' ανησυχεί. Ίσως τελικά η Μαρίνα είχε εκτιμήσει σωστά. Ίσως ο Φίλιππος τώρα να έφευγε. Τον καθησύχαζε η σκέψη ότι τουλάχιστον εκείνη δε θα το μάθαινε ποτέ. Με τα πρώτα λόγια του, όμως, κάθε αμφιβολία διαλύθηκε.

«Κατ' αρχάς, δεν ξέρω πώς να σ' ευχαριστήσω που μου μίλησες! Μου έδωσες πίσω την ίδια μου τη ζωή! Δεν μπορώ να σου εξηγήσω τι υπήρξε για μένα η Μαρίνα και πόσο μου στοίχισε όταν την έχασα... Όταν την ξαναείδα στο Ναύπλιο... όταν έμαθα ότι περιμένει παιδί... ήθελα να σε σκοτώσω!... Το κακό ήταν ότι σε συμπάθησα πάρα πολύ όταν σε γνώρισα και θύμωνα με τον εαυτό μου γι' αυτό! Έχω ζήσει μια κόλαση όλους αυτούς τους μήνες!»

«Σε καταλαβαίνω απόλυτα. Δε συμφώνησα ποτέ με όλο αυτό το παραμύθι και προσπαθήσαμε και οι τρεις να την πείσουμε ότι ήταν λάθος να φοβάται την αντίδρασή σου! Ήταν λάθος να μη σου δίνει το δικαίωμα να διαλέξεις, αλλά... φοβόταν την απόρριψη!»

«Μόλις γεννήσει, θα τη μαυρίσω στο ξύλο γι' αυτό που μου έκανε!»

Οι δυο άντρες χαμογέλασαν για πρώτη φορά.

«Τι θα κάνουμε τώρα;» ρώτησε ο Κωστής.

«Εσύ τίποτα! Άσε τα πάντα επάνω μου πια! Αυτήν τη θεοπάλαβη φίλη σου την αγαπάω όσο τη ζωή μου! Πώς φαντάστηκε ότι δε θα την ήθελα επειδή είχε ένα παιδί από τον άλλο; Πώς μπόρεσε να της περάσει από το μυαλό ότι δε θα ήθελα ένα πλάσμα που είναι δικό της;»

«Δηλαδή τι θα κάνεις;»

«Θα την παντρευτώ πρώτα απ' όλα!»

«Όχι! Πρώτα απ' όλα πρέπει να βγει το διαζύγιο!»

«Αυτό είναι ζήτημα χρόνου! Κι αν το θέλει και η ίδια, θ' αναγνωρίσω το παιδί σαν δικό μου και θα περάσω την υπόλοιπη ζωή μου για να την κάνω να ξεχάσει τα χρόνια που δεν ήταν μαζί μου!»

«Φίλε, το πας μακριά! Τώρα τι κάνουμε; Πώς θα της πούμε ότι ξέρεις; Πώς θα το πούμε και στις άλλες, δηλαδή, που θα με κομματιάσουν;» Ο Κωστής είχε κωμικό ύφος και ο Φίλιππος του χαμογέλασε.

«Τίποτα δε θα πάθεις, πίστεψέ με! Κι εκείνες το ίδιο θα ήθελαν να κάνουν, αλλά δεν τους δόθηκε η ευκαιρία! Έπειτα, δε βλέπω άλλο τρόπο δράσης από την κατά μέτωπο επίθεση! Δε θα χάσω άλλο χρόνο περιμένοντας την ευκαιρία να μάθει... με τρόπο ότι τη λατρεύω! Αρκετός χρόνος χάθηκε ήδη!»

«Εγώ καλού-κακού για πού να βγάλω εισιτήριο;»

«Για πουθενά! Αυτό που πρέπει να ετοιμάσεις είναι ένα καλό κοστούμι για το γάμο... κουμπάρε!»

Ο Φίλιππος γελούσε ολόκληρος όταν του έτεινε το χέρι για να επισημοποιήσουν τη συμφωνία. Ο Κωστής άδειασε πρώτα το ποτήρι του και μετά έσφιξε το απλωμένο χέρι. Ο Φίλιππος τον τράβηξε πάνω του, τον αγκάλιασε και μετά έφυγε σαν σίφουνας. Ούτε το πανωφόρι του δεν πήρε και έξω η βροχή δυνάμωνε...

Η Ναταλία μπήκε στάζοντας στο σπίτι της Νάσας, σε τέτοιο σημείο που χρειάστηκε στεγνά ρούχα από την οικοδέσποινα για να μην αρρωστήσει.

«Πώς έγινες έτσι, κορίτσι μου;» τη ρώτησε η Νάσα την ώρα που εκείνη, στεγνή πια, έπινε ένα ζεστό φλιτζάνι τσάι.

«Ήρθα με τα πόδια...» απολογήθηκε η κοπέλα.

«Μ' αυτό τον κατακλυσμό;»

«Όταν ξεκίνησα δεν έβρεχε, άλλωστε το σπίτι σου είναι κοντά στο γραφείο... Σκέφτηκα ότι μισή ώρα πεζοπορία θα μου έκανε καλό...»

«Τόσο χάλια είναι τα πράγματα δηλαδή;»

Η Ναταλία κατέβασε το κεφάλι χωρίς ν' απαντήσει.

«Κατάλαβα... η διάγνωση είναι εύκολη... έρωτας μέχρι θανάτου. Και πού θα πάει αυτό;»

«Δεν ξέρω, Νάσα... Είναι στιγμές, όταν είμαι μαζί του, που μου έρχεται να του φωνάξω ότι τον αγαπώ, ότι τον θέλω, ότι πονάω που δεν τον έχω, αλλά...»

«Αλλά σωπαίνεις...»

«Είναι το μόνο που μπορώ να κάνω... Εσύ δεν ξέρεις... Όλη μου η ζωή, μια αποτυχία... Όλοι όσοι πέρασαν διαπίστωσαν την ασημαντότητά μου και έφυγαν, αφού μου την πέταξαν κατάμουτρα σαν "κατηγορώ"... Δε θα το αντέξω και από αυτόν... Αυτόν τον αγαπάω πραγματικά!»

«Και πώς είσαι σίγουρη ότι αυτοί που πέρασαν δεν ήταν οι ίδιοι ασήμαντοι, μικροί και λίγοι για σένα; Πώς ξέρεις ότι, ακριβώς επειδή το διαπίστωσαν, έφυγαν μην αντέχοντας να είναι δίπλα σου;»

«Ωραίο, αλλά μόνο σαν σενάριο επιστημονικής φαντασίας, Νάσα!»

«Ναι, αλλά και τα σενάρια από την ίδια τη ζωή βγαίνουν! Έπειτα, πού θα πάει όλο αυτό; Εσύ δεν μπορείς χωρίς αυτόν!»

«Ίσως να μου περάσει...»

«Και τι είναι ο έρωτας; Ιλαρά και θα περάσει; Επιπλέον, όσο είσαι τόσο κοντά του, δε θα περνάει! Θα δυναμώνει! Θα γίνει απωθημένο!»

«Μα τι μου λες τώρα; Ότι πρέπει να φύγω;»

«Όχι! Ότι πρέπει να πάρεις το ρίσκο!»

«Ξέρεις... προχθές, ψάχνοντας για κάτι άλλο, έπεσα πάνω σε κάτι που είχε πει κάποτε ο Ιπποκράτης: *Θυσιάζοντας τη φιλία για τον έρωτα, θα θρηνήσουμε μοιραία αργότερα το θάνατο και των δύο*... Μου φάνηκε ότι γράφτηκε για μένα!»

«Και ο Ευριπίδης έχει πει: *Ο έρωτας είναι δυνατός όπως ο θάνατος!* Διάλεξε!»

«Ξέρεις τι μου θυμίζει όλο αυτό; Την Ελπίδα και τον Κωστή! Οι αντιπαραθέσεις τους είναι γεμάτες σοφά αποφθέγματα! Διαθέτουν και οι δύο ανεξάντλητο ρεπερτόριο!»

Το κινητό της διέκοψε το χαμόγελο, όταν η αναγνώριση κλήσεων την πληροφόρησε ότι ο Κωστής την καλούσε. Είχε πια και κινητό. Το θεώρησε απαραίτητο τώρα που πλησίαζε η ώρα της Μαρίνας για να γεννήσει. Απάντησε ανήσυχη.

«Έλα, Κωστή... Ναι, είμαι σε δουλειά... Είναι σοβαρό;» ρώτησε. Η Νάσα της έκανε νόημα ότι από εκείνη ήταν ελεύθερη και η Ναταλία τον διέκοψε: «Εντάξει, εντάξει, μπορώ... Θα έρθεις να με πάρεις; Καλά...»

Του έδωσε τη διεύθυνση της Νάσας και έκλεισε με την απορία στο βλέμμα.

«Τι συμβαίνει;» τη ρώτησε αμέσως η Νάσα.

«Δε μου είπε... μόνον ότι πρέπει να μιλήσουμε για κάτι σοβαρό... Γιατί δεν μπορούσε όμως να περιμένει ως το απόγευμα;»

«Λες ν' αφορά εσάς;»

«Γι' αυτό έγινες συγγραφέας! Γιατί η φαντασία σου οργιάζει!»

Έφυγε με τα ρούχα της Αγραφιώτου, αφού τα δικά της ήταν ακόμη μούσκεμα. Ο Κωστής την περίμενε στην είσοδο. Μπήκαν στο αυτοκίνητο κάτω από μια βροχή τόσο πυκνή που έμοιαζε με πέπλο.

«Τι συμβαίνει;» τον ρώτησε προτού καλά καλά ξεκινήσουν.

«Θα σου πω... Περίμενε λίγο να φτάσουμε σπίτι...»

«Να πάμε στο δικό μου, ν' αλλάξω κιόλας!»

«Εκεί ειδικά... αποκλείεται!»

«Μα γιατί; Σου είπα ότι θέλω ν' αλλάξω ρούχα! Εξάλλου, δίπλα είμαι! Αυτά που φοράω είναι της Αγραφιώτου!»

«Μια χαρά είναι και δε θα πάθεις τίποτε αν τα φορέσεις λίγο ακόμη! Στο σπίτι σου δεν μπορούμε να πάμε πάντως!»

«Μα γιατί;»

«Γιατί εκεί θα είναι η Μαρίνα και πρέπει να είμαστε οι δυο μας για να σου πω όσα έχω να σου πω!»

Η καρδιά της φτερούγισε παράξενα. Θα ήθελε να ελπίσει, αλλά η λογική της την επανέφερε. Σώπασε μέχρι την ώρα που βρέθηκαν στο τόσο γνώριμο περιβάλλον.

Τον κοίταξε χωρίς να μιλάει. Ο Κωστής για λίγο έμεινε μετέωρος. Πάλι αυτό το βλέμμα της που δεν μπορούσε ν' αποκρυπτογραφήσει το νόημά του. Αφέθηκε στα μάτια της, ξεκούρασε το βλέμμα του στο δικό της που είχε κάτι από βαθιά θάλασσα, σκούρα και μυστηριώδη. Αρμένισε στους κάτασπρους αφρούς της. Η ψυχή του σαν ανήσυχος γλάρος φτερούγισε για λίγο δίπλα σ' ένα καράβι χωρίς προορισμό...

Η Ναταλία συνέχιζε να στέκεται όρθια στη μέση του σαλονιού και να τον κοιτάζει χωρίς να τολμάει να δραπετεύσει από τη μαγεία της στιγμής. Ήταν πολύ κοντά της. Αν άπλωνε το χέρι θα μπορούσε να τον αγγίξει. Να νιώσει στα δάχτυλά της τα μαλλιά του, ν' αγκυλωθεί από τα γένια του που είχαν αρχίσει να ξεπροβάλλουν. Η λαχτάρα τής έκοβε την ανάσα, σχεδόν πονούσε από την έλλειψη οξυγόνου.

Πήρε βαθιά αναπνοή. Πυκνές βλεφαρίδες κάλυψαν το ερωτευμένο βλέμμα, η μαγεία σκόρπισε. Ο Κωστής συνήλθε κι αυτός και κατάλαβε ότι τόση ώρα δεν ανέπνεε κανονικά. Η Ναταλία έβγαλε το αδιάβροχο της Νάσας και κάθισε στον καναπέ.

«Λοιπόν;» τον ρώτησε. «Τι είναι αυτό το τόσο σοβαρό που πρέπει να είμαστε οι δυο μας για να μου πεις;»

Ο Κωστής συνήλθε εντελώς. Ξάφνου θυμήθηκε τι είχε γίνει λίγο νωρίτερα στο γραφείο του. Κάθισε απέναντί της. Έμοιαζε με παιδί που ήταν έτοιμο να ομολογήσει μια μεγάλη σκανταλιά και η Ναταλία χαμογέλασε τρυφερά.

«Κατάλαβα! Κάτι έκανες εσύ!» του είπε.

«Ναταλία, θέλω να με ακούσεις ψύχραιμα και να προσπαθήσεις να με καταλάβεις!»

«Μα τι έγινε επιτέλους;»

«Σήμερα, εντελώς τυχαία, είδα τον Φίλιππο!»

«Πού τον είδες;»

«Έξω από την εταιρεία! Κοιτούσε τη βιτρίνα!»

«Κι εσύ τι δουλειά είχες εκεί; Το γραφείο σου είναι δέκα ορόφους πάνω από την αντιπροσωπεία!»

«Τώρα αυτό είναι το θέμα μας; Σημασία έχει ότι τον είδα!»

«Και λοιπόν;»

«Μιλήσαμε... Ναταλία, του τα είπα όλα! Όλη την αλήθεια!»

«Τι έκανες, λέει;» Η φωνή της, αντί να υψωθεί, βγήκε σαν ψίθυρος από το σοκ.

«Ναταλία, δε γινόταν αλλιώς! Έτσι όπως τον είδα

αναπάντεχα μπροστά μου... δεν ξέρω... σαν να ήταν θεόσταλτη ευκαιρία! Σαν η Μοίρα να μου έλεγε: "Εγώ σ' τον έφερα! Κάνε κι εσύ τώρα το καθήκον σου! Μίλησε! Πες την αλήθεια!" Και την είπα!»

«Δόξα τω Θεώ! Καιρός ήταν!»

«Τι είπες;» Ήταν η σειρά του να μείνει άναυδος από το σοκ. «Ναταλία, κατάλαβες τι έκανα;»

«Αυτό που έπρεπε έκανες! Κι αν μου δινόταν τέτοια ευκαιρία κι εγώ το ίδιο θα έκανα!»

«Ε, λοιπόν τι να σου πω! Η μόνη αντίδραση που δεν περίμενα ήταν αυτή! Φωνές, ναι! Τις περίμενα! Διαμαρτυρίες, οπωσδήποτε. Αλλά όχι αυτό!»

«Πες μου τι είπε εκείνος!»

«Αφού συνήλθε από το σοκ; Ότι θα τη δείρει αφού γεννήσει και αφού την παντρευτεί!»

«Μου λες αλήθεια τώρα;»

«Αφού θα είμαι και ο κουμπάρος!»

«Θεούλη μου, σ' ευχαριστώ!»

Δεν περίμενε να τη δει να κλαίει. Κι όμως τα μάτια της γέμισαν δάκρυα. Κατρακυλούσαν σε δυο μάγουλα ρόδινα από την έξαψη και τον ενθουσιασμό. Τα μάζεψε η ίδια βιαστικά, αλλά προστέθηκαν καινούργια. Οι λυγμοί ήρθαν αργότερα. Χωρίς να το σκεφτεί δεύτερη φορά, ο Κωστής βρέθηκε δίπλα της και την αγκάλιασε.

Δεν ήταν η πρώτη φορά που την κρατούσε στα χέρια του, αλλά... Γιατί ένιωσε ότι δεν ήθελε να τελειώσει αυτή η στιγμή; Το πρόσωπό του βυθίστηκε στα μαλλιά της και το ίδιο όραμα τρύπωσε στο μυαλό του... Την είδε πάλι ξαπλωμένη, με τα μαλλιά απλωμένα, αλλά αυτή τη φορά δίπλα της ήταν και ο ίδιος... Τα μαλλιά της βρίσκονταν πάνω του... Το άρωμά της τον ταξίδεψε σ' ένα όνειρο γεμάτο από τη δροσιά ενός πρωινού. Αυθόρμητα την έσφιξε πάνω του.

Ούτε εκείνη ήθελε να τελειώσει η στιγμή. Ένα κύμα ζεστασιάς την τύλιξε, μια αύρα γλυκιά τη χάιδεψε. Με τα χέρια του γύρω της, με το μάγουλό της ν' ακουμπάει στο στέρνο του και να μετράει τους χτύπους της καρδιάς του... Μπορούσε να περάσει μ' αυτή την ανάμνηση όλη την υπόλοιπη μοναχική ζωή της... Τραβήχτηκε αμήχανη και με χαμηλωμένα μάτια ψιθύρισε «συγγνώμη». Έτσι δεν είδε τη δική του απογοήτευση. Δεν κατάλαβε πόσο άδειος αισθάνθηκε μόλις εκείνη απομακρύνθηκε. Όταν γύρισε να τον κοιτάξει, ο Κωστής χαμογελούσε ήρεμα.

«Μη ζητάς συγγνώμη... Γι' αυτό δεν είναι οι φίλοι;» της είπε.

«Σωστά... γι' αυτό είναι οι φίλοι... Είσαι καλός φίλος, Κωστή. Το απέδειξες γι' άλλη μια φορά σήμερα».

Επανήλθαν στο θέμα τους. Καιρός ήταν!

«Και τώρα;» αναρωτήθηκε η Ναταλία. «Τι θα γίνει τώρα;»

«Αυτό δεν το ξέρω! Ο... κουμπάρος μού είπε να μην πλησιάσει κανείς το σπίτι μέχρι νεωτέρας διαταγής! Πάντως, δε σκοπεύει να χάσει ούτε λεπτό! Είναι τρελός από αγάπη, από χαρά, απ' ό,τι μπορείς να φανταστείς! Γενικά είναι τρελός!»

Το βλέμμα της έγινε ξαφνικά ονειροπόλο. «Πώς είναι, άραγε;» τον ρώτησε αλλά χωρίς να τον κοιτάζει.

«Τι πράγμα;»

«Πώς είναι ένας άντρας τρελός από έρωτα;»

«Δεν ξέρω...»

«Δεν ερωτεύτηκες ποτέ, Κωστή;»

«Όχι... Μέχρι τώρα δε μου έτυχε. Ούτε με την Αντιγόνη υπήρξα τρελά ερωτευμένος... Τώρα πια το ξέρω».

«Θα ήθελες να το ζήσεις όμως;»

«Όσο τίποτα! Εσύ;»

«Όσο τίποτα!...»

Κοιτάχτηκαν για λίγο. Η ένταση του κεραυνού που εκείνη τη στιγμή ακούστηκε ήταν μικρότερη από αυτήν που μεσολάβησε για λίγα δευτερόλεπτα. Κάτι όμως απ' τον ήχο του τους θύμισε ταυτόχρονα αυτό που δεν είχαν σκεφτεί τόση ώρα.

«Η Ελπίδα!» αναφώνησαν και οι δύο μαζί.

Εκείνη δεν ήξερε τίποτε ακόμη...

Η Μαρίνα στεκόταν στο παράθυρο της κουζίνας και κοιτούσε τη βροχή. Στα χέρια της κρατούσε ένα ποτήρι χυμό πορτοκαλιού. Έπρεπε να το πιει όλο και όμως φοβόταν ότι, αν προσπαθούσε, θα πνιγόταν. Δεν κατέβαινε καλά καλά ούτε το σάλιο της. Έστρεψε τα μάτια της στον ουρανό. Πουθενά γαλάζιο, πουθενά ήλιος. Ένα θαμπό, αχνό γκρίζο χρώμα παντού. Όπως και στην ψυχή της...

Από κάπου, μια μουσική έφτασε στ' αυτιά της. Χαμογέλασε θλιμμένα όταν αναγνώρισε τη φωνή της Πρωτοψάλτη. Αυτό της έλειπε πρωί πρωί! Βροχή, μελαγχολία και η Άλκηστη να κάνει τα πράγματα χειρότερα... Μα τι στην ευχή; Η μουσική δυνάμωνε. Ήταν σαν ν' ακουγόταν έξω από την πόρτα της. Αναγνώρισε και το τραγούδι που είχε φτάσει πια στο ρεφρέν του. Κάθε λέξη ήταν ξεκάθαρη και το μήνυμα ακόμη πιο διάφανο:

*«Εφτά ζωές το σώμα σου*
*το γύρεψα στα ξένα,*
*το πόθησα, το λάτρεψα*
*το άπιαστο φιλί.*
*Εφτά ζωές το σώμα σου*
*ταξίδεψε σε μένα,*
*στα όνειρα το γιάτρευα,*
*το 'χανα στη ζωή...»*

Δεν μπορεί... ήταν έξω από την πόρτα της... Πλησίασε προς τα εκεί, έτοιμη να κοιτάξει από το μάτι... Ποιος να ήταν; Στο απέναντι διαμέρισμα έμενε μια συμπαθέστατη κυρία, που δεν είχε λόγους ν' ακούει πρωί πρωί Πρωτοψάλτη και μάλιστα αυτό το συγκεκριμένο τραγούδι... Στο αμέσως διπλανό, έμενε ένας νεαρός που κατά καιρούς ταλαιπωρούσε την ίδια και τη Ναταλία με τις μουσικές του προτιμήσεις που προέρχονταν αποκλειστικά από το χώρο της σκληρής ροκ μουσικής... Όσο για τον οδοντίατρο του άλλου διαμερίσματος στον όροφο, ποτέ μα ποτέ δεν ακούστηκε τίποτε. Ούτε καν οι κραυγές των πελατών του!

«Μαρίνα!»

Αυτή η φωνή...

Άνοιξε διάπλατα την πόρτα. Το έδαφος χάθηκε κάτω απ' τα πόδια της. Τον είδε να στέκεται μπροστά της με τριαντάφυλλα στα χέρια και το κασετόφωνο στα πόδια του να σκορπίζει το τραγούδι του. Προσπάθησε να μιλήσει, να ρωτήσει, ήθελε να μάθει, ήθελε να ξέρει αν το μυαλό της της έπαιζε πάλι σκληρά παιχνίδια, αλλά κανένας ήχος δε βγήκε από τα χείλη της.

Ο Φίλιππος την αγκάλιασε και προτού εκείνη αναρωτηθεί τι είδους όνειρο έβλεπε, τη φίλησε απαλά διαλύοντας κάθε αμφιβολία. Το φιλί εκείνο έδιωξε κάθε ενδοιασμό, κάθε πόνο· οι προηγούμενες αποφάσεις της της φάνηκαν τόσο ανόητες, τόσο μάταιες. Η ευτυχία που ξαφνικά την πλημμύρισε ήταν περισσότερη απ' όση μπορούσε ν' αντέξει.

Ξέπνοη σχεδόν, όταν την άφησε, τον κοίταξε και κατάλαβε χωρίς καμιά αμφιβολία ότι ήξερε...

«Ποιος σου το είπε;» τον ρώτησε μόνο.

«Έχει σημασία; Σημασία έχει ότι εσύ δείλιασες να μου το πεις...»

Σήκωσε το κασετόφωνο, το έκλεισε και μετά την πήρε από το χέρι και την οδήγησε στο εσωτερικό του διαμερίσματος. Τη βοήθησε να καθίσει στον καναπέ και άφησε τα λουλούδια στα πόδια της. Κάθισε δίπλα της.

«Ποιος σου μίλησε;» τον ξαναρώτησε.

«Αφού θέλεις τόσο πολύ να μάθεις... ο Κωστής... Συναντηθήκαμε τυχαία πριν από λίγες ώρες. Μου τα είπε όλα! Ό,τι έχει συμβεί από το Μάρτιο... από εκείνο το τρακάρισμα...»

«Δεν έπρεπε όμως... Δεν ήθελα...»

«Ο Κωστής είναι σπάνιος άνθρωπος, θαυμάσιος φίλος και... θα γίνει και κουμπάρος μας!»

«Μα τι λες;»

«Και άκουσες και κατάλαβες!»

«Φίλιππε, αυτό δεν μπορεί να γίνει! Δεν έχω το διαζύγιο...»

«...πράγμα που δε θ' αργήσει...»

«...και είμαι έγκυος!»

«Αυτό, αγαπούλα μου, δε χρειαζόταν να το πεις! Είναι ολοφάνερο!»

«Και δεν καταλαβαίνεις τι πρόβλημα υπάρχει;»

«Ένα μωρό, και μάλιστα δικό μας, δεν μπορεί να είναι ποτέ πρόβλημα! Είναι χαρά!»

«Μα δεν είναι δικό μας! Είναι δικό μου και του Νικήτα!»

«Δεν τον ξέρω τον... κύριο και δε θα τον θυμάσαι ούτε εσύ σε λίγο καιρό! Αφού αποφάσισες να μην τον χρίσεις πατέρα, δέχομαι εγώ!»

«Μα δε γίνονται αυτά τα πράγματα! Τι λες τώρα! Σου εξηγώ ότι...»

«Μαρίνα!» Η δυνατή και θυμωμένη φωνή του τη διέκοψε. «Λοιπόν, για να τελειώνουμε! Μόλις βγει το διαζύγιό σου, παντρευόμαστε! Το παιδί μόλις γεννηθεί με το καλό, θα το αναγνωρίσω και θα πάρει τ' όνομά μου! Δε θα δεχτώ καμία αντίρρηση! Σ' έχασα μια φορά και χάθηκα να περιπλανιέμαι σε μια ζωή που έμοιαζε με κόλαση! Δείλιασες τότε να με ακολουθήσεις, ήσουν πολύ νέα, αλλιώς μαθημένη, αλλά δε θα σε αφήσω να μας καταστρέψεις και πάλι από φόβο! Θα με παντρευτείς, έστω κι αν χρειαστεί να σε σύρω στην εκκλησία με το ζόρι! Κι αν δε σ' έχω δείρει ακόμη για όλο τον πόνο που μου προκάλεσες και τότε και τώρα, το χρωστάς σ' αυτό το μωρό που κουβαλάς! Στην κόρη ΜΑΣ!»

Σώπασε λαχανιασμένος. Η Μαρίνα τον κοιτούσε δακρυσμένη και ξέπνοη. Βρήκαν το οξυγόνο που έλειπε και από τους δυο μ' ένα φιλί, που σάρωσε το παρελθόν αφήνοντας θέση μόνο για το μέλλον...

«Θεέ και Κύριε! Μαρίνα!»

Η Ελπίδα στεκόταν κατακεραυνωμένη μπροστά τους. Την κοίταξαν και οι δύο με την ευτυχία να λαμπυρίζει στα μάτια τους. Η Μαρίνα της χαμογέλασε.

«Καλώς την!» της είπε. «Ελπίδα, ο Φίλιππος!»

«Ναι! Κάνε τις συστάσεις μια και δεν τον ξέρω! Έχει στοιχειώσει τις σκέψεις όλων μας ο άνθρωπος εξαιτίας σου! Βρήκες επιτέλους το μυαλό που σου έλειπε για να του πεις την αλήθεια;»

«Γεια σου, Ελπίδα!» χαιρέτησε γελώντας ο Φίλιππος. Μέσα σε όλα τ' άλλα, ο Κωστής τον είχε πληροφορήσει για το χαρακτήρα της παρέας και ξεχωριστά για το δυναμίτη της που άκουγε στ' όνομα Ελπίδα... «Και ναι, έμαθα την αλήθεια, αλλά όχι από τη φίλη σου! Ο Κωστής...»

«Επιτέλους, έκανε και κάτι σωστό!»

«Πώς μπήκες;» τη ρώτησε η Μαρίνα.

«Γελοία ερώτηση, όταν η πόρτα έχασκε ορθάνοιχτη και εσείς ήσαστε πολύ απασχολημένοι για να την κλείσετε! Ήρθα να δω μια έγκυο και βρήκα... άντε να μη μιλήσω! Ευτυχώς που δεν πάσχω από καρδιά!»

Η καρδιά της παρέας εκείνο το βράδυ χτυπούσε πιο δυνατή, καθώς νέο αίμα είχε προστεθεί στους κόλπους της. Στο σπίτι του Κωστή, που συγκεντρώθηκαν όλοι αργότερα, φάνηκε ξεκάθαρα ότι το νέο μέλος είχε ενσωματωθεί και εναρμονιστεί απόλυτα. Το καράβι θα ταξίδευε στη θάλασσα με πέντε μέλη πια και τα πανιά ορθάνοιχτα, κι ας μην ήξεραν προς τα πού θα πήγαιναν, ούτε τι μυστήρια τους φύλαγαν τα βάθη της.

Στο τιμόνι ήταν η Ήρα... Στο κατώφλι ο μήνας της: ο Δεκέμβρης...

# ΔΕΚΕΜΒΡΙΟΣ
## *Ο μήνας της Ήρας*

### ΗΡΑ

*Σύζυγος του Δία. Ωραία, σεμνή και απόλυτα αφοσιωμένη. Είναι το πρότυπο της γυναίκας που προσηλώνεται σ' έναν και μοναδικό άντρα. Προστάτευε όλες τις γυναίκες, ευλογούσε το γάμο τους και τις βοηθούσε να φέρουν στον κόσμο τα παιδιά τους και να τα μεγαλώσουν...*

*Ποιος από σας δε θα ταξίδευε στις μακρινές θάλασσες,*
*δε θα διέσχιζε τις ερήμους,*
*δε θα σκαρφάλωνε στην πιο ψηλή κορφή*
*για ν' ανταμώσει τη γυναίκα που η καρδιά του διάλεξε;*

Χαλίλ Γκιμπράν, *Σκέψεις και Διαλογισμοί*

Η Ευγενία στάθηκε στην πόρτα του γραφείου αμίλητη και ακίνητη να παρακολουθεί τον Κωστή. Πάλι είχε έρθει αξημέρωτα. Πάλι κοιτούσε από το παράθυρο αφηρημένος με τη σκέψη του να ταξιδεύει κάπου μακριά. Η γυναίκα έκανε ένα βήμα στο εσωτερικό του γραφείου, αλλά ούτε αυτό του τράβηξε την προσοχή. Τα μάτια του δεν έφυγαν από το παράθυρο, ωστόσο ήταν σίγουρη ότι έβλεπε από κει τόσα όσα κι από έναν τοίχο συμπαγή και απροσπέλαστο.

Κάτω οι δρόμοι γέμιζαν σιγά σιγά με κόσμο. Το κρύο ήταν τσουχτερό κι ο Δεκέμβρης βήμα βήμα τούς έφερνε πιο κοντά στα Χριστούγεννα. Τα καταστήματα είχαν φορέσει τα γιορτινά τους, οι βιτρίνες έλαμπαν ολόφωτες και στολισμένες, αλλά εκείνος δεν έβλεπε τίποτα. Ήταν σίγουρη γι' αυτό. Δεν είχε καν προσέξει ότι και ολόκληρο το δικό τους κτίριο είχε στολιστεί για να ταιριάζει με το κλίμα των εορταστικών ημερών. Ο πρόεδρος δεν μπόρεσε να κρύψει την έκπληξή του, όταν σε μια συζήτηση διαπίστωσε ότι ο γενικός του διευθυντής δεν είχε καν δει το τεράστιο και πραγματικά αριστουργηματικό δέντρο, που κοσμούσε την είσοδό τους.

Ξερόβηξε να του τραβήξει την προσοχή και το πέτυχε. Ο Κωστής γύρισε και την κοίταξε.

«Ήρθες;» ρώτησε μόνο.

«Πάλι αϋπνίες είχαμε, αφεντικό;» αντιγύρισε την ερώτηση και πλησίασε.

«Απόψε ήταν χειρότερα από κάθε άλλη φορά... Μάτι δεν έκλεισα! Στο τέλος, δε θα πιστέψεις τι έκανα!»

«Στα χάλια που σε βλέπω, όλα θα τα πιστέψω!»

«Αφού στριφογύριζα επί ώρες, καταστρέφοντας το στρώμα και τα σεντόνια, μ' έπιασε εκνευρισμός και έφυγα!»

«Πού πήγες μέσα στη μαύρη νύχτα;»

«Στα μπουζούκια!»

«Ορίστε;»

«Ναι! Βρήκα ένα σκυλάδικο στην Εθνική και χώθηκα μέσα!»

«Α, γι' αυτό είσαι έτσι εσύ! Όλη νύχτα με... σκυλοτράγουδα και εκλεκτής ποιότητας... "μπόμπες"... πώς να αντέξεις; Γιατί έφτασες σ' αυτό το ύστατο σκαλί;»

«Δεν ξέρω... Τα ξημερώματα κατέληξα σ' ένα μαγειρείο για πατσά!»

«Αυτό ήταν και το μόνο έξυπνο σε όλη αυτή την τρέλα! Καλά, τι έκανες μόνος σου στα μπουζούκια;»

«Κοιτούσα τους άλλους που διασκέδαζαν με τις παρέες τους...»

«Κακό αυτό, όταν εσύ ο ίδιος είσαι μόνος...»

«Ναι... πολύ μόνος... Δεν αντέχεται, Ευγενία! Εγώ τουλάχιστον δεν το αντέχω! Μέσα σ' εκείνο το μαγαζί με τα τραγούδια να φτάνουν παραμορφωμένα στ' αυτιά μου, με τον κόσμο να διασκεδάζει γύρω μου, εγώ ήμουν μόνος και χάθηκα σε σκέψεις που δεν ήθελα! Καταλαβαίνεις; Πήγα για να μη σκέφτομαι, και κατέληξα χειρότερα!»

«Τι δεν ήθελες να σκέφτεσαι, Κωστή;»

«Τίποτα!... Δηλαδή... δεν ξέρω!»

«Λοιπόν, ξέρεις κάτι; Έχεις όλα τα συμπτώματα του ερωτευμένου! Τουλάχιστον, ξέρεις ποια είναι η τυχερή;»

«Μα τι λες τώρα; Ποιος σου μίλησε για έρωτα;»

«Εγώ ξέρω τι λέω! Εσύ ξέρεις τι νιώθεις και κυρίως για ποια το νιώθεις;»

«Είμαι μόνος, Ευγενία! Αυτό είναι το πρόβλημά μου! Η μοναξιά, όχι ο έρωτας!»

«*Έτσι είναι, αν έτσι νομίζετε!*»

«Κατά το: *Η τέχνη αντιγράφει τη ζωή;*»

«Γιατί όχι;»

«Δηλαδή δε συμφωνείς ότι η μοναξιά είναι το πρόβλημά μου;»

«Εγώ θα σου πρότεινα να ρωτήσεις το νέο μέλος της παρέας σας, τον Φίλιππο, τι αισθανόταν τόσο καιρό που δεν είχε τη Μαρίνα, και είμαι σίγουρη ότι θα βρεις ομοιότητες με τη δική σου περίπτωση!»

«Με θέλεις οπωσδήποτε ερωτευμένο, τελικά!»

«Αυτά τα πράγματα δε γίνονται ούτε όταν τα θέλεις εσύ ο ίδιος, πόσο μάλλον η γραμματέας σου! Ο έρωτας είναι ανεξάρτητος από τη θέληση του ανθρώπου και είναι μεγάλο αίσθημα. Το αναγνωρίζεις εύκολα από το μέγεθος της καταστροφής που επιφέρει το άγγιγμά του! Είσαι το ζωντανό παράδειγμα! Μέσα σε λίγο διάστημα, σε βλέπω και δε σε αναγνωρίζω! Αν δεν το παραδέχεσαι, τότε, αφεντικό... έχεις μεγάλο πρόβλημα!»

«Μα εγώ δεν έχω καμιά γυναίκα για να...»

«Επιμένω: έχεις πρόβλημα, αλλά δε θα συνεχίσω αυτή τη συζήτηση, γιατί το μόνο που πετυχαίνω είναι να σε κάνω πιο αντιδραστικό! Αργά ή γρήγορα θα καταλάβεις, αλλά πρόσεξε αυτό το "αργά"! Καμιά φορά είναι μη αναστρέψιμο! Και για να περάσουμε σε άλλο θέμα: τι κάνει η Μαρίνα;»

Το ύφος του άλλαξε στη στιγμή. Το βλέμμα φωτίστηκε, ήρθε το χαμόγελο. «Έχει γίνει στρογγυλή σαν μπαλίτσα!» της απάντησε.

«Πότε περιμένει;»

«Το πολύ μέχρι τις πέντε Γενάρη είπε ο γιατρός!»

«Δηλαδή, λιγότερο και από μήνα!»

«Ακριβώς!»

«Και ο Φίλιππος;»

«Άσ' τον αυτόν! Έχει τρελαθεί εντελώς! Δύσκολα φεύγει από κοντά της, με το ζόρι τον στέλνουμε στη δουλειά! Κάθεται ώρες ολόκληρες με το χέρι στην κοιλιά της Μαρίνας για να νιώθει το μωρό, του διαβάζει για να συνηθίσει τη φωνή του και του βάζει μουσική για να ηρεμεί! Έχει γίνει ειδήμονας σε ό,τι αφορά τα μωρά κι έχουμε υποστεί ατέλειωτες διαλέξεις του!»

«Φαντάζομαι την ευτυχία της Μαρίνας!»

«Λάμπει σαν χριστουγεννιάτικο δέντρο!»

Παντού υπήρχαν χριστουγεννιάτικα δέντρα. Στους δρόμους, στις πλατείες, στις βιτρίνες, στα φωτισμένα παράθυρα των σπιτιών. Πιασμένοι χέρι χέρι, ο Φίλιππος και η Μαρίνα περπατούσαν στη λαμπερή πόλη και είχαν κι εκείνοι τη δική τους γιορτή. Αυτή η γιορτή, όμως, δε θα σταματούσε ποτέ. Τα στολίδια της ψυχής τους δε θα έβγαιναν ποτέ από το δέντρο της αγάπης... Είδαν βιτρίνες, φωτογραφήθηκαν με όσους φορούσαν τη στολή του

Άγιου Βασίλη, φιλήθηκαν ξανά και ξανά. Η ευτυχία φτερούγιζε σαν αγγελάκι των Χριστουγέννων γύρω τους κι εκείνοι ζούσαν κάθε λεπτό.

«Κουράστηκα...» του είπε κάποια στιγμή η Μαρίνα.

Τον τελευταίο καιρό κουραζόταν εύκολα και ο Φίλιππος βιάστηκε να βρει κάπου να καθίσουν. Μπήκαν στην πρώτη καφετέρια που συνάντησαν στο δρόμο τους. Ήταν γεμάτη κόσμο και πακέτα στολισμένα, που περίμεναν να πάρουν τη θέση τους κάτω από το χριστουγεννιάτικο δέντρο. Ένα τραπέζι άδειασε απροσδόκητα και ο Φίλιππος την οδήγησε σ' αυτό. Της παρήγγειλε ζεστή σοκολάτα και για τον εαυτό του ζήτησε τσάι με άρωμα βανίλιας. Η Ναταλία του είχε μεταδώσει την αδυναμία της για το αρωματικό ρόφημα.

«Είσαι άνετα;» ρώτησε τη Μαρίνα μόλις έφυγε ο σερβιτόρος.

«Είμαι μια χαρά... η μικρή όμως με κουράζει πολύ... Έχει μεγαλώσει, έχει βαρύνει... ούτε ν' αναπνεύσω δε μ' αφήνει καλά καλά το τερατάκι!» αποκρίθηκε.

«Πρόσεξε πώς μιλάς για την κόρη μας!»

Τον κοίταξε. «Ακούγεται περίεργο... Φίλιππε, έγιναν όλα τόσο γρήγορα... Είσαι σίγουρος;... Θέλω να πω...»

«Ξέρω τι θέλεις να πεις και σου λέω για μιαν ακόμη φορά πως είμαι απόλυτα σίγουρος! Εσύ; Εσύ είσαι βέβαιη ότι δε θέλεις να το μάθει αυτός; Στην πραγματικότητα, είναι ο πατέρας... έχει δικαίωμα...»

«Δεν έχει κανένα απολύτως δικαίωμα!» Η φωνή της σκλήρυνε, τα μάτια της αγρίεψαν.

«Μην ταράζεσαι, μωρό μου! Εγώ αγαπάω αυτό το πλασματάκι γιατί είναι δικό σου. Είναι φορές που ξεχνάω και εγώ ο ίδιος πως δεν είναι δικό μου... Ακούγομαι κουτός;»

«Ακούγεσαι υπέροχος!»

«Και μ' αγαπάς;»

«Σε λατρεύω!»

«Ωραία! Τώρα μπορούμε να μιλήσουμε και για το σπίτι μας!»

«Το σπίτι μας;»

«Μα, φυσικά! Μπορεί να επέμεινες και να υποχώρησα για να μείνεις στη Ναταλία μέχρι να γεννήσεις, αλλά μετά δε γίνεται να συνεχιστεί αυτή η συγκατοίκηση!»

«Και για ποιο σπίτι μιλάς; Για το δικό σου;»

«Όχι, βέβαια! Αφού το είδες! Είναι σαν της Ναταλίας... μικρό! Νοίκιασα άλλο!»

«Πότε;»

«Μόλις χθες! Είναι στο Γαλάτσι, κοντά στο φροντιστήριο, είναι ρετιρέ και θα το γεμίσω λουλούδια! Περίμενα την κατάλληλη ευκαιρία για να σ' το πω, αλλά νομίζω ότι η πιο σωστή στιγμή είναι τώρα...»

«Ονειρεύομαι...»

«Μαζί ονειρευόμαστε και βλέπουμε το ίδιο όνειρο, μωρό μου... Βέβαια, στην αρχή θα έχει τα απολύτως απαραίτητα, μέχρι να διαλέξεις εσύ ό,τι θέλεις. Το δωμάτιο όμως του μωρού μας πρέπει να το ετοιμάσουμε προτού γεννήσεις».

«Φίλιππε...» Η συγκίνηση εμπόδισε τα λόγια να βγουν, αλλά βοήθησε τα δάκρυα να φτάσουν στα μάτια της.

Εκείνος πήρε τα χέρια της και τα φίλησε τρυφερά. «Τέλειωσαν οι πικρές μέρες, αγάπη μου», της είπε και η Μαρίνα κούνησε το κεφάλι συμφωνώντας.

Ο σερβιτόρος που έφερε τα ζεστά ροφήματα διέκοψε τη συζήτηση και αποφόρτισε την ένταση. Όταν έφυγε, η Μαρίνα ήταν ήρεμη.

«Ξέρεις», άρχισε, «είναι και κάτι ακόμη που πρέπει να γίνει...»

«Να το ακούσω...»

«Οι γονείς μου, Φίλιππε... Δεν ξέρουν τίποτα... δεν τους το είπα για μας... Πρέπει όμως να...»

«Ήρθε η ώρα να τους γνωρίσω; Αυτό θέλεις να μου πεις;»

«Ναι...»

«Και πού είναι το πρόβλημα; Λες να έχουν αντίρρηση; Ξέρω βέβαια, από διάφορα μισόλογα που σου ξέφευγαν εκείνη την εποχή, ότι δεν είχαν πετάξει από τη χαρά τους που η κόρη τους είχε μπλέξει μ' ένα φοιτητή, αλλά τώρα...»

«Τώρα νομίζω ότι θα χαρούν. Έχουν αλλάξει πολύ από τότε που έγινε ό,τι έγινε...»

«Κι εσύ έχεις αλλάξει...»

«Εγώ; Πώς άλλαξα δηλαδή;» Η ανησυχία στη φωνή της τον έκανε να χαμογελάσει.

«Μην ανησυχείς», την καθησύχασε, «και δεν το είπα για ν' ακουστεί ως κακό. Η αλλαγή της ζωής σου, αλλά κυρίως η παρέα σου, όπως υποπτεύομαι, έκαναν τη διαφορά! Αν τότε σ' αγαπούσα, αυτή την καινούργια Μαρίνα, που πατάει τόσο γερά στη γη, που είναι ανθρώπινη, τη λατρεύω!»

«Σε κέρδισαν τα παιδιά;»

«Το ρωτάς; Είναι απίστευτοι! Είναι ένα λαχείο που μόνο μια φορά πέφτει στη ζωή ενός ανθρώπου. Στη δική σου ζωή, ήρθαν την καλύτερη στιγμή... Ήταν δίπλα σου στη δυστυχία και αυτοί οι φίλοι είναι πιο σωστά διαλεγμένοι από αυτούς που αποκτάμε σ' ευτυχισμένες στιγμές. Αλήθεια, σου λείπει ποτέ η παλιά σου ζωή;»

«Ούτε στο ελάχιστο! Όταν τα θυμάμαι, νομίζω ότι εκείνη τη ζωή την έζησε κάποια άλλη! Αν το καλοσκεφτείς μάλιστα, ήταν μια άλλη... Νιώθω ότι ξαναγεννήθηκα! Τους αγαπάω πάρα πολύ αυτούς τους τρεις και θα ήμουν πολύ δυστυχισμένη αν δεν τα πηγαίνατε καλά... Όμως, εσύ είσαι λες και τους ξέρεις χρόνια...»

«Έτσι αισθάνομαι...»

Ο Κωστής απόρησε όταν είδε την Ελπίδα στο γραφείο του.

«Πώς από δω;» τη ρώτησε μόλις μπήκε.

«Ο κόσμος λέει πρώτα "καλημέρα", προσφέρει καφέ και μετά κάνει τέτοιες ανάγωγες ερωτήσεις!» τον αποπήρε εκείνη και κάθισε σε μια πολυθρόνα.

Ο Κωστής την κοίταξε προσεκτικά. «Αν σου προσφέρω τον καφέ που σερβίρουμε εδώ, θα μου τον πετάξεις στο κεφάλι και δεν κάνει, είναι ζεματιστός! Δείχνεις εξουθενωμένη... Πονάς πάλι;» τη ρώτησε.

«Συνήθισα να πονάω πια... και έπειτα, είμαι λίγο κουρασμένη».

«Η χθεσινή νυχτερινή βάρδια;»

«Ναι, και σήμερα από το πρωί είμαι για ψώνια!»

«Τι ψώνια;»

«Σε περίπτωση που δεν έχεις κοιτάξει το ημερολόγιό σου, ο μήνας έχει έντεκα! Σε δύο βδομάδες έχουμε Χριστούγεννα!»

«Και λοιπόν;»

«Η φετινή χρονιά δεν είναι όπως οι προηγούμενες! Έχω του κόσμου τα δώρα να κάνω!»

«Τώρα που το λες... Εγώ δεν έχω αγοράσει τίποτα!»

«Μπράβο! Το λες και δεν ντρέπεσαι!»

«Σιγά, κούκλα μου! Αυτά συνήθως τα φρόντιζε η Αντιγόνη και δεν έχω ιδέα από τέτοια! Ελπιδάκι, θα με βοηθήσεις;»

«Ούτε γι' αστείο! Εδώ δεν ξέρω τι θα κάνω με τα δικά μου!»

«Μ' εγκαταλείπεις δηλαδή;»

«Εντελώς! Πάρε κάποια από τις άλλες!»

«Μα τις λες τώρα; Η Μαρίνα δεν μπορεί να πάρει τα πόδια της! Ο μόνος τρόπος είναι να την πάω τσουλώντας! Άσε που κατοικεί μόνιμα στα σύννεφα και άντε να την κατεβάσεις από κει πάνω!»

«Υπάρχει και η Ναταλία!»

«Η Ναταλία;»

«Ναι! Τη θυμάσαι; Εκείνη η όμορφη σγουρομάλλα της παρέας;»

«Μη λες κουταμάρες! Και βέβαια τη θυμάμαι! Εκείνη ελπίζω να είναι πιο πρόθυμη από σένα να βοηθήσει έναν απελπισμένο και ανίδεο άνθρωπο!»

«Εγώ είμαι σίγουρη...»

«Ωραία! Και τώρα θα μου πεις πώς από δω;»

«Περνούσα και επειδή χθες το βράδυ δούλευα και δε σε είδα, είπα ν' ανέβω... Μήπως ενοχλώ;»

«Εσύ να ενοχλείς;»

«Καμιά φορά και ο καλύτερος φίλος μπορεί να γίνει βάρος».

«Εσύ ποτέ! Ξέρεις τι νιώθω για σένα... πόσο πολύ σ' αγαπάω... Εμείς οι δύο τα ξεκαθαρίσαμε αυτά εκείνο το τελευταίο βράδυ στο Ναύπλιο...»

«Το Ναύπλιο... Μου φαίνεται τόσο μακρινό!...»

Κάτι στη φωνή της που αμυδρά τσάκισε, κάτι στο βλέμμα της που προς στιγμήν υγράνθηκε, έστειλαν τον Κωστή δίπλα της.

«Ελπιδάκι, τι συμβαίνει; Γιατί μελαγχόλησες; Το Ναύπλιο είναι πάντα εκεί και μας περιμένει...»

«Καθετί που ζούμε είναι μοναδικό, Κωστή... Δεν ξαναγυρίζει. Αλλάζει η ζωή... αλλάζουμε εμείς...»

Κάθισε στο μπράτσο της πολυθρόνας και πέρασε το χέρι του στους ώμους της. Εκείνη έγειρε πάνω του.

«Τι έπαθες, κοριτσάκι; Γιατί τόση πίκρα; Εμείς θα είμαστε πάντα μαζί...»

«Είναι πολύ μακρινό αυτό το "πάντα"... Καμιά φορά συμβαίνουν απρόοπτα... Γεγονότα που είναι πέραν των δυνάμεών μας».

«Κουταμάρες! Εμείς έχουμε τους φίλους μας! Αυτή είναι η δύναμή μας!»

«Κι αν... αν κάποιος φύγει από αυτή τη φιλία;»

«Κούκλα μου, αυτή η παρέα είναι σαν τη Μαφία! Όποιος μπαίνει δε βγαίνει... εκτός από πεθαμένος!»

Η Ελπίδα ανατρίχιασε. Ο Κωστής αποτραβήχτηκε και την κοίταξε ανήσυχος.

«Μα τι τρέχει; Τι σ' έπιασε; Αυτό δεν είναι συνηθισμένη μελαγχολία λόγω εορτών! Ελπίδα, συνέβη κάτι;»

Τον κοίταξε στα μάτια. Έτσι ο Κωστής μπόρεσε να δει την αλλαγή να έρχεται. Το γνώριμο ύφος της ξαναγύρισε και έφερε τη γαλήνη στην καρδιά του, που για λίγο είχε πραγματικά χάσει τους χτύπους της. Δεν έδιωξε όμως την αίσθηση ότι η Ελπίδα είχε έρθει κάτι να πει, κάτι προσπαθούσε να του δώσει να καταλάβει, αλλά για κάποιο λόγο το απέφυγε τελικά.

Εκείνη σηκώθηκε, σταύρωσε τα χέρια στο στήθος και το ύφος της ήταν ελαφρώς ειρωνικό όταν του μίλησε: «Είσαι αστείος όταν τρομάζεις! Τελικά, δεν μπορεί κανείς να μιλήσει σοβαρά μαζί σου!»

«Είναι που δε μ' έχεις συνηθίσει... Επιτέλους, δε φαντάστηκα ότι ήρθες να με δεις για να... μελαγχολήσουμε μαζί!»

«Ωραία! Τώρα που ήρθαμε στα ίσα μας... τι πρόγραμμα έχεις για τις γιορτές; Η Ισμήνη;»

«Η Ισμήνη θα φύγει με τη μητέρα της και τον Βασίλη για το Μεσολόγγι, να δουν τους γονείς του που μένουν εκεί... Να γνωρίσουν τη νύφη...»

«Δηλαδή θα είσαι μόνος;»

«Τρελάθηκες; Μαζί θα είμαστε! Στο σπίτι μου θα μαζευτούμε! Θα πω στην Ευγενία και στον Αλέκο...»

«Και Χριστούγεννα και Πρωτοχρονιά;»

«Δεν κατάλαβες! Και παραμονές, και γιορτές, και καθημερινές! Όποιος δε δουλεύει, ό,τι ώρα δε δουλεύει, πρέπει να είναι σπίτι μου! Δεν αντέχω να είμαι μόνος μου ούτε λεπτό! Όχι αυτές τις γιορτές!»

«Η αλήθεια είναι ότι ούτε εγώ θέλω να είμαι μόνη αυτές τις μέρες...»

«Ποτέ δε θα είσαι μόνη, Ελπίδα! Όχι όσο υπάρχω εγώ τουλάχιστον!»

«Ή εγώ...»

Αυτό το τελευταίο το είπε τόσο χαμηλόφωνα, που ο Κωστής δεν ήξερε αν το άκουσε ή το φαντάστηκε, αλλά του άφησε μια γεύση πικρή.

Στριφογύριζε στο μυαλό του μέχρι το βράδυ και δε θα έφευγε αν δεν είχαν εισβάλει όλοι στο σπίτι του το απόγευμα, για να στολίσουν το χριστουγεννιάτικο δέντρο. Είχε από μέρες αγοράσει όλα τ' απαραίτητα, ακόμη και έλατο· οικολογικό φυσικά. Κανένας δεν είχε καταφέρει να τον πείσει ν' αγοράσει αληθινό. Ό,τι κι αν είπαν, όσα επιχειρήματα κι αν του πρόβαλαν για φυτώρια που σε τίποτα δε στερούσαν τη φύση από τα παιδιά της, δεν τον έκαναν ν' αλλάξει γνώμη. Του προκαλούσαν μελαγχολία τα μαραμένα έλατα στα πεζοδρόμια μετά τις γιορτές, να περιμένουν τους εργάτες του δήμου να τα μαζέψουν και να τα πετάξουν σε κάποια χωματερή, σαν νεκροί που κανένας δε νοιάζεται πια γι' αυτούς και καταλήγουν σ' έναν απρόσωπο ομαδικό τάφο. Παρόλο που όλοι τον χαρακτήρισαν υπερβολικό ύστερα από αυτό, παραιτήθηκαν εντελώς από την προσπάθεια να τον μεταπείσουν, και θαύμασαν το μεγάλο οικολογικό έλατο που αγόρασε δύο μέρες μετά την τελευταία τους συζήτηση.

Το έλατο, όμως, στεκόταν ακόμη γυμνό από στολίδια και φώτα μπροστά στη μεγάλη πόρτα που οδηγούσε στο μπαλκόνι, περιμένοντας υπομονετικά τον ιδιοκτήτη του να του προσφέρει τη λάμψη που του άξιζε. Και είχε έρθει η στιγμή, που εξελίχθηκε σ' ένα πολύ ευχάριστο βράδυ.

Στην αρχή, έπρεπε να μπουν τα φωτάκια. Οι γυναίκες κάθισαν αναπαυτικά στο σαλόνι, όσο ο Κωστής, ο Φίλιππος και ο Αλέκος ανέλαβαν την περίπλοκη αποστολή. Ευτυχώς υπήρχε ο Αλέκος, ο οποίος είχε πολύ καλές σχέσεις με τα ηλεκτρολογικά, αλλιώς θα ήταν αδύνατο να βρουν άκρη με τα χίλια πεντακόσια φωτάκια που ο Κωστής είχε την απαίτηση να μπουν στο δέντρο του. Οι γυναίκες παρακολουθούσαν τις προσπάθειες, αλλά στο τέλος η Μαρίνα διαμαρτυρήθηκε ότι θα γεννούσε πριν από την ώρα της από τα γέλια. Ήταν στ' αλήθεια κωμικός ο τρόπος που κάποια στιγμή είχαν μπλεχτεί και οι τρεις με τ' ατελείωτα μέτρα του καλωδίου, ειδικά όταν με μιαν αδέξια κίνηση ο Κωστής μπέρδεψε τη μία σειρά, και μέχρι να την ξεμπερδέψουν χρειάστηκε να επιστρατεύσουν την ανύπαρκτη υπομονή τους και όποιο τρόπο μπορούσαν να σκεφτούν. Ο Κωστής πήρε την άκρη του καλωδίου και άρχισε να περιφέρεται γύρω από τον Φίλιππο τυλίγοντας στο σώμα του τα λαμπάκια και, για να βεβαιωθεί ότι κανένα δεν είχε υποστεί ζημιά, τ' άναψε κιόλας, την ίδια στιγμή που ο Φίλιππος διαμαρτυρόταν ότι ο θάνατος σε ηλεκτρική καρέκλα είχε καταργηθεί στην Ελλάδα. Έπειτα από δύο ώρες συνεχούς αγώνα, το δέντρο έλαμπε ολόφωτο. Έσβησαν όλα τ' άλλα φώτα για να το καμαρώσουν και συμφώνησαν όλοι ότι ήταν εντυπωσιακό.

Είχε έρθει όμως η ώρα για την κορυφή που έπρεπε να τοποθετηθεί από «το νοικοκύρη του σπιτιού», σύμφωνα με το έθιμο. Ο Φίλιππος έφερε τη σκάλα και ο Κωστής ανέβηκε. Η Ελπίδα πήρε το λαμπερό αστέρι και το έδωσε στη Ναταλία κοιτώντας τη στα μάτια, για να της δώσει με το βλέμμα της την ευχή να της φέρει η νέα χρονιά αυτό που λαχταρούσε. Με θρησκευτική ευλάβεια η Ναταλία, με το αστέρι στα χέρια, στράφηκε στον Κωστή. Τα μάτια τους συναντήθηκαν. Το λαμπερό στολίδι σαν να υπερθερμάνθηκε τη στιγμή που το άγγιξαν και οι δύο. Η Ναταλία τράβηξε απότομα τα χέρια... Χειροκροτήματα ακούστηκαν μόλις η κορυφή εδραιώθηκε στη θέση της. Τώρα μπορούσαν να προχωρήσουν. Οι στολισμένες μπάλες είχαν τη σειρά τους και ήταν σπάνιας ομορφιάς.

Ο Φίλιππος και ο Αλέκος δήλωσαν ότι είχαν συνεισφέρει αρκετά και αφοσιώθηκαν στα γλυκά που στόλιζαν το τραπέζι. Η Μαρίνα έβαλε μερικά στολίδια αλλά γρήγορα παραιτήθηκε. Η μέση της πονούσε υπερβολικά. Η Ελπίδα και η Ευγενία ανέλαβαν τα χαμηλά κλαδιά, ενώ ο Κωστής, ανεβασμένος στη σκάλα, στόλιζε τα ψηλότερα, με τη Ναταλία να του δίνει όχι μόνο τα κατάλληλα στολίδια αλλά και την ευκαιρία να την παρατηρεί με την ησυχία του. Ο τρόπος που άγγιζε, που σχεδόν χάιδευε κάθε μπάλα, είχε κάτι μαγικό, κάτι ερωτικό που τον αναστάτωνε. Οι ανταύγειες από τις μπάλες στο πρόσωπό της, το φως των ματιών της... Αυτή ήταν μια άλλη Ναταλία! Ήταν μια γυναίκα όμορφη, αισθησιακή... Μια γυναίκα απόλυτα και μοναδικά ερωτεύσιμη... Μια γυναίκα που εκείνος...

Θύμωσε πάλι με τον εαυτό του γι' αυτές τις σκέψεις. Η Ναταλία τον θεωρούσε φίλο της κι εκείνος πρόδιδε την εμπιστοσύνη της. Ήταν πρόστυχο από μέρους του.

Τι θα έλεγε η κοπέλα αν ήξερε ότι εκείνος, ο φίλος, ο αδελφός, την ώρα που τον βοηθούσε, το μόνο που σκεφτόταν ήταν ότι ήθελε να την πάρει στην αγκαλιά του και να κάνει μαζί της όσα ποτέ δεν κάνουν δύο φίλοι μεταξύ τους; Κινητοποίησε την αυτοκυριαρχία του για να μπορέσει ν' αφοσιωθεί σ' αυτό που έκανε. Λίγα κλαδιά πιο κάτω, η Ελπίδα παρακολουθούσε τους δυο τους, έχοντας τεντώσει τους αισθητήρες της όσο ποτέ. Τα σκοτεινιασμένα μάτια του Κωστή, το γεμάτο πάθος βλέμμα του, της είπαν ό,τι ήθελε να μάθει και χαμογέλασε ικανοποιημένη. Ευτυχώς, ήταν ζήτημα χρόνου. Ο φίλος ήταν έτοιμος να υποχωρήσει, νικημένος από τον άντρα. Το αιώνιο αρσενικό θα διεκδικούσε το ταίρι που ποθούσε...

Στράφηκε να πάρει μια μπάλα και πρόσεξε την Ευγενία. Έκανε ό,τι και η ίδια. Παρακολουθούσε ικανοποιημένη. Οι δυο γυναίκες κοιτάχτηκαν. Το μυστικό μοιράστηκε σιωπηλά. Ήταν μαζί στην προσδοκία της ευτυχίας του ζευγαριού. Χαμογέλασαν...

Η Ελπίδα μπήκε στο σπίτι της βιαστική. Το στομάχι της ήταν χάλια. Τρεις φορές από το πρωί είχε αδειάσει όλο του το περιεχόμενο και τώρα το ίδιο έπρεπε να κάνει. Αμέσως μετά πήγε στην κουζίνα, παραπατώντας από την εξάντληση, και πήρε δυο χάπια μαζί. Ο Καλιβωκάς της είχε αλλάξει παυσίπονα, καθώς οι πόνοι όλο και δυνάμωναν. Η επέκτασή τους της είχε φανερώσει όσα και οι νέες εξετάσεις: το κακό είχε προχωρήσει... Βιαζόταν...

Σε μια πεισματική και απέλπιδα προσπάθεια να ξαναγίνει έτσι όπως ήταν, έφτιαξε έναν ελληνικό καφέ και άναψε τσιγάρο. Ένιωσε περίφημα. Ήξερε πως αισθανόταν καλά χάρη στα δυνατά χάπια, αλλά η ηθελημένη αυταπάτη τής έφτιαξε τη διάθεση. Τόσο, που χαμογέλασε πλατιά όταν κατέφθασαν εντελώς απρόσμενα η Μαρίνα και η Ναταλία, κουβαλώντας ένα μικροσκοπικό δεντράκι και στολίδια.

«Ήσουν η μόνη που δε στόλισες!» της είπε η Μαρίνα

«Και ο μήνας έχει ήδη δεκαπέντε!» συμπλήρωσε η Ναταλία.

Δεν υπήρχε πόνος εκείνες τις δύο ώρες, δεν υπήρχε αρρώστια, δεν υπήρχε τίποτα κακό. Μόνο τρεις νέες γυναίκες που αγαπούσε η μία την άλλη για μια αιωνιότητα. Το δεντράκι έλαμπε στο σαλόνι κι εκείνες καθισμένες κοντά του απολάμβαναν τη ζεστασιά της φιλίας τους. Μόνο η Μαρίνα έδειχνε ανήσυχη. Στριφογύριζε στο κάθισμά της, σαν να μην μπορούσε να βολευτεί. Η Ελπίδα το πρόσεξε πρώτη.

«Τι έχεις εσύ και δε σε χωράει ο τόπος;» τη ρώτησε.

«Εγώ; Τίποτα, τίποτα...» απάντησε εκείνη και δεν έπεισε καμιά τους.

«Μήπως το μωρό;» τρόμαξε η Ναταλία.

«Όχι! Όχι! Είμαι μια χαρά!»

«Έχεις πρόβλημα με τον Φίλιππο μήπως;» επέμεινε η Ναταλία.

«Θεός φυλάξοι! Όχι, βέβαια!»

«Ε, τότε, λέγε!» θύμωσε η Ελπίδα. «Το ύφος σου “φωνάζει” ότι κάτι σε απασχολεί! Τις δέκα ερωτήσεις θέλεις να παίξουμε για να μας πεις τι έχεις;»

«Μήπως έχεις άγχος για αύριο βράδυ που θα πάτε στους γονείς σου με τον Φίλιππο;» δοκίμασε πάλι η Ναταλία, και η ερώτηση έδιωξε για λίγο την αμηχανία της Μαρίνας και έφερε ένα πονηρό γελάκι στο πρόσωπό της.

«Όχι», της απάντησε. «Δεν τους έχω πει τίποτα! Δεν ξέρουν για τον Φίλιππο ούτε καν ότι θα τους τον πάω!»

«Δηλαδή, θα τους ρίξεις κεραυνό, εντελώς απροειδοποίητα! Δεν ντρέπεσαι;» έκανε πως τη μάλωσε η Ελπίδα, αλλά χαμογελούσε.

«Για να είμαι ειλικρινής... όχι! Δεν ντρέπομαι καθόλου!» Η Μαρίνα χαμογελούσε κι αυτή, αλλά μια ματιά προς τη Ναταλία και το χαμόγελο έσβησε· η αμηχανία ξαναγύρισε.

«Να το πάλι αυτό το ύφος!» φώναξε η Ναταλία. «Μα τι έχεις επιτέλους;»

«Ε, λοιπόν κυρία μου, αφού θέλεις να μάθεις, η αιτία είσαι εσύ!»

«Εγώ; Γιατί; Τι έκανα;»

«Δηλαδή δεν έκανες κάτι συγκεκριμένο... αλλά πώς να το πω; Προχθές στου Κωστή... εγώ... όχι εγώ, εσύ... α, πα πα! Δεν μπορώ! Θα με περάσετε για τρελή!» Η Μαρίνα είχε κοκκινίσει.

«Και έτσι όπως μιλάς, περνιέσαι για λογική;» την ειρωνεύτηκε η Ελπίδα, αλλά είχε αρχίσει να καταλαβαίνει την αιτία της αμηχανίας.

«Συγγνώμη, αλλά δεν έχει να κάνει με γεγονότα... Κάτι σαν αέρας... ένα ένστικτο... Κι αν κάνω λάθος;» αναρωτήθηκε και κοιτούσε τη Ναταλία.

«Πες το», την παρότρυνε εκείνη, «κι αν κάνεις λάθος θα σ' το πούμε!»

«Δε θα θυμώσεις όμως;»

«Εμένα αφορά;»

«Κυρίως!»

«Ωραία! Τότε προχώρα, δεν υπάρχει περίπτωση να σου θυμώσω!»

Η Μαρίνα πήρε βαθιά αναπνοή, σαν να ετοιμαζόταν για μακροβούτι. Έκλεισε και τα μάτια και το ξεστόμισε: «Συμβαίνει κάτι ανάμεσα σ' εσένα και στον Κωστή;»

Κρατούσε κλειστά τα μάτια, περιμένοντας τη Ναταλία να διαμαρτυρηθεί, ίσως και να της βάλει τις φωνές, και τ' άνοιξε διάπλατα από την έκπληξη όταν εκείνη της απάντησε απλά: «Είμαι ερωτευμένη μαζί του...»

Για λίγα δευτερόλεπτα έπεσε σιωπή ώσπου την έσπασε η φωνή της Ελπίδας: «Εντάξει; Σου λύθηκαν οι απορίες;» τη ρώτησε και η Μαρίνα στράφηκε σ' εκείνη.

«Εσύ το ήξερες!» πέταξε.

«Εδώ και καιρό!»

«Κι εμένα δε μου είπατε τίποτα!» τις κατηγόρησε.

«Δεν υπήρχε τίποτα να σου πούμε», απάντησε απλά η Ναταλία.

«Πώς δεν υπάρχει; Είναι φανερό ότι έχω χάσει πολλά επεισόδια!»

«Ούτε ένα! Πίστεψέ με!»

«Μα τι να πιστέψω; Οι δύο καλύτεροί μου φίλοι τα ψήνουν κάτω από τη μύτη μου και ενώ η τρίτη καλύτερή μου φίλη το ξέρει, δε λέει τίποτα!»

«Κάνεις λάθος», διαμαρτυρήθηκε η Ναταλία. «Τίποτα δεν ψήνεται! Εγώ σου είπα τι αισθάνομαι! Ο ίδιος δεν ξέρει τίποτα και φαντάζομαι ότι στα δικά του φιλικά αισθήματα δεν έχει αλλάξει τίποτα!»

«Αποκλείεται! Όχι ύστερα από τον τρόπο που σε κοίταζε όταν στολίζατε το δέντρο! Αυτός, παιδάκι μου, φαινόταν να θέλει να σε αρπάξει εκεί, μπροστά σε όλους και... γαία πυρί μιχθείτω!»

«Η εγκυμοσύνη και οι ορμόνες της φταίνε!» δοκίμασε να την πειράξει η Ναταλία.

«Μου το είπατε ξανά αυτό, τότε στο Ναύπλιο που έβλεπα τον Φίλιππο και τελικά είχα δίκιο!»

«Άλλο τότε μ' έναν άνθρωπο που ήταν υπαρκτός και άλλο τώρα με μιαν ανύπαρκτη ανταπόκριση! Όχι, Μαρινάκι! Ο Κωστής δεν ξέρει τίποτα και ούτε θα μάθει! Είμαστε φίλοι, εκείνος έτσι με βλέπει, παρ' όλα όσα νόμιζες ότι είδες, κι έτσι θα παραμείνουμε!»

«Μα γιατί; Αν υποθέσουμε δηλαδή ότι είναι έτσι όπως τα λες κι εκείνος δε σε βλέπει... ερωτικά! Γιατί;»

«Γιατί είναι καλύτερα να τον έχω έστω και σαν φίλο, παρά να τον χάσω εντελώς! Δεν έχω ταλέντο με τους άντρες, τα είπαμε!»

«Εσύ δεν μιλάς;» στράφηκε η Μαρίνα προς την Ελπίδα.

«Έχω εξαντλήσει όλα μου τα επιχειρήματα τόσο καιρό!» της απάντησε. «Δεν έχω άλλο ρεπερτόριο!»

«Μαρίνα, μη μάθει κανείς τίποτα», την παρακάλεσε η Ναταλία.

«Αν εννοείς τον Φίλιππο, μη φοβάσαι! Ύστερα από την κίνηση του Κωστή να του πει την αλήθεια για μένα, έχουν γίνει τόσο... αυτοκόλλητοι που δεν του έχω εμπιστοσύνη! Μπορεί να θελήσει ν' ανταποδώσει τη χάρη, και αν μία στο εκατομμύριο έχεις δίκιο, θα τα μπλέξουμε τα πράγματα!»

«Δεν κατάλαβε τίποτα εκείνος δηλαδή;» ρώτησε η Ελπίδα.

«Αν δε γεννηθεί το μωρό, να ξεκολλήσει, δε νομίζω ότι μπορεί να δει τίποτα πέρα από την κοιλιά μου!»

«Και μετά θα είναι το ίδιο το μωρό!» της είπε η Ναταλία χαρούμενα.

Η ευτυχία της Μαρίνας έφερε χαμόγελο και στις τρεις, αλλά η κοπέλα σκοτείνιασε και πάλι. «Ναι, αλλά εσύ τι θα κάνεις;» ρώτησε τη φίλη της. «Αφού τον αγαπάς... Πονάς... σε νιώθω... Θέλω να βοηθήσω...»

«Κανένας δεν μπορεί...»

Ίσως μπορούσε η βροχή! Εκείνη είχε κάνει κάποτε την αρχή. Εκείνη τους είχε ενώσει, κανονικά θα έπρεπε να μπορούσε να τους φέρει και κοντά... πολύ κοντά!

Ο Κωστής έβριζε τον εαυτό του που είχε αφήσει τελευταία στιγμή τις χριστουγεννιάτικες αγορές του. Τώρα δεν είχε πια τα χρονικά περιθώρια για να το αναβάλει και ήταν αναγκασμένος να ψάχνει κάτω από δυνατή βροχή τα δώρα όλων. Δεν είχε τολμήσει νά προτείνει στη Ναταλία να τον βοηθήσει. Δεν είχε πια εμπιστοσύνη στον εαυτό του, έπειτα από εκείνη τη βραδιά σπίτι του που στόλιζαν το δέντρο. Προσπαθούσε ν' αποφεύγει να βρίσκεται μόνος μαζί της. Του είχε γίνει έμμονη ιδέα. Ακόμη και το προηγούμενο βράδυ, που σηκώθηκε να τον βοηθήσει να μαζέψουν τα πιάτα μετά το φαγητό. Είχαν μείνει πάλι όλοι ως αργά σπίτι του και έφτιαξαν μακαρονάδα. Στο στενό χώρο της κουζίνας, την ώρα που η Ναταλία καθάριζε τ' αποφάγια για να βάλει τα πιάτα στο πλυντήριο... δεν ήθελε ούτε να το θυμάται. Το χέρι του απλώθηκε, χωρίς να βρεθεί καμιά λογική να το συγκρατήσει, για ν' αγγίξει τα μαλλιά της, που όπως πάντα έπεφταν ανυπότακτα στο πρόσωπό της. Ευτυχώς η ξαφνική είσοδος του Αλέκου, που έφερε τα ποτήρια, τον συνέφερε εγκαίρως. Το χέρι του έπεσε άψυχο και ο ίδιος αισθάνθηκε πάρα πολύ άσχημα, όχι για την κίνηση που δεν έγινε αλλά για το δρόμο που είχε πάρει η φαντασία του.

Έσκυψε απότομα για ν' αποφύγει μια ομπρέλα και έτσι σταμάτησε να σκέφτεται τη Ναταλία. Η βροχή όλο και δυνάμωνε. Πάλι τα έβαλε με τον εαυτό του που βρέθηκε μέσα στον κατακλυσμό του Νώε. Παρηγορήθηκε όταν είδε τόσο κόσμο γύρω του να ψωνίζει, αγνοώντας τους καταρράκτες τ' ουρανού. Οι περισσότεροι κρατούσαν ομπρέλες, αλλά υπήρχαν κι άλλοι, όπως ο ίδιος, που είχαν βάλει σ' εφαρμογή το ρητό: *Ο βρεγμένος τη βροχή δεν τη φοβάται,* και κυκλοφορούσαν μούσκεμα αλλά ψύχραιμοι σαν να είχε λιακάδα. Την προσοχή του τράβηξε μια γυναικεία φιγούρα με μπλε αδιάβροχο και καπέλο, μερικά μέτρα πιο πέρα. Κοιτούσε μια βιτρίνα ενώ στα χέρια της κρατούσε δυο πλαστικές σακούλες, ικανές να προστατέψουν από τη δυνατή βροχή τα πακέτα που περιείχαν. Οι καστανόξανθες μπούκλες, μη χωρώντας μέσα στο καπέλο, ρουφούσαν άπληστα το νερό που έπεφτε πάνω τους. Η καρδιά του κλότσησε άγρια στο στήθος του. Στην αρχή έξαψη και μετά ένας κεραυνός... μέσα του, που τον συγκλόνισε ολόκληρο. Πόσο ανόητος υπήρξε; Ήταν ερωτευμένος μ' αυτή τη γυναίκα... Πολύ και δυνατά. Τη βροχή χρειαζόταν για να το καταλάβει; Και όπως τότε με τον Φίλιππο, που κάποια Μοίρα τον έφερε στα πόδια του και το θεώρησε σημάδι, έτσι και τώρα! Η ίδια Μοίρα τού έφερνε την απάντηση... την ίδια τη Ναταλία, μπροστά του. Είχε τώρα την ευκαιρία να μάθει αν ήταν μόνος του σ' αυτό το αίσθημα, που ήρθε τόσο απρόοπτα, τόσο δυνατά.

Η Ναταλία έφυγε από τη βιτρίνα που κοιτούσε και προχώρησε στην επόμενη, αλλά κάτι άρχισε να μην της πηγαίνει καλά. Στράφηκε για να τον συναντήσει. Τα βλέμματα αγκαλιάστηκαν. Η καρδιά της με τους άτακτους ρυθμούς έσπρωξε αίμα στα μάγουλα που ρόδισαν. Μια ανυπότακτη μπούκλα αναπαυόταν ανάμεσα στα φρύδια της. Ήταν απίστευτα όμορφη εκείνη τη στιγμή.

Χωρίς καμιά σκέψη, χωρίς καμιά αναστολή, ο Κωστής διένυσε τα λίγα μέτρα που τους χώριζαν. Κράτησε το πρόσωπό της στα χέρια του και σκέπασε τρυφερά τα χείλη της με τα δικά του... Η βροχή αγκάλιασε το ζευγάρι, κάποιοι περαστικοί χαμογέλασαν, αλλά εκείνοι δεν ένιωθαν τίποτα πέρα απ' την ανάγκη του ενός για τον άλλο. Το φιλί δεν ήταν πια τρυφερό, ήταν βαθύ και δυνατό. Σαν δίνη τούς τράβηξε και τους στροβίλισε. Μέθυσαν απ' αυτό, λίγο προτού τους πλημμυρίσει αμηχανία και αποτραβηχτούν γεμάτοι ενοχές. Κοιτάχτηκαν... Ό,τι πιο δύσκολο είχαν κάνει ποτέ στη ζωή τους ήταν αυτή η ματιά... Είχαν υπερβεί τα εσκαμμένα και ήξεραν και οι δυο ότι δεν υπήρχε γυρισμός.

«Συγγνώμη...» ψιθύρισε πρώτη η Ναταλία και χαμήλωσε το κεφάλι.

Εκείνος της έπιασε το πιγούνι και την ανάγκασε να τον κοιτάξει. Τα μάτια της ακολούθησαν αυτή την ανοδική πορεία και κατέληξαν στα δικά του. Το βλέμμα που συνάντησαν ήταν τρυφερό.

«Γιατί ζητάς συγγνώμη;» τη ρώτησε απαλά. «Εγώ σου... όρμησα μέσα στη μέση του δρόμου, εγώ πρέπει να ζητήσω συγγνώμη, αλλά... ξέρεις κάτι; Δε θα το κάνω! Και δε θα το κάνω, γιατί δε μετανιώνω και γιατί θέλω να σε ξαναφιλήσω!»

Την αγκάλιασε πάλι. Αυτή τη φορά τα χείλη άρχισαν να εξερευνούν, να ψάχνουν. Η Ναταλία παραδόθηκε πάλι σ' αυτή τη μαγεία, στο όνειρο τόσων μηνών που έγινε τόσο αναπάντεχα πραγματικότητα και που αυτή η πραγματικότητα ήταν χίλιες φορές καλύτερη από τα όνειρά της.

Δεν ήξερε, δεν ήθελε να μάθει πού θα πήγαιναν από κει κι ύστερα. Το μόνο που την ενδιέφερε, εκείνη τη στιγμή, ήταν το οξυγόνο που ρουφούσε άπληστα από τα χείλη του. Οι σακούλες έφυγαν από τα χέρια της και τα δάχτυλά της μπλέχτηκαν στα μαλλιά του όπως χιλιάδες φορές είχε συμβεί, αλλά μόνο στα όνειρά της. Οι αισθήσεις είχαν ξυπνήσει απαιτητικές, τα κορμιά ζητούσαν όλο και περισσότερα.

Ξέπνοος ο Κωστής τραβήχτηκε απότομα, αλλά τα χέρια του την κρατούσαν ακόμη σφιχτά. «Νομίζω ότι έτσι όπως πάμε, θα πρέπει να ζητήσουμε και οι δύο συγγνώμη απ' όλους τους περαστικούς!» ψιθύρισε εκείνος χαμογελώντας.

Εκείνη έτρεμε.

«Τρέμεις...» της είπε τρυφερά. «Κρυώνεις;»

«Ό... όχι... δηλαδή δεν ξέρω... Ίσως και να κρυώνω, αλλά τα έχω και χαμένα... Κωστή, τι ήταν όλο αυτό; Θέλω να πω...»

«Ξέρω τι θέλεις να πεις, έχω κι εγώ να σου πω, αλλά δε νομίζω ότι η μέση του δρόμου μέσα σε τέτοια βροχή είναι ο κατάλληλος τόπος... για συζήτηση τουλάχιστον. Θα σε πείραζε αν σου ζητούσα να πάμε σπίτι μου;»

«Γιατί να με πειράξει; Δε θα είναι η πρώτη φορά που θα έρθω σπίτι σου», του είπε απλά.

«Ναι, αλλά οι συνθήκες άλλαξαν, Ναταλία... Δραματικά θα μπορούσα να πω... Σου υπόσχομαι, όμως, ότι θέλω μόνο να μιλήσουμε... Δε θα επιχειρήσω να... χμ... συνεχίσω από δω που μείναμε...»

Δεν κράτησε την υπόσχεσή του όμως! Όλα έδειχναν σωστά. Όλα ήρθαν μόνα τους, χωρίς να ξέρει κανένας από τους δύο το πώς... Μπήκαν στο σπίτι, μούσκεμα και οι δυο, και μόλις έβγαλαν τα πανωφόρια τους, βρέθηκαν αγκαλιασμένοι να συνεχίζουν ό,τι άφησαν στη μέση πριν από λίγο. Τα χείλη ενώθηκαν λαίμαργα, τα κορμιά έσμιξαν πεινασμένα. Ο Κωστής ένιωσε ότι εκείνη τη στιγμή ξαναγεννιόταν μέσα από το πολύτιμο σώμα, που τον δέχθηκε χωρίς ενδοιασμούς και αναστολές. Η Ναταλία κατάλαβε ότι από κείνη τη στιγμή άρχιζε να ζει.

Όταν αργότερα έγειρε στο στήθος του με τα μαλλιά της υγρά ακόμη από τη βροχή, απλωμένα πάνω του, ο Κωστής θυμήθηκε την παράξενη εικόνα που ερχόταν στο μυαλό του όλες αυτές τις τελευταίες μέρες. Τότε, το είχε θεωρήσει ιεροσυλία. Τώρα... ήταν το μόνο σωστό που είχε κάνει, το μόνο όμορφο που είχε ζήσει από τότε που χώρισε. Κρατούσε αυτή τη γυναίκα στην αγκαλιά του και καταλάβαινε ότι αυτό ήθελε να κάνει... από πότε, άραγε;

«Ναταλία;»

«Μμμ;»

Το απαλό της μουρμούρισμα του έφερε χαμόγελο.

«Κάνεις σαν γάτα», της είπε. «Κατάλαβες τι έγινε; Τι κάναμε;»

Ανασηκώθηκε και τον κοίταξε. «Δεν ήμουν μεθυσμένη!»

«Ούτε κι εγώ αλλά...»

«Μετάνιωσες;»

«Όχι βέβαια! Ούτε στο ελάχιστο! Το ήθελα από... δεν ξέρω από πότε! Εσύ;»

«Πάνε μήνες...» μουρμούρισε εκείνη.

«Κι εγώ φοβόμουν ότι με όσα ξαφνικά αισθανόμουν για σένα, πρόδιδα τη φιλία μας!»

«Εγώ πάλι φοβόμουν μην τη χαλάσω!»

«Και τώρα;» αναρωτήθηκε ο Κωστής.

«Τώρα φοβάμαι ακόμη πιο πολύ...» αποκρίθηκε η κοπέλα.

«Μη χαλάσεις τη φιλία μας;» την πείραξε τρυφερά. Το χέρι του έπαιζε με τα μαλλιά της· στα δάχτυλά του στριφογύριζε μια μπούκλα.

«Όχι», του απάντησε σοβαρά και το βλέμμα της είχε μια μελαγχολία που τον πόνεσε. «Αυτό που φοβάμαι είναι τι θ' απομείνει από τη φιλία μας, όταν τελειώσουμε εμείς οι δυο...»

«Ακόμη δεν αρχίσαμε εμείς οι δυο!» διαμαρτυρήθηκε εκείνος και ανακάθισε. «Πώς προεξοφλείς ότι θα τελειώσουμε και γιατί να τελειώσουμε δηλαδή;»

Του χάιδεψε τρυφερά το μάγουλο κι εκείνος πήρε το χέρι της και το φίλησε.

«Κωστή, με ξέρεις... ξέρεις τη ζωή μου με κάθε λεπτομέρεια... Όλες μου οι σχέσεις κατέληξαν άσχημα...»

«Και μένα ο γάμος μου! Και λοιπόν;»

«Τι σε κάνει να νομίζεις, λοιπόν, ότι εμείς οι δύο θα τα καταφέρουμε;»

Το σκέφτηκε λίγο προτού της απαντήσει. «Ξέρεις τι δεν καταφέραμε ποτέ με την Αντιγόνη; Ποιο πράγμα έλειπε από τη σχέση μας; Η φιλία, η συντροφικότητα, η συζήτηση!»

«Αυτά είναι τρία πράγματα!»

«Πρόσθεσε κι ένα τέταρτο λοιπόν, κυρία έξυπνη! Δε γελούσαμε! Πιο απλά, δεν ήμαστε ποτέ φιλαράκια! Εμείς οι δύο, αυτό το στάδιο, αυτές τις εξετάσεις τις περάσαμε και με επιτυχία μάλιστα!»

«Και είναι αρκετό;»

«Δεν ξέρω! Πάντως, ό,τι έγινε δεν ξεγίνεται και ούτε μετανιώνω! Σε ήθελα! Είχες στοιχειώσει μέσα μου, είμαι ερωτευμένος και αρνούμαι να γυρίσω την πλάτη σ' αυτή τη σχέση που με κάνει ευτυχισμένο, από φόβο μη χάσω τη φιλία!»

«Όπως είπες, είναι λίγο αργά πια γι' αυτό... αν και ακόμη πιστεύω ότι ονειρεύομαι!»

Έκλεισε το πρόσωπό της στα χέρια του και την κοίταξε βαθιά στα μάτια. «Ναταλία, μ' αγαπάς;» τη ρώτησε.

«Σ' αγαπούσα», του είπε απλά. «Τώρα είμαι και ερωτευμένη... Ε... εσύ;»

«Δεν ξέρω τι νιώθω! Δεν ξέρω αν είναι αγάπη, έρωτας ή και τα δυο μαζί! Αυτό που ξέρω είναι ότι είμαι τρελός για σένα! Ότι σήμερα που σε είδα μέσα στη βροχή, με χτύπησε κεραυνός και αν δε σε φιλούσα, θα τρελαινόμουν!»

«Κι έπειτα μ' έφερες εδώ για ν' αποτελειώσεις το έργο σου!» τον πείραξε εκείνη.

«Σου ορκίζομαι ότι ήθελα να μιλήσουμε... να ξεδιαλύνουμε τα αισθήματά μας, αλλά...»

«Αλλά τα μπερδέψαμε ακόμη περισσότερο νομίζω!»

Την κοίταξε και είδε το γέλιο στα μάτια της. Την άρπαξε στην αγκαλιά του και πάλι. Ανάμεσα στα γέλια ήρθαν τα φιλιά και ανάμεσα στα φιλιά ο έρωτας. Κι η Ναταλία, μέσα σ' εκείνο το δωμάτιο, κατάλαβε επιτέλους τι ήταν ο έρωτας και πόσα λίγα ήξερε γι' αυτόν, πόσα ελάχιστα της είχαν προσφέρει όσοι πέρασαν από τη ζωή της.

Η βροχή είχε σταματήσει από ώρα.

«Πεινάω...» Η φωνή της Ναταλίας είχε έναν τόνο παράπονου.

«Τι ώρα είναι;» τη ρώτησε ο Κωστής τεμπέλικα.

«Κοντεύει οκτώ».

«Ωραία! Θέλεις να παραγγείλουμε ή προτιμάς να βγούμε για φαγητό;»

Τον κοίταξε πονηρά. «Έχεις κουράγιο να βγεις και έξω;» τον ρώτησε.

Ο Κωστής ανασηκώθηκε και την κοίταξε. «Δεν το κατάλαβα το υπονοούμενο, κούκλα!» της είπε αυστηρά.

«Να... λέω... ύστερα από τόσο... όργιο, μήπως είσαι κουρασμένος!»

«Μήπως με προκαλείς, μικρή;»

Φιλήθηκαν γελώντας. Η Ναταλία τραβήχτηκε πρώτη, σηκώθηκε και φόρεσε ένα πουκάμισό του.

«Μου πάει;» τον ρώτησε.

«Ορίστε! Δύο ώρες σ' ένα κρεβάτι και αμέσως δικαιώματα και καταλήψεις στα υπάρχοντά μου!» αστειεύτηκε εκείνος.

Του έβγαλε κοροϊδευτικά τη γλώσσα και άρχισε να κουμπώνεται.

«Θα μείνεις εδώ απόψε;» τη ρώτησε απροσδόκητα, και το χέρι της έμεινε μετέωρο.

Τον κοίταξε. «Τρελάθηκες; Και τι θα πω στη Μαρίνα που θα με περιμένει;»

«Την αλήθεια! Στο κάτω κάτω, κρυφό θα τους το κρατήσουμε; Δε νομίζω ότι μπορούμε!»

«Δεν μπορώ όμως να πω μια τέτοια αλήθεια από το τηλέφωνο!»

«Φαντάζεσαι τι έχει να γίνει όταν το μάθουν;»

Η Ναταλία κάθισε δίπλα του στο κρεβάτι. «Ξέρουν...» ψιθύρισε.

«Τι ξέρουν, δηλαδή; Πότε πρόλαβες και τους το είπες;»

«Αυτό που τους είπα ήταν τι αισθανόμουν εγώ για σένα... Πόσο πολύ σε αγαπούσα και πόσο φοβόμουν μη σε χάσω. Προτιμούσα να σε έχω έστω και σαν φίλο».

«Ώστε τα ήξεραν όλα! Οι μουσίτσες! Και δεν είπαν τίποτα!»

«Σοβαρέψου! Τι περίμενες δηλαδή; Να σε πιάσουν και να σου πουν ότι η Ναταλία είναι ερωτευμένη μαζί σου; Στο γυμνάσιο πηγαίνουμε;»

«Σωστά!»

«Εξάλλου, δεν τους είπα τίποτα εγώ! Η Ελπίδα το κατάλαβε πρώτη...»

«Αλίμονο που δε θα καταλάβαινε πρώτη η Ελπίδα!»

«Ήταν στο Ναύπλιο... Εκεί το κατάλαβε, αλλά μου το είπε αργότερα. Βλέπεις, το βράδυ που είχες βγει με την Αναστασία, σας είδα να φιλιέστε... Είχα βγει να πάρω πατατάκια στη Μαρίνα που πεινούσε... Γύρισα κλαμένη...» Κατέβασε το κεφάλι σωπαίνοντας. Η ανάμνηση ήταν οδυνηρή ακόμη και τώρα.

Ο Κωστής την αγκάλιασε και τη φίλησε τρυφερά στα μαλλιά. «Συγγνώμη...» της είπε μόνο.

«Μα τι έφταιγες εσύ; Όταν σας είδα... πόνεσα πολύ τότε... Πρώτη φορά στη ζωή μου ζήλεψα τόσο πολύ που ήθελα να της κάνω κακό και ντρεπόμουν που αισθανόμουν έτσι, γιατί δεν είχα κανένα δικαίωμα!»

«Γι' αυτό αντιδρούσες έτσι! Κι εγώ, ο βλάκας, δεν κατάλαβα τίποτα!»

«Κωστή... ακόμη δεν έχω καταλάβει... Θέλω να πω... πώς ξαφνικά με είδες σαν γυναίκα; Τι έγινε σήμερα και μόλις βρεθήκαμε το μεσημέρι, μέσα στη βροχή...»

«Μάλλον, αγάπη μου, αυτή η βροχή φταίει για όλα. Έχει περίεργες επιπτώσεις επάνω μας, μας απελευθερώνει. Είναι καιρός που τα αισθήματά μου άλλαξαν. Στην αρχή δεν ήξερα καν τι μου έφταιγε, γιατί είχα τόσο εκνευρισμό. Έπειτα, μου προκαλούσε αμηχανία το βλέμμα σου... η παρουσία σου... Προχθές στην κουζίνα που μαζεύαμε τα πιάτα, αν δεν έμπαινε ο Αλέκος θα σε είχα αρπάξει στην αγκαλιά μου. Όταν πάλι στολίζαμε το δέντρο, το ίδιο ήθελα να κάνω. Είσαι απίστευτα ερωτικό πλάσμα, μωρό μου!»

«Πρώτη φορά μού το λέει άντρας αυτό!»

«Τότε ήταν βλάκες όλοι! Αλλά χαίρομαι που εγώ το κατάλαβα, κι έτσι, εγώ είμαι κι αυτός που σε κρατάει τώρα στην αγκαλιά του!»

«Η Μαρίνα, πάντως, τότε το κατάλαβε... όταν στολίζαμε το δέντρο. Μάλιστα μου είπε ότι φαινόσουν έτοιμος να με αρπάξεις μπροστά σε όλους και... πώς το είπε; Α, ναι! "Γαία πυρί μιχθείτω"!»

«Μπράβο, Μαρίνα!»

«Της είπα ότι φταίνε οι ορμόνες της εγκυμοσύνης!»

«Από άδικο θα πάει αυτή η κοπέλα! Και τότε, στο Ναύπλιο, τις ορμόνες της κατηγορούσαμε!»

«Το είπε κι εκείνη! Επέμενε ότι δε μ' έβλεπες φιλικά!»

«Και λίγα κατάλαβε! Εκείνη την ώρα, μωρό μου, έτσι όπως άγγιζες κάθε στολίδι, έτσι όπως χάιδευες κάθε μπάλα, ήσουν μια ερωτική φαντασίωση προσωποποιημένη! Και χρειάστηκα όλη μου την αυτοκυριαρχία, για να μην κατέβω από τη σκάλα, να σε αρπάξω αγκαλιά και να σε σύρω σ' αυτό εδώ το κρεβάτι και μετά... γαία πυρί μιχθείτω!»

Ένα γελάκι τής ξέφυγε και φώλιασε στην αγκαλιά του.

Η Μαρίνα γύρισε σπίτι μετά τις δώδεκα, αλλά η Ναταλία έκανε πως κοιμόταν. Ήθελε βέβαια να μάθει πώς είχε πάει η συνάντηση με τους γονείς της, αλλά ήξερε ότι η ευτυχία που ένιωθε θα ήταν ζωγραφισμένη στο πρόσωπό της τόσο έντονα, που η φίλη της θα καταλάβαινε αμέσως ότι κάτι είχε συμβεί και θ' απαιτούσε λεπτομέρειες. Δεν ήθελε να μιλήσει. Όχι απόψε. Ήθελε για λίγο ακόμη την αποκλειστικότητα στις ώρες που είχαν περάσει με τον Κωστή. Δεν είχαν αποφασίσει πότε θα τους το έλεγαν. Ήταν από τα πράγματα που δεν πρόλαβαν να συζητήσουν. Έφαγαν πίτσα, ήπιαν μπίρα, γέλασαν, αστειεύτηκαν, φιλήθηκαν, αλλά δε συζήτησαν για τίποτε άλλο εκτός από τον έρωτα... αυτόν τον κατεργάρη που τόσο απροσδόκητα τους είχε βάλει στο στόχαστρο.

Έφυγε από το σπίτι του λίγο πριν από τις δώδεκα και μακάρισε την τύχη της που έμενε στη διπλανή πολυκατοικία. Θα της ήταν δύσκολο να συγκεντρωθεί και να οδηγήσει μια τέτοια νύχτα. Μόλις έκλεισε την πόρτα πίσω της, ήρθε το μήνυμά του στο κινητό της: *ΜΟΥ ΛΕΙΠΕΙΣ... Σ' ΑΓΑΠΩ!* Του απάντησε: *ΚΙ ΕΓΩ*, και βιάστηκε να ξαπλώσει προτού επιστρέψει η Μαρίνα. Τα νέα από τη συνάντηση του Φίλιππου με τον Λουκά και τη Φωτεινή έπρεπε να περιμένουν.

Ο Φίλιππος έφτιαξε τη γραβάτα του και έστρωσε τα μαλλιά του προτού αφήσει τη Μαρίνα να χτυπήσει το κουδούνι.

«Είμαι εντάξει;» τη ρώτησε ανήσυχος.

«Έχεις τρακ!» διαπίστωσε μ' έκπληξη εκείνη.

«Τα πεθερικά μου πρόκειται να γνωρίσω! Να μην έχω τρακ;»

«Και επειδή θα γνωρίσεις τα πεθερικά σου φόρεσες και γραβάτα;»

«Για να δείχνω αξιοπρεπής και σοβαρός!»

«Με όλο αυτό το μαλλί, πιασμένο κοτσίδα;» τον πείραξε χαμογελώντας εκείνη.

«Λες να τους κάνω κακή εντύπωση;»

«Και ποιος νοιάζεται;»

«Εγώ!»

«Κακώς! Εγώ αδιαφορώ! Θέλω βέβαια την έγκρισή τους, αλλά δεν τη χρειάζομαι για να προχωρήσω! Σ' αγαπώ, μ' αγαπάς, θα παντρευτούμε, τέλος!»

«Είσαι απίστευτη, μωρό μου!»

«Ευχαριστώ! Τώρα να χτυπήσω το κουδούνι ή θα περιμένουμε και να γεννήσω σ' αυτό το κατώφλι;» του είπε δήθεν αυστηρά και άγγιξε το κουδούνι.

Μπήκαν στο τεράστιο σαλόνι. Μια δυνατή φωτιά έκαιγε στο τζάκι, ενώ απαλή μουσική ακουγόταν από το στερεοφωνικό. Οι γονείς της, καθισμένοι στις καθιερωμένες θέσεις τους, σηκώθηκαν μόλις την είδαν, αλλά το χαμόγελο μετατράπηκε σε απορία όταν δίπλα στην κόρη τους είδαν τον ψηλό και όμορφο συνοδό της.

Ο Λουκάς και η Φωτεινή κοιτάχτηκαν προτού στραφούν στο ζευγάρι. Η Μαρίνα τους πλησίασε, τους φίλησε και στη συνέχεια έκανε τις συστάσεις χωρίς να δώσει καμία άλλη εξήγηση. Κάθισαν όλοι μέσα σε αμήχανη σιωπή.

Πρώτη η Μαρίνα χαμογέλασε πονηρά. «Λοιπόν; Δε θα με ρωτήσετε τίποτε από αυτά που είμαι σίγουρη ότι πεθαίνετε από περιέργεια να μάθετε;» τους ρώτησε.

Η μητέρα της στριφογύρισε αμήχανη και έριξε ένα βλέμμα στον Φίλιππο. Ο πατέρας της ξερόβηξε.

«Έλα, Μαρίνα!» τη μάλωσε ο Φίλιππος. «Μη φέρνεις σε δύσκολη θέση τους γονείς σου, δεν είναι σωστό!»

«Έχεις δίκιο! Λοιπόν, μπαμπά και μαμά, αυτός είναι όπως σας είπα ο Φίλιππος. Αυτό που δε σας είπα είναι ότι αγαπιόμαστε!»

Τα βλέμματα και των δύο έπεσαν έκπληκτα πάνω στον Φίλιππο που χαμογελούσε μουδιασμένα. Έπειτα στράφηκαν στην κόρη τους, χωρίς όμως κανένας τους να παίρνει το λόγο.

«Μα τι πάθατε; Τόσο περίεργο είναι ν' αγαπώ κάποιον και να μ' αγαπάει κι αυτός; Δηλαδή, φαντάζομαι τι θα πείτε, όταν ακούσετε και τη συνέχεια!»

«Υπάρχει και συνέχεια;» Η περιέργεια είχε ανοίξει επιτέλους το στόμα της Φωτεινής, αλλά η φωνή της ίσα που ακούστηκε.

«Μόλις βγει το διαζύγιό μου, θα παντρευτούμε και ο Φίλιππος θ' αναγνωρίσει το παιδί!»

Αυτό το σοκ ήταν μεγαλύτερο από το πρώτο. Η Φωτεινή έφερε το χέρι στο στόμα της και έπνιξε μια μικρή κραυγή, ενώ ο Λουκάς ανακάθισε και την κοίταξε κατάπληκτος.

«Παιδί μου, καταλαβαίνεις τι λες;» κατάφερε να ρωτήσει.

«Απόλυτα!»

«Συγγνώμη, κύριε...» στράφηκε τώρα ο Λουκάς στον Φίλιππο. «Δε θέλω να με παρεξηγήσετε, αλλά η κόρη μου μας αιφνιδίασε, κάτι που συνηθίζει τώρα τελευταία!»

«Σας καταλαβαίνω απόλυτα...» συμφώνησε ο Φίλιππος που χαμογελούσε ακόμη. «Μπορεί η Μαρίνα να τα είπε λίγο απότομα, αλλά σας είπε όλη την αλήθεια!»

«Λίγο βιαστικό δεν είναι; Θέλω να πω... πότε...;»

«Πότε προλάβαμε; Η κόρη σας δε σας τα είπε όλα από την αρχή, στη βιασύνη της όχι μόνο να σας καταπλήξει αλλά μάλλον να σας αφήσει άφωνους!» Ο Φίλιππος έριξε ένα επιτιμητικό βλέμμα στη Μαρίνα που χαμογελούσε αθώα.

«Δηλαδή τι άλλο έπρεπε να μας πει;»

«Την κόρη σας τη γνώρισα όταν σπουδάζαμε και τότε συνδεθήκαμε... Ήμαστε τέσσερα χρόνια μαζί...»

«Ο φοιτητής!» Η φωνή ήρθε από τη Φωτεινή και ο Φίλιππος στράφηκε με ευγένεια σ' εκείνη.

«Μάλιστα, κυρία μου! Εγώ είμαι αυτός».

«Και συνεχίσατε τις σχέσεις σας όλα αυτά τα χρόνια, που η Μαρίνα ήταν παντρεμένη;» Ο Λουκάς είχε θυμώσει τώρα.

«Μπαμπά!» προσπάθησε την ίδια στιγμή να επέμβει η Μαρίνα.

Ο πατέρας της, όμως, στράφηκε προς το μέρος της με αυστηρότητα. «Σιωπή εσύ! Ήρθες και το μόνο που ήξερες να κάνεις ήταν να μας πετάξεις κατακέφαλα μιαν ατομική βόμβα! Άσε με τώρα να μιλήσω με τον άνθρωπο, μήπως και καταλάβω! Κύριε, την αλήθεια, σας παρακαλώ!»

«Μην ταράζεστε, δεν υπάρχει τίποτα επιλήψιμο! Με τη Μαρίνα χωρίσαμε μόλις πήραμε τα πτυχία μας. Της είχα ζητήσει να παντρευτούμε και να με ακολουθήσει στην Ξάνθη, όπου θ' άνοιγα φροντιστήριο ξένων γλωσσών! Η Μαρίνα αρνήθηκε και η σχέση μας σταμάτησε εκεί! Από τότε είχα να τη δω!»

«Δηλαδή, το παιδί...;» τόλμησε να ρωτήσει η Φωτεινή.

«Το παιδί είναι του Νικήτα!» τη βεβαίωσε ο Φίλιππος.

«Δόξα τω Θεώ!» ξεφύσηξε η μητέρα της.

«Όσο γι' αυτό δεν είμαι και τόσο σίγουρος! Θα ήθελα να μην είχα χωρίσει με την κόρη σας. Την αγαπούσα και την αγαπώ! Σας βεβαιώνω ότι δεν την ξέχασα τόσα χρόνια, και όταν συναντηθήκαμε εντελώς τυχαία και έμαθα ότι χώρισε...»

«Είστε ικανοποιημένοι τώρα;» αναθάρρησε η Μαρίνα.

«Κατόπιν των εξηγήσεων του κυρίου, φυσικά!» δήλωσε επίσημα ο πατέρας της. «Δηλαδή, αγαπητέ μου, αν κατάλαβα καλά, ο σκοπός της σημερινής σας επίσκεψης είναι να μου ζητήσετε την κόρη μου!»

«Με έδωσα εγώ, μπαμπά!» πετάχτηκε η Μαρίνα, αλλά προτού προλάβει ο πατέρας της να πει λέξη, επενέβη ο Φίλιππος.

«Μαρίνα, σε παρακαλώ!» της μίλησε αυστηρά. «Μην κάνεις σαν κακομαθημένο παλιοκόριτσο! Ο πατέρας σου αξίζει περισσότερο σεβασμό!» Η Μαρίνα μαζεύτηκε μουτρωμένη και ο Φίλιππος στράφηκε τώρα στον Λουκά που τον κοιτούσε φανερά ικανοποιημένος, αν και λίγο έκπληκτος. Σηκώθηκε μάλιστα και κούμπωσε το σακάκι του προτού του πει με επίσημο ύφος: «Πράγματι, ήρθα σήμερα για να ζητήσω την κόρη σας και ελπίζω να μου κάνετε την τιμή να με δεχθείτε στην οικογένειά σας!»

Ο πατέρας της χαμογέλασε πλατιά. Του έτεινε το χέρι και όταν ο Φίλιππος έδωσε το δικό του, τον τράβηξε στην αγκαλιά του. Η σειρά της Φωτεινής, που ήρθε αμέσως μετά, τη βρήκε συγκινημένη. Αγκάλιασε κι εκείνη τον Φίλιππο και τα μάτια της ήταν γεμάτα δάκρυα όταν του ευχήθηκε: «Να ζήσετε! Κάθε χαρά και ευτυχία!»

Αμέσως μετά ο Λουκάς ζήτησε και του έφεραν σαμπάνια για να γιορτάσουν το γεγονός. Όλα είχαν πάει καλά. Ο Φίλιππος, κατά τη διάρκεια του φαγητού που ακολούθησε, απάντησε πρόθυμα σε όλες τους τις ερωτήσεις, αν και δυσκολεύτηκε να ξεπεράσει τη συγκίνησή του όταν μίλησε για τους γονείς του και την ξαφνική τους απώλεια. Τους είπε για το φροντιστήριο στο Γαλάτσι, για τα όνειρα που έκαναν με τη Μαρίνα, τα σχέδιά τους για το μέλλον.

Οι γονείς της ήταν αδύνατο να μην προσέξουν πόσο αλλαγμένη ήταν η κόρη τους, πόσο η ευτυχία της ξεχείλιζε και πλημμύριζε την πολυτελή τραπεζαρία. Το γέλιο της ηχούσε χαρούμενο και είχαν χρόνια να το ακούσουν. Έπειτα, ήταν και τα μάτια του Φίλιππου. Γεμάτα λατρεία χάιδευαν τη Μαρίνα που του το ανταπέδιδε. Ήταν πολλές οι φορές που οι δυο γονείς κοιτάχτηκαν, ανταλλάσσοντας τις τύψεις που ένιωθαν για τα λάθη του παρελθόντος. Για τα λάθη που είχαν σπρώξει το παιδί τους σε μιαν άδεια ζωή, σ' έναν κενό άνθρωπο, σε μια σπατάλη που δεν την άξιζε και από την οποία σώθηκε χάρη στη μοίρα.

Μετά το φαγητό, την ώρα του καφέ, ο Λουκάς σοβάρεψε και πάλι. Ξερόβηξε προτού στραφεί στον Φίλιππο: «Λοιπόν, Φίλιππε, όλα τα είπαμε, αλλά δε μιλήσαμε για το πιο σημαντικό. Όπως θα ξέρεις, η σημερινή οικονομική μας κατάσταση δεν είναι βέβαια απελπιστική, αλλά δεν είναι και αυτή που θα μας επέτρεπε να...»

«Μπαμπά!» τον έκοψε η Μαρίνα, αλλά κι εκείνη δεν την άφησε ο Φίλιππος να συνεχίσει.

«Μαρίνα, τώρα μιλάμε ο πατέρας σου κι εγώ!» τη μάλωσε και στράφηκε στον Λουκά. «Συγγνώμη, αλλά είπατε "σημαντικό" και εγώ δε θεωρώ σημαντικό οτιδήποτε αφορά το χρήμα! Ξέρω το... διακανονισμό που κάνατε με τον προηγούμενο γαμπρό σας, αλλά εγώ δεν έχω σχέση με όλα αυτά και δε θέλω να έχω! Έχω αρκετά χρήματα και για τους τρεις! Αν η Μαρίνα θέλει να δουλέψει και ν' αξιοποιήσει το πτυχίο της μετά τη γέννηση του παιδιού μας, είναι ελεύθερη να το κάνει! Εσείς, όμως, δεν έχετε καμία υποχρέωση απέναντί μας και ειδικά απέναντί μου! Σας παρακαλώ, λοιπόν, να μη με προσβάλλετε, μιλώντας μου για χρήματα!»

«Είπε τέτοιο πράγμα στον πατέρα σου;» Η Ναταλία είχε μείνει άφωνη.

«Επί λέξει!» επιβεβαίωσε η Μαρίνα.

Ήταν οι τρεις τους, όπως παλιά· στο σαλονάκι της Ναταλίας με τσάι και κουλουράκια. Δύο μέρες πριν από τη βραδιά των Χριστουγέννων. Θα πήγαιναν αργότερα στον Κωστή, που είχε πάει σινεμά με την κόρη του σαν αποχαιρετιστήριο, αφού εκείνη θα έφευγε την άλλη μέρα για το Μεσολόγγι. Το θέμα τους ήταν φυσικά η επίσκεψη στους γονείς της Μαρίνας και είχαν γελάσει πολύ με την περιγραφή της.

«Άψογος ο κύριος Φίλιππος!» υπερθεμάτισε η Ελπίδα.

«Αν και κάνα δυο φορές μού ήρθε να του φέρω το τασάκι στο κεφάλι έτσι όπως μου μίλησε και μάλιστα μπροστά τους...»

«Καλά σού έκανε!» τη μάλωσε η Ναταλία. «Και παραδέξου ότι το έκανες επίτηδες! Σου αρέσει να τους πετάς στο κεφάλι απότομα όλα τα συνταρακτικά γεγονότα που σε αφορούν! Το ίδιο έκανες και με την εγκυμοσύνη σου! Τι είδους διαστροφή είναι αυτή;»

«Θα με μαλώσεις τώρα κι εσύ; Δε φτάνει η κατσάδα που άκουσα από τον Φίλιππο στην επιστροφή; Και με είπε και "κακομαθημένο παλιοκόριτσο"!»

«Συμφωνώ και επαυξάνω!» αναφώνησε η Ελπίδα. «Ο Φίλιππος φέρθηκε άψογα! Τήρησε όλους τους τύπους σε ανθρώπους που είναι μιας άλλης γενιάς και επιπλέον είναι μαθημένοι σε τυπικότητες, οι οποίες σ' εμάς μπορεί να φαίνονται γελοίες ή περιττές, αλλά για εκείνους είναι τρόπος ζωής! Επιπρόσθετα, δε, είναι και γονείς σου και τους οφείλετε σεβασμό!»

«Πάρε και ανάσα, κορίτσι μου!» είπε γελώντας τώρα η Μαρίνα. «Έπρεπε να σε είχα εκεί, να δω πώς θα σου φαινόταν το όλο εργάκι! Σηκώθηκε, κούμπωσε σακάκια, πήρε το επίσημο και ζήτησε το χέρι μου! Ούτε εγώ ξέρω πώς κρατήθηκα και δεν έβαλα τα γέλια!»

«Πολύ καλά έκανε ο άνθρωπος! Και εσύ είσαι αναίσθητη!» τη μάλωσε η Ελπίδα.

«Κάνε φίλες σού λένε μετά!» διαμαρτυρήθηκε η Μαρίνα. «Είστε συνέχεια εναντίον μου!»

Η ευκαιρία για τις αποκαλύψεις της Ναταλίας χάθηκε. Πρώτα ήρθε ο Φίλιππος με τα δείγματα ταπετσαρίας και κουρτίνας για το δωμάτιο του μωρού, που έπρεπε να είναι έτοιμο το συντομότερο. Οι επιλογές του τις βρήκαν σύμφωνες κι εκείνος έδωσε αμέσως τηλεφωνικά την παραγγελία. Τα παιδικά έπιπλα τα είχαν ήδη διαλέξει το πρωί. Έπειτα κατέφθασαν ο Κωστής με την Ισμήνη για ν' αποχαιρετήσει κι εκείνη την παρέα και να της δώσουν τα δώρα της. Με το βλέμμα η Ναταλία του έδωσε να καταλάβει ότι δεν είχε πει τίποτα, αν και αυτό ήταν φανερό.

Έμειναν μόνοι τους, όταν η Ελπίδα έφυγε γιατί είχε βάρδια, ο Φίλιππος και η Μαρίνα γιατί θα πήγαιναν σινεμά και την Ισμήνη την πήρε η μητέρα της. Μεταφέρθηκαν στο σπίτι του Κωστή για περισσότερη ασφάλεια. Έκλεισαν απ' έξω το κρύο, τον κόσμο, τις γιορτές, τα πάντα, κι αφοσιώθηκαν ο ένας στον άλλο... Πολύ αργότερα, αγκαλιασμένοι στο κρεβάτι, βρήκαν την ευκαιρία να μιλήσουν.

«Είμαστε ένα παράνομο ζευγάρι!» αστειεύτηκε ο Κωστής.

Η Ναταλία γέλασε χαρούμενα. «Έχω αρχίσει και το απολαμβάνω το μυστικό!» μουρμούρισε.

«Ε, τότε να μην το πούμε!»

«Δε θα μας το συγχωρήσουν ποτέ! Και παράλληλα νιώθω άσχημα...»

«Μμμ... μήπως πρέπει να χωρίσουμε, να ξαναγίνουμε μόνο φίλοι για να μην υπάρχει μυστικό που σε κάνει να αισθάνεσαι άσχημα;» την πείραξε ο Κωστής για να εισπράξει ένα άγριο βλέμμα της.

«Αυτό, φίλε μου, να το σκεφτόσουν προτού μου ορμήσεις στα καλά καθούμενα και στη μέση του δρόμου!»

«Ενώ εσύ δεν ήθελες καθόλου!»

«Άλλο αυτό!... Ωστόσο, Κωστή, πραγματικά τι θα κάνουμε; Όσο αργούμε, τόσο πιο δύσκολο θα γίνεται να το πούμε!»

«Αν το καλοσκεφτείς, είναι αστείο να μη βρίσκουμε ευκαιρία να τους πούμε ότι αγαπιόμαστε!»

«Θα σου περάσει η όρεξη γι' αστεία, όταν σκεφτείς τι θ' ακούσουμε από την Ελπίδα!»

«Έχεις δίκιο...»

«Από την άλλη, πώς να πεις τέτοιο πράγμα, έτσι... στα ξεκάρφωτα; Δεν ξέρω...»

«Την Παραμονή των Χριστουγέννων! Τότε θα τους το πούμε! Το βράδυ που θα μαζευτούμε! Άφησέ το επάνω μου!»

Ήταν όλοι εκεί, εκείνο το μαγικό βράδυ. Οι δρόμοι έλαμπαν ολόφωτοι σε μια γλυκιά νύχτα που ούτε έβρεχε, ούτε φυσούσε, ούτε είχε κρύο. Το πνεύμα των Χριστουγέννων φτερούγιζε σε φωτισμένα παράθυρα, που πίσω τους έκλειναν οικογένειες ή συντροφιές, συγκεντρωμένες γύρω από το εορταστικό τραπέζι. Το πνεύμα καθυστέρησε σ' ένα ρετιρέ, όπου βρισκόταν μια χαρούμενη παρέα. Όλοι είχαν υψώσει τα ποτήρια για να ευχηθούν στον οικοδεσπότη. Εκείνος, έχοντας δίπλα του τον έρωτα, χαμογελούσε ευτυχισμένος, έτοιμος να κάνει την έκπληξη...

Ο Κωστής σηκώθηκε όρθιος. Η Ναταλία κατάλαβε ότι είχε έρθει η στιγμή της ανακοίνωσης και κοκκίνισε ολόκληρη.

«Θα κάνεις πρόποση;» τον ρώτησε ο Φίλιππος.

«Όχι, φίλε μου! Μετά η πρόποση! Πρώτα μια ανακοίνωση!»

Τον κοίταξαν όλοι.

«Αγαπημένοι μου φίλοι, μέρες τώρα έχει κάτι αλλάξει στη ζωή μου, αλλά όσο κι αν προσπάθησα, δε βρήκα την κατάλληλη στιγμή να σας το ανακοινώσω! Με τόσες αλλαγές που συνέβησαν τον τελευταίο καιρό σ' αυτή την παρέα, δεν μπόρεσα να πάρω εγώ σειρά, αλλά δεν μπορώ να το καθυστερήσω άλλο! Επειδή όμως είναι λίγο δύσκολο να σας το πω, προτιμώ να σας το δείξω και είμαι σίγουρος ότι θα καταλάβετε!»

Στράφηκε στη Ναταλία και μέσα στην απόλυτη σιγή που επικρατούσε, την τράβηξε στην αγκαλιά του και τη φίλησε χωρίς να βιάζεται, σαν να ήταν οι δυο τους μόνοι.

Ακούστηκε πρώτος ο Φίλιππος: «Μα τι στην ευχή;... Τη φιλάει!»

«Ναι, αγάπη μου...» άκουσαν ν' απαντάει ήρεμη η Μαρίνα μ' ένα χαμόγελο ικανοποίησης στο πρόσωπο.

«Κι εκείνη κάθεται!» συνέχισε ο Φίλιππος, αλλά το γέλιο χρωμάτιζε χαρούμενα τη φωνή του.

«Καιρός ήταν!»

«Το ήξερες εσύ;»

Το ζευγάρι είχε διακόψει το φιλί του και η Ναταλία, λάμποντας ολόκληρη από χαρά, απάντησε εκείνη στον Φίλιππο: «Ήξερε πολύ περισσότερα!»

«Ας είναι καλά οι ορμόνες μου!» συμπλήρωσε η Μαρίνα γελώντας.

Η Ελπίδα σηκώθηκε και πλησίασε το ζευγάρι με ανεξιχνίαστο ύφος. Κοίταξε για λίγο τον Κωστή κι έπειτα έπεσε στην αγκαλιά του, ξαφνιάζοντας τόσο την Ευγενία που αναποδογύρισε το ποτήρι της.

«Παλιόπαιδα!» έλεγε και ξανάλεγε συγκινημένη η Ελπίδα και αγκάλιασε και τη Ναταλία. «Τώρα είμαι πραγματικά ευτυχισμένη!»

Η υπόλοιπη βραδιά ήταν τόσο γεμάτη από χαρά και ευτυχία, που η πρόταση γάμου του Αλέκου προς την Ευγενία, καθώς και η θετική της απάντηση, δεν μπορούσαν παρά να χαρακτηριστούν αναμενόμενα.

Μια τέτοια βραδιά, τα χωρούσε όλα...

Η βδομάδα που μεσολαβούσε μέχρι την Πρωτοχρονιά ήταν τόσο γεμάτη που κανένας δεν κατάλαβε πώς πέρασε. Πρώτα απ' όλα έγινε η μετακόμιση του Φίλιππου στο νέο σπίτι και φυσικά μεταφέρθηκε εκεί και η Μαρίνα. Η παρέα σύσσωμη πρόσφερε τις υπηρεσίες της, αφού η ίδια η Μαρίνα μπορούσε να βοηθήσει σε ελάχιστα. Ακόμη και ο Αλέκος σήκωσε τα μανίκια, έβγαλε τη γραβάτα του και έβαλε όλα τα φωτιστικά του νέου σπιτιού, ενώ η Ευγενία, με τη μεθοδικότητα που τη χαρακτήριζε, ανέλαβε την τακτοποίηση της κουζίνας. Η Ελπίδα και η

Ναταλία μαζί με τους δύο άντρες κρέμασαν κουρτίνες και κάδρα, φέρνοντας πανικό σε όλους με τις ατέλειωτες διαφωνίες Κωστή και Ελπίδας για την ιδανικότερη θέση κάθε πίνακα. Η Μαρίνα ορκίστηκε ότι ποτέ μα ποτέ δε θα ζητούσε ξανά τη βοήθεια αυτών των δύο.

Τα βράδια περνούσαν συντροφικά και ύστερα, όταν όλοι έφευγαν, ο Κωστής και η Ναταλία ζωγράφιζαν τους δικούς τους ερωτικούς πίνακες σ' εκείνο το ρετιρέ με φόντο τη φωτισμένη Αθήνα. Κάθε μέρα ήταν καλύτερη από την προηγούμενη, κάθε νύχτα πιο μαγική από την άλλη.

Η Παραμονή της Πρωτοχρονιάς τούς βρήκε όλους εκεί. Γελαστούς, ευτυχισμένους και με διάθεση να γλεντήσουν την είσοδο του νέου χρόνου. Ο Αλέκος και η Ευγενία ανακοίνωσαν το γάμο τους για το καλοκαίρι και ο Κωστής άνοιξε σαμπάνια για να τους ευχηθούν. Τότε ήταν που η Μαρίνα τράβηξε παράμερα τη Ναταλία.

«Τι συμβαίνει;» τη ρώτησε εκείνη.

«Ναταλία, θέλω να σου ζητήσω μια χάρη. Απ' ό,τι βλέπω όλοι πίνουν και έχουν διάθεση να πιουν ακόμη περισσότερο...»

«Φυσικό δεν είναι;»

«Ναι, αλλά εσύ δε θέλω να πιεις απόψε τίποτα!» της ζήτησε η Μαρίνα μ' ένα τρυφερό χαμόγελο στο πρόσωπο.

«Γιατί;»

«Γιατί η δεσποινίς που περιμένουμε, μάλλον διάλεξε την αποψινή βραδιά για να κάνει τη μεγάλη της είσοδο!»

«Τι;» τσίριξε η Ναταλία έτοιμη να πανικοβληθεί, αλλά η Μαρίνα της έκλεισε απαλά το στόμα με το χέρι της.

«Μη φωνάζεις, γλυκιά μου! Σου το είπα, γιατί κάποιος πρέπει να είναι νηφάλιος για να οδηγήσει! Οι άντρες είναι ήδη στο δεύτερο ουίσκι και συνεχίζουν, παραδόξως δε και η Ελπίδα! Δε λέω ότι θα μεθύσουν, αλλά κάτι το ποτό κάτι η ταραχή... ίσως δεν τα καταφέρουν... Καταλαβαίνεις;»

«Πονάς;»

«Τώρα όχι, αλλά τα πονάκια πάνε κι έρχονται, κι αυτό σημαίνει ότι πρέπει να είμαι προετοιμασμένη. Μπορεί όμως να μη γίνει και τίποτε απόψε, γι' αυτό δε χρειάζεται να τους αναστατώσω άδικα!»

«Κατάλαβα! Εσύ μην ανησυχείς για τίποτα! Ο γιατρός;»

«Ο Κίμωνας θα κάνει ούτως ή άλλως Πρωτοχρονιά στο μαιευτήριο! Μίλησα μαζί του, έχει άλλες δύο γέννες και δε θα φύγει καθόλου!»

«Ωραία! Τότε είμαστε έτοιμες. Καλώς να ορίσει η μπέμπα μας!»

Ξαναγύρισαν στην παρέα. Η Ναταλία δεν έχανε από τα μάτια της τη Μαρίνα. Μπορούσε μάλιστα να καταλαβαίνει και τους πόνους της κάθε φορά που η φίλη της έσφιγγε τα χείλη. Με το βλέμμα τής έστελνε παρήγορα χάδια και η Μαρίνα της χαμογελούσε ενθαρρυντικά.

Είχαν μόλις τελειώσει το φαγητό, το ρολόι έδειχνε δέκα και μισή, όταν η Μαρίνα άφησε ένα βογκητό. Στράφηκαν όλοι ανήσυχοι και την κοίταξαν, αλλά εκείνη τους χαμογέλασε.

«Πολύ φοβάμαι ότι η συνέχεια της βραδιάς μας», ανακοίνωσε, «θα είναι στο μαιευτήριο! Γεννάω!»

Ακολούθησε πανικός με μόνη εξαίρεση τη Ναταλία. Πήρε τα κλειδιά του αυτοκινήτου της, κάλεσε ταξί για τους υπολοίπους και βοήθησε τη Μαρίνα. Ο Φίλιππος ήταν κατάχλομος και τα χέρια του έτρεμαν σε τέτοιο βαθμό που ό,τι πήγαινε να κρατήσει έπεφτε.

Λίγο προτού βγουν, η Ναταλία στράφηκε στον Κωστή: «Ειδοποίησε τους γονείς της!» του είπε.

Η Ελπίδα άρπαξε μια μεγάλη πετσέτα. «Σε περίπτωση που σπάσουν τα νερά!» τους εξήγησε ακολουθώντας.

Το θέαμα ήταν λιγάκι κωμικό. Μπροστά η Μαρίνα, υποβασταζόμενη από τη Ναταλία και τον Φίλιππο, πίσω η Ελπίδα με την πετσέτα στα χέρια και πιο πίσω ο Κωστής, η Ευγενία, ο Αλέκος... Αν γύριζαν τα κεφάλια τους, ίσως έβλεπαν και την Ήρα ν' ακολουθεί, για να φροντίσει να πάνε όλα καλά για την ετοιμόγεννη. Αιώνες τώρα το ίδιο έκανε. Και απόψε αυτή θα ήταν η φροντίδα της: η Μαρίνα και το κοριτσάκι της, που ήρθε στον κόσμο μία ώρα μετά τον ερχομό του καινούργιου χρόνου, σε μια προσπάθεια να φέρει κι άλλη χαρά σ' αυτή την παρέα.

Ίσως έτσι να ξόρκιζε το κακό που ερχόταν...

# ΓΕΝΑΡΗΣ
## *Ο μήνας του Ερμή*

### ΕΡΜΗΣ

*Ο θεϊκός αγγελιαφόρος. Πρόθυμος και βοηθός όλων των θεών που ζητούν τη συνδρομή του. Ο Ερμής όμως δείχνει ενδιαφέρον και για τους ανθρώπους. Τους βοηθάει στις δουλειές τους, τους γιατρεύει από πολλές αρρώστιες και δεν τους εγκαταλείπει ούτε στον ύπνο τους, αλλά ούτε και στο θάνατό τους. Ως αγγελιαφόρος που ήταν, συνόδευε τις ψυχές εκείνων που πέθαιναν στο βασίλειο του Άδη και τις βοηθούσε να βρουν τον σωστό δρόμο και να μη χαθούν μέσα στα πυκνά σκοτάδια...*

*Εσύ που είσαι άνθρωπος, ποτέ μην πεις*
*τι πρόκειται να γίνει αύριο,*
*μήτε, αν δεις έναν άνδρα ευτυχισμένο,*
*[να πεις] πόσο χρόνο θα κρατήσει αυτό·*
*γιατί τόσο γρήγορη είναι η αλλαγή της μοίρας*
*όσο δεν είναι ούτε το φτερούγισμα της γοργόφτερης μύγας.*

Σιμωνίδης ο Κείος

Η Ελπίδα απομακρύνθηκε από τους υπόλοιπους, ψάχνοντας τον ψύκτη νερού. Μόλις τον ανακάλυψε, κατάπιε δύο χάπια. Είχε την αίσθηση ότι γινόταν έκρηξη στον οργανισμό της. Οι πόνοι εδώ και ώρα είχαν γίνει αφόρητοι και δεν ήταν η κατάλληλη στιγμή να καταρρεύσει.

Το ρολόι έδειχνε περασμένη μία και δεν υπήρχε κανένα νέο από τη Μαρίνα. Είχαν περάσει την είσοδο του μαιευτηρίου εδώ και δύο τουλάχιστον ώρες και αμέσως η φίλη τους είχε εξαφανιστεί πίσω από μια πόρτα. Λίγο αργότερα, από εκείνη την ίδια πόρτα, μια νοσοκόμα τούς είχε παραδώσει τα προσωπικά της αντικείμενα και η ατμόσφαιρα βάρυνε. Η Ναταλία, έχοντας εξαντλήσει όλα τα αποθέματα δύναμης, εκείνη τη στιγμή είχε αρχίσει να κλαίει σιγανά στην αγκαλιά του Κωστή. Η αλήθεια ήταν ότι η Ελπίδα είχε θαυμάσει την αυτοκυριαρχία της σε όλη τη διαδρομή. Οδηγούσε απόλυτα ήρεμη, σαν να είχαν βγει για μιαν απλή βόλτα, και παράλληλα μιλούσε τρυφερά στη Μαρίνα που είχε αρχίσει να φοβάται. Δεν ξεχνούσε ούτε τον Φίλιππο, που καθισμένος στο πίσω κάθισμα, δίπλα στην Ελπίδα, προσπαθούσε να μείνει ήρεμος ή τουλάχιστον να κρύβει την ταραχή του από την ίδια τη Μαρίνα. Του μιλούσε και του εξηγούσε όλα τα στάδια, σαν μαιευτήρας, και τον πείραζε για τις νέες του ευθύνες ως πατέρα.

Όταν λίγο προτού φτάσουν στο μαιευτήριο, έσπασαν τα νερά, η Μαρίνα έβγαλε μια κραυγή, αλλά η Ναταλία δεν κούνησε ούτε βλέφαρο.

«Ελπίδα, η πετσέτα τελικά θα χρειαστεί. Έσπασαν τα νερά... Μη στενοχωριέσαι, γλυκιά μου», καθησύχασε τη Μαρίνα, «αυτό σημαίνει ότι ο τοκετός προχωρεί κανονικά και μάλλον θα γεννήσεις γρήγορα».

«Ελπίζω όχι στο αυτοκίνητο!» είπε η Μαρίνα κοφτά γιατί πονούσε πάλι.

«Αυτό να το σκεφτόσουν πριν, που έπαιζες τη θαρραλέα και δεν είπες τίποτα!» τη μάλωσε η Ελπίδα.

«Δεν είναι ώρα γι' αυτά, Ελπίδα!» Η Ναταλία στράφηκε πάλι στη Μαρίνα. «Μη στενοχωριέσαι, φτάσαμε κιόλας. Εσύ επικεντρώσου στις αναπνοές...»

Ήταν φυσικό να ξεσπάσει μόλις παρέδωσε τη Μαρίνα σε έμπειρα χέρια, βγάζοντας από τους ώμους της το βάρος της ευθύνης.

Η Ελπίδα ξαναγύρισε στην αίθουσα αναμονής. Οι γονείς της Μαρίνας είχαν έρθει σχεδόν αμέσως μετά το τηλεφώνημα του Κωστή, προσθέτοντας την αγωνία τους σε αυτήν των υπολοίπων. Ο Φίλιππος συνέχιζε να είναι κατάχλομος, αλλά τώρα είχαν προστεθεί και μαύροι κύκλοι κάτω απ' τα μάτια του. Δίπλα του ήταν ο Κωστής, που έχοντας περάσει κάποτε την ίδια αγωνία, ήξερε τι ένιωθε ο φίλος του. Προσπαθούσε να τον ηρεμήσει όταν ο Φίλιππος άφηνε τη φαντασία του να τον παρασύρει σε υποθετικά σενάρια με άσχημο τέλος. Η Ευγενία και ο Αλέκος τους φρόντιζαν όλους. Καφέδες, αναψυκτικά, νερό και, φυσικά, χαρτομάντιλα σε όσους τα χρειάζονταν.

Όταν μια νοσοκόμα φώναξε το όνομα της Μαρίνας, ο Φίλιππος βρέθηκε αμέσως εκεί και γύρω του οι υπόλοιποι.

«Ποιος είναι ο πατέρας;» ρώτησε χαμογελαστή και αυτό το χαμόγελο, που δεν μπορούσε να είναι αγγελιαφόρος κακού, έδωσε το απαραίτητο σε όλους οξυγόνο.

«Εγώ!» απάντησε ο Φίλιππος.

«Να σας ζήσει! Κοριτσάκι!»

Ένας αναστεναγμός ανακούφισης, κοινός απ' όλους. Χαμόγελα άνθησαν στα πρόσωπα.

«Η γυναίκα μου; Είναι καλά;» ρώτησε ο Φίλιππος.

«Μια χαρά! Εξαιρετικά δυνατός άνθρωπος! Δε δέχτηκε κανενός είδους νάρκωση μέχρι το τέλος! Έχει ξυπνήσει και σε λίγο θα τη δείτε!»

Η νοσοκόμα εξαφανίστηκε, αλλά πάντα θ' αναρωτιόταν ποιοι ήταν όλοι αυτοί και γιατί της έδωσαν όλοι ανεξαιρέτως τόσο πολλά λεφτά. Ο Φίλιππος έπεσε στην αγκαλιά του Κωστή και άφησε όλη την αγωνία που είχε περάσει να ξεσπάσει μ' ένα δυνατό κλάμα. Με τα δάκρυα της χαράς στα μάτια, δέχτηκε απ' όλους φιλιά και συγχαρητήρια.

Σειρά είχαν τώρα οι γονείς της. Ο Λουκάς τον πλησίασε, προσπαθώντας να συγκρατήσει τη συγκίνησή του.

«Λοιπόν, Φίλιππε...» ψέλλισε αλλά ένας κόμπος τον ανάγκασε να σταματήσει.

Ο Φίλιππος, παρορμητικός, παραμέρισε κάθε τυπικότητα. Τον αγκάλιασε δυνατά. «Να μας ζήσει... παππού!» του είπε, και ο Λουκάς άφησε και τα δικά του δάκρυα ελεύθερα, αγκαλιάζοντας σφιχτά τον άνθρωπο που τόσο ορμητικά είχε μπει στη ζωή τους, φέρνοντας αγάπη, χαρά, αλλά και τη γνώση ότι πέρα από την επιφάνεια υπάρχει και η πεμπτουσία της ανθρωπιάς.

Η Φωτεινή, που ήδη έκλαιγε, βρέθηκε κι αυτή στην αγκαλιά του Φίλιππου, μόνο που η χαρά είχε πια υπερβεί τη συγκίνηση και ο γαμπρός της την άρπαξε και τη στριφογύρισε ενθουσιασμένος. Εκείνη γέλασε δυνατά. Είχε χρόνια να το κάνει...

«Τρελόπαιδο!» του φώναξε.

«Να μας ζήσει... γιαγιά!» της είπε και τη φίλησε δυνατά.

Η Μαρίνα μεταφέρθηκε στη σουίτα 702, κατ' εντολή του πατέρα της, που δήλωσε αυστηρά στον Φίλιππο, όταν διαμαρτυρήθηκε, ότι σαν παππούς είχε το δικαίωμα να πάρει μια πρωτοβουλία και να προσφέρει στην κόρη του κάθε πολυτέλεια για τη χαρά που του έδωσε. Μέχρι μάλιστα να τη φέρουν, τα δύο δωμάτια της σουίτας είχαν γεμίσει λουλούδια και μπαλόνια. Ο Φίλιππος σχεδόν ισοπέδωσε το ανθοπωλείο του μαιευτηρίου.

Η Μαρίνα όταν ήρθε, ήταν ξύπνια και χαμογελαστή. Ο Φίλιππος δεν άφησε το νοσοκόμο να τη μεταφέρει από το φορείο στο κρεβάτι. Τη σήκωσε ο ίδιος στα χέρια και αντάλλαξαν ένα τρυφερό φιλί, προτού την αποθέσει απαλά, σαν μωρό, στη θέση της.

«Να μας ζήσει, αγάπη μου!» ευχήθηκε και την ξαναφίλησε, προτού αφήσει και τους υπόλοιπους να την αγκαλιάσουν.

Έπειτα στάθηκαν όλοι γύρω της.

«Δεν είναι η πρώτη φορά», τους είπε συγκινημένη, «που θα ήθελα να ήμουν ολόκληρη μια αγκαλιά για να σας χωρέσει όλους! Σας αγαπώ! Σας λατρεύω!»

Η Ελπίδα ήταν η μόνη που έσπασε τη γεμάτη συγκίνηση σιωπή. «Είναι το λιγότερο που έχεις να κάνεις», της είπε δήθεν αυστηρά, «ύστερα απ' ό,τι περάσαμε εξαιτίας σου!»

«Εδώ που τα λέμε, πιτσιρίκα», πρόσθεσε ο Κωστής, «κι εσύ και η άλλη πιτσιρίκα, είχατε δεν είχατε, μας την κάνατε μαντάρα την Πρωτοχρονιά!»

Η Μαρίνα γέλασε πονηρά και στράφηκε στον Φίλιππο, που καθισμένος δίπλα της της κρατούσε το χέρι. «Την είδες;» τον ρώτησε τρυφερά.

«Χωρίς εσένα; Όχι, βέβαια! Μαζί θα τη δούμε!»

Η επίσημη καλεσμένη της μικρής δεξίωσης κατέφθασε ντυμένη στα ροζ και όλοι σώπασαν μπροστά στο θαύμα. Η νοσοκόμα την παρέδωσε στη μητέρα και εκείνη έκανε τις συστάσεις.

«Κυρίες και κύριοι, η δεσποινίς Κουτρουμάνου, του... Φιλίππου!»

Αμέτρητα δάκρυα ανέβηκαν στα μάτια όλων. Η Μαρίνα μίλησε στην κόρη της.

«Δεσποινίς Κουτρουμάνου, ο πατέρας σου!» είπε και στράφηκε στον Φίλιππο: «Φίλιππε, δε θα κρατήσεις την κόρη σου;»

Σαν πολύτιμο κρύσταλλο, σαν ακριβή πορσελάνη, σαν ευαίσθητο ροδοπέταλο. Έτσι κράτησαν τα χέρια του το μικρό πλασματάκι. Ο Φίλιππος κοίταζε σαν μαγεμένος το μωρό, που ήρεμο αναπαύτηκε στη μεγάλη αγκαλιά του. Άφωνος κοίταζε τα τρυφερά χειλάκια, τα λιγοστά ξανθά μαλλάκια, τα μάτια που ήταν κλειστά κάτω από τα σχεδόν διάφανα φρύδια.

«Είναι ίδια εσύ!» της είπε.

«Έτσι νομίζω κι εγώ!» απάντησε η νέα μητέρα, χωρίς να κρύβει την περηφάνια της.

Η μικρή πέρασε από αγκαλιά σε αγκαλιά, προτού καταλήξει στη μαμά της.

Η Μαρίνα κοίταξε τον Φίλιππο. «Φίλιππε... πώς έλεγαν τη μητέρα σου;»

«Δέσποινα...»

«Μόλις είπες και τ' όνομα της κόρης σου! Δεν το συζητήσαμε ποτέ όλον αυτό τον καιρό, αλλά εγώ είχα πάρει την απόφασή μου».

Ο Φίλιππος για λίγα δευτερόλεπτα έμεινε ακίνητος. Έπειτα πήρε το χέρι της Μαρίνας και με σεβασμό άφησε ένα φιλί στα δάχτυλά της. Όταν ανασηκώθηκε, τα μάτια του ήταν δακρυσμένα. Στητός και με αργά βήματα, βγήκε από το δωμάτιο.

Η Μαρίνα κοίταξε τους γονείς της. «Με καταλαβαίνετε, έτσι δεν είναι;» ζήτησε την έγκρισή τους.

«Απόλυτα!» απάντησε και για τους δύο ο πατέρας της. «Εξάλλου, το πρώτο παιδί παίρνει πάντα τ' όνομά του από τους γονείς του πατέρα του!»

«Ευχαριστώ...» Η Μαρίνα ήταν έτοιμη να κλάψει.

«Δε σας φαίνεται ότι πολύ δάκρυ μαζεύτηκε απόψε εδώ μέσα; Θα νομίσει το παιδί ότι έπεσε σε τίποτα κλαψιάρηδες και θα μετανιώσει την ώρα και τη στιγμή που βγήκε!» ακούστηκε η αυστηρή φωνή της Ελπίδας και όλοι χαμογέλασαν.

Την επόμενη στιγμή η νοσοκόμα ήρθε να πάρει το μωρό. Η πρώτη γνωριμία έπρεπε να είναι σύντομη. Είχαν καιρό!

Η Ευγενία και ο Αλέκος αποχώρησαν. Ο Φίλιππος, όμως, δεν είχε ακόμη επιστρέψει.

«Να πάω να τον βρω;» προσφέρθηκε ο Κωστής.

«Όχι... Είμαι σίγουρη ότι πήγε στο εκκλησάκι, να

ανάψει ένα κερί για τους γονείς του... Θα γυρίσει όταν είναι έτοιμος...»

Κι είχε δίκιο η Μαρίνα! Ο Φίλιππος ξαναγύρισε ήρεμος και χαμογελαστός...

Τέσσερις μέρες η σουίτα δεν άδειασε από τους φίλους, το γέλιο και τη χαρά, κάπου κάπου και από τα «νιαουρίσματα» της μπέμπας που έφτανε πεινασμένη. Και ακριβώς την ώρα που έπρεπε να φάει, αποσύρονταν όλοι στο διπλανό δωμάτιο, μ' εξαίρεση τον Φίλιππο. Τα μάτια του άνοιξαν διάπλατα την πρώτη φορά που το λαίμαργο στοματάκι της κόρης του προσκολλήθηκε στο στήθος της Μαρίνας, ρουφώντας άπληστα την τροφή του. Δε χόρταινε να βλέπει το θαύμα να συντελείται μπροστά στα μάτια του.

Η μέρα που το μωρό θα έφευγε για το σπίτι του ξημέρωσε ηλιόλουστη. Ο Φίλιππος κατέφθασε με το παραδοσιακό καλάθι, στολισμένο με ροζ δαντέλες, για να παραλάβει μητέρα και κόρη. Πίσω, στο σπίτι, θα περίμεναν όλοι οι υπόλοιποι, οι οποίοι από το πρωί είχαν μετατρέψει το ρετιρέ σε λούνα παρκ.

Η υποδοχή, λίγο αργότερα, είχε την επισημότητα που της άξιζε και μόνο το κόκκινο χαλί έλειπε για να την υπογραμμίσει. Η μικροσκοπική δεσποινίς τοποθετήθηκε στο κρεβάτι της και αποδείχθηκε εξαιρετικά ήσυχη. Δεν έκλαιγε ποτέ, εκτός βέβαια αν ήθελε να υπενθυμίσει στην άμεσα ενδιαφερόμενη μητέρα της ότι έπρεπε να φροντίσει τις ζωτικές της ανάγκες· το φαγητό και την καθαριότητα. Ο Φίλιππος, από την αρχή, έδειξε το ταλέντο του στη γρήγορη αλλαγή της λερωμένης πάνας. Αργότερα, η κόρη του, που μόνο δική του θα μπορούσε τελικά να είναι, έδειχνε σαφή προτίμηση στην αγκαλιά του και ζητούσε εκεί παρηγοριά από τα πονάκια της ηλικίας της. Η ήρεμη φωνή του τη γαλήνευε και κοιμόταν αμέσως.

Εκείνη πάντως την πρώτη μέρα, η μικρή έδειξε εξαιρετική διαγωγή. Σε τίποτα δεν τους ενόχλησε. Τους άφησε να φάνε το φαγητό για το οποίο είχαν φροντίσει η Ναταλία και ο Κωστής, να πιουν τον καφέ τους και ακόμη, το κυριότερο, έδωσε όλο το χρόνο στον άντρα που θα γνώριζε για πατέρα της να κάνει επίσημη πρόταση γάμου στη μητέρα της και να της περάσει στο δάχτυλο ένα δαχτυλίδι, μέσα στα χειροκροτήματα όλων. Φυσικά, αμέσως μετά, απαίτησε το γάλα της...

Η λέξη *ΤΕΛΟΣ* υπήρχε στην οθόνη. Η ταινία είχε τελειώσει. Η Ναταλία τεντώθηκε. Έπρεπε να φύγει κι έτσι σηκώθηκε.

«Ωραία ήταν, τελικά!» είπε στον Κωστή που άναβε τσιγάρο σκυθρωπός. «Και δεν το περίμενα. Η περίληψη...» σταμάτησε απότομα κα πρόσεξε το ύφος του. «Μα τι έχεις;» τον ρώτησε. «Κωμωδία είδαμε, το θυμάσαι;» δοκίμασε να τον πειράξει, αλλά το ύφος του δεν άλλαξε κι εκείνη γέμισε ανησυχία. «Κωστή, τι συμβαίνει;»

«Γιατί σηκώθηκες;» τη ρώτησε απότομα.

«Για να πάω σπίτι μου... Είναι αργά και δουλεύω αύριο...»

«Ε, αυτό είναι που με χαλάει!»

«Το ότι δουλεύω;»

«Έχει αρχίσει να μ' ενοχλεί αυτή η κατάσταση!»

Η Ναταλία χλόμιασε. Κάθισε βαριά στον καναπέ. «Κουράστηκες;» Η φωνή της ήταν ψίθυρος.

«Πάρα πολύ!»

«Το ήξερα... Ήξερα ότι ήταν πολύ καλό για να κρατήσει!...»

Ο Κωστής την κοίταξε με απορία. Στη στιγμή αντιλήφθηκε τον λάθος δρόμο στον οποίο την είχε σπρώξει η παλιά της ανασφάλεια. Τινάχτηκε για να βρεθεί δίπλα της.

«Μα πού πήγε το μυαλό σου;» Την αγκάλιασε τρυφερά. «Κι εγώ που νόμιζα ότι αγαπάω ένα έξυπνο κορίτσι!»

«Μ' αγαπάς;» Η φωνή της έτρεμε γεμάτη αμφιβολία.

«Σε λατρεύω!»

«Τότε... τι είναι αυτό που σε κούρασε αν όχι εγώ η ίδια;»

«Κουτή μου αγάπη, όταν είπα ότι κουράστηκα δεν εννοούσα ότι κουράστηκα μ' εσένα!»

«Δηλαδή, δε με βαρέθηκες;»

Έμοιαζε τόσο με παιδί εκείνη τη στιγμή και σαν να μιλούσε σε παιδί τής απάντησε.

«Όχι, δε σε βαρέθηκα! Τουλάχιστον, όχι ακόμη! Ρώτησέ με πάλι σε... σε πενήντα χρόνια!»

«Αφού δε βαρέθηκες εμένα...»

«Ναταλία, μωρό μου, ως πότε θα παίζουμε τους καλούς γείτονες; Αυτό το πηγαινέλα δίπλα μού δίνει στα νεύρα!»

«Μα τι να κάνω;»

«Να μείνεις εδώ!»

«Γι' απόψε μιλάς;»

«Για πάντα μιλάω!»

«Μου ζητάς να συζήσουμε;»

«Δόξα τω Θεώ, κατάλαβες επιτέλους τι ήθελα να πω!»

Η Ναταλία σώπασε.

«Τι σκέφτεσαι;» τη ρώτησε εκείνος

«Είναι πολύ μεγάλο βήμα, Κωστή, και βιάζεσαι να το κάνουμε!»

«Αυτό σε απασχολεί ή δε συμφωνείς με μια συμβίωση χωρίς δέσμευση;»

«Δέσμευση;»

«Για γάμο μιλάω!»

«Μα τι λες τώρα; Ποιος μίλησε για γάμο;»

«Εγώ! Κάποτε δε θα παντρευτούμε;»

«Κωστή, θα με τρελάνεις απόψε!»

«Σ' τα είπα όλα μαζεμένα;»

«Αυτά τα μαζεμένα, όμως, είναι ταυτοχρόνως και τρελά! Ακόμη δεν αρχίσαμε τη σχέση μας!»

«Η σχέση μας, αν δε σε βοηθάει η μνήμη σου, έχει αρχίσει από το Μάρτιο!»

«Μα δεν είναι το ίδιο! Σαν ζευγάρι δεν είμαστε μαζί ούτ' ένα μήνα κι εσύ μιλάς για γάμο!»

«Δε μίλησα από την αρχή για γάμο, αλλά για συμβίωση!»

«Το ίδιο κάνει!»

«Δηλαδή δε θέλεις να συζήσουμε! Προτιμάς αυτήν τη γελοία κατάσταση! Μετά τη δουλειά μας εδώ, όπου τρώμε μαζί, καθόμαστε μαζί, κάνουμε έρωτα... μαζί, και έπειτα φεύγεις, παίρνεις το ασανσέρ, κατεβαίνεις, μπαίνει στην πολυκατοικία σου, παίρνεις κι άλλο ασανσέρ για να πας σπίτι σου να κοιμηθείς, μερικούς τοίχους πιο πέρα!»

«Έτσι όπως το λες, ακούγεται πράγματι γελοίο!»

«Και είναι! Επιτέλους, θέλω να σε κρατάω στην αγκαλιά μου όταν κοιμάμαι!»

«Σαν παιδάκι το αρκουδάκι του!»

«Ναταλία, μιλάω σοβαρά! Σ' αγαπάω! Σε θέλω κοντά μου συνέχεια και πάντα! Θέλω να είσαι ο πρώτος άνθρωπος που το πρωί θα του λέω καλημέρα! Θέλω να ξυπνάω μέσα στη νύχτα και να σε φιλάω! Αν λοιπόν σε σοκάρει το να συζείς μαζί μου, πάμε να παντρευτούμε για να έχεις το άλλοθι που σου χρειάζεται! Εγώ χρειάζομαι μόνο εσένα, με όποιο τρόπο!»

Τον κοίταξε σοβαρή. Του χάιδεψε το μάγουλο. «Όχι! Δε θα σε παντρευτώ... τουλάχιστον όχι τώρα, όχι έτσι και σίγουρα όχι γι' αυτόν το λόγο!»

«Δεν καταλαβαίνω!»

«Αγάπη μου, παντρεύτηκες την Αντιγόνη κάτω από την πίεση μιας εγκυμοσύνης και ήταν λάθος! Δε θα γίνω εγώ το δεύτερο λάθος σου! Δε θα σ' εκβιάσω μ' ένα γάμο για να μείνουμε μαζί! Έπειτα, ας δοκιμάσουμε τη σχέση μας και σ' αυτό το επίπεδο! Θα μείνουμε μαζί αφού το θέλεις και μετά βλέπουμε!»

«Λες αλήθεια;»

Δεν του απάντησε. Το βλέμμα της του έδωσε την απάντηση σιωπηλά, αλλά το κορμί της ήταν πιο φλύαρο... Πολύ αργότερα, αγκαλιασμένοι στον φιλόξενο καναπέ που είχε καλωσορίσει τον έρωτά τους, μπόρεσαν να μιλήσουν.

«Σαν ψέματα μου φαίνεται ότι δε θα ξαναφύγεις!» της είπε ο Κωστής χαϊδεύοντας τα μαλλιά της.

«Μα θα πρέπει να φύγω!» διαμαρτυρήθηκε εκείνη.

«Πάλι τα ίδια; Αφού είπαμε ότι...»

«Μη βιάζεσαι! Εννοώ ότι δεν μπορώ να είμαι συνέχεια εδώ! Δουλεύω!»

«Είσαι ζιζάνιο! Δεν εννοούσα αυτό! Αλήθεια πότε θα μετακομίσεις;»

«Αυτό είναι ένα πρόβλημα!»

Ο Κωστής ανακάθισε και την κοίταξε. Η Ναταλία, προτού απαντήσει στην ερώτηση που έκρυβε το βλέμμα του, σηκώθηκε και φόρεσε το πουκάμισό του. Κάθισε στην απέναντι πολυθρόνα σκεφτική.

«Θα μου πεις επιτέλους πού είναι το πρόβλημα;» ζήτησε να μάθει ο Κωστής.

«Στο ότι η Ισμήνη δεν ξέρει τίποτα! Μέχρι που έφυγε για το ταξίδι στο Μεσολόγγι, ήμουν μια καλή φίλη του πατέρα της! Δεν μπορεί λοιπόν να γυρίσει δεκαπέντε μέρες μετά και να με βρει εγκατεστημένη εδώ μέσα!»

Ο Κωστής κούνησε καταφατικά το κεφάλι. «Έχεις δίκιο! Ομολογώ ότι δεν το σκέφτηκα καθόλου! Πρέπει πρώτα να της μιλήσω!»

«Λες ν' αντιδράσει;»

«Θα είναι άδικη! Το ξέρεις ότι εκείνη μου είχε προτείνει να σε διαλέξω;»

«Τι να με κάνεις;»

«Να σε διαλέξω, κορίτσι μου! Αφού η μητέρα της θα παντρευτεί έναν καλό φίλο, απορούσε γιατί εγώ δεν παντρευόμουν, αφού είχα όχι μία αλλά τρεις καλές φίλες! Σε περίπτωση λοιπόν που δυσκολευόμουν να διαλέξω, προθυμοποιήθηκε να με βοηθήσει! Προτιμούσε εσένα και μου το είπε!»

«Και γιατί ειδικά εμένα;»

«Γιατί είσαι η πιο όμορφη, έχεις τα πιο όμορφα μαλλιά, σου αρέσουν οι κούκλες και επιπλέον κάνεις ζαβολιές για να κερδίζει πάντα εκείνη! Για την Ισμήνη, όλοι αυτοί οι λόγοι ήταν πολύ σοβαροί!»

Η Ναταλία γέλασε χαρούμενα. «Λοιπόν, πάντα ήξερα ότι θα υπήρχε κάποιος λόγος που αγαπούσα αυτό το παιδί, εκτός φυσικά του ότι είναι κόρη σου!»

«Θα τα πάτε μια χαρά!»

«Το ελπίζω...»

«Κι εγώ ελπίζω να έρθεις δίπλα μου, αντί να κάθεσαι μια ώρα μακριά!» της υπενθύμισε αυστηρά κι εκείνη βιάστηκε να χωθεί στην αγκαλιά του.

Την ώρα που άλλαξε η διάθεσή του, την ίδια στιγμή την ειδοποίησε το ένστικτό της. Σήκωσε το κεφάλι και αντίκρισε το σκοτεινιασμένο βλέμμα του.

«Τι άλλο σε απασχολεί;» τον ρώτησε.

«Η Ελπίδα...»

Σώπασαν και οι δύο, καθώς σκέφτηκαν την αλλαγή της φίλης τους.

«Κάτι συμβαίνει, Ναταλία... Το νιώθω».

«Εγώ το βλέπω...»

Ανασηκώθηκαν και οι δύο ταυτόχρονα. Ο Κωστής άναψε τσιγάρο.

«Έχει αλλάξει», συνέχισε η Ναταλία. «Χάνει συνέχεια βάρος...»

«Ναι, την πρόσεξα την Πρωτοχρονιά... όλο κόκαλα έχει γίνει...»

«Και βάφεται πολύ, ενώ δεν το συνήθιζε. Δε σου έχει πει τίποτα εσένα; Παρά τις υποτιθέμενες κόντρες σας, όλοι ξέρουμε ότι σου έχει αδυναμία».

«Μόνο για το έλκος μού έχει πει... Αλλά δεν μπορεί ένα απλό έλκος να την έχει φέρει σ' αυτή την κατάσταση! Ανησυχώ πάρα πολύ...»

«Εγώ νιώθω και τύψεις. Με όλ' αυτά την παραμελήσαμε. Πέσαμε ο καθένας στα προβλήματά του και όλοι μαζί στη γέννηση του μωρού τώρα τελευταία...»

«Μα τι μπορούμε να κάνουμε; Όσες φορές τη ρώτησα, μου πρόβαλε αυτό το καταραμένο το έλκος, και όταν επέμεινα, με σκυλόβρισε!»

«Λες να συμβαίνει κάτι πιο σοβαρό με την υγεία της;»

«Μα δε θα έμπαινε σε νοσοκομείο; Δε θα βλέπαμε κάποια θεραπεία;» απόρησε ο Κωστής.

«Ίσως δεν είναι θέμα υγείας, αλλά ψυχής... Ίσως την τρώει η μοναξιά και έτσι όπως ζευγαρώσαμε όλοι, να αισθάνεται μόνη...»

«Μακάρι να είναι μόνο αυτό!»

Η Ελπίδα μπήκε στο γραφείο του Καλιβωκά με τα χέρια γεμάτα ακτινογραφίες. Ο γιατρός τις πήρε και της έκανε νόημα να καθίσει μέχρι να τελειώσει το τηλεφώνημά του. Μόλις κατέβασε το ακουστικό, στράφηκε σ' εκείνη.

«Λοιπόν, Ελπίδα, ήρθες πάνω στην ώρα! Για σένα μιλούσα στο τηλέφωνο μ' ένα συνάδελφο!»

«Για μένα;»

«Ναι... Ξέρεις, μ' αυτόν σπουδάζαμε μαζί! Τώρα βρίσκεται σ' ένα πανεπιστημιακό νοσοκομείο στην Αγγλία και αντιμετωπίζει περιπτώσεις σαν τη δική σου!»

«Γιατρέ, νομίζω ότι τα είπαμε αυτά».

«Μα άκουσέ με... Πρέπει να το παλέψεις!»

«Πριν πείτε οτιδήποτε, κοιτάξτε τις τελευταίες εξετάσεις που σας έφερα. Κάτω από τις ακτινογραφίες...»

Ο γιατρός τις πήρε στα χέρια του και ταράχτηκε. «Δεν είναι δυνατόν!» του ξέφυγε και μετά στράφηκε στην Ελπίδα που τον κοιτούσε ήρεμη.

«Νομίζω ότι πήρατε την απάντηση!» του είπε και σηκώθηκε. «Καλημέρα, γιατρέ!»

Τον άφησε μόνο του, να κουνάει αρνητικά το κεφάλι, σαν να μην ήθελε να δεχτεί αυτό που έβλεπε. Στο μυαλό του, ήρθαν τα λόγια που του είχε πει η ίδια η Ελπίδα κάποτε για μια περίπτωση που αντιμετώπιζαν: *«Το θηρίο είναι αχόρταγο, γιατρέ! Βρυχάται πάλι! Ζητάει το φόρο που του αναλογεί και είναι και βιαστικό! Ό,τι θέλει, το θέλει άμεσα και γρήγορα...»*

Η Νάσα κοίταξε καλά καλά τη Ναταλία που καθόταν απέναντί της. Η ίδια είχε μόλις γυρίσει από ένα καταπληκτικό ταξίδι στην Ελβετία. Είχε περάσει αξέχαστες ώρες πάνω στα πέδιλα του σκι και, το βράδυ, πάνω στη φλοκάτη του σαλέ, μπροστά στο τζάκι, αγκαλιά με τον γοητευτικό δάσκαλο, που τα πρωινά τής μάθαινε πώς να γλιστρά ανάλαφρα στις χιονισμένες πλαγιές.

«Πώς πέρασες;» τη ρώτησε η Ναταλία, αλλά η Νάσα κούνησε αρνητικά το κεφάλι χαμογελώντας.

«Άσε με εμένα, μικρή, και πες μου τα δικά σου!»

«Γιατί να σε αφήσω εσένα;»

«Γιατί πολύ φοβάμαι ότι θα σου αναψοκοκκινίσω τα μάγουλα, αν σου πω πώς πέρασα!»

«Για σκι δεν είχες πάει;»

«Ναι, αλλά στην πορεία το πρόγραμμα περιέλαβε και... άλλες δραστηριότητες!»

«Κατάλαβα!»

«Ούτε στο ελάχιστο, σε διαβεβαιώνω! Πες μου, όμως, τα δικά σου! Αν και ο Κωστής, απ' ό,τι βλέπω, μάλλον κατάλαβε τι θησαυρό είχε δίπλα του και το εκμεταλλεύτηκε... επιτέλους!»

«Πού το ξέρεις;» Η έκπληξη είχε ζωγραφιστεί στο πρόσωπο της Ναταλίας.

«Κοριτσάκι μου, η γυναίκα που μόλις έχει σηκωθεί από ένα κρεβάτι, πάνω στο οποίο πέρασε καλά, φαίνεται από μίλια μακριά, και εσύ είσαι ακριβώς απέναντί μου! Δεν είμαι τυφλή!»

«Κι εγώ γιατί δεν κατάλαβα ότι κι εσύ... πέρασες καλά;»

«Σου λείπει η πείρα! Λέγε τώρα τι έγινε και με λεπτομέρειες!»

Το τσάι πάγωσε στα φλιτζάνια, αφού καμία από τις δύο δεν του έδωσε σημασία. Η Ναταλία διηγήθηκε τα συνταρακτικά γεγονότα των τελευταίων ημερών και άπλωσε όλη την ευτυχισμένη ψυχή της στα χέρια της Νάσας.

«Θεέ και κύριε!» διαμαρτυρήθηκε εκείνη όταν τέλειωσε η διήγηση. «Είκοσι μέρες έλειψα και αναποδογύρισε το σύμπαν! Αν αργούσα λίγο ακόμη, μπορεί να σ' έβρισκα και παντρεμένη!»

«Ε, όχι κι έτσι... αν και...»

«Τι δε μου είπες;»

«Ο Κωστής μού ζήτησε ή, μάλλον, απαίτησε να συζήσουμε!»

«Αυτός, παιδάκι μου, ήταν να μην πάρει φόρα τελικά!» σχολίασε η Νάσα χαμογελώντας.

«Έτσι φαίνεται! Είμαι τόσο ευτυχισμένη, τόσο πολύ και τόσο απόλυτα, που είναι στιγμές που... που σχεδόν δεν το αντέχω!»

«Άκου, μικρή, η ζωή και οι στιγμές της είναι ποσά αντιστρόφως ανάλογα και εναλλάσσονται!»

«Τι θέλεις να πεις;»

«Ότι θα έρθουν και τα δύσκολα! Και να ξέρεις κάτι από μένα: τη δυστυχία την αντιμετωπίζεις πιο εύκολα, όταν οι μπαταρίες της ψυχής σου είναι γεμάτες από ευτυχία!»

Η Ναταλία σκοτείνιασε και της είπε για την Ελπίδα· όλους τους φόβους και τις ανησυχίες της. Της περιέγραψε την αλλαγή της φίλης της και όσο μιλούσε, τόσο η Νάσα συνοφρυωνόταν.

«Κάτι δε μ' αρέσει», μουρμούρισε όταν η Ναταλία σώπασε.

«Πάει πουθενά το μυαλό σου;»

«Μάλλον το ένστικτό μου μιλάει αυτή τη στιγμή...»

«Να το ακούσω...»

«Να είστε έτοιμοι...»

«Για ποιο πράγμα;»

«Δεν ξέρω! Συγγραφέας είμαι, δεν είμαι μάντης! Αλλά έχεις δίκιο! Κάτι δεν πάει καλά μ' αυτή τη γυναίκα και δεν πρέπει να είναι ψυχικό ή συναισθηματικό το πρόβλημα. Κάτι σας κρύβει...»

Η Ισμήνη μπήκε στο σπίτι του πατέρα της χαμογελαστή. Τη συνόδευαν ο Βασίλης και η Αντιγόνη. Έπεσε στην αγκαλιά του και τον γέμισε φιλιά. Ο Κωστής την κράτησε σφιχτά, ρουφώντας άπληστα το άρωμα από τα μαλλάκια της. Του είχε λείψει.

Πέρασαν όλοι στο σαλόνι και κάθισαν. Η Ισμήνη στρώθηκε στην αγκαλιά του.

«Λοιπόν, πριγκίπισσα;» τη ρώτησε. «Πώς τα πέρασες;»

«Καταπληκτικά, μπαμπά! Ο Βασίλης με πήγε στις αλυκές! Το ήξερες εσύ ότι από κει βγαίνει το αλάτι; Ήξερες ότι υπάρχουν και ι-χθυ-ο-τρο-φεί-α;» συλλάβισε τη μεγάλη λέξη κοιτώντας τον Βασίλη για να την επιβεβαιώσει, πράγμα που εκείνος έκανε.

«Τώρα τα έμαθες κι εσύ!» της απάντησε γελώντας ο Κωστής. «Κι αν κρίνω από τον ενθουσιασμό σου, ήταν ένα πετυχημένο ταξίδι». Την τελευταία παρατήρηση την έκανε κοιτώντας την Αντιγόνη, που κούνησε το κεφάλι καταφατικά.

«Γνώρισα και τους γονείς του Βασίλη!» συνέχισε ενθουσιασμένη η μικρή. «Τη μητέρα του τη λένε... Μελισσάνθη! Το περίμενες; Δεν είναι πολύ ωραίο όνομα, μπαμπά;»

«Υπέροχο! Και τον πατέρα του πώς τον λένε;»

«Α, τον λένε μόνο... Γιάννη!» απάντησε απογοητευμένη η Ισμήνη. «Δεν είναι κρίμα να έχει η γυναίκα σου ένα τόσο ωραίο όνομα κι εσένα να σε λένε Γιάννη; Απορώ που δε ζηλεύει!»

Ο Κωστής γέλασε και τη φίλησε. «Μου έλειψε η τετράγωνη λογική σου, αγαπούλα μου!» της είπε.

«Ο Βασίλης μου είπε ότι, αν θέλω, μπορώ να τους λέω "γιαγιά" και "παππού"... Εσύ τι λες, μπαμπά;»

«Νομίζω ότι είναι πολύ σωστό και θα τους δώσει μεγάλη χαρά!»

«Ωραία! Μπορώ να πάω τώρα να δω το δωμάτιό μου γιατί μου έλειψε;»

«Φυσικά!»

Όταν η Ισμήνη έφυγε χοροπηδώντας, ο Κωστής στράφηκε στο ζευγάρι.

«Πήγαν όλα καλά τελικά!» σχολίασε.

«Χάρη σ' εσένα!» απάντησε ο Βασίλης. «Η κόρη σου είναι ένα καταπληκτικό παιδί!»

«Α, τα εύσημα στην Αντιγόνη! Εγώ, όπως ξέρεις, δε συμμετείχα στην ανατροφή της!» πρόσθεσε ο Κωστής χωρίς καμία πίκρα.

«Ξέρεις, Κωστή...» άρχισε να μιλάει η Αντιγόνη κάπως αμήχανα, «μου τηλεφώνησε ο δικηγόρος. Μέχρι το τέλος Μαρτίου το διαζύγιο θα έχει βγει...»

«Και γιατί το λες έτσι; Αυτό είναι ευχάριστο! Πότε θα παντρευτείτε;»

«Είπαμε για τον Αύγουστο...»

«Γιατί τόσο αργά;»

«Για να συνδυάσουμε το ταξίδι του γάμου με την άδεια του Βασίλη».

«Κάτι δε μου λέτε, παιδιά, και ανησυχώ!» Ο Κωστής ήταν καχύποπτος.

«Όχι...» πήρε το λόγο ο Βασίλης. «Δηλαδή κάτι θέλουμε να σου ζητήσουμε...»

«Ελπίζω όχι προίκα, γιατί καταργήθηκε!»

Ο Βασίλης χαμογέλασε προτού συνεχίσει. «Θα σου φανεί ασυνήθιστο, ίσως και τρελό, αλλά η Αντιγόνη κι εγώ νομίζουμε ότι έτσι πρέπει να γίνει. Είναι πιο δίκαιο!»

«Θα με σκάσετε! Τι είναι, ρε παιδιά; Μιλήστε!»

Η Αντιγόνη πήρε τώρα το λόγο. «Η Ισμήνη θα είναι παρανυφάκι στο γάμο μας...» άρχισε.

«Πολύ ωραία! Πού είναι το πρόβλημα;»

«Θέλω να με συνοδεύσεις εσύ στην εκκλησία!»

Ο Κωστής έμεινε εμβρόντητος. «Αντιγόνη, τρελάθηκες; Πρώτα απ' όλα έχεις πατέρα και έπειτα, εγώ είμαι ο πρώην σύζυγος!» διαμαρτυρήθηκε.

«Γι' αυτό σου είπε ο Βασίλης ότι είναι ασυνήθιστο!»

«Μόνο; Θεοπάλαβο είναι! Θα γελάσει κάθε πικραμένος όταν μας δει να σε παραδίδω εγώ ο ίδιος στον αντικαταστάτη μου!»

«Δε με νοιάζει!» πείσμωσε η Αντιγόνη. «Εγώ έτσι το θέλω! Αν δεν ήσουν εσύ, αν δε φερόσουν όπως φέρθηκες, δε θα τα καταφέρναμε ποτέ με την Ισμήνη!»

«Καλά, δεν τίθεται θέμα! Κι αν δεν ήμουν τόσο εργασιομανής, δε θα τα έμπλεκες με τον κύριο από δω. Αλλά να σε συνοδεύσω και στην εκκλησία για να τον παντρευτείς... Διαστροφή! Είσαι σίγουρη;»

«Ναι!»

«Πολύ καλά! Να δω πώς θα καθαρίσεις με τον πατέρα σου!»

«Το έχω ήδη κανονίσει!»

«Χαρά που θα πήρε!»

«Δυσκολεύτηκε αρκετά», παρενέβη ο Βασίλης.

«Για την ακρίβεια, ξεσήκωσε τον κόσμο με τις φωνές του, αλλά στο τέλος πέρασε το δικό μου!» θριαμβολόγησε η Αντιγόνη.

«Όπως πάντα, άλλωστε!» θυμήθηκε ο Κωστής και χαμογέλασε.

«Εσύ τι κάνεις;» τον ρώτησε ο Βασίλης. «Σε πήραμε μονότερμα με τα δικά μας. Πώς πέρασες τις γιορτές;»

Η γλυκύτητα που απλώθηκε στη μορφή του, η ευτυχία που γράφτηκε στα μάτια του, όλα αυτά έκαναν την Αντιγόνη να τον κοιτάξει καχύποπτα.

«Κωστή, τι συνέβη;» ρώτησε.

«Γέννησε η Μαρίνα! Κοριτσάκι!»

«Ωραία, αλλά παρακάτω!»

«Τι “παρακάτω”; Σου είπα: γέννησε η Μαρίνα!»

«Και τι άλλο; Όλη αυτή η ευτυχία δεν είναι μόνο από το μωρό, εκτός αν είναι δικό σου. Και απ' ό,τι μου έχεις πει, δεν είναι!»

«Τελικά με ξέρεις καλύτερα απ' ό,τι κατάφερα να σε μάθω εγώ!»

«Μα τι συμβαίνει;» αναρωτήθηκε ο Βασίλης. «Βάλτε με κι εμένα στο θέμα!»

«Ποιο θέμα; Δεν κατάλαβες ακόμη; Ο κύριος είναι ερωτευμένος!» κατέληξε η Αντιγόνη θριαμβευτικά. «Έτσι δεν είναι;» ρώτησε τον Κωστή.

«Ακριβώς!» της απάντησε. «Είμαι ερωτευμένος και πάρα πολύ! Γι' αυτό σου είπα να μου φέρεις την Ισμήνη μετά το ταξίδι... Θέλω να της πω... Βλέπεις, η Ναταλία και εγώ...»

«Η Ναταλία; Η γνωστή Ναταλία;» αναφώνησε έκπληκτη η Αντιγόνη.

«Αυτή που ξέρεις!»

«Μα πώς;»

«Μας προέκυψε έρωτας. Θα συζήσουμε Αντιγόνη... τουλάχιστον προς το παρόν. Πρέπει όμως πρώτα να το πω στο παιδί, να την προετοιμάσω...»

Αυτό ήταν το πιο δύσκολο. Δεν ήξερε και ο ίδιος πώς ν' αρχίσει. Άφησε να περάσει το πρώτο βράδυ με τα νέα της ίδιας από το ταξίδι. Της είπε για το μωρό, και την άλλη μέρα την πήγε για να το δει. Ξετρελάθηκε όταν η Μαρίνα της έδωσε να το κρατήσει. Η Ελπίδα που ήταν εκεί, της έδειξε να φτιάχνει ένα καινούργιο σκίτσο, αλλά η Ναταλία δεν εμφανίστηκε. Κλεισμένη στο σπίτι της, ανησυχούσε.

Το απόγευμα πια, η ίδια η Ισμήνη την αναζήτησε.

«Πού είναι η Ναταλία, μπαμπά; Αύριο φεύγω και δεν την είδα καθόλου!»

Ο Κωστής έμεινε για λίγο μετέωρος και αυτό ανησύχησε τη μικρή.

«Μη μου πεις ότι μαλώσατε!» του φώναξε.

«Όχι, βέβαια!»

«Τότε πού είναι;»

«Σπίτι της υποθέτω».

«Άρα μαλώσατε και δε μου το λες! Γιατί, μπαμπά; Η Ναταλία είναι τόσο καλή!» Η μικρή είχε μουτρώσει.

«Μα πώς σου ήρθε ότι μαλώσαμε;» διαμαρτυρήθηκε ο Κωστής.

«Το ξέρει ότι είμαι εδώ;»

«Ναι...»

«Και δε θέλει να με δει; Τι της έκανα;» Τώρα η Ισμήνη ήταν έτοιμη να βάλει τα κλάματα και ο Κωστής τα 'βαλε με τον εαυτό του.

«Ουφ! Καμιά φορά οι μεγάλοι κάνουν σαν μωρά!» είπε εκνευρισμένος και κάθισε δίπλα στην κόρη του. «Λοιπόν, Ισμήνη... τίποτα κακό δε συμβαίνει με τη Ναταλία. Απλώς τα πράγματα άλλαξαν μεταξύ μας...»

«Πώς άλλαξαν δηλαδή;»

«Όπως με τη μαμά σου και τον Βασίλη...» Επιτέλους το είχε πει και τώρα κοιτούσε τα έκπληκτα μάτια του παιδιού.

«Δηλαδή θα παντρευτείτε;» τον ρώτησε.

«Ναι... δηλαδή όχι αμέσως... Λέμε να δοκιμάσουμε πρώτα να μείνουμε μαζί».

«Πού;»

«Εδώ... στο σπίτι μου».

«Και πού θα κοιμάται η Ναταλία; Στο δωμάτιό μου;»

«Όχι, στο δικό μου!»

«Στο κρεβάτι μαζί σου;»

«Ναι...»

«Άρα θα παντρευτείτε!» θριαμβολόγησε η Ισμήνη.

Ο Κωστής χαμογέλασε με τον τρόπο σκέψης της κόρης του. «Ας πούμε ναι... Τι λες;»

Η Ισμήνη τον κοίταξε σοβαρά, αλλά το βλέμμα της έκρυβε και μια επιτίμηση. «Αφού, μπαμπά, εγώ σου είχα πει να διαλέξεις τη Ναταλία! Τι με ρωτάς;»

Ο Κωστής αγκάλιασε σφιχτά την κόρη του και τη φίλησε τρυφερά. «Πριγκίπισσα, είσαι μοναδική!» της είπε.

«Μπαμπά, γιατί είπες πριν ότι οι μεγάλοι κάνουν σαν μωρά;»

«Γιατί... γιατί φοβόμουν να σ' το πω! Γι' αυτό!»

«Όπως φοβάμαι εγώ να το πω, όταν κάνω καμιά αταξία;»

«Περίπου...»

«Ε, τότε έχεις δίκιο. Κάνετε σαν μωρά! Τώρα όμως που μου το είπες, θα έρθει η Ναταλία να τη δω;»

«Αν το θέλεις...»

Η Ναταλία έφτασε πέντε λεπτά μετά το τηλεφώνημά του, ελαφρώς μουδιασμένη, μην ξέροντας τι θ' αντιμετωπίσει και με το μυαλό της να φτιάχνει σενάρια απόρριψης, που δεν είχαν καμιά βάση. Παρ' όλο το ενθαρρυντικό βλέμμα του Κωστή, φαινόταν ότι ένιωθε άσχημα. Ευτυχώς, υπήρχε ο χείμαρρος αυθορμητισμού της Ισμήνης! Όρμησε στην αγκαλιά της και κανένας δε θα μπορούσε να τη σταματήσει να μιλάει. Βροχή οι ερωτήσεις...

«Επιτέλους, ήρθες! Τι κάνεις; Πώς πέρασες; Εγώ πήγα στο Μεσολόγγι! Ο μπαμπάς μού είπε ότι θα μείνετε μαζί, αλλά αφού θα κοιμάστε μαζί, σημαίνει ότι θα παντρευτείτε! Έτσι δεν είναι; Και η μαμά μου θα παντρευτεί... τον Βασίλη! Τον ξέρεις! Σου είπα ότι θα γίνω παρανυφάκι; Θα μου φτιάξεις τα μαλλιά όπως μου τα είχες φτιάξει; Θα μου βάλεις και λουλουδάκια! Το είπα στη μαμά και συμφωνεί! Όταν θα παντρευτείς τον μπαμπά μου, μπορώ να γίνω και σ' εσάς παρανυφάκι; Ποτέ ξανά δεν είχα γίνει παρανυφάκι! Δεν είναι τρομερό, που θα γίνω τώρα δύο φορές; Αλήθεια, εσείς θα κάνετε μωρό όπως η Μαρίνα; Γιατί η μαμά μου μου είπε ότι θα προσπαθήσει να κάνει μωρό!»

Η Ναταλία χαμογέλασε. Πήρε την Ισμήνη από το χέρι και κάθισαν δίπλα δίπλα στον καναπέ. Ο Κωστής αποσύρθηκε διακριτικά. Η συζήτηση εξελισσόταν σε γυναικοκουβέντα, δεν είχε θέση εκεί...

«Νομίζω», άρχισε ήρεμα η Ναταλία, «ότι δεν μπορώ ν' απαντήσω σε όλες αυτές τις ερωτήσεις. Είναι πάρα πολλές!»

«Το λέει και ο Βασίλης αυτό!» σχολίασε γελώντας η Ισμήνη. «Ξέρεις πώς με φωνάζει; "Πυροβόλο ερωτήσεων"! Δεν είναι αστείο;»

«Αφού λοιπόν μου έκανες τόσες ερωτήσεις, πειράζει να σου κάνω κι εγώ μία;»

«Όχι, βέβαια! Γιατί να με πειράζει;»

«Είσαι σίγουρη ότι δε σ' ενοχλεί που ο πατέρας σου κι εγώ... Θέλω να πω που θα μείνω εδώ;»

«Γιατί να με πειράζει; Ο μπαμπάς είναι μόνος του... Κάποτε, ο ίδιος μου είπε ότι είναι πολύ νέος, όπως και η μαμά... Ήταν τότε που έμαθα ότι η μαμά θα παντρευτεί τον Βασίλη και... μούτρωσα. Μου είπε λοιπόν τότε ότι είναι πολύ νέα η μαμά και δεν μπορούσε να μείνει μόνη της για πάντα. Το ίδιο κι εκείνος... Βέβαια, θα ήθελα να είναι μαζί οι δυο τους... να μην είναι χωρισμένοι, να μην παντρευτούν με άλλους, αλλά ο μπαμπάς μού είπε ότι αυτό δεν μπορεί να γίνει. Τώρα πια συνήθισα. Έπειτα, τους βλέπω τόσο χαρούμενους που μ' αρέσει... Ναταλία;»

«Ναι;»

«Εμένα δε με πειράζει που θα μείνεις με τον μπαμπά μου...» Η μικρή κόμπιασε λίγο και η Ναταλία της έσφιξε το χέρι για να την παροτρύνει να συνεχίσει. «Να... θέλω να σε ρωτήσω... Εγώ θα έρχομαι όπως παλιά;» ζήτησε να μάθει και η Ναταλία ένιωσε την αγωνία της.

Ήταν ένα παιδί, που όλα είχαν αλλάξει στη ζωή της πάρα πολύ γρήγορα. Την έπιασε από τους ώμους και την ανάγκασε να την κοιτάξει στα μάτια.

«Τίποτα δε θ' αλλάξει, Ισμήνη, σου το υπόσχομαι! Θα έρχεσαι όποτε το θέλεις, και θα μένεις όσο θέλεις! Κι όταν θα νιώθεις την ανάγκη να μείνεις μόνη με τον πατέρα σου, τότε εγώ θα φεύγω! Ο πατέρας σου σε λατρεύει, αυτό δε θ' αλλάξει ποτέ! Όσο για μένα, να ξέρεις ότι σ' αγαπάω και ποτέ δε θα μπω ανάμεσά σας! Σου τ' ορκίζομαι!»

Τα χέρια του παιδιού τυλίχτηκαν γύρω απ' το λαιμό της και η Ναταλία την έσφιξε επάνω της.

«Περισσεύει καμιά αγκαλιά και για μένα, κορίτσια;»

Ο Κωστής είχε δει τη σκηνή, είχε ακούσει τα τελευταία λόγια της Ναταλίας κι εκείνη τη στιγμή, βεβαιώθηκε ότι ήταν ο μόνος υπερτυχερός ενός σπάνιου λαχείου!

Αυτές οι τρεις βδομάδες του Γενάρη ήταν πολύτιμες. Κύλησαν μέσα σε γενική ευδαιμονία. Ο Φίλιππος και η Μαρίνα με το μωρό τους γέμιζαν ευτυχία το ρετιρέ στο Γαλάτσι. Κάθε χαμόγελο του παιδιού, κάθε κλάμα του ήταν κι ένας ακόμη ήλιος στη ζωή τους, που ήταν ήδη φωτισμένη από τον έρωτά τους. Ο Κωστής και η Ναταλία, στο δικό τους ρετιρέ, όσο κι αν έψαχναν, κατέληγαν πάντα στο ίδιο συμπέρασμα. Ήταν φτιαγμένοι ο ένας για τον άλλο. Η Ελπίδα μοίραζε ανάμεσα στις δύο ευτυχίες τον ελεύθερο χρόνο της, αλλά όλο και περισσότερο άλλαζε...

Ο Ερμής, μετά τα ευχάριστα στα οποία είχε γίνει αγγελιαφόρος, στην αρχή του μήνα, κρατιόταν μακριά τους. Ακόμη και για εκείνον ήταν δύσκολο να τολμήσει την επόμενη αναγγελία. Άφηνε λοιπόν τις μέρες να κυλούν, αλλά τον πίεζε ο θεός του επόμενου μήνα. Ο Γενάρης έφευγε. Λίγες μέρες ακόμη και μετά...

Εκείνο το πρωινό, ο Κωστής ξύπνησε και ένιωθε άρρωστος. Η Ναταλία ανησύχησε, αφού κανένα γνωστό σύμπτωμα δεν τον ταλαιπωρούσε. «Τι αισθάνεσαι, αγάπη μου;» τον ρώτησε καθώς έπιναν τον καφέ τους.

Ο Κωστής έδειχνε τόσο κακόκεφος. «Τίποτα συγκεκριμένο», απάντησε, «αλλά όλος μου ο οργανισμός είναι άνω-κάτω. Κι αυτή η πίκρα στο στόμα... Λες και όλη νύχτα έπινα δηλητήριο».

«Να φωνάξω ένα γιατρό;»

«Όχι, μωρό μου, δε φαίνεται να είναι οργανικό... Ίσως φταίει ο καιρός!»

Το βλέμμα του καρφώθηκε στον ουρανό. Μαύρα σύννεφα παντού, σκοτάδι βαρύ και ο ήλιος... ούτε καν υποψία από τη ζωογόνα επίδρασή του. Ξεροί κρότοι κεραυνών ακούγονταν, αλλά οι δρόμοι παρέμεναν στεγνοί. Ένα κακό που δεν ερχόταν... Ένας θυμός που δεν ξεσπούσε. Η φύση για κάποιο λόγο είχε θυμώσει.

Η Ναταλία ακολούθησε το βλέμμα του και διατύπωσε φωναχτά τη σκέψη του. «Μοιάζει με θυμό που δεν ξεσπάει», ψιθύρισε, και ο Κωστής ανατρίχιασε.

«Κάτι θα συμβεί...» είπε εκείνος.

«Τώρα με τρομάζεις», στράφηκε η Ναταλία προς το μέρος του. «Φοβάμαι τα προαισθήματα».

«Κι εγώ, αλλά δεν μπορούμε να κάνουμε τίποτα... μέχρι φυσικά να γίνει φανερό αν ήταν αληθινά ή όχι».

Ήταν η πιο περίεργη μέρα που είχε ζήσει ο Κωστής. Το μαύρο χρώμα στον ουρανό διατηρήθηκε χωρίς η πολυπόθητη βροχή να φέρει την εκτόνωση της φύσης. Κάποιες στιγμές το τοπίο ήταν εντελώς αμετάβλητο λες και κάποιος είχε παγώσει την εικόνα. Τα σύννεφα έδειχναν ακίνητα και την επόμενη στιγμή άρχιζαν πάλι να κινούνται μόνο και μόνο για να γίνουν ακόμη πιο πυκνά, ακόμη πιο βαριά. Οι υπόκωφοι κρότοι των κεραυνών δε σταματούσαν. Δεν ήταν κάτι συνηθισμένο. Τα νεύρα όλων, ακόμη και της συνήθως ήρεμης Ευγενίας, ήταν στο όριο.

Γύρισε σπίτι, ακόμη χειρότερα απ' ό,τι έφυγε. Η πικρή γεύση στο στόμα του δεν άλλαζε ό,τι κι αν έπινε, ό,τι κι αν έτρωγε. Γι' άλλη μια φορά, η Ναταλία τον ξάφνιασε με το ένστικτό της. Επέστρεψε σπίτι νωρίτερα, σαν να ήξερε ότι θα τον έβρισκε εκεί, ανίκανο ν' αντέξει τη μοναξιά και τη σιωπή. Τον έβαλε με το ζόρι να φάει κάτι και μετά τον κράτησε στην αγκαλιά της, μέχρι που εκείνος αποκοιμήθηκε. Μόνο τότε γλίστρησε από δίπλα του και βγήκε στον παγωμένο αέρα της βεράντας, όπως το είχε ανάγκη από ώρα.

Δεν ήξερε αν τελικά την είχε επηρεάσει η διάθεση του Κωστή ή αν τη βασάνιζαν τα δικά της άσχημα προαισθήματα. Ο ξερός και δυνατός κρότος ενός ακόμη κεραυνού ακούστηκε πάλι, αλλά ούτε σταγόνα. Ο ουρανός μαύρος πάνω από το κεφάλι της, τα σύννεφα χαμηλά, νόμιζε ότι αν άπλωνε το χέρι της θα τ' άγγιζε· και αν δεν υπήρχε ο θόρυβος των αυτοκινήτων, η φύση θα ανέδιδε μιαν αλλόκοτη σιωπή... Ανατρίχιασε και μπήκε στο δωμάτιο.

Δεν άναψε φως, παρ' όλο το σκοτάδι. Ξάπλωσε στον καναπέ και προσπάθησε ν' απασχολήσει με κάτι το μυαλό της. Η πρώτη σκέψη της ήταν να στραφεί στη δουλειά. Συνειρμικά σκέφτηκε τη Νάσα και το νέο της βιβλίο που είχε πια κυκλοφορήσει, τις πωλήσεις που έσπαγαν ρεκόρ, αλλά σαν αστραπή η μνήμη της ανέσυρε την τελευταία τους συζήτηση και τα λόγια της Νάσας: «*Να είστε έτοιμοι... Κάτι δεν πάει καλά...*» Μια αγωνία χωρίς συγκεκριμένη αφετηρία τής μάγκωσε την ψυχή. Πετάχτηκε όρθια και σχεδόν τρόμαξε, όταν ταυτόχρονα ακούστηκε το κουδούνι. Απόρησε όταν άκουσε τη φωνή του Φίλιππου από το θυροτηλέφωνο. Μέχρι να τον δει στο κατώφλι, είχε συνοφρυωθεί από την ανησυχία.

«Τι έγινε;» τον ρώτησε. «Έπαθε τίποτα η Μαρίνα; Το μωρό είναι καλά;»

«Μια χαρά...» Ο Φίλιππος την κοίταξε απορώντας με την ταραχή της. «Τι έχεις, Ναταλία;»

«Με συγχωρείς», του απάντησε κι ένα αχνό χαμόγελο, το πρώτο εκείνης της παράξενης μέρας, φάνηκε στα χείλη της. «Είναι λίγο τεντωμένα τα νεύρα μου σήμερα», δικαιολογήθηκε.

«Είναι φυσικό... περίεργος καιρός... Μόνη σου είσαι;»

«Όχι, ο Κωστής είναι μέσα και κοιμάται».

«Άρρωστος είναι;»

«Μάλλον τον επηρέασε κι αυτόν ο καιρός. Όλη μέρα σήμερα ήταν κακόκεφος. Εσύ πώς από δω χωρίς τη Μαρίνα και το παιδί;»

Ο Φίλιππος, που στο μεταξύ είχε προχωρήσει στο εσωτερικό του σπιτιού, γύρισε και την κοίταξε απορημένος. «Δε σου είπε τίποτα η Ελπίδα;»

«Η Ελπίδα;»

«Αυτή με ειδοποίησε! Μου τηλεφώνησε στο φροντιστήριο και μου ζήτησε να έρθω εδώ χωρίς όμως να το πω στη Μαρίνα!»

«Γιατί;»

«Δεν ξέρω!... Μα άναψε κανένα φως! Είναι μαύρη νύχτα εδώ μέσα!»

Η Ναταλία άναψε ένα αμπαζούρ· το απαλό φως του ήταν το μόνο που μπορούσε ν' αντέξει εκείνη τη στιγμή.

«Καλά», επέμεινε, «δε σου είπε απολύτως τίποτα; Δεν τη ρώτησες το λόγο;»

«Φυσικά! Ξαφνιάστηκα κι εγώ, αλλά την ξέρεις την Ελπίδα! Όταν άρχισα να ρωτάω, μου έκλεισε το τηλέφωνο! Πίστευα ότι κάτι θα ξέρατε εσείς!»

«Περίμενε να ξυπνήσω τον Κωστή!»

Η Ναταλία έκανε να κινηθεί, αλλά τη σταμάτησε η φωνή του ίδιου του Κωστή που μπήκε στο σαλόνι. «Δε χρειάζεται, κορίτσι μου... Ξύπνησα. Τι κάνεις, παλιόφιλε;»

Οι δύο άντρες χαιρετήθηκαν. Η Ναταλία πρόσεξε ότι είχε κάνει μπάνιο, τα μαλλιά του ήταν υγρά ακόμη. Φορούσε μια φόρμα και η όψη του ήταν κάπως καλύτερη. Κάθισε δίπλα στον Φίλιππο και η Ναταλία τους έφτιαξε καφέ.

Δε χρειάστηκε να περιμένουν πολύ. Το κουδούνι ξαναχτύπησε. Η Ναταλία άνοιξε και τα έβαλε με τον εαυτό της, όταν διαπίστωσε ότι τα χέρια της έτρεμαν. *Είσαι ανόητη!* είπε από μέσα της. *Η Ελπίδα είναι, δεν είναι κανένα τέρας!*

Αυτή όμως δεν ήταν η Ελπίδα. Δεν είχε τίποτα κοινό με τη φίλη που ήξερε τόσους μήνες. Εντελώς αμακιγιάριστη, όπως δεν την είχε ξαναδεί τον τελευταίο καιρό, άφηνε να φανούν τα αποστεωμένα της χαρακτηριστικά, οι μαύροι κύκλοι κάτω από τα μάτια και το χρώμα της... σαν να μην υπήρχε σταγόνα αίμα στις φλέβες της, σαν να κυκλοφορούσε σκέτη χολή εκεί μέσα και την έκανε κίτρινη. Στο απαλό φως του διαμερίσματος έμοιαζε με φάντασμα!

Η Ναταλία συγκρατήθηκε να μη φωνάξει τρομαγμένη. Αντίθετα την καλωσόρισε εγκάρδια και την πέρασε στο σαλόνι. Κοίταξε προειδοποιητικά τους δύο άντρες που είχαν κι αυτοί εκπλαγεί και οι οποίοι βιάστηκαν ν' αλλάξουν ύφος, αλλά η Ελπίδα...

«Καλό το θεατράκι και των τριών», πέταξε απότομα, «αλλά δε μ' έπεισε! Ξέρω ότι έχω τα χάλια μου και υπάρχει λόγος που τ' άφησα να φανούν!»

«Ελπίδα», μίλησε ο Κωστής παρόλο που το στόμα του είχε απότομα στεγνώσει. «Τι σου συμβαίνει;»

«Θα σας πω... γι' αυτό ήρθα... Πρέπει πια να μάθετε...»

Κάθισαν όλοι μέσα σε μια βαριά σιωπή. Η Ελπίδα άναψε τσιγάρο και όλοι πρόσεξαν ότι τα χέρια της έτρεμαν. Αμίλητοι την είδαν να το σβήνει θυμωμένη μετά την πρώτη ρουφηξιά.

«Δεν πάει κάτω το ρημάδι!» μονολόγησε. Ύστερα τους κοίταξε.

«Αν δεν το ξέρεις, σου λέω ότι μας έχεις τρομάξει!» της είπε αυστηρά ο Κωστής.

«Είναι φυσικό», του απάντησε. «Πολύ φοβάμαι, όμως, ότι παρακάτω θα γίνουν χειρότερα τα πράγματα! Βλέπετε, το θηρίο βρυχήθηκε πάλι!»

Κοιτάχτηκαν και οι τρεις. Ήξεραν τι εννοούσε όταν έλεγε «θηρίο».

«Είχατε πρόβλημα στο νοσοκομείο;» τόλμησε να ρωτήσει η Ναταλία.

«Όχι... Αυτή τη φορά είμαι εγώ... Το πρόβλημα το έχω εγώ...»

Η Ναταλία ένιωσε την ανάσα της να κόβεται.

«Τι πρόβλημα έχεις εσύ, δηλαδή;» Ο Κωστής ρωτούσε αρνούμενος να δεχτεί αυτό που μόλις είχε ακούσει.

«Καρκίνο, αγόρι μου!» θύμωσε εκείνη. «Θέλεις να

σ' το συλλαβίσω για να το κατανοήσεις; Έχω καρκίνο!»

Ένα ελατήριο τίναξε τον Κωστή από τη θέση του. Άρχισε να πηγαινοέρχεται χειρονομώντας και φωνάζοντας: «Είναι ανήκουστο! Μέχρι χθες μιλούσε για έλκος και τώρα μας πετάει έναν καρκίνο κατακέφαλα για να μας εντυπωσιάσει! Πού το ξέρεις, κυρία μου; Νοσοκόμα είσαι, δεν είσαι γιατρός! Αυτά τα πράγματα δεν τα λένε έτσι! Δεν τα βγάζουν από το μυαλό τους! Χρειάζονται εξετάσεις! Πολλές εξετάσεις!»

Έχανε τον έλεγχο, το έβλεπαν όλοι. Η Ναταλία σηκώθηκε για να τον πλησιάσει, αλλά η Ελπίδα τη σταμάτησε μ' ένα βλέμμα και σηκώθηκε κι εκείνη. Στάθηκε μπροστά του και του έκοψε το δρόμο. Την κοίταξε θυμωμένος. Την άρπαξε από τα μπράτσα και την τράνταξε τόσο δυνατά, που ο Φίλιππος έκανε να σηκωθεί για να τη γλιτώσει. Έτσι εύθραυστη όπως ήταν, φοβήθηκε ότι θα της έκανε καμιά ζημιά ο Κωστής, αλλά η Ναταλία τον σταμάτησε δακρυσμένη.

Ήξερε πόσο πολύ πονούσε εκείνος. Καταλάβαινε πόσο δυνατά αιμορραγούσε, αλλά κανένας δεν μπορούσε, κανένας δεν έπρεπε να μπει ανάμεσά τους εκείνη τη στιγμή. Ήταν ένας λογαριασμός μόνο για τους δυο τους. Η Ελπίδα ήταν για όλους, από την αρχή, η άγκυρα της λογικής, που δεν άφηνε κανενός το καράβι να τσακιστεί στα βράχια λάθος συλλογισμών. Με τον Κωστή, όμως, υπήρχε ένα αλλόκοτο δέσιμο. Με τον Κωστή δεν είχε περάσει ούτε μια μέρα που να μην επικοινωνήσει, έστω και για να τον βρίσει, σε μια προσπάθεια να καλύψει την ανεξήγητη αδυναμία που του είχε, χωρίς φυσικά να πείθει κανέναν τους. Στην αρχή η Ναταλία είχε πιστέψει ότι η έλξη ήταν ερωτική, αλλά γρήγορα κατάλαβε ότι δεν υπήρχε τέτοια περίπτωση. Κάποια άλλη χορδή της ψυχής της είχε αγγίξει ο άνθρωπος αυτός που τώρα την τράνταζε και της φώναζε: «Λες ψέματα! Είσαι ψεύτρα! Ψεύτρα! Πες το! Πες πως είναι ψέματα!»

Την άφησε λαχανιασμένος κι εκείνη τον κοίταξε ήρεμα. «Είναι αλήθεια, Κωστή...»

Για μια στιγμή, νόμισαν ότι θα τη χτυπούσε. Έπειτα την άρπαξε στην αγκαλιά του και την έσφιξε. «Δεν είναι τίποτα! Θα γίνεις καλά! Θα πάμε στο εξωτερικό! Εδώ δεν ξέρουν τι τους γίνεται! Μη φοβάσαι! Αύριο κιόλας, φεύγουμε! Θα πάμε στην Αμερική! Ή, καλύτερα, στην Αγγλία! Παντού θα πάμε!»

Απομακρύνθηκε από κοντά του. Τον κοίταξε χαμογελώντας τρυφερά. Του χάιδεψε το μάγουλο κι ύστερα, ένα απομεινάρι του παλιού εαυτού της του έδωσε ένα μπατσάκι.

«Αρκετά είπες! Κάθισε τώρα και άκουσε τι ήρθα να σας πω! Μη με κάνεις να μετανιώσω που σας το είπα!»

Ο Κωστής κάθισε στη θέση του, ανάμεσα στον Φίλιππο και στη Ναταλία, και αναζήτησε το χέρι της. Το έσφιξε και κοίταξε την Ελπίδα που τους είπε και τα υπόλοιπα. Αυτά που τόσο καιρό κρατούσε μόνο για τον εαυτό της.

«Έγιναν όλες οι εξετάσεις... Η κατάσταση είναι... ας πούμε μη αναστρέψιμη και πολύ περισσότερο μη θεραπεύσιμη...»

«Η επιστήμη όμως...» άρχισε ο Φίλιππος, αλλά κάτι στο βλέμμα της τον σταμάτησε.

«Τόσα χρόνια σ' αυτή τη δουλειά, αυτό που έμαθα καλά είναι ότι, όταν το θηρίο βρυχάται, η επιστήμη το βάζει στα πόδια! Καρκίνος στο στομάχι με μετάσταση στο συκώτι και πρόσφατα στα κόκαλα. Σου ακούγεται αντιμετωπίσιμο; Γιατί εγώ είδα ανθρώπους να πεθαίνουν από καρκίνο πολύ λιγότερο επιθετικό από τον δικό μου και με όλο το επιστημονικό δυναμικό πάνω από το κεφάλι τους, με χειρουργεία, ακτινοβολίες, χημειοθεραπείες και με όλα αυτά που σώζουν, αλλά όχι πάντα! Και σίγουρα όχι εμένα σ' αυτή την κατάσταση!»

«Τι... τι θέλεις να πεις;» Η Ναταλία δεν μπορούσε να ελέγξει το τρέμουλο.

«Θέλω να πω ότι η απόφαση είναι καταδικαστική! Τέλος!»

«Πόσο καιρό το ξέρεις;» Ήταν ο Κωστής που ρωτούσε.

«Δυστυχώς λίγο... Βλέπεις ήταν κι αυτό στα... τυχερά μου! Όταν αυτός ο άτιμος χτυπήσει στο στομάχι, το θύμα το καταλαβαίνει πολύ αργά! Ένα βήμα πριν από τη μετάσταση, τις περισσότερες φορές, και αμέσως μετά! Δεν μπορούμε να κάνουμε τίποτα!»

«Μα τι λες τώρα; Δηλαδή θα περιμένεις απλά να...» Όχι! Αυτό δεν μπορούσε να το προφέρει ο Κωστής και σώπασε.

«Αν η λέξη που δεν είπες εννοούσε θάνατο, τότε ναι! Αυτό θα κάνω!»

«Μα τρελάθηκες;» της φώναξε εκείνος.

«Κωστή, θα μπορούσα να μην πω κουβέντα. Θα μπορούσα να φύγω δήθεν για ένα ταξίδι και να μη μαθαίνατε ποτέ τίποτα για μένα! Η αλήθεια είναι όμως ότι δεν άντεχα να μείνω μόνη μου... Τελικά δεν είμαι και τόσο δυνατή όσο νόμιζα. Δεν ήθελα να σας χαλάσω τη ζωή τώρα που όλοι βρήκατε το δρόμο σας... τώρα που είστε ευτυχισμένοι!»

«Ελπίδα», πήρε το λόγο ο Φίλιππος, «είναι παρανοϊκό να μην προσπαθήσεις καν!»

«Αν είχες δει όσα εγώ, θα καταλάβαινες γιατί προτιμώ να φύγω όρθια! Όταν μάλιστα ξέρω ότι η πρόβλεψη, το αποτέλεσμα κάθε προσπάθειας, θα είναι μόνο μια μικρή παράταση μιας ζωής όμως εκφυλισμένης πάνω σ' ένα κρεβάτι, διαλυμένης από χημειοθεραπείες, ακτινοβολίες και χειρότερους πόνους απ' αυτούς που περνάω! Και το ακόμη χειρότερο; Από τη στιγμή που αρχίζεις να προσπαθείς, ελπίζεις! Μόνο που η ελπίδα, αντίθετα με όσους λένε ότι πεθαίνει τελευταία, σ' αυτή την άνιση μάχη φεύγει πρώτη και καλύτερη!»

«Μα είναι δειλία! Το σκας έτσι! Δεν το καταλαβαίνεις;» επέμεινε ο Φίλιππος. «Ο καρκίνος δεν είναι ανίκητος πλέον!»

«Μιλάς σαν τον Καλιβωκά! Έναν από τους γιατρούς με τους οποίους δουλεύω τα τελευταία χρόνια και είναι και ο μόνος που ξέρει τι έχει συμβεί! Μόνο που και εκείνος, όταν είδε με τι ταχύτητα κάνει τις μεταστάσεις... μάλλον συμφώνησε μαζί μου!»

«Σ' το είπε;» Ο Κωστής μόλις που ακούστηκε.

«Όχι με τόσο πολλά λόγια, αλλά πάντως δε διαφώνησε και ανοιχτά! Θέλω να καταλάβετε όλοι σας ότι το σκέφτηκα πάρα πολύ προτού πάρω μια τόσο σοβαρή απόφαση! Προτιμώ να φύγω έτσι! Μέσα στο νοσοκομείο, είδα πολλούς να θεραπεύονται, άλλους να φεύγουν με παράταση αλλά και πολλούς άλλους που δεν ήταν τυχεροί. Αυτούς ειδικά δε θα τους ξεχάσω... δε θα ξεχάσω τον τρόπο που έφυγαν, όταν πια δε θύμιζαν σε τίποτα την ανθρώπινη υπόστασή τους. Δε θέλω να φύγω έτσι. Χίλιες φορές όχι!»

«Πονάς πολύ;»

Η Ελπίδα στράφηκε στον Κωστή που είχε ρωτήσει. «Δεν ήρθα εδώ για ν' αναλύσω την αρρώστια μου, ούτε να κλαφτώ για τα συμπτώματά της!» του είπε απότομα.

«Τι θέλεις από μας; Πώς μπορούμε να βοηθήσουμε;»

Οι δύο άντρες γύρισαν και κοίταξαν με απορία τη Ναταλία που είχε μιλήσει. Αντίκρισαν μιαν άλλη γυναίκα. Ο φόβος και η ταραχή δεν υπήρχαν πια. Είχε ισιώσει την πλάτη, τα χείλη είχαν σφιχτεί, το βλέμμα πάνω στην Ελπίδα, γεμάτο αποφασιστικότητα.

Εκείνη της χαμογέλασε. «Τελικά μόνο εσύ...» της είπε και στράφηκε στους άλλους δύο. «Αυτό που θέλω από σας είναι πρώτα απ' όλα να μη μάθει τίποτα η Μαρίνα. Μόλις γέννησε και δεν πρέπει να ταραχτεί! Θέλω ακόμη να δεχτείτε την κατάσταση όπως είναι, να μην ξαναμιλήσουμε γι' αυτό και, προπάντων, να μη με ρωτάτε συνέχεια πώς είμαι!»

«Είναι παράλογο αυτό το τελευταίο!» διαμαρτυρήθηκε ο Κωστής.

«Τι θα κερδίσουμε, αν δηλητηριάσουμε τη ζωή μας από δω και πέρα, μιλώντας ξανά και ξανά για το ίδιο θέμα; Αν υπάρξει οποιαδήποτε εξέλιξη, θα σας ενημερώσω, αυτό σας το υπόσχομαι! Τόσο καιρό που το ξέρω, προσπαθώ να μην το σκέφτομαι και χάρη σ' εσάς και στην ευτυχία σας, που τη ζω, ας πούμε, παρασιτικά, το έχω σχεδόν καταφέρει! Αν εσείς οι ίδιοι μου το θυμίζετε συνέχεια, θα με κάνετε χειρότερα! Απλώς έπρεπε πια να το μάθετε, αφενός για να μη με ρωτάτε συνέχεια τι έχω και αφετέρου... για να μη σας έρθει απότομα!... Και τώρα πρέπει να φύγω, έχω βάρδια! Καληνύχτα!»

Έφυγε προτού προλάβει κανείς να πει οτιδήποτε άλλο. Ο ήχος της πόρτας που έκλεινε ήταν το ίδιο τελεσίδικος με τη φωνή της. Δεν κινήθηκαν. Ο Κωστής έγειρε πίσω και από τα κλειστά του μάτια άρχισαν να τρέχουν δάκρυα. Ο Φίλιππος άναψε τσιγάρο. Η Ναταλία σηκώθηκε και τους έβαλε από ένα κονιάκ. Ύστερα πήγε στο παράθυρο. Επιτέλους έβρεχε. Δυνατά...

«Τώρα ξέσπασες!» μουρμούρισε κοιτώντας τον μαύρο ουρανό και ήταν σαν να τον κατηγορούσε για όσα είχαν γίνει.

Αλήθεια, πώς έγινε τόσο κακό; Ποιος θεός τούς φθόνησε και έκλεψε το γέλιο από την παρέα τους; Γιατί τώρα, που όλα έμοιαζαν με ηλιοτρόπιο που στράφηκε στον ήλιο της χαράς; Τα μάτια της έπεσαν στο ημερολόγιο... Η τελευταία μέρα του πρώτου μήνα, ενός καινούργιου χρόνου που εισέβαλε με τόση ευτυχία. Ήταν αυτός ο νέος χρόνος που έφερε μια ζωούλα κοντά τους, ενώ ήταν απολύτως βέβαιο ότι θα έπαιρνε μιαν άλλη προτού τελειώσουν οι μήνες του.

Μια σκιά, αθέατη απ' όλους, πέρασε βιαστική. Η αναγγελία είχε γίνει. Μαζί με το Γενάρη έφευγε και ο Ερμής, σχεδόν με ανακούφιση που είχε τελειώσει με το θλιβερό καθήκον του. Δε γύρισε να κοιτάξει πίσω του. Δεν ήθελε ν' αντικρίσει το θεό που ερχόταν...

# ΦΛΕΒΑΡΗΣ
## *Ο μήνας του Άδη*

### ΑΔΗΣ

*Αδελφός του Δία, γιος του Κρόνου και της Ρέας. Είναι σκοτεινή και φοβερή η μορφή αυτού του θεού, που είχε στην εξουσία του τη χώρα του ερέβους και βασίλευε στα ζοφερά σκοτάδια του Κάτω Κόσμου, εκεί όπου κατοικούσαν οι άνθρωποι, όταν έκλειναν τα μάτια, για να κοιμηθούν τον γαληνεμένο αιώνιο ύπνο τους. Ο Άδης ήταν θεός ισχυρός, ρωμαλέος, άσχημος, τρομερός και μισητός, αδάμαστος, σκληρός και ασυγκίνητος. Δεν τον αγαπούσαν οι άνθρωποι και προτιμούσαν να μην τον αναφέρουν στις κουβέντες τους, γιατί ήθελαν κι εκείνος να τους ξεχνάει...*

*Μα εσύ όμως ξακουστή και παινεμένη*
*σ' αυτή πας των πεθαμένων την κρυψώνα*
*ούτ' από κακό μαράζι χτυπημένη,*
*ούτε που να πήες από μαχαίρι,*
*μ' από μόνη σου το θέλησες και μόνη*
*από τους θνητούς στον Άδη*
*ζωντανή θα κατεβείς.*

Σοφοκλής, *Αντιγόνη*
*(Μτφρ.: Ι. Γρυπάρης)*

Τα σύννεφα ήρθαν βαριά, μελανόχρωμα και πένθιμα, και στάθηκαν ακριβώς πάνω από το κεφάλι τους. Το γέλιο πέταξε μακριά, η χαρά κρύφτηκε ανήμπορη να βοηθήσει. Τίποτα δε θα ήταν το ίδιο πια και το ήξεραν όλοι, παρόλο που φαινομενικά δεν είχε αλλάξει κάτι. Πήγαιναν στις δουλειές τους, γύριζαν, μαζεύονταν τακτικά στο σπίτι της Μαρίνας λόγω του μωρού, γελούσαν, συζητούσαν, αλλά ήταν μαρτύριο εκείνες οι ώρες.

Η Ναταλία έβλεπε τον Κωστή να προσποιείται μια ευθυμία και ένα κέφι απερίγραπτο και πονούσε γιατί εκείνη ήξερε... Όταν θα έμεναν μόνοι τους, τότε το προσωπείο θα έπεφτε, ο πόνος θα έπαιρνε τη θέση του και η απελπισία θα τον κυρίευε, ίδια και απαράλλαχτη κάθε φορά. Αρνιόταν να δεχτεί το κακό, δεν ήθελε και δεν μπορούσε να καταλάβει όλα τα «πώς» και κυρίως το μεγάλο «γιατί» που έρχεται και βασανίζει κάθε άνθρωπο μαζί με το κακό. Εκείνες τις στιγμές δεν ήξερε τι να του απαντήσει. Μπορούσε μόνο να κρύβει τον δικό της πόνο, και να τον στηρίζει με όποιο τρόπο τής ερχόταν στο μυαλό.

Η ίδια στράφηκε στον μοναδικό άνθρωπο που ήξερε ότι μπορούσε να μιλήσει ειλικρινά. Η Νάσα στάθηκε δίπλα της μ' έναν τρόπο τόσο ανθρώπινο, τόσο δυνατό, που η Ναταλία αναρωτήθηκε τι θα είχε συμβεί τις βδομάδες που ακολούθησαν, αν αυτή η γυναίκα δεν είχε βρεθεί στο δρόμο της. Δυσκολευόταν και η ίδια να θυμηθεί το διάστημα που η Νάσα ήταν για εκείνη, όπως για όλους, η εκκεντρική συγγραφέας. Τώρα πια ήταν μια καλή φίλη, οι άμυνες είχαν πέσει.

Όταν την άλλη μέρα κιόλας από τις αποκαλύψεις της Ελπίδας χτύπησε την πόρτα της, η Νάσα κατάλαβε αμέσως ότι κάποιο μεγάλο κακό είχε βρει την κοπέλα που στεκόταν μπροστά της, με τα μάτια γεμάτα δάκρυα και φόβο.

«Τι έγινε;» τη ρώτησε χωρίς πρόλογο και άφησε τη Ναταλία να ξεσπάσει τον χείμαρρο του κακού που κουβαλούσε.

Την άκουσε πολύ προσεκτικά, χωρίς να τη διακόψει ούτε μια φορά. Μόνο στο βλέμμα της η κοπέλα μπορούσε να διακρίνει την κατανόηση. Παρέμεινε εντελώς σιωπηλή και αφότου η Ναταλία σταμάτησε να μιλάει και άρχισε να κλαίει σιγανά.

Την κοίταξε. «Ναταλία, πρέπει να ηρεμήσεις!» τη διέταξε. «Καταλαβαίνω ότι ήταν απρόοπτο και εξαιρετικά δυσάρεστο, αλλά δε θα βγει τίποτα με τα κλάματα!»

Η Ναταλία σκούπισε τα μάτια της και σήκωσε το κεφάλι. «Έχεις δίκιο...» είπε σιγανά. «Τίποτα δε βγαίνει όσο κι αν κλάψω. Το είχα όμως ανάγκη αυτό το ξέσπασμα... Μπροστά στον Κωστή πρέπει να είμαι δυνατή... Δεν έχω κανένα περιθώριο. Έχει καταρρεύσει, Νάσα. Δεν τον αναγνωρίζω».

«Το καταλαβαίνω... ήταν αναπάντεχο».

«Τρομακτικό ήταν πάνω απ' όλα! Είσαι η μόνη με την οποία μπορώ να μιλήσω!»

«Τότε, μίλησέ μου! Πες μου τι νιώθεις! Εσύ όμως! Όχι ο Κωστής! Θα έρθουμε και σ' εκείνον!»

«Αυτό που νιώθω εγώ, ντρέπομαι και να το πω ακόμη...»

«Δεν είμαι εδώ για να σε κατακρίνω, αλλά για να σε ακούσω».

«Πάντα, όποιος αγαπούσα έφευγε. Όταν γνώρισα αυτούς τους ανθρώπους, όταν δέθηκα τόσο πολύ μαζί τους, άρχισα να φοβάμαι ότι ήμουν πολύ... "λίγη" γι' αυτούς και ότι πολύ σύντομα θα μου το έλεγαν και θα έφευγαν από κοντά μου, όπως τόσοι άλλοι πριν απ' αυτούς. Δεν έγινε ποτέ και πίστεψα ότι η τύχη μου άλλαξε. Όταν αισθάνθηκα ερωτευμένη με τον Κωστή, η αγωνία μου ήταν ότι θα έφευγε κι αυτός όπως οι άλλοι... Έλεγα ότι δεν είχα καμιά ελπίδα μαζί του και όμως...»

«Και τώρα αναρωτιέσαι ποια μοίρα κακή σού παίρνει μια φίλη που αγαπάς!»

«Δεν μπορώ να το δεχτώ! Καταλαβαίνεις; Είναι άδικο!»

«Κανένας δεν ξέρει τι είναι δίκαιο και τι άδικο. Κανένας δεν έμαθε ποτέ με ποια κριτήρια διαλέγει ο Κάτω Κόσμος τους κατοίκους του...»

«Τι να κάνω, Νάσα; Πώς να βοηθήσω;»

«Με το να δεχτείς πρώτη εσύ η ίδια την απώλεια που

έρχεται και μετά να γίνεις δυνατή. Τα πράγματα θα χειροτερέψουν προτού γίνουν καλύτερα, είναι γνωστός νόμος αυτός! Όταν φύγει αυτή η γυναίκα, το καράβι θα βρεθεί κολλημένο στο βυθό, να το θυμάσαι! Ναυάγιο αυτό και ναυαγοί εσείς, και η μόνη ελπίδα θα είναι ακριβώς αυτό που νιώθετε ο ένας για τον άλλο!»

«Δε θέλω να σκέφτομαι το θάνατο!»

«Δε θ' αργήσει όμως και θα είναι απότομος! Απ' όσο γνώρισα αυτή τη γυναίκα, μέσα από τα δικά σου λεγόμενα, η Ελπίδα θα γράψει μόνη της το τέλος!»

«Τι εννοείς;»

«Εννοώ αυτό που κι εσύ η ίδια φοβάσαι, αλλά δεν τολμάς ούτε να το σκεφτείς! Η Ελπίδα και το... θηρίο της παλεύουν σαν τον Διγενή στα μαρμαρένια αλώνια. Έχεις την ψευδαίσθηση ότι αυτή η γυναίκα θα του επιτρέψει να νικήσει;»

«Χριστέ μου! Καταλαβαίνεις τι λες;»

«Απόλυτα!»

«Αν αυτό που είπες όμως, αν αυτό που υπονοείς, το έχει στο μυαλό της η Ελπίδα... πρέπει να την εμποδίσω... πρέπει να κάνω κάτι!»

«Τίποτα δε θα κάνεις, γιατί τα χέρια σου είναι δεμένα από την ίδια την Ελπίδα! Δε σας δίνει το δικαίωμα! Δεν το κατάλαβες; Ανακοίνωσε, δε ρώτησε! Επικεντρώσου λοιπόν στον Κωστή, γιατί για εκείνον πρέπει να ενδιαφέρεσαι τώρα! Η φίλη σας έχει πάρει ήδη την απόφασή της!»

«Κι αυτό ακόμη! Έχεις δει ξανά άνθρωπο να παραδίνεται στην αρρώστια; Να μην κάνει τίποτα για να την πολεμήσει;»

«Λάθος το ερμηνεύεις! Αυτό που εσύ αποκαλείς παράδοση είναι κάτι πιο λεβέντικο! Αποφάσισε να μην παίξει το παιχνίδι αυτής της αρρώστιας και μεταξύ μας δεν την αδικώ! Έτσι που τη χτύπησε, ήταν καταδικασμένη. Γιατί να παρατείνει με επώδυνο τρόπο τη θανατική καταδίκη; Δε νομίζω ότι οι γιατροί τής έδωσαν έστω και μια ελπίδα για να κρατηθεί!»

«Και με τον Κωστή; Τι θα κάνω; Το έχει πάρει πολύ βαριά!»

«Είναι αναμενόμενο σαν πρώτη αντίδραση, δεδομένης και της αδυναμίας που της έχει, αλλά θα συνέλθει μ' εσένα δίπλα του και μη μεγαλοποιείς το πρόβλημα, ούτε να υποτιμάς το ένστικτο της αυτοσυντήρησης! Είστε μάλλον... ανεκπαίδευτοι στο θέμα του θανάτου! Σας λείπει η πείρα! Έχω δει γονιό να θάβει το μονάκριβο παιδί του, αλλά δε γνώρισα κανέναν που ν' αυτοκτόνησε αμέσως μετά! Δε φαντάζομαι λοιπόν ν' αυτοκτονήσει ο Κωστής για το θάνατο μιας φίλης, έστω και πολυαγαπημένης! Σύνελθε, λοιπόν! Μόλις βρήκατε κι εσύ κι αυτός τον έρωτα· μπροστά σας ανοίγεται ένα όμορφο μέλλον! Καταιγίδα είναι, θα περάσει! Συγγνώμη αν ακούγομαι κυνική, αλλά...»

«Ακούγεσαι σαν την Ελπίδα! Τα ίδια θα μου έλεγε κι εκείνη, είμαι σίγουρη!» αποκρίθηκε η Ναταλία και αγκάλιασε τη Νάσα.

«Θα σου πω και κάτι ακόμη και φρόντισε να με ακούσεις προσεκτικά!» Η Νάσα αποτραβήχτηκε από το αγκάλιασμα. «Είναι λάθος αυτό που κάνετε με την άλλη... τη Μαρίνα. Την κρατάτε στο σκοτάδι και η αλήθεια, που ούτως ή άλλως θα έρθει, θα της ρίξει τον ουρανό στο κεφάλι!»

«Μα πώς να της πούμε ένα τέτοιο πράγμα; Μόλις πριν από ένα μήνα γέννησε!»

«Και λοιπόν; Θα κλάψει, θα στενοχωρηθεί, αλλά τουλάχιστον θα είναι προετοιμασμένη για την απώλεια! Θα της έχετε δώσει όλο το χρόνο να προσαρμοστεί! Θυμάσαι τι σου είχα πει; Όσο πιο γεμάτες είναι οι μπαταρίες από ευτυχία... Ε, λοιπόν, της Μαρίνας έχουν και περίσσευμα!»

Ο Κωστής σχεδόν έκανε εισβολή στο γραφείο της Ελπίδας. Δε θυμήθηκε καν να χτυπήσει την πόρτα. Τη βρήκε καθισμένη στο γραφείο της να γράφει. Σήκωσε το κεφάλι και τον κοίταξε χωρίς ίχνος έκπληξης.

«Σε περίμενα», του είπε ατάραχη. «Ήξερα πως μετά τη συζήτηση στο σπίτι σου, δε θα μπορούσες να το αφήσεις έτσι! Ούτε εμένα στην ησυχία μου!»

«Συζήτηση λες εκείνη την ανακοίνωση; Ήρθες, μας πέταξες στο κεφάλι ένα θανατικό και δε δέχτηκες καν να σε ρωτήσουμε γι' αυτό!» απάντησε θυμωμένος.

«Θέλεις γνώση, αγόρι μου; Ζητάς λεπτομέρειες; Πολύ καλά! Ήρθες στο κατάλληλο μέρος! Έλα μαζί μου!»

Τον άρπαξε από το χέρι και τον παρέσυρε σ' ένα θλιβερό οδοιπορικό, γεμάτο πόνο και θάνατο. Τον πέρασε, με απόλυτη διακριτικότητα, απ' όλους τους θαλάμους, όπου ζούσαν ίσως τις τελευταίες τους μέρες άνθρωποι που δεν είχαν πια να περιμένουν τίποτα, που ήταν στο ύστατο στάδιο. Ο Κωστής αντίκρισε με φρίκη κορμιά ταλαιπωρημένα που μέσα τους κατοικούσαν ψυχές βασανισμένες, καρδιές που λαχταρούσαν τη ζωή, αλλά περίμεναν καρτερικά το θάνατο. Η Ελπίδα τον γύρισε πάλι στο γραφείο της.

«Λοιπόν;» τον ρώτησε επιθετικά. «Είδες!... Έμαθες; Κατάλαβες τουλάχιστον;»

Ο Κωστής την κοίταξε και ο θυμός ξαναγύρισε. «Είσαι ύπουλη!» την κατηγόρησε. «Με πήγες όπου ήθελες μόνο! Γιατί δε μου έδειξες και τους άλλους θαλάμους; Εκεί όπου οι πρώην ασθενείς περιμένουν το εξιτήριο;»

«Σε πήγα όπου έπρεπε! Αυτοί που είδες είναι άνθρωποι που, όπως εγώ, αντιλήφθηκαν αργά την αρρώστια! Γιατί δε θέλεις να το καταλάβεις; Για μένα, δεν υπάρχει ελπίδα! Οι μεταστάσεις ήταν γρήγορες, αυτό σημαίνει επιθετικό καρκίνο! Αυτή τη στιγμή που μιλάμε, κι εγώ δεν ξέρω ποιο άλλο ζωτικό μου όργανο ετοιμάζεται να δεχτεί επίθεση!»

Ο Κωστής ένιωσε να μην τον κρατούν τα πόδια του και σωριάστηκε σε μια καρέκλα. Η Ελπίδα κάθισε πάλι στο γραφείο της.

«Τι θα κάνουμε;» τη ρώτησε ήσυχα.

«Εμένα ρωτάς;» τον ειρωνεύτηκε. «Λοιπόν, με απογοήτευσες!»

Την κοίταξε ερωτηματικά.

«Θα σου εξηγήσω», συνέχισε εκείνη. «Στράφηκα σ' εσένα, πιστεύοντας ότι θα φαινόσουν δυνατός για όλους, και είσαι ο πρώτος που τσάκισε! Αντίθετα, η Ναταλία είναι όλα όσα μπορούσα να ελπίζω και ακόμη περισσότερα!»

«Δηλαδή τι περίμενες; Να σου πω "μπράβο" ή ν' αρχίσω να χορεύω από τη χαρά μου;»

«Περίμενα και περιμένω να δεχτείς την απόφασή μου να φύγω με αξιοπρέπεια και... όρθια! Για μένα αυτό είναι πιο σημαντικό! Όχι το ότι θα φύγω, αλλά το πώς θα φύγω! Κι αν θέλεις να θυμηθώ τον παλιό καλό εαυτό μου... είσαι "λίγος", αγόρι μου! Η δική μου ζωή απέκτησε σύντομη ημερομηνία λήξης, εσύ είσαι αυτός που κατέρρευσε! Περίμενα έναν άντρα που θ' αντιμετώπιζε με θάρρος μια κρίσιμη κατάσταση και βρήκα ένα αδύναμο και δειλό ανθρωπάκι!»

«Με κατηγορείς για δειλία; Μα πώς θα μπορούσα να αντιδράσω; Και μην υποτιμάς την κατάσταση! Δεν είναι κρίσιμη έτσι απλά!»

«Υπάρχουν και χειρότερα! Και για να μιλήσω ακόμη πιο ωμά... και τι έγινε; Λες να χάσει τίποτα ο κόσμος αν λείψω εγώ; Ένα ξερό κουφάρι ήμουν και θα συνέχιζα να είμαι! Δεν αφήνω ούτε παιδιά πίσω μου ούτε υποχρεώσεις! Με ρώτησες πριν "τι θα κάνουμε"! Εγώ ξέρω τι θα κάνω! Εσύ ξέρεις; Είχες τη σπάνια τύχη να βρεθεί στο δρόμο σου μια Ναταλία! Κράτα τη, λοιπόν, σφιχτά και προχώρα!»

«Τι σχέση έχει η Ναταλία; Αν θέλεις να ξέρεις, αν δεν είχα κοντά μου αυτή τη γυναίκα, ούτε κι εγώ ξέρω τι θα είχα κάνει!»

«Τώρα μιλάς σωστά!»

«Μα το θέμα εξακολουθείς να είσαι εσύ!»

«Εγώ δε σκοπεύω να κουνήσω ούτε το δαχτυλάκι μου, χώνεψέ το! Εσύ μπορείς να με βοηθήσεις;»

«Πώς;»

«Κάνοντας ό,τι σου λέω!»

«Αυτό είναι επικίνδυνο! Τέτοια υπόσχεση δε δίνω και ειδικά σ' εσένα!»

«Κι όμως, όταν έρθει η ώρα, θα κάνεις ό,τι ζητήσω... είμαι σίγουρη...»

Η Μαρίνα κοίταξε το ήρεμο προσωπάκι της κόρης της που κοιμόταν και χαμογέλασε. Είχε περάσει την τελευταία μιάμιση ώρα να ασχολείται μόνο με το πλασματάκι της. Την είχε κάνει μπάνιο και αυτό, κάθε φορά, ήταν μια τρυφερή εμπειρία. Το μικρό κορμάκι, μόλις ερχόταν σ' επαφή με το νερό, χαλάρωνε. Ολόκληρη αντιφέγγιζε ευδαιμονία και όταν η μητέρα της τη σήκωνε από το μπανάκι της, ρουθούνιζε δυσαρεστημένη. Ευτυχώς ξεπερνούσε γρήγορα τη δυσαρέσκειά της, γιατί το στέγνωμα σε συνδυασμό με τα χάδια, τα φιλιά και το ταλκ ήταν εξίσου ευχάριστα. Το καλύτερο, πάντως, ήταν αυτό που ακολουθούσε: η αγκαλιά της μαμάς και το γάλα. Η Μαρίνα απομακρύνθηκε από το κρεβάτι της κόρης της ευτυχισμένη. Ο Φίλιππος μπήκε ύστερα από λίγο. Ήταν η μέρα που πάντα αργούσε, γιατί είχε μάθημα. Κοίταξε γύρω του απογοητευμένος.

«Δεν την πρόλαβα, ε;» ρώτησε και εννοούσε φυσικά το μωρό.

«Μόλις κοιμήθηκε!» αποκρίθηκε η Μαρίνα χαμογελώντας.

Ήξερε πόσο του άρεσε να συμμετέχει στη φροντίδα της μικρής Δέσποινας, αλλά εκείνη ήταν πολύ αυστηρή σε ό,τι αφορούσε το ημερήσιο πρόγραμμά της και πολλές φορές τον μάλωνε όταν εκείνος χαλούσε ή τουλάχιστον προσπαθούσε να χαλάσει αυτό το πρόγραμμα. Του ετοίμασε κάτι να τσιμπήσει όπως συνήθιζε και κάθισε απέναντί του.

«Πρέπει να μιλήσουμε!» του είπε κι εκείνος την κοίταξε ανήσυχος.

«Τι έγινε;»

«Τίποτα δεν έγινε, αλλά πρόκειται να γίνει... Για τη βάφτιση της μικρής μιλάω!»

«Νωρίς δεν είναι;»

«Όχι τώρα, κουτέ! Το καλοκαίρι θα γίνει, αν και δεν έχω συζητήσει ακόμη με την Ελπίδα την ακριβή ημερομηνία...»

Ο Φίλιππος κράτησε την αναπνοή του καθώς η Μαρίνα συνέχισε.

«Ξέρεις, ανησυχώ λίγο γι' αυτήν... Δε μου φαίνεται και τόσο καλά».

«Γιατί; Τι έχει;»

«Έλα τώρα! Δεν μπορεί να μην πρόσεξες πόσο πολύ έχει αδυνατίσει!»

«Νόμιζα ότι οι γυναίκες όσο και ν' αδυνατίσουν, ποτέ δε θεωρούν ότι είναι πολύ!»

Ξαναγύρισε στο πιάτο του με ιδιαίτερη βιασύνη. Τα μάτια της Μαρίνας στένεψαν καχύποπτα.

«Φίλιππε, συμβαίνει κάτι;» τον ρώτησε.

«Όχι, όχι! Τι να συμβαίνει δηλαδή;»

«Κάτι δε μ' αρέσει!»

«Μα τι έκανα;»

«Δεν είσαι μόνο εσύ! Κάτι περίεργο πλανάται γύρω μου τον τελευταίο καιρό! Το παρατήρησα και πάνω στον Κωστή! Μου κρύβετε κάτι;»

«Μα τι μπορεί να σου κρύβουμε; Η φαντασία σου είναι!»

«Α, τώρα είναι η φαντασία μου; Γιατί όσο καιρό ήμουν έγκυος, ήταν οι ορμόνες μου! Φίλιππε, κάτι μου κρύβεις! Κάτι αποφεύγεις!»

«Άδικα τα βάζεις μαζί μου! Εγώ δεν έχω κάνει τίποτα!»

«Καλά... Δε σε πιέζω άλλο... προς το παρόν! Πάντως, να ξέρεις ότι δε μ' έπεισες! Ούτε στο ελάχιστο!»

Προς το παρόν είχε γλιτώσει, αλλά ήταν προσωρινό, το καταλάβαινε. Πάντα φοβόταν το γυναικείο ένστικτο. Η Μαρίνα είχε ζήσει από καρδιάς αυτή την παρέα, ήταν εύκολο να νιώσει την αλλαγή της. Πώς φαντάστηκαν ότι θα μπορούσαν να της το κρύψουν; Ύστερα, ήταν και το δικό του ένστικτο. Αυτό που του έλεγε ότι τόσο σοβαρά προβλήματα ούτε κρύβονται ούτε καλύπτονται, γιατί η ώρα της αποκάλυψης θα ήταν σκληρότερη αν δεν ήταν προετοιμασμένος κανείς γι' αυτήν.

Ξύπνησε έχοντας την αίσθηση ότι κάτι δεν πήγαινε καλά. Το χέρι της είχε αναζητήσει τη ζεστασιά του και όταν δεν τη βρήκε, πετάχτηκε τρομαγμένη. Η Ναταλία κοίταξε γύρω της. Το δωμάτιο ήταν άδειο. Το ρολόι έδειχνε τρεις τα ξημερώματα. Πού ήταν ο Κωστής;

Στην απόλυτη ησυχία, το αυτί της έπιασε τον ήχο του αναπτήρα του και κατάλαβε. Σηκώθηκε, πήγε στο σαλόνι και τον βρήκε καθισμένο στο σκοτάδι να καπνίζει.

«Κωστή;» Η φωνή της, αν και χαμηλή, τον τρόμαξε και αναπήδησε.

«Με τρόμαξες», της είπε.

Κάθισε κοντά του και του έπιασε το χέρι. «Τι συμβαίνει;» τον ρώτησε.

«Δεν μπορούσα να κοιμηθώ».

«Σκέφτεσαι την Ελπίδα...» — Δεν ήταν ερώτηση.

«Πήγα σήμερα και την είδα στη δουλειά... Ήθελα να προσπαθήσω να την πείσω να μην παραιτηθεί, να παλέψει...»

«Εγώ σήμερα πήγα στην Αγραφιώτου...»

«Γιατί;»

«Γιατί είχα ανάγκη να μιλήσω σε κάποιον με την αγριότητα της λογικής της ίδιας της Ελπίδας και ήταν η μόνη...»

«Δε σε βοηθάω και πολύ, ε;»

«Το θέμα είναι να σε βοηθήσω εγώ!»

«Γι' αυτό πήγες σ' αυτή τη γυναίκα;»

«Είναι φίλη μου πια και μάλιστα πολύ καλή. Της τα είπα όλα, Κωστή, και όταν τοποθέτησα τη στάση της Ελπίδας ως παραίτηση, εκείνη μου είπε ότι κάνω λάθος! Ότι δεν παραιτήθηκε, απλώς διάλεξε να μην παίξει το παιχνίδι αυτής της αρρώστιας!»

«Ναταλία, ζούμε στον εικοστό πρώτο αιώνα, όχι στο χίλια οχτακόσια! Χιλιάδες άνθρωποι πάσχουν από καρκίνο, αλλά το παλεύουν!»

«Δεν είμαι γιατρός, δεν ξέρω τίποτε απ' αυτά, αλλά

απ' ό,τι μας είπε η ίδια, είναι σοβαρά τα πράγματα κι εκείνη άργησε να το καταλάβει».

«Αυτό είναι που με τρώει... οι τύψεις...»

«Τύψεις; Μα γιατί;»

«Έντεκα μήνες τώρα που είμαστε μαζί, η μόνη που δεν είχε πρόβλημα ήταν εκείνη! Αντίθετα όλοι μας, λίγο ή πολύ, τη φορτώσαμε με τα δικά μας! Δεν της αφήσαμε χρόνο ν' ασχοληθεί με τον εαυτό της! Εκείνη που είχε τόση εμπειρία, που ήταν μέσα σε γιατρούς... Αν της είχαμε αφήσει χρόνο και χώρο, ίσως να καταλάβαινε... ίσως να το έψαχνε πιο νωρίς... ίσως να είχε ελπίδα...»

«Οδηγείσαι σε παράλογους συνειρμούς! Πονάς και το καταλαβαίνω, αλλά είναι λάθος να θεωρείς υπεύθυνη αυτή την παρέα! Έπειτα, την άκουσες κι εσύ ο ίδιος που μας το είπε... Ο καρκίνος, που ξεκινάει από το στομάχι, όταν δίνει συμπτώματα είναι πλέον αργά. Άδικα βασανίζεσαι και δε βοηθάς και τον εαυτό σου να συμβιβαστεί με την ιδέα».

«Ποια ιδέα; Τι θέλεις να πεις;» Η ταραχή τον έκανε να υψώσει τη φωνή του.

«Αγάπη μου, πρέπει να το δεχτείς... Η Ελπίδα πολύ σύντομα θα φύγει από κοντά μας...»

«Όχι! Αυτό δεν πρόκειται να το δεχτώ! Είναι νέα... πάρα πολύ νέα! Ίσως... ίσως κάποιο θαύμα! Πρέπει να την πείσω να το παλέψει... Πρέπει να...» Οι εικόνες του πρωινού, στους θαλάμους του νοσοκομείου, ήρθαν επιθετικές και τον έκαναν να σωπάσει. Έκρυψε το πρόσωπο στα χέρια του και από κει ξαναμίλησε. «Σήμερα με πήγε και είδα. Ναταλία, δε θα ξεχάσω ποτέ... Άνθρωποι άρρωστοι, γεμάτοι από καλώδια και σωληνάκια, με το θάνατο να φτερουγίζει από πάνω τους. Οι περισσότεροι δεν είχαν καν επαφή με το περιβάλλον... ακόμη και η αναπνοή τους έβγαινε με πόνο...»

«Αυτό ακριβώς που ήθελε εκείνη ν' αποφύγει... Κωστή, η Ελπίδα δεν είναι ούτε κουτή ούτε ανόητη. Ξέρει πως αυτή η αρρώστια μπορεί πια να νικηθεί! Ήταν και αυτή ένας από τους στρατιώτες που πολεμούν. Εσύ σήμερα είδες την άσχημη πλευρά, που σαφώς υπάρχει. Εκείνη, όμως, έχει δει και την καλή. Έχει δει ανθρώπους να φεύγουν νικητές!»

«Τότε γιατί αρνείται κάθε βοήθεια;» Ο Κωστής την κοιτούσε θυμωμένος.

«Γιατί εκείνη που ξέρει, γνωρίζει και τη ματαιότητα της δικής της περίπτωσης! Σ' αυτό τον πόλεμο, για να νικήσεις, χρειάζεται η έγκαιρη διάγνωση, και αυτή τη μάχη την έχασε η Ελπίδα και μαζί μ' αυτήν και τον πόλεμο! Δε θέλει παράταση, αγάπη μου! Δε θέλει να καταλήξει σ' ένα από αυτά τα κρεβάτια! Αν και...»

«Γιατί έκοψες απότομα την κουβέντα σου; Τι ήθελες να πεις;»

«Ότι δε βλέπω πώς θα το αποφύγει! Τι θα γίνει όταν θα καταρρεύσει; Γιατί η εξέλιξη είναι τόσο γρήγορη που...»

«Νομίζω ότι βλέπω εφιάλτη!»

«Όλοι το ίδιο νομίζουμε...»

Την αγκάλιασε και η Ναταλία ένιωσε με κάθε κύτταρό της την αγωνία του.

«Τι θα έκανα χωρίς εσένα δίπλα μου;» τη ρώτησε.

«Δε θα χρειαστεί να το μάθεις!» του απάντησε τρυφερά και τον κράτησε στην αγκαλιά της, μέχρι που εκείνος ήρεμος αποκοιμήθηκε.

*«Τα πράγματα θα χειροτερέψουν προτού γίνουν καλύτερα...»*

Πόσες φορές δεν το σκέφτηκε αυτό η Ναταλία τις μέρες του Φεβρουαρίου, που κυλούσε βιαστικός. Όλοι λειτουργούσαν μηχανικά, σχεδόν σαν ρομπότ. Η Ελπίδα άρχισε να τους αποφεύγει καθώς η κατάστασή της χειροτέρευε με γοργούς ρυθμούς. Ακόμη και στη δουλειά της άρχισε να γίνεται αντιληπτό ότι η προϊσταμένη είχε αλλάξει. Παραιτήθηκε.

Η στιγμή που αποχαιρέτησε τον Καλιβωκά ήταν δύσκολη. Ο γιατρός, απίστευτα ταραγμένος και στενοχωρημένος, τη δέχτηκε στο γραφείο του.

«Ελπίδα, δεν ξέρω τι να πω», μουρμούρισε. «Υπήρξες υπόδειγμα εδώ μέσα και δε νομίζω ότι θα βρω ποτέ άλλη προϊσταμένη τόσο υπεύθυνη, τόσο πρόθυμη, τόσο ανθρώπινη και τόσο ικανή...»

«Σας ευχαριστώ, γιατρέ, αλλά ξέρετε τι λένε: ουδείς αναντικατάστατος!»

«Μήπως βιάστηκες να φύγεις, όμως;»

«Γιατρέ, ξέρετε και ξέρω ότι δεν είμαι πια σε θέση να εργαστώ και το πόστο μου δεν αντέχει λάθη. Είναι και η οργανική μου κατάσταση που χειροτερεύει κάθε μέρα. Τρέμουν τα πόδια μου και τα χέρια μου όταν πονάω, και αυτό γίνεται πια όλη μέρα. Δεν μπορώ να κάνω τίποτα σωστά».

«Ναι, αλλά πώς θα ζήσεις... Θέλω να πω...»

«Κατάλαβα τι θέλετε να πείτε και σας ευχαριστώ. Έχω κάτι οικονομίες... τις κρατούσα γι' αργότερα, αλλά δεν υπάρχει αργότερα τώρα πια!»

«Ελπίδα, είναι κάτι ακόμη που θέλω να σου πω...»

«Σας ακούω...»

«Κάποια στιγμή θα χρειαστείς νοσοκομείο... όταν τα πράγματα χειροτερέψουν... Καταλαβαίνεις...»

«Ξέρω την εξέλιξη της νόσου, γιατρέ».

«Έλα εδώ. Θα σε αναλάβω εγώ και θα κάνω ό,τι μπορώ για να μην υποφέρεις...»

«Ευχαριστώ! Πριν φύγω, θέλω να σας ρωτήσω κάτι... έτσι, για την ιστορία. Σαν γιατρός και σαν άνθρωπος... πιστεύετε ότι έτσι όπως ήταν η κατάστασή μου έκανα λάθος που αρνήθηκα κάθε βοήθεια, που δεν επιχείρησα κάποια θεραπεία; Πιστεύετε πως πέταξα μόνη μου κάθε πιθανότητα να ζήσω;»

Την κοίταξε έντονα. «Όχι, Ελπίδα... δεν έκανες λάθος...» της απάντησε σιγανά.

«Ευχαριστώ...»

Άδειασε το γραφείο της και έφυγε, χωρίς να ρίξει ούτε ένα βλέμμα πίσω της.

Η Μαρίνα κοίταξε έξω από το παράθυρο. Μέχρι και ο καιρός ήταν σύμμαχός της. Λιακάδα. Έντυσε καλά το μωρό και μ' ένα ταξί βρέθηκε έξω από το ρετιρέ των Αμπελοκήπων. Ήξερε πως η Ναταλία θα ήταν μόνη στο σπίτι και ήταν αποφασισμένη να μάθει τι ακριβώς συνέβαινε. Γιατί κάτι συνέβαινε, ήταν απολύτως βέβαιο πια!

Η Ναταλία τα έχασε όταν την είδε στην πόρτα της με το μωρό στα χέρια.

«Έλα, Θεέ μου!» αναφώνησε. «Τι δουλειά έχεις εσύ εδώ με την μπέμπα;»

«Ως καλή και απολύτως παραδοσιακή μητέρα, περίμενα σαράντα μέρες προτού βγω! Δε θα καθίσω όμως και φυλακισμένη από δω και πέρα!»

Πέρασε με φόρα στο διαμέρισμα. Άφησε το μωρό που κοιμόταν ήσυχα πάνω στο διπλό κρεβάτι και στη συνέχεια βρέθηκαν οι δύο φίλες στην κουζίνα.

«Θέλεις καφέ;» τη ρώτησε η Ναταλία.

«Δε νομίζω ότι θα της αρέσει της μπέμπας το γάλα της μετά! Άσε, δε θέλω τίποτα! Αυτό που θέλω είναι να μιλήσουμε!» της είπε η Μαρίνα απότομα.

«Για ποιο θέμα;»

«Τι συμβαίνει με όλους; Κάτι δεν πάει καλά και είμαι σίγουρη ότι πρόκειται για κάτι πολύ σοβαρό! Ο Φίλιππος ξέρει, αλλά δε μιλάει! Ο Κωστής κάνει τον καραγκιόζη συνεχώς, αλλά τα μάτια του στάζουν αίμα! Η Ελπίδα έχει γίνει σαν σκιάχτρο, δείχνει σαν να γέρασε απότομα είκοσι χρόνια! Θα μου δώσεις απαντήσεις ή θα μου πεις κι αυτή τη φορά ότι φταίνε οι ορμόνες μου; Και σε πληροφορώ ότι γέννησα πια! Ξεμείνατε από δικαιολογίες!»

Η Ναταλία την κοίταξε. Είχε κι αυτή αλλάξει. Έμοιαζε μακρινό το παρελθόν που η φίλη της νοιαζόταν μόνο για τα μαλλιά, τα νύχια και τα ρούχα της! Της χαμογέλασε λυπημένα και η Μαρίνα ανησύχησε.

«Κάτι συμβαίνει! Είμαι σίγουρη πια! Αυτό το χαμόγελο το έχω ξαναδεί και δεν ήταν για καλό! Τι είναι, Ναταλία; Ποιος έχει πρόβλημα;»

«Η Ελπίδα...»

Η Μαρίνα τινάχτηκε από το σοκ. Κοίταξε τη Ναταλία στα μάτια. Ο πόνος, που είδε εκεί, της είπε ό,τι ζητούσε, αλλά δυσκολευόταν να το πιστέψει.

«Μη μου πεις... όχι αυτό που φοβάμαι...» Σηκώθηκε και πήγε στο παράθυρο.

«Δυστυχώς...»

«Δηλαδή είναι... Θέλω να πω, υπάρχει ελπίδα;»

«Καμιά...»

Της τα είπε όλα. Η Μαρίνα όρθια, να κοιτάζει έξω από το παράθυρο με βλέμμα απλανές, άκουγε, άκουγε, μέχρι που η Ναταλία σώπασε.

«Τώρα τα ξέρεις όλα», πρόσθεσε.

Η Μαρίνα άφησε τη θέση της στο παράθυρο και κάθισε απέναντι από τη φίλη της. Σκέπασε το πρόσωπο με τα χέρια της, αλλά δεν έκλαψε. Τα μάτια της ήταν στεγνά όταν κοίταξε τη Ναταλία. «Γιατί δε μου το είπατε;» ρώτησε.

«Μη νομίζεις, κι εμείς πριν από δεκαπέντε μέρες το μάθαμε... Η Ελπίδα δεν ήθελε να το μάθεις εσύ... Μόλις έχεις γεννήσει...»

«Πάντα η ίδια... να μας προστατέψει... Απορώ και που το είπε, έστω και σ' εσάς...»

«Ήταν η μόνη στιγμή αδυναμίας της. Ομολόγησε ότι ήθελε να φύγει, να εξαφανιστεί, αλλά δεν άντεχε να μείνει μόνη στο τέλος...»

«Μου φαίνεται απίστευτο... Έχω παγώσει... Θέλω να κλάψω και δεν μπορώ!»

«Έχουμε καιρό για δάκρυα... όλοι μας... Μαρίνα, σε παρακαλώ... να μην καταλάβει ότι ξέρεις! Ούτε σ' εμάς δεν επιτρέπει να μιλάμε γι' αυτό».

«Και παίζετε όλοι θέατρο!»

«Αφού αυτό θέλει...»

«Κατάλαβα... Και ο Κωστής...;»

«Είναι χάλια. Δεν κοιμάται καλά, τρώει με το ζόρι...»

«Δεν είμαστε καλά! Θ' αρρωστήσει!»

«Την αγαπάει πάρα πολύ...»

«Όλοι μας την αγαπάμε, Ναταλία! Όλοι πονάμε και θα πονέσουμε ακόμη περισσότερο, αλλά πρέπει να κάνουμε κουράγιο για τον εαυτό μας και για τους αγαπημένους μας!»

Η Ναταλία κοίταξε τη φίλη της και για μιαν ακόμη φορά θυμήθηκε τη Νάσα. Πόσο δίκιο είχε! Η Μαρίνα είχε περίσσευμα ευτυχίας... Άντεχε.

Πάνω στην ώρα το μωρό ξύπνησε και τις ειδοποίησε μ' ένα απαλό κλάμα ότι πεινούσε. Η Μαρίνα πετάχτηκε σαν ελατήριο και βρέθηκε δίπλα στην κόρη της. Με γρήγορες κινήσεις την άλλαξε και την οδήγησε στο στήθος της. Η μικρή, καλά εξασκημένη, το άρπαξε και άρχισε να ρουφάει άπληστα. Η Ναταλία, όρθια, τις παρατηρούσε. Είχε μια τέτοια γλυκύτητα αυτή η σκηνή που έδιωξε κάθε πικρή γεύση από το στόμα της. Καμία άσχημη σκέψη δε χωρούσε εκεί όπου η ζωή έδινε δυναμικά το παρών. Ένα παιδί έχει τεράστια δύναμη στα μικρά του χέρια. Η απάντηση ήρθε μόνη της: η Ισμήνη... Αυτή μπορούσε!

Η Αντιγόνη δεν περίμενε την επίσκεψη της Ναταλίας, και πολύ λιγότερο τα δυσάρεστα νέα που άκουσε. Η θερμή παράκληση της Ναταλίας την άφησε σκεφτική.

«Αυτό που μου ζητάς είναι δύσκολο», της είπε. «Λυπάμαι πολύ για την κοπέλα και θέλω να βοηθήσω τον Κωστή, αλλά φοβάμαι για το παιδί! Είναι πολύ μικρή για να...»

«Αντιγόνη, σου ορκίζομαι ότι η Ισμήνη δε θα καταλάβει τίποτα! Ακριβώς επειδή θα είναι παρούσα, ο Κωστής θα κάνει κουράγιο! Το παιδί θα του θυμίσει ότι έχει υποχρέωση να σταθεί όρθιος, παρ' όλο τον πόνο του... Θα του θυμίσει τη χαρά της ζωής!»

«Και το σχολείο της;»

«Θα την πηγαίνουμε και θα τη φέρνουμε εμείς! Θα βάλω τον Κωστή να τη βοηθήσει και στα μαθηματικά που δεν της αρέσουν! Αντιγόνη, σε παρακαλώ! Βουλιάζει κάθε μέρα και πιο πολύ!»

«Τον αγαπάς...» Η Αντιγόνη έκανε τη διαπίστωση ήρεμα.

«Τον αγαπάω και φοβάμαι. Δεν μπορώ να καταλάβω γιατί το πήρε τόσο βαριά. Όλοι έχουμε σοκαριστεί, όλους μάς έχει καταβάλει, αλλά εκείνος είναι χειρότερα απ' όλους...»

«Ο Κωστής φοβάται όσο τίποτα το θάνατο... Όχι την ιδέα, αλλά τη στιγμή...»

«Δεν καταλαβαίνω...»

«Η μητέρα του, σε κάποια από τις σπάνιες συζητήσεις μας, μου είπε κάποτε ότι, όταν ο Κωστής ήταν οχτώ χρόνων, ο αδελφός του πατέρα του και αγαπημένος θείος του πέθανε. Ήταν νέος άνθρωπος, γλεντζές και καλοφαγάς. Κανένας δεν ήξερε ότι έπασχε από καρδιά. Μια μέρα που είχε πάει σπίτι τους, έπαθε καρδιακή προσβολή. Χάθηκε μπροστά στα μάτια τους, και το κυριότερο μπροστά στα μάτια του Κωστή. Ο πανικός που επικράτησε, οι προσπάθειες όλων μέχρι να έρθει ο γιατρός και τελικά ο αγωνιώδης θάνατος αυτού του ανθρώπου μάλλον είναι η αιτία... Βλέπεις, πριν από τριάντα χρόνια δεν ήξερε κανείς για τα ψυχολογικά τραύματα. Ο Κωστής, λοιπόν, από τότε φοβάται το θάνατο, δεν αντέχει...»

«Έτσι εξηγείται!»

«Αν προσθέσεις την αγάπη που φαίνεται να έχει σ' αυτή τη γυναίκα...»

«Στο μυαλό του ξαναζεί το τότε! Γι' αυτό σου λέω! Η Ισμήνη θα τα διώξει όλα αυτά! Για χατίρι της θα συνέλθει!»

Η Αντιγόνη έμεινε πάλι σκεφτική. Η Ναταλία κρατούσε και την αναπνοή της ακόμη περιμένοντας την απάντηση.

«Λοιπόν... θα τηλεφωνήσω στον Κωστή και θα του πω ότι πρόκειται να βάψω το σπίτι και γι' αυτό θέλω να πάρει για λίγο καιρό τη μικρή...»

«Αντιγόνη, δεν ξέρω πώς να σ' ευχαριστήσω!»

«Μη βιάζεσαι! Θα έρχομαι όποτε θέλω και χωρίς προειδοποίηση! Αν διαπιστώσω καταθλιπτική ατμόσφαιρα, θα την πάρω αμέσως!»

«Δε θα προλάβεις! Αν δω ότι τα πράγματα δεν πάνε όπως ελπίζω, τότε θα σ' τη φέρω εγώ η ίδια! Ο σκοπός μου είναι να βοηθήσω τον Κωστή, όχι να κάνω κακό στο παιδί! Θα πάνε, όμως, όλα καλά! Είμαι σίγουρη!»

«Εννοείται ότι αν σε αυτό το διάστημα συμβεί το κακό...»

«Θα σ' τη φέρω εγώ η ίδια και πάλι! Απλώς τη χρειάζομαι για να φορτίσω λίγο τις μπαταρίες του Κωστή!»

«Τι να κάνεις;»

«Θ' αντέξει πιο εύκολα αν έχει φορτίσει τις μπαταρίες της ψυχής του μ' ευτυχία...»

«Περίεργη θεωρία!»

Η Ναταλία είχε δίκιο. Ο ερχομός της Ισμήνης ήταν δροσερό αεράκι. Ήταν ήλιος ζεστός και ζωογόνος. Τα γέλια της, τα τρεχαλητά της, οι ανάγκες της παραμέρισαν όλη την αγωνία. Σάρωσαν κάθε μελαγχολία. Ο Κωστής κάθε μέρα ξαναγύριζε στον παλιό εαυτό του. Η Αντιγόνη ήρθε και ξαναήρθε, αλλά κάθε φορά έφευγε ικανοποιημένη, με το βλέμμα της Ναταλίας να της λέει εύγλωττα πόσο την ευχαριστούσε.

Η Μαρίνα, ο Φίλιππος και το μωρό άρχισαν να έρχονται πιο τακτικά. Η παρουσία δύο παιδιών γλύκανε την απουσία της Ελπίδας, που όλο και περισσότερο κρατιόταν μακριά τους με διάφορες δικαιολογίες. Και ξαφνικά φύσηξε παγωμένος αέρας...

Η Ναταλία ξύπνησε εκείνο το πρωινό με την ψυχή της δαγκωμένη από κάτι δυνατό και άσχημο. Πάλι ο καιρός ήταν πολύ κακός. Πάλι η φύση έδειχνε θυμωμένη... Δεν μπορεί να ήταν τυχαίο! Κάθισε απέναντι από τον Κωστή στην κουζίνα και τον κοίταξε. Ένιωθε κι εκείνος το ίδιο.

«Το ξέρεις ότι κάτι θα συμβεί, έτσι δεν είναι;» τη ρώτησε.

«Ναι...»

«Τι όμως; Τι μας περιμένει τώρα, Ναταλία;»

«Δεν ξέρω...»

«Πάρε την Αντιγόνη να έρθει να πάρει το παιδί...»

«Μα...»

«Ναταλία, ξέρω!»

«Τι πράγμα;»

«Ότι ποτέ δεν έβαψε το σπίτι!»

«Πώς; Ποιος σου το είπε;»

«Κανένας... Το κατάλαβα. Τη μέρα που είχες πάει στην Αντιγόνη, προφανώς για να ζητήσεις βοήθεια, είχα πάει κι εγώ για να δω το παιδί. Το είχα ανάγκη. Σε είδα να βγαίνεις... Απόρησα, αλλά δε σου είπα τίποτα. Όταν την άλλη μέρα μού τηλεφώνησε η Αντιγόνη και μου ζήτησε να πάρουμε το παιδί γιατί θα έβαφε το σπίτι... κατάλαβα. Δεν μπορούσα να σου πω ευχαριστώ μέχρι τώρα... Σ' ευχαριστώ, Ναταλία!»

«Ήθελα να συνέλθεις. Να συνειδητοποιήσεις ότι η ζωή συνεχίζεται».

«Το ξέρω... Και αυτό που ήθελες το πέτυχες. Είμαι έτοιμος τώρα. Αλλά η Ισμήνη πρέπει να γυρίσει σπίτι της... Κάτι έρχεται... Είμαι σίγουρος».

«Κι εγώ...»

«Γι' αυτό και δεν πρέπει να είναι το παιδί εδώ...»

Η Ισμήνη έφυγε. Μόλις η πόρτα έκλεισε πίσω της, το τηλέφωνο χτύπησε. Η Ναταλία ανατρίχιασε όταν άκουσε τη φωνή της Ελπίδας. Αυτός ο συγχρονισμός ήταν ακόμη μια ένδειξη...

Η Ελπίδα της είπε ότι ήθελε να μαζευτούν το βράδυ στο σπίτι τους και της ζήτησε να ειδοποιήσει τη Μαρίνα.

«Συμβαίνει κάτι;» ρώτησε η Ναταλία.

«Έχω μέρες να σας δω. Πρέπει να συμβαίνει κάτι για να θέλω να δω τους φίλους μου;» της φώναξε και της έκλεισε το τηλέφωνο.

Ακόμη κι αυτό ήταν περίεργο... Κρύωνε. Κι όμως τα καλοριφέρ έκαιγαν. Έξω φυσούσε πολύ δυνατά, ο ουρανός ήταν μολυβής, αλλά πάλι δεν έβρεχε. Η Ναταλία θύμωσε.

«Τι περιμένεις πια;» φώναξε. «Γιατί δεν ξεσπάς να τελειώνουμε;»

Ένας κεραυνός τής απάντησε κι εκείνη αναπήδησε τρομαγμένη. Ο Κωστής γύρισε από τα ψώνια που είχε βγει να κάνει και κοίταξε με ανησυχία τα τραβηγμένα της χαρακτηριστικά.

«Το βράδυ θα μαζευτούμε όλοι εδώ», του είπε άχρωμα. «Η Ελπίδα το ζήτησε...»

Δεν είπαν τίποτε άλλο. Αυτό το Σάββατο, το τελευταίο του Φεβρουαρίου, γινόταν όλο και πιο παράξενο. Το βράδυ μάλιστα έφτασε να γίνει αλλόκοτο.

Μαζεύτηκαν... όπως παλιά... Σαν η αρρώστια να ήταν ένα κακό όνειρο που είδαν όλοι μαζί και ξύπνησαν ταυτόχρονα. Η Ελπίδα είχε κέφια. Σχεδόν δεν πρόσεχαν την όψη της. Είχαν να τη δουν λίγες μέρες μα επάνω της φαίνονταν χρόνια. Όσο κι αν ήταν περιποιημένη και βαμμένη προσεκτικά, η αρρώστια φανέρωνε τα σημάδια της, το «θηρίο» έδειχνε τα νύχια του... Παράγγειλαν πίτσες... Την είδαν έκπληκτοι να τρώει όπως παλιά και να πίνει πολύ. Η Μαρίνα αντάλλασσε ματιές με τη Ναταλία, προσέχοντας να μην την αντιληφθεί η ίδια η Ελπίδα. Έξω, άρχισε η καταιγίδα... Δυνατή... έκανε απίστευτα πολύ θόρυβο...

Η Ελπίδα σηκώθηκε. «Πρέπει να φύγω», είπε.

«Τώρα;» απόρησε ο Φίλιππος. «Χαλάει ο κόσμος έξω! Κάθισε να κοπάσει λίγο και μετά φεύγεις!»

«Μια καταιγίδα δεν μπορεί να χαλάσει έναν κόσμο...» απάντησε εκείνη μ' ένα τρυφερό χαμόγελο και όλοι κατάλαβαν ότι δε μιλούσε μόνο για τον καιρό. «Να το θυμάστε αυτό! Οι καταιγίδες περνούν και μετά έρχεται η γαλήνη... Μετά τη βροχή, το ουράνιο τόξο... Γεια σας!... Μη σηκωθεί κανείς! Ξέρω το δρόμο!»

Την κοίταξαν όλοι μαρμαρωμένοι. Εκείνη έδειχνε σαν να τους φωτογραφίζει με τα μάτια και να τυπώνει τις φωτογραφίες τους στην ψυχή της...

Έκλεισε την πόρτα πίσω της μέσα σε βαριά σιωπή... Κανένας δεν πρόσεξε τον μικρό φάκελο που γλίστρησε στο κατώφλι... Ένας μικρός λευκός φάκελος που πάνω του ήταν γραμμένες λίγες λέξεις: *Να το διαβάσει ο Κωστής... σε όλους...*

Η φύση με μανία ξεσπούσε το θυμό της. Οι δρόμοι έγιναν γρήγορα ορμητικά ποτάμια. Ο ουρανός σκιζόταν από αστραπές με τέτοια συχνότητα που η νύχτα γινόταν μέρα... Το μικρό αυτοκίνητο ξεχύθηκε ασυγκράτητο. Καταπίνοντας τα χιλιόμετρα βρέθηκε να τρέχει προς το Σούνιο... Τα χέρια της δεν έτρεμαν καθόλου, αλλά πονούσε αφόρητα και είχε κουραστεί να πονάει... Το πόδι της πάτησε το γκάζι, ακριβώς εκεί που κανονικά δεν έπρεπε... εκεί που η άσφαλτος έφτανε στο τέρμα της αγγίζοντας το άπειρο... Δεν έστριψε... Κράτησε δυνατά και σταθερά το τιμόνι στην ευθεία... Σαν πουλί που πέταξε στον Πλάστη του... Ο Άδης καραδοκούσε... Άπλωσε τα χέρια του και άρπαξε στα βάθη του το μικρό αυτοκίνητο με τη μικροκαμωμένη γυναίκα στο εσωτερικό του...

Κανένας δεν είχε κουνηθεί από τη θέση του. Ούτε καν για να μαζέψουν τα άδεια κουτιά της πίτσας από μπροστά τους. Παγωμένη σιωπή που κράτησε πολύ.

Ο Κωστής την έσπασε πρώτος με το θυμό του. «Που να με πάρει ο διάβολος!» φώναξε. «Δεν αντέχω άλλο!»

«Τι έπαθες;» τον ρώτησε ο Φίλιππος.

«Μπορείς να μου πεις τι νόημα είχε αυτό το... παρτάκι; Μπορείς να μου εξηγήσεις γιατί έμοιαζε τόσο με αποχαιρετισμό;»

Κανένας δεν είχε την απάντηση στις ερωτήσεις του που ήταν και δικές τους.

Το ρολόι έδειχνε μεσάνυχτα αλλά κανένας τους δεν είχε διάθεση ν' απομακρυνθεί. Τώρα που και η Μαρίνα ήξερε, ήταν πιο εύκολο. Τουλάχιστον δεν ήταν ανάγκη να παίζουν θέατρο μπροστά της. Ο Φίλιππος ζήτησε καφέ. Η Ναταλία έφτιαξε για όλους... Ποιος θα κοιμόταν μια τέτοια νύχτα; Με το δίσκο στα χέρια, πρόσεξε τον άσπρο φάκελο στην είσοδο και ο δίσκος ταλαντεύτηκε, τα φλιτζάνια κροτάλισαν.

Άφησε το δίσκο και σήκωσε το λευκό φάκελο. Διάβασε τις λέξεις με δυσκολία. Τα γράμματα χόρευαν ανυπότακτα. Η αναπνοή της σταμάτησε.

Πλησίασε τους άλλους, σφίγγοντας το φάκελο στο στήθος. Την κοίταξαν όλοι με απορία. Φαινόταν έτοιμη να λιποθυμήσει.

Ο Κωστής πετάχτηκε όρθιος και την κάθισε στον καναπέ. «Τι συμβαίνει, μωρό μου; Τι έπαθες;» Την κοίταζε ανήσυχος κι εκείνη του έτεινε το φάκελο. «Τι είναι αυτό;»

«Τέλειωσε...» του είπε μόνο.

Ο Κωστής διάβασε αυτά που είχαν γραφτεί από την Ελπίδα πάνω στο φάκελο και χλόμιασε.

«Κωστή;... Ναταλία;... Τι έγινε;...» Η Μαρίνα και ο Φίλιππος τα είχαν χαμένα.

Ο Κωστής με αργές κινήσεις άνοιξε το φάκελο και έβγαλε δυο σελίδες γεμάτες από τον στρωτό γραφικό χαρακτήρα της Ελπίδας. Στα πόδια του έπεσε ένα κλειδί. Το σήκωσε και κοίταξε για λίγο το γράμμα και το κλειδί σαν χαμένος. Τελικά, άφησε το κλειδί και άρχισε να διαβάζει...

*Γεια σου, παλιόφιλε,*

*Θυμάσαι που την τελευταία φορά στο γραφείο μου σου είπα ότι θα κάνεις ό,τι σου ζητήσω; Να, λοιπόν... Τώρα διαβάζεις το γράμμα μου...*

*Είναι σαν να σας βλέπω... Είστε καθισμένοι όπως σας άφησα, στο σαλόνι του Κωστή, που η Ναταλία φρόντισε να το γεμίσει κι αυτό με αποξηραμένα λουλούδια και κεριά! Ο Κωστής διαβάζει το γράμμα και σίγουρα κλαίτε! Δεν έχω ξαναδεί ανθρώπους να κλαίνε τόσο εύκολα!*

*Για μένα, πάντως, δε θα ήθελα να κλάψετε!*

*Ξέρετε γιατί έφυγα. Ξέρετε πόσο συνειδητά επέλεξα να μην τον πολεμήσω τον αλήτη, αλλά δε θα τον άφηνα να πάρει και τη ρεβάνς!*

*Το ότι θα τελείωνα ήταν σίγουρο. Ο τόπος και ο χρόνος, όμως, ήθελα να ήταν επιλογή μου!*

*Χρόνος: Σήμερα*

*Τόπος: κάπου στο Σούνιο*

*Του πήρα τη νίκη μέσα απ' τα χέρια και θέλω να καταλάβετε ότι δεν ήμουν δειλή, αλλά ρεαλίστρια.*

*Δεν ξέρω ακόμη αν υπάρχει ζωή μετά το θάνατο, ούτε πού θα βρεθεί η ψυχή μου, αλλά αν όλα όσα η θρησκεία μάς μαθαίνει υπάρχουν, τότε θα ξανασυναντηθούμε.*

*Άσχετα όμως μ' αυτό, θέλω να ξέρετε κάτι, που ίσως δεν έκανα αρκετά ξεκάθαρο όσο ήμαστε μαζί: Χάρηκα που ήρθατε στη ζωή μου. Τη γεμίσατε όπως κανένας δεν είχε καταφέρει ποτέ μέχρι τώρα.*

*Για το μόνο που λυπάμαι, είναι που δεν προλάβαμε να ζήσουμε μαζί, παρά μόνο ένα χρόνο... Δώδεκα μήνες... Οι καλύτεροι της ζωής μου! Δώδεκα μήνες... Τόσο κράτησε το ταξίδι μας... Τώρα θα συνεχίσετε εσείς...*

*Σας αγάπησα όλους και ας μην το είπα ποτέ...*

*ΕΛΠΙΔΑ*

*Υ.Γ. Το κλειδί είναι του σπιτιού μου. Θα βρείτε εκεί όλα μου τα χρήματα για τα... έξοδα.. Με τα υπόλοιπα, κάντε ό,τι νομίζετε...*

Το χαρτί έπεσε από τα χέρια του. Έφτασε στο πάτωμα, την ίδια στιγμή που στο Σούνιο είχε γίνει ένα δυστύχημα... Ο Άδης αποτέλειωσε αυτό που οι άλλοι θεοί είχαν αρχίσει δώδεκα μήνες πριν.

Όρισαν... Διέταξαν... Εκτέλεσαν...

Έδειξαν το δρόμο στο πεπρωμένο...

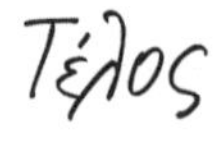

*Ω Ουράνιε Δημιουργέ,*

*κάνε με να μη ζητώ τόσο πολύ να με παρηγορούν*
*όσο να παρηγορώ.*
*Να μη ζητώ τόσο πολύ να με καταλαβαίνουν,*
*όσο να καταλαβαίνω.*
*Να μη ζητώ τόσο πολύ να με αγαπούν,*
*όσο ν' αγαπώ.*
*Γιατί στο δόσιμο βρίσκεται η ανταμοιβή!*

Άγιος Φραγκίσκος της Ασίζης

*Διαβάστε επίσης...*

ΛΕΝΑ ΜΑΝΤΑ
**ΟΣΟ ΑΝΤΕΧΕΙ Η ΨΥΧΗ**

Από την ημέρα που γεννιέται η Ηρώ, η ζωή της είναι ένας αγώνας για επιβίωση. Δύσβατοι όλοι οι δρόμοι που κλήθηκε να βαδίσει, σαν κοριτσάκι, σαν έφηβη, σαν νέα κοπέλα, σαν γυναίκα. Θα χρειαστεί να αντιπαλέψει τον νοσηρό «πατριό» της, να αντιμετωπίσει ένα βίαιο σύζυγο αργότερα, να έρθει πρόσωπο με πρόσωπο με την οικονομική καταστροφή και τη φυγή της στην Κύπρο και να δώσει τη μεγαλύτερη μάχη απ' όλες: να σώσει τα παιδιά της από τις λανθασμένες επιλογές τους.

Δίπλα της η Αλεξάνδρα. Μια μυστηριώδης, σκοτεινή γυναίκα, που μόνο στην Ηρώ θα δείξει το φωτεινό της πρόσωπο. Είναι η μόνη που μπορεί ν' αφουγκραστεί το λυγμό της ψυχής της. Η μόνη που θα σταθεί στο πλευρό της όταν η Ηρώ αναγκαστεί να γίνει ένας άλλος άνθρωπος, για να προστατέψει τους αγαπημένους της και να νικήσει...

ΛΕΝΑ ΜΑΝΤΑ

**ΧΩΡΙΣ ΧΕΙΡΟΚΡΟΤΗΜΑ**

Η Ειρήνη πάντα πίστευε αυτό που έλεγε η γιαγιά της: «Το ουράνιο τόξο είναι η σκάλα που χρησιμοποιούν οι ψυχές για να φτάσουν στον ουρανό...» Έτρεχαν μαζί και αναζητούσαν την άκρη του, μικρό κορίτσι εκείνη στο χωριό της κοντά στα σύνορα. Όνειρό της να γίνει δασκάλα, αλλά η μοίρα είχε άλλα γραμμένα. Για να αποφύγει ένα γάμο που της κανονίζει ο πατέρας της, η Ειρήνη θα βρεθεί στην Αθήνα, και δίπλα στη θεία της, τη μεγάλη τραγουδίστρια Βένια, θα γνωρίσει τη λάμψη της σόουμπιζ... αλλά και το σκοτάδι της.

Ο έρωτάς της με τον Μάξιμο θα γίνει βορά στα θηρία των μέσων μαζικής ενημέρωσης κι εκείνη θα τραβήξει πάνω της όλα τα πυρά· και όχι μόνο τα τηλεοπτικά...

Ίσως ήρθε η στιγμή να τα αφήσει όλα πίσω. Αξίζει όμως μια ζωή χωρίς χειροκρότημα;

ΛΕΝΑ ΜΑΝΤΑ
**ΕΡΩΤΑΣ ΣΑΝ ΒΡΟΧΗ**

Κλαίλια... Ένα όνομα-σταθμός στη ζωή της. Η μητέρα της λάτρεψε την ηρωίδα του Ξενόπουλου και της έδωσε, λίγο προτού φύγει από τη ζωή, το όνομά της. Μαζί όμως της δώρισε, χωρίς να το θέλει, και τη μοίρα της λαμπερής κοντεσίνας. Υπήρχε και για κείνην ένας Παύλος· βαθιά, απόλυτα ερωτευμένος· για μια ζωή. Αλλά η Κλαίλια ήθελε να γνωρίσει τον έρωτα όπως ζωντάνευε μέσα στις σελίδες των βιβλίων. Και βρήκε τον Ντένη της στο πρόσωπο του Νικηφόρου. Χρόνια μετά, μόνη και κλεισμένη στον εαυτό της, ανάμεσα σε βράχια και σπασμένα όστρακα, εξακολουθεί να ζει παρέα με θύμησες που πληγώνουν και επιθυμίες που κοιμούνται. Μα ξαφνικά ένα μικρό κορίτσι μπαίνει στη ζωή της. Και... τι παράξενο... έχουν το ίδιο όνομα!

*Μια ιστορία ρομαντική, όπως τα τρυφερά κοριτσίστικα όνειρα. Μια γυναίκα που αναδύεται από το σκοτεινό πέλαγος του έρωτα, για να αντικρίσει, ώριμη πια, τον εκτυφλωτικό ήλιο της αγάπης!*

ΛΕΝΑ ΜΑΝΤΑ
**ΤΟ ΤΕΛΕΥΤΑΙΟ ΤΣΙΓΑΡΟ**

Όλη η ζωή του Μιχάλη... ένα τελευταίο τσιγάρο. Ένα τελευταίο τσιγάρο, προτού πάρει την απόφαση να παντρευτεί τη γυναίκα που αγάπησε κι ας ήταν τόσο νέος. Ένα τελευταίο τσιγάρο, προτού στραφεί σε ένα ριψοκίνδυνο επαγγελματικό βήμα, που τον εκτόξευσε στην κορυφή για να τον ρίξει σ' έναν γκρεμό δίχως τέλος. Ένα τελευταίο τσιγάρο, για να μην πηδήξει στο κενό, όταν η ζωή του, η δουλειά του, τα όνειρα και ο έρωτας έγιναν στάχτες και αποτσίγαρα...

Και ένα τελευταίο τσιγάρο, όταν μπροστά του ορθώθηκε η απειλή μιας ύπουλης ασθένειας και η κόρη του βούλιαξε στο σκοτάδι της· η νευρική ανορεξία άρχισε να κεντά βασανιστικά τις μέρες της, αλλά ο Μιχάλης ήταν αποφασισμένος να μη γίνει και το παιδί του στάχτη στην πυρά της. Δίπλα του, η Μαρκέλλα, φύλακας άγγελος της ζωής του και μια πραγματική φίλη που μόνο στα βιβλία συναντάει κανείς... Ή μήπως όχι;

*Μια ιστορία για τη ζωή ενός ανθρώπου που συναντήθηκε με τη φωτιά. Μια ιστορία για ένα... τελευταίο τσιγάρο...*

ΛΕΝΑ ΜΑΝΤΑ

**ΤΟ ΣΠΙΤΙ ΔΙΠΛΑ ΣΤΟ ΠΟΤΑΜΙ**

*«Η ζωή είναι σαν το ποτάμι που κυλάει αυτή τη στιγμή μπροστά μας. Εύκολα σε παρασύρει και σε τραβάει όπου εκείνο πηγαίνει. Όπως ένα ποτάμι δε γυρίζει πίσω, έτσι κι εσείς, αν σας παρασύρει, δε θα μπορέσετε να γυρίσετε... Να προσέχετε πάντα το ποτάμι... Μη σας παρασύρει...»*

Η Μελισσάνθη, η Ιουλία, η Ασπασία, η Πολυξένη και η Μαγδαληνή μεγαλώνουν με τη μητέρα τους σ' ένα χωριό στον Όλυμπο, δίπλα σ' ένα ποτάμι. Αυτό που επιθυμούν και οι πέντε είναι να γνωρίσουν τη ζωή μακριά από το πατρικό τους. Και θα το καταφέρουν! Η μοίρα θα τις στείλει στα τέσσερα σημεία του ορίζοντα, κάνοντας το όνειρο πραγματικότητα. Μόνο που, καμιά φορά, τα όνειρα γίνονται εφιάλτες που στοιχειώνουν και κυνηγούν...

*Πέντε γυναίκες, πέντε ζωές συγκλονιστικές, γεμάτες έρωτα και ανατροπές, ενώ το σπίτι δίπλα στο ποτάμι περιμένει υπομονετικά αυτό που ξέρει ότι θα συμβεί!*

ΛΕΝΑ ΜΑΝΤΑ

**ΘΕΑΝΩ, Η ΛΥΚΑΙΝΑ ΤΗΣ ΠΟΛΗΣ**

Κωνσταντινούπολη... Ισταμπούλ... Βασιλεύουσα... Με όποιο όνομα κι αν την πεις, μία είναι η Πόλη· μαγική, μοναδική, υπέροχη, βαφτισμένη στα μυστήρια της Ανατολής!

Στον τόπο αυτό γεννιέται η Θεανώ. Μια κοπέλα που κουβαλάει μέσα της κάτι από τη μαγεία της Πόλης και κάτι από το ανυπότακτο πνεύμα της. Η Θεανώ θα μεγαλώσει, θα αγαπήσει και θα παντρευτεί. Τη νύχτα της 6ης Σεπτεμβρίου 1955, θα βρεθεί μέσα στη δίνη των Σεπτεμβριανών. Μια μαύρη σελίδα στην Ιστορία των Ελλήνων της Πόλης γράφεται με το αίμα πολλών. Θύμα της αγριότητας των Τούρκων και η Θεανώ. Όταν θα συνέλθει, τίποτε δε θα είναι πια όπως παλιά. Μια λύκαινα θα γεννηθεί εκείνο το βράδυ και όποιος από δω κι εμπρός την πλησιάσει για να της κάνει κακό, θα γίνει κομμάτια από τα κοφτερά της δόντια.

Δέκα χρόνια μετά, η Θεανώ θα ζήσει τον εφιάλτη της απέλασης στην Ελλάδα και τον πόνο του ξεριζωμού, και θα έρθει αντιμέτωπη με το ρατσισμό και την καχυποψία. Η λύκαινα θα ξυπνήσει και πάλι, και όσοι έφταιξαν θα πληρώσουν ακριβά.

Ή μήπως θα πληρώσουν και αθώοι;

*Μια ιστορία για μια γυναίκα που βίωσε την αγάπη και το μίσος, κι έγινε αγρίμι για χάρη των αγαπημένων της.*

ΛΕΝΑ ΜΑΝΤΑ

**Η ΑΛΛΗ ΠΛΕΥΡΑ ΤΟΥ ΝΟΜΙΣΜΑΤΟΣ**

«Άντρας και γυναίκα είναι οι δύο πλευρές του ίδιου νομίσματος...» Αυτό πίστευε πάντα ο Ανδρέας και αυτό ακριβώς έψαχνε: την άλλη πλευρά του δικού του νομίσματος. Γεννημένος σ' ένα μικρό χωριό, κουβαλώντας μια έμφυτη συστολή μα συνάμα και τη λαχτάρα να ξεφύγει από τα στενά όρια του τόπου του, θα βρεθεί στην Αθήνα. Οι εμπειρίες πολλές, όχι πάντα ευχάριστες, και οι πειρασμοί αμέτρητοι, αλλά ο Ανδρέας δεν κάνει πίσω σε καμία πρόκληση.

Η Νίκη θα βρεθεί στο δρόμο του. Μια γυναίκα πλούσια, μεγαλύτερή του, που θα του προσφέρει μια ζωή αστραφτερή, την οποία δεν είχε φανταστεί ποτέ του. Η Αρετή θα έρθει αναπάντεχα. Είναι νέα και άπειρη, αλλά η ζωή μαζί της φαντάζει σαν την επιστροφή στην πρόωρα χαμένη αθωότητα.

*Στην τρίλιζα του πάθους, όταν τα όρια στενεύουν, τα διλήμματα γίνονται επιτακτικά...*

ΚΑΙΤΗ ΟΙΚΟΝΟΜΟΥ
**ΕΡΩΤΑΣ ΠΟΛΕΜΟΣ**

Η Άννα ερωτεύτηκε τον Φάνη από την πρώτη στιγμή. Ψηλός, αδύνατος, μυστηριώδης, γοητευτικός, χαρισματικός. Δεν υπολόγισε κοινωνικές διαφορές, δεν άκουσε τις φωνές των γύρω της που τη συμβούλευαν ότι είναι επικίνδυνος, αυτοκαταστροφικός. Άκουγε μόνο την καρδιά της και το πλήρωσε ακριβά. Γιατί ο Φάνης, έρμαιο των παθών του, όσο κι αν προσπάθησε να βρει απάγκιο στην αγκαλιά της, δεν τα κατάφερε. Και άγγιξε το θάνατο.

Ο έρωτας μπορεί να είναι φονιάς, μπορεί να είναι όμως και λυτρωτής. Αν είναι αληθινός, δε χάνεται ποτέ. Προδίδεται, κρύβεται, υποχωρεί, αλλά τελικά επιστρέφει φέρνοντας μαζί του τη σωτηρία και τη ζωή. Αυτό αποδεικνύει η ιστορία της Άννας και του Φάνη.